MÉMOIRES D'UN FOU — NOVEMBRE
ET
AUTRES TEXTES DE JEUNESSE

FLAUBERT

MÉMOIRES D'UN FOU NOVEMBRE ET AUTRES TEXTES DE JEUNESSE

Édition critique
établie par
Yvan LECLERC

GF
FLAMMARION

© 1991, FLAMMARION, Paris, pour cette édition.
ISBN 2-08-070581-4

PRÉFACE

> « C'est mon vieil amour, c'est la même
> idée fixe : écrire ! »
> (Flaubert à Gourgaud-Dugazon,
> 22 janvier 1842)

« Quelques belles pages mais pas une œuvre » : ainsi Flaubert juge-t-il, en 1846, ce qu'il a écrit jusqu'à cette date [1]. Il a vingt-cinq ans ; derrière lui, déjà quatorze années d'archives personnelles, et devant, une décennie de pioche souterraine, sans publication, pour déboucher d'un coup au grand jour, « armé de toutes pièces », avec *Madame Bovary*. Pendant qu'il compose la scène des Comices agricoles, il relit *Novembre*, si loin des choses bourgeoises ; son jugement de 1846 se voit confirmé en appel : il n'a pas fait une œuvre. « Par-ci, par-là une bonne phrase, une belle comparaison. Mais *pas de tissu de style*. Conclusion : *Novembre* suivra le chemin de *L'Education sentimentale* [celle de 1845], et restera avec elle dans mon carton indéfiniment. Ah ! quel nez fin j'ai eu dans ma jeunesse de ne pas le publier ! Comme j'en rougirais maintenant [2] ! »

1. Lettre à Louise Colet, 7 octobre 1846. La *Correspondance* est citée d'après l'édition de Jean Bruneau, Bibliothèque de la Pléiade, t. I, 1830-1851 (1973) et t. II, 1851-1858 (1980) et, pour les lettres postérieures, d'après l'édition du Club de l'Honnête Homme, t. XIII à XVI (1974-1975). Je me limite à l'indication du destinataire et de la date. C'est toujours l'auteur de la citation qui souligne.
2. Lettre à Louise Colet, 28 octobre 1853.

L'inédit qui précède *Madame Bovary* commence à paraître peu après la mort de Flaubert[1] ; dès 1885, les premières éditions dites « complètes » en donnent des « mélanges » ou des « fragments » : les *belles pages* dont on suppose alors que l'auteur les aurait choisies lui-même. Ce respect d'un quasi-désir testamentaire, par la pratique des morceaux choisis, compense en partie le sacrilège de livrer au public, contre la volonté du maître, ce qu'il n'a pas jugé digne de l'imprimerie. Lorsque ces textes restés à l'état de manuscrits sont publiés dans leur intégralité et constitués définitivement en « œuvres de jeunesse inédites », des signes discriminatoires les isolent des autres volumes : « une typographie distincte et spéciale » pour l'édition Conard (1910) ; sans aucune illustration dans la série des *Œuvres complètes illustrées* (Édition du Centenaire, 1923). Par un étrange paradoxe, on intercale des dessins entre les pages des « chefs-d'œuvre », malgré la condamnation formelle de Flaubert (« l'illustration est antilittéraire »), et l'on prive d'images les juvenilia, pour la raison qui les rendrait seulement là tolérables : le doute sur leur statut d'œuvre.

Les termes dont se servent les éditeurs dans les notes d'avertissement confirment leur réticence à reconnaître une valeur littéraire aux premiers écrits : on les nomme diversement « essais », « documents », « pièces justificatives » réunies en vue de former un « dossier Flaubert ». Les textes de jeunesse tiendraient-ils donc, dans l'ensemble de l'œuvre, la place qu'occupe à la suite de *Bouvard et Pécuchet* son problématique second volume ? Ils rassemblent comme lui des matériaux hétérogènes dont l'auteur n'assume pas, ou plus, la responsabilité, antérieurs à l'écriture du livre, et pourtant rejetés en fin de parcours. Jusqu'à une date récente, en effet, les premiers écrits étaient les derniers imprimés dans la série des œuvres complètes. Il était inconcevable que

---

1. Sur l'histoire de cette édition, voir Jacques Neefs, « Flaubert, œuvres complètes ? », *Etudes normandes* n° 3, 1988, pp. 7-13.

Madame Bovary ne parût pas dans le tome I. L'ordre de la publication, inversant la chronologie de la rédaction, organisait une hiérarchie descendante, du chef-d'œuvre au sous-œuvre.

Un tel choix éditorial paraît légitime, si l'on considère que la catégorie des « œuvres de jeunesse » n'existerait pas sans l'œuvre tout court. Ce qui la précède prend sens et fonction dans le tracé d'une courbe continue appelée dans les différents discours critiques parcours intellectuel, école de style, roman de formation, genèse d'un grand écrivain, constitution d'une névrose. Et de fait : parlerait-on encore de Gustave s'il n'était devenu Flaubert ? Supposons notre épileptique, hystérique ou névrosé, *quidquid volueris* (comme on voudra), mort une nuit de janvier 1844 sur la route de Pont-l'Evêque, écrasé sous les roues de son cabriolet ou par le roulier qui venait à gauche : lirions-nous aujourd'hui *Mémoires d'un fou* et *Novembre,* ou fallait-il qu'il se fît l'auteur de *Madame Bovary* et de la suite pour que sa production antérieure éveillât un intérêt rétrospectif ? Question de littérature-fiction, qui ménage une chance, si gratuite soit-elle, de postérité autonome à ces textes précoces. On peut imaginer Du Camp, qui avait admiré *Novembre,* se dévouant à la cause d'un jeune talent disparu prématurément, et dont il n'aurait pas eu le temps d'être jaloux. Préfacés par lui, on rééditerait pour quelques amateurs de petits-romantiques ces écrits ravagés de lyrisme et d'ironie, secoués de frénésie, visités par l'ange du bizarre et de l'étrange, traversés par « l'Athéisme, le désespoir et les blasphèmes » (*Rage et impuissance*). Le cri poussé au début de *Quidquid volueris :* « A moi mes rêves de pauvre fou », commencerait un parallèle fécond avec le Rimbaud d'*Une saison en enfer* ; le narrateur de *Novembre* serait compté parmi la « famille de René poètes et de René prosateurs » que Chateaubriand regrettait d'avoir engendrée. « Une belle gloire d'artiste et de conteur emportée ! », assurément.

Cinq œuvres maîtresses ont fait lire, tout en les

occultant, cet ensemble qui occupe un territoire au
contour et au statut incertains : « œuvres » multiples
qui n'en forment pas *une*, si l'on entend par ce
singulier une volonté manifeste de composition et de
fixation dans l'imprimé ; hors-d'œuvre plutôt où rien
n'est gagné des livres à venir, pourtant rendus possibles et presque nécessaires, en certaines de leurs
figures, pour nous lecteurs posthumes qui connaissons
les aboutissants. Emportés dans l'urgence de l'œuvre à
faire, ces premiers écrits se reclassent selon les lignes
majeures de l'œuvre accomplie. Il est historiquement
illusoire de faire comme si nous entamions la lecture
de Flaubert par là où il a commencé d'écrire. On se
livre sans déplaisir au « jeu de l'après reconnu dans
l'avant » dont parle Henri Meschonnic [1]. Certains
éditeurs ont poussé si loin ce jeu qu'ils ont publié
Smarh en appendice à *La Tentation de saint Antoine*, et
Une leçon d'histoire naturelle. *Genre commis* avec le
« Dossier » de *Bouvard et Pécuchet*. En suivant cette
logique de l'annexion, pourquoi ne pas joindre *Passion
et vertu*, histoire d'une femme adultère qui finit par le
poison, à *Madame Bovary* ? Et que dire de cette phrase
de *Novembre* : « Il y a un instant, dans le départ où,
par anticipation de tristesse, la personne aimée n'est
déjà plus avec vous », qui se retrouve presque mot
pour mot à l'avant-dernier chapitre de *L'Education
sentimentale*, en 1869 ? Autocitation, ou réapparition
sous la plume d'une forme si juste qu'elle s'impose à
nouveau, par-delà vingt-sept ans d'oubli ?

En ce point, le fragile texte de jeunesse subit la
double attraction de la prose à inventer et de la
littérature déjà constituée quand arrive l'écrivain.
Notre regard souffre d'une sorte de strabisme diver-
gent qui l'empêche de fixer ces brefs instantanés, un
œil tiré par l'horizon des livres futurs, dont on cherche
à identifier de lointaines préfigurations, l'autre tourné
vers le passé des sources et des modèles offerts à

---

1. « L'écriture de Satan » in *Les Etats de la poétique*, PUF, 1985,
p. 233.

l'imitation, sérieuse ou parodique. Né avec les *Médita-tions* de Lamartine, Flaubert prend la plume pendant la bataille d'*Hernani* : ce cadet du romantisme ne cache pas ses références et ses préférences contempo-raines ou classiques, nommées dans le texte même (Byron, Chateaubriand, Rabelais, Montaigne, etc.) ou citées en exergue. En suivant le fil presque continu des épigraphes, on commence la visite de toute une bibliothèque, exhaustivement inventoriée par Jean Bruneau dans son livre de référence sur les *Débuts littéraires de Gustave Flaubert* [1].

Si l'on soustrait ce qui vient encore des autres (Balzac, par exemple) et ce qui va déjà vers les œuvres personnelles, que reste-t-il en propre à l'écrit de jeunesse ? Quels « rêves d'or » se sont dépensés là, et nulle part ailleurs, une fois défalqués la dette contrac-tée vis-à-vis des maîtres, et les emprunts qu'on se fera plus tard en s'alimentant sur son fonds ? Ainsi par-tagé, le jugement oscille d'ordinaire entre l'admiration justifiée par la précocité, et la condescendance affli-gée : tel critique parle d'« œuvres médiocres et insi-gnifiantes [2] », tel autre, qui tire le trait après « un échec ininterrompu de treize années » (pourquoi *treize* ?), les juge « illisibles [3] ». Comme Diogène prou-vait le mouvement par la marche, c'est en lisant qu'on les rendra lisibles.

*
**

Quelles limites dans le temps assigner aux œuvres de la jeunesse ? Peut-on dater la naissance d'un écrivain, sa venue au monde de la langue ? Pour

---

1. Jean Bruneau, *Les Débuts littéraires de Gustave Flaubert, 1831-1845*, Colin, 1962. Livre si souvent mentionné qu'on trouvera désormais son titre abrégé en *Débuts*.
2. Maurice Bardèche, *L'œuvre de Flaubert*, Les Sept Couleurs, 1974, p. 33.
3. Pierre Bergounioux, « Flaubert et l'autre », *Communications*, n° 19, 1972, pp. 44 et 46.

Flaubert, elle coïncide avec la lecture qu'on lui fait du *Quichotte*, livre des origines, et avec les premiers signes tracés. Dès qu'il écrit, Flaubert est écrivain. Ses premières lettres, envoyées à Ernest Chevalier, le montrent homme de lettres. A dix-huit ans, il fait dans un cahier intime (connu sous le titre de *Souvenirs, notes et pensées intimes*) le bilan d'une vocation qu'il croit manquée : « j'ai déjà beaucoup écrit [...] J'ai composé dès que j'ai su écrire [...] Je me rappelle qu'avant dix ans j'avais composé déjà ». De la neuvième année date en effet le premier texte qui nous est parvenu, un résumé du règne de *Louis XIII*. Mais plus qu'à ce condensé de manuel (relevé par une pointe de cannibalisme), Flaubert pense à ses compositions pour le théâtre, comédies et proverbes dramatiques. Dès le deuxième document conservé, apparaît le protocole littéraire : l'oncle d'Ernest Chevalier a fait reproduire en quelques exemplaires deux textes composés aux alentours du dixième anniversaire : un *Eloge de Corneille* (où se trouve cette déclaration de guerre : « Pourquoi es-tu né si ce n'est pour abaisser le genre humain ? »), et *La Belle explication de la « fameuse » constipation*, petite variation scatologique. Cet ensemble « paraît » sous le titre *Trois pages d'un Cahier d'Ecolier ou Œuvres choisies de Gustave F****. L'adulte, par ce geste grandiloquent, sacre l'écolier écrivain, auteur d'œuvres déjà si nombreuses qu'il faut opérer un choix. Ici, la question d'une supposée « valeur littéraire » n'a évidemment pas de pertinence ; seules comptent les pratiques de l'institution littéraire, décisives dans le rêve de gloire : la multiplication de l'écrit, le titre double, le nom de l'auteur enfant protégé par l'anonymat d'une initiale. A ces marques extérieures qui signifient la littérature, s'ajoutent les dates et les paraphes d'auteur, méticuleusement portés sur tous les manuscrits, même ceux qui se distinguent à peine d'une demande scolaire. Ce n'est pas le nom de l'élève identifiant sa copie, mais bien l'indice d'un désir d'auteur, archivant ses traces dans le sens de l'œuvre en devenir, authentifiant son

« originale production » (*Un parfum à sentir*) d'un
graphe personnel (la dernière page du manuscrit de
Bibliomanie sert à des essais de signature : « Gve
Flaubert », répété).

Le terme final est évidemment beaucoup plus
délicat à fixer. Quand décide-t-on que s'arrête la
jeunesse, l'œuvre de jeunesse ? A quel âge, après et
surtout avant quel livre, par suite de quel événement
biographique ou de quelle mutation interne à l'écriture ? Flaubert tient une réponse prête, contrôlant lui-
même sa périodisation. Il fait passer la ligne après
Novembre. « Cette œuvre a été la clôture de ma
jeunesse [1]. » Elle se terminerait donc le 25 octobre
1842, date d'achèvement portée sur le manuscrit, un
peu avant le vingt et unième anniversaire. Pour des
raisons de commodité éditoriale, *Novembre* fermera ce
volume des *Textes de jeunesse,* mais d'autres coupes
paraissent tout aussi légitimes. Si l'on adopte le critère
de non-publication, proposé par Claude Duchet [2] pour
définir le massif des œuvres de jeunesse, ce sont tous
les écrits antérieurs à *Madame Bovary* (à deux exceptions près sur lesquelles on reviendra) qu'il faut y
inclure : Flaubert cesse d'être jeune à 35 ans. La
frontière pourrait cependant remonter plus haut dans
le temps, vers des dates signalées par l'intéressé lui-
même comme autant de fractures : la crise de 1844 qui
sépare « deux existences bien distinctes », ou la « nuit
du 7 janvier 1845, une heure du matin », quand
l'auteur de *L'Education sentimentale* tire sa révérence
(au public, à sa jeunesse), ou bien l'année 1846,
endeuillée par les morts du père et de la sœur
Caroline, emportant « dans leur linceul » l'ambition
d'être auteur ; ou encore l'année 1847, pendant
laquelle Flaubert rédige *Par les champs et par les
grèves* : « C'est la première chose que j'ai écrite

1. Lettre à Louise Colet, 2 décembre 1846.
2. « L'Ecriture de jeunesse dans le texte flaubertien », *Nineteenth-Century French Studies*, vol. 12, n° 3, printemps 1984,
pp. 297-312.

péniblement (je ne sais où cette difficulté de trouver le mot juste s'arrêtera ; je ne suis pas un inspiré, tant s'en faut [1]) ».

Inspiré, le jeune Flaubert le fut, écrivant au fil de la plume des textes presque sans ratures, si on les compare aux manuscrits ultérieurs, quand la phrase la plus simple se paiera en heures de tortures. « Le style coulait sous ma plume comme le sang dans mes veines », dit le narrateur de *Novembre*. Après, le sang épaissit, la thrombose menace le style. Mais il y eut, pendant une dizaine d'années, un écrivain plein de vitalité (malgré l'ennui, les désespoirs, les cris d'agonie), allègre, notant ses performances sur son manuscrit — « fait en moins d'une demi-heure » —, ou donnant à la fin d'*Un parfum à sentir*, composé avec « feu et enthousiasme », un tableau de marche forcée : le premier chapitre rédigé en un jour, puis cinq en une semaine et les six derniers en deux jours seulement. On serait tenté, jouant sur la proximité des mots, de définir le texte de jeunesse par cette absence de *genèse* : cela sort tout fait, définitif au premier jet. Flaubert peut le donner à lire (rarement) ou le garder pour lui (le plus souvent) sans le recopier. Comble d'infortune ! Il se trouve des critiques pour considérer ces beaux manuscrits sans brouillons comme « les brouillons des œuvres à venir ».

*
**

« Les pensums finis, la littérature commençait », écrira Flaubert en 1870, quand il tentera de dire à quoi ressemblaient ses rêves de collégien [2]. La littérature commence même avec le pensum, les exercices scolaires, les notes de cours. Ses professeurs de lettres et

---

1. Lettre à Louise Colet, 3 avril 1852.

2. *Préface aux « Dernières chansons », poésies posthumes de Louis Bouilhet*, *OC.*, éd. Bernard Masson, Seuil, coll. « L'Intégrale », 1964, t. II, p. 760. C'est à cette édition que renvoient les références ultérieures aux *OC*.

d'histoire (comme Izambard pour Rimbaud) assurent le passage des figures imposées aux figures libres de l'écriture. A Gourgaud-Dugazon, Flaubert confiera encore, avant son départ pour les Pyrénées, ses « doutes sur (sa) vocation littéraire » (*Souvenirs...*) puis la persistance, malgré le Droit, de la « même idée fixe : écrire ! »

Pendant les années qui vont de la cinquième à la Faculté, l'abondante production peut se regrouper en trois cycles successifs (avec quelques chevauchements). Jean Bruneau les analyse en détail dans les *Débuts littéraires* : d'abord un cycle historique (1835-1836), représenté dans notre choix par *La Peste à Florence*, puis un cycle « philosophique », fantastique et mystique (1836-1839), qui va d'*Un parfum à sentir* jusqu'aux *Funérailles du Docteur Mathurin*, enfin les œuvres autobiographiques, intégralement publiées ici : *Agonies. Angoisses* (1838), *Mémoires d'un fou* (1838), *Souvenirs, notes et pensées intimes* (1839-1841), *Novembre* (1842). Ces mutations, montant du passé vers des sujets contemporains, resserrant le monde sur le moi, obéissent pour une part à une progression dans le cursus scolaire (vers le couronnement de la philosophie), pour une autre à l'éveil de soi, et très largement aux lectures du jeune provincial qui suit de près, Jean Bruneau le montre, le mouvement général de la littérature contemporaine.

Son professeur Chéruel et ses lectures précoces de Hugo, de Dumas lui font ressentir le premier « frisson historique ». Les récits du passé fournissent les matériaux d'un « rêve de sang » obsessionnel, tournant autour de l'adultère, du parricide et du fratricide. Sartre peut voir dans cet « espace structuré par une opposition entre deux personnes [1] » la preuve d'un compte à régler avec le frère aîné et avec le *pater familias*. Sans doute le cadet frustré transpose-t-il, agrandie, une situation vécue ; il se rêve aussi, par

---

1. *L'Idiot de la famille, Gustave Flaubert de 1821 à 1857*, Gallimard (1971), nouvelle éd. 1988, t. I, p. 305.

l'écriture, une biographie à la mesure des grands destins historiques. Avec l'âge, les lectures sérieuses, lui vient le goût de la science pour elle-même, et l'historien impose silence à l'auteur de fiction. Mais dans la lettre[1] où il annonce qu'il n'écrit plus, se prépare le dépassement de cette période. Le voilà devenu « anti-prose, anti-raison, anti-vérité ». Dans un cheminement analogue à celui de Bouvard et Pécuchet, en fin de carrière, l'élève qui finit sa troisième découvre la fausseté des faits, et la blague de ce qu'on appelle « philosophie de l'histoire » (la lecture de Sade, bientôt, portera un coup fatal à l'optimisme civilisateur). Si l'histoire est un « mensonge réel », comme le dit le docteur Mathurin, le seul vrai est poétique. En attendant de réactiver le vieux rêve prometteur de « lier l'art à l'histoire » (*Novembre*), les décors du passé et de l'Orient (notre passé maintenu au présent dans un autre espace) offrent un milieu propice aux « révélations historiques » (*Souvenirs...*) sur des vies antérieures : l'histoire rejoint alors l'enquête autobiographique.

Les récits du passé se prêtent à des mises en formes variées : le drame historique, le conte, la chronique, l'essai. Le jeune Flaubert pratique tous les genres. Un simple relevé des indications en sous-titre ou dans les textes montre un auteur avide de couvrir l'éventail entier des possibles littéraires ; en plus du drame et du conte (le genre le plus fréquent), on trouve un « journal littéraire », des « narrations et discours », un portrait, une physiologie, un mystère, des « pensées » numérotées, des « études psychologiques », un « roman intime » dévié vers des « mémoires », des « confessions » (Flaubert a lu Rousseau et Musset), des fragments de journal intime. Manque la poésie, mais cette quasi-absence de forme versifiée rend d'autant plus sublime la figure du poète (bientôt relayée par celle de l'Artiste) comme idéal de l'écrivain. La chance du jeune Flaubert, c'est de n'avoir su

1. Lettre à Ernest Chevalier, 24 juin 1837.

faire que des vers faux et boiteux (voyez le distique où
« balançoir » rime péniblement avec « soir », au chapitre XV des *Mémoires d'un fou*) : grâce à ce handicap,
il a travaillé la langue prosaïque avec les exigences
imposées au poète.

Premier des genres, en valeur et dans la chronologie, le théâtre occupe une place capitale, pendant la
jeunesse, et au-delà[1]. Flaubert écrit d'abord pour la
scène ; les deux cycles historiques et philosophiques
culminent avec un drame romantique, *Loys XI*, et un
vieux mystère, *Smarh*, essentiellement dialogué et régi
par un dispositif scénique comparable à celui de
Faust. Plus généralement, le théâtre ouvre son lieu à
de multiples figures imaginaires : là se concentrent le
rêve juvénile de la gloire, le désir des femmes exhi-
bées, ces baladines sœurs des prostituées, le rire forcé
du Garçon. La rampe illuminée matérialise la « barrière de l'illusion » (*Novembre*) : en deçà, la vie réelle
et la civilisation, avec les « mille répugnances » de
l'état à choisir ; au-delà, l'espace sonore et coloré de la
représentation. On verra comment ce mot clé de la
poétique flaubertienne se détache par deux fois dans
Un parfum à sentir, d'abord en italique, puis isolé au
milieu d'une ligne, dans une petite mise en scène de la
page que les éditions gomment d'ordinaire.

« J'en suis venu maintenant à regarder le monde
comme un spectacle et à en rire[2] » écrit Flaubert, peu
de temps après la rédaction d'*Agonies*, où la métaphore
théâtrale sert à dévoiler le visage hideux des valeurs :
« La vertu c'est le masque, le vice c'est la vérité [...] la
vie c'est le masque, la mort c'est la vérité ». Sur les
« acteurs éternels et immobiles » de cette farce sinistre
qu'on appelle la vie, le docteur Mathurin se livre à une

---

1. Sur la place du théâtre chez Flaubert, voir Jeanne Bem,
« Flaubert, théâtre/roman : la dimension théâtrale de l'écriture
romanesque » in *Gustave Flaubert*, Alfonso de Toro éd., Gunter
Narr Verlag, Tübingen, 1987, pp. 31-41, et Yvan Leclerc, « Flaubert et le style théâtral », préf. à l'éd. du *Candidat*, Castor Astral,
1987.
2. Lettre à Ernest Chevalier, 13 septembre 1838.

radiographie macabre : « A travers le vêtement il
voyait la peau, la chair sous l'épiderme, la moelle sous
l'os et il exhumait de tout cela lambeaux sanglants,
pourriture du cœur, et souvent sur des corps sains
vous découvrait une horrible gangrène. » C'est pour
découvrir « la gangrène aux beaux endroits[1] » que
Flaubert analyse et dissèque le monde, les autres et
son moi, jusqu'à réduire l'âme à ses mobiles noirs (la
vanité, l'orgueil, les « secrets mouvements ignobles »)
et le corps à son néant de poussière. A Taine qui
l'interroge beaucoup plus tard sur les processus de
l'imagination, Flaubert raconte une ancienne hallucination dont on ne s'étonnera pas qu'elle soit associée à
l'espace de la représentation : « Dans ma première
jeunesse j'en avais une singulière : je voyais toujours
des squelettes, à la place des spectateurs, quand j'étais
dans une salle de théâtre[2]. »

Chez ce fils de chirurgien, le théâtre voisine avec
l'amphithéâtre de l'Hôtel-Dieu. Il y prend ce « coup
d'œil médical de la vie » dont il fera bientôt un critère
esthétique, partageant avec le séducteur de *Passion et
vertu* la « cruauté d'anatomiste [...] des gens qui
dissèquent un cœur comme un cadavre ». Si l'on
choisissait une couleur dominante pour unifier les
divers textes de jeunesse, comme, plus tard, le gris
cloporte de *Madame Bovary* ou le pourpre de
Salammbô, ce serait assurément le verdâtre d'un corps
étendu à la morgue. Dans les contes de la folie et du
suicide, les experts en dissection retournent fréquemment le scalpel contre eux-mêmes ; ils ramènent au
jour un peu de leur chair restée sous les ongles. Cette
image sanglante se répète plusieurs fois, apparentant
Pedrillo ruiné au jeu, Garcia rongé par le cancer de la
jalousie, Giacomo dépossédé du livre unique, et
Mazza abandonnée après son triple crime.

Les écrits autobiographiques relèvent d'une identique volonté de dissection à vif. Sur le théâtre et

1. Lettre à Ernest Chevalier, 26 décembre 1838.
2. Lettre à Taine, 1er décembre 1866.

l'amphithéâtre, le moi succède au monde, dans un projet comparable de « totalisation ». Le théoricien de l'impersonnalité a commencé par déverser là son « trop plein de personnel », selon le mot des Goncourt [1]. Notre jeune homme se manifeste dans de multiples interventions d'auteur, ou par l'usage d'un « je » philosophique à valeur générale, qui se particularise jusqu'à ne plus désigner que l'individu Gustave. Certains épisodes vécus *percent* à travers la fable, comme il le dit au début des *Mémoires d'un fou* : les années de collège, le souvenir insistant d'une nuit après le bal au château du Héron, la rencontre d'Elisa Schlesinger à Trouville, la chaude étape de Marseille avec Eulalie Foucaud. Les biographes citent abondamment ces passages des textes de jeunesse, comme des récits autobiographiques parfaitement transparents. Ils doivent cependant autant aux livres qu'à la vie. Soit, par exemple, la partie de barque commune à *Quidquid volueris* et aux *Mémoires d'un fou* : se condensent là, indistinctement, une promenade à Trouville, une autre au château du Héron, un chapitre de *La Nouvelle Héloïse* et les vers du *Lac*. Sans compter l'idée reçue, qui ne demande qu'à figurer au *Dictionnaire* : Sortie en barque, il en faut toujours une pour distraire la société. Dire « je », c'est moins pour le jeune Flaubert raconter sa vie que chanter son moi. Même si la narration prend une place non négligeable, le mode dominant reste l'effusion lyrique. La mort du narrateur, en conclusion de *Novembre*, commencé à la première personne et terminé à la troisième, donne à l'œuvre sa valeur de « clôture » symbolique. Et l' « Adieu Gustave », sur lequel s'interrompt l'espèce de journal intime (*Souvenirs...*), anticipe sur un autre congé définitif que Flaubert se donne, au retour d'un voyage à Trouville qui réveille les fantômes, les passions mortes, les vieilles tentations de parler de soi : « adieu, c'est-à-dire adieu et pour toujours au

---

1. *Journal*, 25 février 1860.

personnel, à l'intime, au relatif. Le vieux projet que j'avais d'écrire plus tard mes mémoires m'a quitté [1] ».

**

Dans ces écrits de jeunesse progressivement envahis par la personne de l'auteur, quelle place occupe le lecteur ? Nous entrons par infraction dans cette œuvre close qui nous apostrophe constamment alors même qu'elle se refuse. « Ces pages écrites sans suite, sans ordre, sans style, devront rester ensevelies dans la poussière de mon tiroir », trouve-t-on au début d'*Un parfum à sentir*. Tout de suite cependant, une possibilité de lecture apparaît : « Si je me hasarde à les montrer à un petit nombre d'amis... » Le cercle restreint des proches est de nouveau mentionné dans *Agonies* : « Jamais il n'a fait ceci avec l'intention de le publier plus tard. [...] Il l'a fait pour le montrer à un, à deux tout au plus. » Le second, c'est probablement Ernest Chevalier, mais s'il n'y en a qu'un, c'est Alfred Le Poittevin, l'aîné dont l'influence a été déterminante sur Gustave. A lui sont dédiés trois des écrits de jeunesse : *Agonies, Les funérailles du Docteur Mathurin* et *Mémoires d'un fou* (et plus tard, à titre posthume, *La Tentation de saint Antoine*, œuvre de toute une vie rattachée par cette dédicace à la jeunesse). Cependant, la présence d'un lecteur virtuel, autre que les intimes, s'affirme en dépit de l'exclusion. Jusque dans les *Mémoires d'un fou*, pages non seulement dédiées mais données à Alfred (et jamais récupérées par Flaubert, même après la mort prématurée de l'ami), l'indésirable se voit pris à parti : « Un fou ! cela fait horreur. Qu'êtes-vous, vous, lecteur ? Dans quelle catégorie te ranges-tu ? dans celle des sots ou celle des fous ? » Sommé de choisir entre folie romantique et bêtise bourgeoise, le tiers-lecteur surgit comme une postulation inévitable dans un texte littéraire, pourtant réservé à un seul destinataire. L'écrit de jeunesse est

1. Lettre à Louise Colet, 26 août 1853.

ici proche de la lettre, comme elle adressé, daté, parlant de soi, voué à l'inédit.

Tenu après le départ d'Alfred, le cahier intime, comme c'est la loi du genre, supprime toute hypothèse de lecture par un autre que le diariste : « J'écris parce que cela m'amuse [...] Je suis affamé de me conter à moi-même. Tout ce que je fais c'est pour me faire plaisir. Si j'écris c'est pour me lire [...] Je voudrais bien savoir le sentiment qui me porte à écrire ces pages, celle-là surtout, celles de cette nuit que je destine à n'être lues par personne. » Mais le jeune amateur de théâtre, qui a rêvé d'être applaudi par des spectateurs, n'ignore pas la contradiction interne d'un texte écrit pour personne. Il sait aussi que la volonté de rester sans public est une pose comme l'autre, et qu'on tire d'être inconnu une vanité égale à celle des auteurs publiés : « ... ceci n'étant que le dernier chapitre d'une longue œuvre qui doit me rendre immortel comme toutes celles qui sont inédites » (*Les funérailles du Docteur Mathurin*).

Relisant *Novembre* pendant la gestation de *Madame Bovary*, Flaubert se réjouira d'avoir gardé sa virginité d'écrivain non imprimé. Il n'a pas fait grincer la presse, comme il aime à répéter, à deux exceptions près, toutefois, qui ne sont pas négligeables. Le conte fantastique *Bibliomanie* et la physiologie du copiste, *Une leçon d'histoire naturelle. Genre commis* ont paru pendant l'année 1837. Certes, ils ont été publiés dans une petite revue littéraire rouennaise, et signés de la seule initiale F. Mais Flaubert ne les a pas oubliés ; il en parle vingt ans plus tard aux Goncourt, qui rapportent dans leur *Journal* : « A beaucoup écrit depuis sa sortie du collège et n'a jamais rien publié, sauf deux petits articles dans un journal de Rouen. Regrette de ne pouvoir publier un roman d'environ 150 pages, écrit tout au sortir du collège : visite d'un jeune homme, qui s'ennuie, à une putain, roman psychologique trop plein de personnel[1]. »

---

1. *Journal*, 25 février 1860.

On dirait que la publication de *Madame Bovary* a transformé la satisfaction de ne pas avoir publié *Novembre* en regret de ne pouvoir le faire. Reste une question qu'on élude d'ordinaire, tant l'existence du texte nous paraît aller de soi : pourquoi Flaubert a-t-il conservé ses manuscrits de jeunesse ? D'une manière générale, il ne jetait rien (sauf quelques lettres menacées de publicité). Il explique à Louise Colet la raison qui le pousse à garder ce qu'il écrit : « c'est que j'aime à m'entourer de souvenirs [1]. » Cette pratique de l'archive personnelle, datée, signée, trouve confirmation dans le cahier intime : « J'écris ces pages pour les relire ensuite dans un an, dans 30 ans. Cela me reportera dans ma jeunesse, comme un paysage qu'on veut revoir et on y retourne. » A la fin de ce cahier, Flaubert aligne trente-sept aphorismes, mis là comme sous enveloppe (le manuscrit porte effectivement les traces rouges d'un cachet), à ouvrir dans quinze ans pour y rencontrer un « autre homme ». Le jeune homme qui parle de lui comme d'un vieillard attend de l'âge une révélation sur ce qu'il a été. Alors qu'il se juge à dix-huit ans un « grand homme manqué », Gustave se fixe des rendez-vous à plus ou moins longue échéance, en faisant un pari fou sur l'avenir : celui qui relira un jour ses œuvres de jeunesse sera devenu un écrivain. Il n'y a donc pas si grand contresens à les recevoir aujourd'hui dans l'ombre portée des œuvres publiées quinze et trente ans plus tard (*Madame Bovary*, *L'Éducation sentimentale* : même sur les délais, Flaubert ne se trompe pas), puisqu'ils étaient destinés dès leur naissance à un regard rétrospectif.

*
**

Sans attendre ces rendez-vous lointains, les écrits de jeunesse portent les traces de relectures pour ainsi dire immédiates qui se concluent par des condamnations

1. Lettre du 8-9 août 1846.

expéditives, quand leur auteur se surprend en flagrant délit de médiocrité. Il ne détruit pas, il inscrit son verdict. En travers de la première pensée de son cahier intime, une variation sur l'infini, il écrit : « Bête » (la peine capitale). D'autres sentences aussi sévères émaillent ce texte destiné à soi, comme le pouce des Césars tourné vers le bas : « piteux » (après un couplet sur le démon de la chair), ou ce jugement : « Je viens de relire ce cahier et j'ai eu pitié de moi-même. » Daté, pour plus de solennité, vendredi 28 février 1840. Quelque temps après, Flaubert relit *Smarh* : « la désillusion que j'en ai eue a été complète ». A la mesure des espoirs qu'il mettait dans « ce travail de feu ». Il reporte la condamnation sur le manuscrit du « vieux mystère » ; elle touche l'œuvre, et plus gravement l'auteur : « Il est permis de faire des choses pitoyables, mais pas de cette trempe. Ce que tu admirais il y a un an est aujourd'hui fort mauvais ; j'en suis bien fâché, car 'avais décerné le nom d'un grand homme futur, et tu te regardais comme un petit Goethe. [...] Adieu, le meilleur conseil que je puisse te donner, c'est de ne plus écrire. » Et il signe d'un pseudonyme de chroniqueur mondain, *Jasmin*. Ce dédoublement permet au moins de sauver la conscience critique, à défaut du pouvoir créateur.

Commencée avec « feu et enthousiasme », dans la jubilation satanique de posséder (« Ecrire, c'est s'emparer du monde »), l'aventure se referme, provisoirement, sur la vocation ratée (*Souvenirs...*), la vanité proclamée de l'Art (*Mémoires d'un fou*) et la dénudation des procédés romantiques, « toutes les métaphores, hyperboles et autres figures » (*Novembre*). Mais Flaubert n'a pas attendu cette dernière œuvre pour mettre à distance, par l'ironie, ce qui dans la langue prend consistance de stéréotype. Dès *Une leçon d'histoire naturelle*, l'italique assure la fonction qu'on lui connaît dans *Madame Bovary*. Voyez aussi, au début de *Quidquid volueris*, la digression sur un lieu commun du paysage romantique : « Encore... la lune, mais elle doit nécessairement jouer un grand rôle.

C'est le *sine qua non* de toute œuvre lugubre. » Et
Ernest, comme Rodolphe plus tard, a vite compris le
parti qu'il pouvait tirer des lectures de Mazza : « Il
avait vu aussi qu'elle aimait la poésie, la mer, le
théâtre, Byron. » (*Passion et vertu.*) L'écolier de
rhétorique pousse à bout l'imagerie romantique, exas-
pérant les élancements de l'âme vers l'infini, outrant la
passion, tout en cultivant une ironie de survol, la seule
force de synthèse dans ce monde en décomposition.

A l'époque, il affiche un superbe dédain de tout ce
que nous entendons aujourd'hui dans l'adjectif *flaubertien* : pas de « plan fixe » pour *Mémoires d'un fou*,
« sans style » depuis *Un parfum à sentir* jusqu'aux
Fragments de style quelconque, en passant par *Agonies* :
« il a écrit sans prétention de style ». Alors le style va
de soi, comme il peut, emporté dans la vitesse
d'exécution. La difficulté à s'exprimer vient de l'écart
entre l'infini de l'idée et la finitude des formes : « Il y
a un axiome assez bête qui dit que la parole rend la
pensée. Il serait plus vrai de dire qu'elle la défigure. »
Cette réflexion du cahier intime reprend la question
posée dans les *Mémoires d'un fou*, en prélude à une
poétique, dirait-on dans un langage moderne, du
signifié excédant le signifiant : « La poésie se berçait
et déployait ses ailes dans une atmosphère d'amour et
d'extase, et puis il fallait redescendre de ces régions
sublimes vers les mots, et comment rendre par la
parole cette harmonie qui s'élève dans le cœur du
poète et les pensées de géant qui font ployer les
phrases comme une main forte et gonflée fait crever le
gant qui la couvre ? »

Ses pensées de géant l'empêchent de parler : le
singe anthropoïde Djalio, muet, incapable de tirer un
son d'un instrument, ou le bibliomane Giacomo qui
sait à peine lire, représentent le poète étranglé :
« sentir devant soi l'impossibilité de rien dire ! » Les
pensées sceptiques d'*Agonies* inaugurent les écrits
d'introspection par le constat d'une impuissance à se
communiquer : « Je me sens dans le cœur une force
intime que personne ne peut voir. — Serai-je

condamné toute ma vie à être comme un muet qui
veut parler et écume de rage ? Il y a peu de positions
aussi atroces. » Flaubert adulte tournera cette
condamnation en imposant silence à la parole personnelle, mais pour tomber sous le coup d'un interdit
plus radical : le beau, la littérature s'égaleront à
l'impossible.

*
**

Sans lecteur, sans spectateur, privé de la parole, le
poète se produit sur la scène de son théâtre mental.
C'est là qu'il se donne des représentations intimes
(« On se compose des tableaux qu'on voit » — *Souvenirs...*), dans une activité constamment réflexive. Au
temps où Flaubert jeune *s'écrit,* il conjugue la plupart
de ses verbes à la forme pronominale, confondant
l'objet de la littérature avec le sujet qui sent. L'élève
de Chéruel, on l'a vu, cherche à « s'identifier avec
l'histoire [1] ». Il attend du passé collectif des « révélations historiques » *(Souvenirs...)* sur ses vies antérieures ; le fou écrit ses *Mémoires* pour susciter « l'hallucination » d'une présence : « Je me la créais là [...]
je reconstruisais dans mon cœur toutes les scènes où
elle avait agi, parlé. Ces souvenirs étaient une passion. » On ne peut mieux dire que l'amour vient au
poète par la plume. Il a menti en disant trop tôt qu'il
aimait Maria : l'amour naît pour un objet perdu,
idéalement créé, construit, remémoré. L'amant d'Eulalie Foucaud suit le même cheminement, détaillé sans
complaisance : « j'ai écrit une lettre d'amour — pour
écrire, et non pas parce que j'aime. Je voudrais bien
pourtant me le faire accroire à moi-même, j'aime je
crois en écrivant ». Ou encore, en raccourci : j'aime
écrire.
   On reconnaît sans peine les premières manifesta-
tions de ce que Flaubert appellera « la faculté de *se
faire sentir* ». A cette différence près, toutefois, entre

1. Lettre à Alfred Le Poittevin, 15 avril 1845.

les écrits de jeunesse et les livres publiés, qu'il a commencé par vouloir exprimer l'intensité d'une sensation subjective, avant de faire son deuil du moi pour qu'advienne l'œuvre. Orientée en sens opposés, la force de l'imaginaire (ce pouvoir d'irréalisation dont parle Sartre) reste constante d'un bout à l'autre. Rêver la mort, la passion, les femmes, la luxure, l'Orient, « rêver le sentiment » (*Novembre*), rêver la fusion avec la nature dans les extases panthéistes, ou les « belles voluptés » des mystiques : on comprend mieux les termes que Flaubert utilisera, dans ses lettres ultérieures, pour parler de son *indisable* jeunesse. Il y est toujours question de « vie toute interne », cachée, secrète, illuminée de fulgurances, pendant laquelle il s'est « ravagé » prématurément par des « analyses turbulentes », « des gymnastiques sentimentales insensées », « un tas de choses factices et des bouffonneries infinies [1] ». Il s'est manœuvré l'âme, dit-il, comme un cavalier fait de son cheval qu'il force à galoper : il était ce cheval, mais il était aussi ce cavalier. « C'est un homme qui a quelque chose de tué sous lui », disaient les Goncourt. Nous recevons les écrits de jeunesse comme la belle dépouille d'une monture épuisée sous les coups de cravache de son cavalier, seul réchappé d'une longue chevauchée.

Si les écrits de jeunesse appartiennent d'emblée à l'œuvre flaubertienne, c'est moins par une communauté de thèmes, un partage des figures, que par les tensions durables installées entre des forces, l'expansion et la dérision, les élancements et les chutes, la farce et le tragique. Les premiers textes préparent le terrain par le vide, expérimentent ce que l'œuvre ne sera pas, faisant rendre aux vieilles formes tout ce qu'elles peuvent, recueillant dans leur « déversoir à passion » les épanchements de la personne. Laissons

---

1. Citations venant de plusieurs lettres : à Ernest Chevalier, 23 juillet 1839 ; à sa mère, 15 décembre 1850 ; à Louise Colet, 24 avril 1852, 6 juillet 1852, 25 mars 1853 ; à Mlle Leroyer de Chantepie, 4 novembre 1857.

ce jeune homme, en ce jour du 21 mai 1840, à la conscience d'une impasse : « Je n'ai pas trouvé la pente par laquelle il faut que ce que j'ai déborde » (*Souvenirs...*). Nous savons que Gustave engendrera Flaubert au prix d'un renversement de cette image. Sa pente, il la trouvera, ou plutôt l'inventera, mais en montant. Le trop-plein personnel, au lieu de s'écouler naturellement le long d'un plan incliné, restera contenu dans le cœur sacrifié, au pied d'un mur lisse, ou « d'une grande montagne à escalader [1] ».

Yvan LECLERC.

---

1. Lettre à Louise Colet, 16 septembre 1853.

PRINCIPES DE L'ÉDITION

Ainsi qu'on le verra en lisant leur notice particulière de présentation, les douze textes qui composent ce volume posent à l'édition des problèmes différents.

Les manuscrits de *Mémoires d'un fou* et de *Novembre* sont pour l'instant inaccessibles. On est donc contraint de reproduire les éditions existantes, sans possibilité de vérification.

Les autres manuscrits se trouvent à la Bibliothèque nationale. Parmi cet ensemble, *Bibliomanie* et *Une leçon d'histoire naturelle. Genre commis* ont été publiés du vivant de Flaubert. J'ai donc choisi de partir du texte imprimé, sans doute revu et corrigé sur épreuves par l'auteur, en signalant dans les notes les variantes du manuscrit (en particulier un paragraphe inédit d'*Une leçon d'histoire naturelle*).

Pour les textes inédits, je transcris d'après l'original, en restant le plus près possible du manuscrit, de sa présentation matérielle, avec ses dates, ses signatures, ses titres et éventuellement ses dédicaces sur des feuillets séparés. Les alinéas ont été respectés, même quand Flaubert ne va pas à la ligne pour distinguer le dialogue du récit (peut-être le fameux discours indirect libre s'ébauche-t-il dans ces enchaînements sans signe de démarcation). Le jeune Flaubert fait des fautes d'orthographe, guère plus que l'adulte, essentiellement aux accords des verbes et dans le redoublement des consonnes ; les plus significatives sont relevées en notes, les plus courantes simplement corrigées, comme les accents et les guillemets restitués, les abréviations complétées. A l'inverse des éditions antérieures, je n'ai pas considéré les multiples « o » comme des interjections à écrire « oh », mais bien comme des vocatifs, ainsi qu'il se doit dans des textes lyriques.

Je me sépare également de l'usage en ce qui concerne la ponctuation. Il est plus simple de normaliser, mais on perd le rythme de la phrase. Celle de Flaubert respire très largement, sans beaucoup de virgules ni de points-virgules (un signe rare), souvent sans point final. En revanche, on trouve fréquemment une virgule avant la conjonction « et », d'assez nombreux tirets, en particulier dans les passages dramatiques, souvent combinés avec une virgule ou un point. Je conserve ces tirets, véritables pauses mentales, et je rétablis, dans un souci de lisibilité, une ponctuation minimale là où son absence risque de décourager « l'aimable et courageux lecteur » : les virgules entre les termes d'une énumération, les points à la fin des phrases (mais cette limite n'est pas toujours facile à sentir) et les majuscules au début des suivantes. Sans prétendre à la fidélité d'une édition diplomatique, j'espère avoir réussi à faire passer quelque chose du mouvement stylistique, emporté dans de longues coulées de mots, et brusquement coupé par la syncope d'une ponctuation forte. (Sur cette question, voir mon article « Ponctuation de Flaubert » dans *Flaubert, l'autre. Pour Jean Bruneau,* Presses Universitaires de Lyon, 1989, pp. 145-151.)

Entre crochets droits [...] se trouvent les mots restitués en cas d'oubli, ou les mots transformés pour corriger une forme fautive (par exemple, dans *Passion et vertu,* Flaubert a écrit : « Ils auraient restés longtemps » ; on lira : « Ils [étaient] restés longtemps »), ou encore une intervention d'éditeur : [ill.] pour illisible, [?] en cas d'une lecture douteuse.

En note, on trouvera un certain nombre de mots ou de phrases rayés sur le manuscrit, donnés en italique et entre crochets droits.

Les chiffres en exposant appellent les notes explicatives, les lettres celles qui concernent le manuscrit et, dans le cas des *Mémoires d'un fou,* les variantes entre éditions. Pour ce texte, les ajouts de l'édition Conard sont délimités par des crochets obliques <...> (voir notice).

UN PARFUM A SENTIR

Flaubert est en quatrième quand il écrit son premier conte philosophique, au début de l'année 1836. Les dates qui figurent sur le manuscrit, février 1836 après l'introduction, 1er avril 1836 après la moralité, avril 1836 sur la page de titre confirment le rythme de rédaction indiquée en conclusion : un mois d'arrêt entre la scène d'exposition, composée en un jour, et la suite menée *accelerando*, cinq chapitres en une semaine et les six derniers, soit la moitié du conte, écrits en deux jours. L'auteur qui précise ainsi le calendrier de la genèse, affirme très fortement sa présence en encadrant son texte d'interventions qui explicitent titre et sous-titre par la « moralité » laissée à l'appréciation du lecteur, et par la « pensée » indispensable à un « conte philosophique », genre inventé par Balzac au début des années 1830.

Le maître-mot de cette leçon de philosophie est donné d'emblée, *anankè*, la fatalité. Flaubert a pu le trouver dans la préface de *Notre-Dame de Paris*. Hugo apparaît ici, avec l'auteur de *La Peau de chagrin*, comme l'intercesseur silencieux d'une « production » qui revendique son originalité : c'est à son esthétique que renvoient le « spectacle hideux et sublime » d'une femme laide amoureuse, et le procédé du parallèle antithétique (« contrepoids » dit plus concrètement Flaubert, qui dénoncera bientôt comme idée reçue « cette antithèse du corps et de l'âme qu'expose si savamment dans toutes ses œuvres le grand auteur de *Notre-Dame* », lettre à Ernest Chevalier, 13 septembre 1838) entre la belle Isabella et une fleur fanée prénommée Marguerite. A l'inverse pourtant du grand homme qui fait battre son cœur, l'un de ces « généreux philanthropes » rudement apostrophés, Flaubert ne compense pas la laideur du corps par la beauté de l'âme : la réplique féminine de Quasimodo, victime désignée aux rires du public, lecteurs compris, se ronge d'envie et de haine jusqu'à la folie et au suicide. Avec les baladins, Flaubert trouve un groupe humain exclu de la société (comme les prostituées, bientôt les poètes), qui permet, par le biais du spectacle, de dévoiler la noire vérité de l'être sous le fard et le masque.

Autant que vers une moralité volontairement ambiguë, le conte mène à l'assomption de l'écrivain en personne. Véritable acte de naissance de celui qui pour la première fois se sacre « auteur », la conclusion, placée sous l'invocation à Montaigne, le seul auteur après qui parler de soi sans pose, accumule les *je* et les *moi, je* : comment j'ai écrit ce « livre » (« ces pages » du début forment à la fin tout un « livre »), ce que j'ai voulu dire, ce que je dirai encore pour ma défense, l'état présent de mon esprit et de mon corps. Surtout, le jeune homme de quatorze ans passés découvre, dans la jubilation (« feu et enthousiasme », dit-il), le plaisir et le pouvoir de l'écriture, elle aussi morale ou immorale *ad libitum* puisqu'elle partage avec le Satan des voyages en enfer la volonté de « s'emparer du monde ».

Y. L.

Un parfum à sentir
ou
les Baladins
— conte philosophique, moral, immoral, —
(ad libitum [1])
Avril 1836

DEUX MOTS

Ces pages écrites sans suite, sans ordre, sans style,
devront rester ensevelies dans la poussière de mon
tiroir et si je me hasarde à les montrer à un petit
nombre d'amis ce sera une marque de confiance dont
je dois avant tout leur expliquer la pensée.

Mettre en présence et en contact[a] la saltimbanque
laide, méprisée, édentée, battue par son mari, la
saltimbanque jolie, couronnée de fleurs, de parfums et
d'amour, les réunir sous le même toit, les faire
déchirer par la jalousie jusqu'au dénouement qui doit
être bizarre et amer puis ensuite ayant montré toutes
ces douleurs cachées, toutes ces plaies fardées par les
faux rires et les costumes de parades, après avoir
soulevé le manteau de la prostitution et du mensonge,
faire demander au lecteur : A qui la faute ?

La faute ce n'est certes à aucun des personnages du
drame.

La faute c'est aux circonstances, aux préjugés, à la
société, à la nature qui s'est faite mauvaise mère.

Je demanderai ensuite aux généreux philanthropes
qui n'ont d'autres preuves du progrès intellectuel que
les chemins de fer et les écoles primaires, je leur
demanderai à ces heureux savants s'ils ont lu mon
conte quel remède ils apporteraient aux maux que je
leur ai montrés. Rien n'est-ce pas ? et s'ils trouvaient

le mot ils diraient ἀνάγκη [2]. La faute, c'est à cette divinité sombre et mystérieuse qui née avec [b] l'homme subsiste encore après son néant, qui s'aposte à la face de tous les siècles et de tous les empires et qui rit dans sa férocité en voyant la philosophie et les hommes se tordre dans leurs sophismes pour nier son existence tandis qu'elle les presse tous dans sa main de fer comme un géant qui jongle avec des crânes desséchés !

Gve Flaubert
Février 1836.

Un parfum à sentir

ou

Les Baladins

I

La parade allait commencer. Quelques musiciens accordaient leurs hautbois et leurs déchirants violons, des groupes se formaient autour de la tente, et des yeux de paysans se fixaient avec étonnement et volupté sur la grande enseigne où étaient écrits en lettres rouges et noires ces mots gigantesques : troupe acrobatique du sieur Pedrillo.

Plus loin sur un carré de toile peinte l'on distinguait facilement un homme aux formes athlétiques nu comme un sauvage et levant sur son dos une quantité énorme de poids. Une banderole tricolore lui sortait de la bouche sur laquelle était écrit : Je suis l'Hercule du Nord.

Vous dire ce que le pierrot hurla sur son estrade, vous le savez aussi bien que moi, certes dans votre enfance vous vous êtes plus d'une fois arrêté devant cette scène grotesque et vous avez ri comme les autres des coups de poing et des coups de pied qui viennent à chaque instant interrompre l'Orateur au milieu de son discours ou de sa narration.

Dans la tente c'était un spectacle différent : trois enfants dont le plus jeune avait à peine sept ans, sautaient sur la balustrade intérieure de l'escalier, ou bien s'exerçaient sur la corde à la

Représentation.

Débiles et faibles, leur teint était jaune et leurs traits indiquaient le malheur et la souffrance.

À travers leur chemisette rose et bordée d'argent, à travers le fard qui couvrait leurs joues, à travers leur sourire gracieux qu'ils répétaient alors, vous eussiez vu sans peine des membres amaigris, des joues creusées par la faim et des larmes cachées.

— Dis donc Auguste, disait le plus grand à un autre qui s'élevait avec la seule force du poignet de terre sur la corde, dis donc, répétait-il à voix basse et comme craignant d'être entendu d'un homme à figure sinistre qui se promenait autour d'eux, il me semble qu'il y a bien longtemps que maman est partie.

— Oh oui bien longtemps, reprit-il avec un gros soupir.

— Ne t'avais-je pas défendu, Ernesto de jamais parler de cette femme-là ? Elle m'ennuyait, elle est partie au diable, tant mieux, mais tais-toi, la première fois que tu m'échaufferas les oreilles avec son nom, je te battrai.

Et l'homme sortit dans la rue après cette recommandation.

— Il est toujours comme ça, reprit l'enfant aussitôt que Pedrillo fut sorti, n'ouvrant la bouche que pour nous dire des choses dures et qui vous font mal à l'âme. Oh il est bien méchant, notre pauvre mère au moins elle nous aimait celle-là.

— Oh maman n'est-ce pas, dit le plus jeune, il m'en ennuie bien, et il se mit à pleurer.

— Comme il la battait, dit Auguste, parce qu'il disait qu'elle était laide, pauvre femme.

— Essuie donc tes larmes, voilà le monde qui entre, il faut sourire au contraire.

————————

Chacun prit sa place sur les bancs, et bientôt la tente se trouva pleine. La parade était finie et Pedrillo était rentré lui-même après avoir répété plusieurs fois de suite : Messieurs, messieurs, on ne paye qu'en sortant.

D'abord, le plus jeune des enfants monta d'un pas

assez leste l'escalier qui conduisait à la corde. Les premiers pas furent incertains, mais bientôt il fut encouragé par la phrase banale de Pedrillo qui suivant des yeux ses moindres gestes lui répétait à chaque instant :

— Courage monsieur courage, bien très bien, vous aurez du sucre ce soir.

Il descendit.

Son autre frère monta après lui, et il se hasarda à faire quelques sauts, il tomba [sur la] tête ; Pedrillo le releva avec un regard furieux. Il alla se cacher en pleurant.

Le tour était à Ernesto.

Il tremblait de tous ses membres, et sa crainte augmenta lorsqu'il vit son père prendre une petite baguette de bois blanc qui jusqu'alors était restée sur le sol.

Les spectateurs l'entouraient, il était sur la corde, et le regard de Pedrillo pesait sur lui.

Il fallait avancer.

Pauvre enfant, comme son regard était timide et suivait scrupuleusement les contours de la baguette qui restait à bout portant devant ses yeux comme le fond du gouffre lorsqu'on est penché sur le bord d'un précipice.

De son côté la baguette suivait chaque mouvement du danseur, l'encourageait en s'abaissant avec grâce, le menaçait en s'agitant avec fureur, lui indiquait la danse en marquant la mesure, sur la corde. En un mot c'était son ange gardien, sa sauvegarde ou plutôt, le glaive de Damoclès pendu sur sa tête par l'idée d'un faux pas.

Depuis quelque temps le visage d'Ernesto se contractait convulsivement, l'on entendait quelque chose qui sifflait dans l'air, et les yeux du danseur aussitôt s'emplissaient de grosses larmes qu'il avait peine à dévorer.

Cependant il descendit bientôt, il y avait du sang sur la corde.

L'Hercule du Nord, nom théâtral de Pedrillo, avait

commencé ses tours de force lorsqu'on entendit la
sentinelle qui veillait à la porte se disputer avec
quelqu'un du dehors.

— Non vous n'entrerez pas vous dis-je, vous
n'entrerez pas.

— Je veux entrer moi.

— On ne reçoit pas des gens comme vous.

— Je veux parler à Pedrillo, moi, je veux lui parler,
entendez-vous ?

— Corbleu, répétait le bon soldat irrité, corbleu
vous dis-je, on n'entre pas ici habillée comme vous
êtes. On ne reçoit pas des mendiants.

Cette dispute détourna l'attention des spectateurs.
Pedrillo alla voir qui est-ce qui le demandait.

— Ah, ah c'est toi vieille sorcière, dit-il à une
femme en haillons, et dont l'aspect était misérable. Je
ne m'attendais pas à te voir de sitôt. Où étais-tu donc
partie ? Mais tiens tu me diras tout cela plus tard.
Entre Marguerite, nous représentons maintenant,
entre tu vas nous servir, — tu vas sauter, entends-tu,
fais de ton mieux.

Il n'y avait pas à répliquer, pourtant elle se hasarda
à lui dire :

— Pedrillo tu vois bien qu'ils vont se moquer de
moi, je suis mal habillée, et voulait dire autre chose
mais elle n'osa.

— Entre, entre.

Il le fallut, mais aussitôt que les spectateurs la virent
un murmure s'éleva accompagné d'un rire moqueur,
de ce rire féroce que l'on donne à l'homme qui tombe,
de ce rire dédaigneux que l'Orgueil en habits dorés
jette à la prostitution, de ce rire que l'enfant souffle
sur le papillon dont il arrache les ailes.

Ce ne fut pas sans peine que Marguerite monta
l'escalier, à peine avait-elle fait deux pas qu'elle tomba
lourdement à terre, un cri perçant sortit de sa poitrine,
la baguette était rompue en morceaux.

En peu d'instants la tente fut déserte. La plupart
des spectateurs sortirent. . . . .

Cette dernière scène domestique avait scandalisé le

plus grand nombre et désenchanté un petit garçon aux
joues rondes et rosées qui jusqu'alors avait souhaité
d'être danseur de corde pour avoir des pantalons
roses, et des bottines de maroquin.

II

— Ne t'en avais-je pas bien [prévenu] ? dit Marguerite lorsqu'elle fut seule avec ses enfants et Pedrillo.
— Qu'avais-tu donc ?
— Je suis malade, je souffre encore, va. Oh je
souffre beaucoup, Pedrillo, si tu m'aimais comme je
t'aime.
— Allons, vas-tu recommencer tes plaintes Marguerite, tu sais bien que ça m'ennuie. Voyons qu'as-tu
donc eu ?
— Tu le sais mieux que moi. Comment, tu ne te
souviens pas de ce jour où je suis tombée comme
aujourd'hui... J'avais la jambe cassée... Le soir je ne
voulus pas manger, je pleurais trop, je ne voulais pas
te dire que désormais je t'étais devenue inutile. Je ne
voulais pas aller à l'hôpital de peur d'abandonner
Ernesto et Garofa[c].
— Eh bien tu as pourtant été à l'hôpital.
— Hélas oui, sans cela j'allais mourir.
Et les saltimbanques se retirèrent sous une toile à
matelots derrière laquelle était posée sur des charbons
la soupe du dîner qui bouillait à petit feu.
La nuit était venue, elle était froide et humide, un
vent de novembre soufflait avec violence, et faisait
trembler les arbres du boulevard, de temps en temps
même il pénétrait dans la tente et venait faire vaciller
la chandelle autour de laquelle étaient groupés les
danseurs de corde. Rangés en rond autour d'une
énorme grosse caisse, chacun tenait devant lui son
écuelle dont la vapeur réchauffait [ses] doigts tremblo-
tants.
Le mince flambeau qui les éclairait, tranchant sur

l'obscurité de la nuit, se reflétait sur leurs visages ainsi groupés et leur donnait un air étrange et singulier.

Tous étaient silencieux, et attendaient que quelqu'un interrompît le silence, ce fut Pedrillo.

— Eh bien, dit-il en regardant Marguerite et en reprenant sa phrase qu'il avait commencée il y avait une demi-heure, c'était donc là que tu étais partie... Maintenant es-tu guérie ?

Marguerite leva la tête, regarda un moment ses enfants, puis la rabaissa et se prit à pleurer : non, dit-elle tout doucement, non je boite encore.

— Que ferai-je de toi Marguerite, voyons à quoi seras-tu bonne ?

La pauvre femme se pencha vers son mari, lui dit quelques mots à l'oreille, — Enfants, reprit celui-ci, allez dormir, — Entendez-vous, dépêchez-vous donc.

Cette phrase parut étrange, à Garofa qui dit d'un air attristé :

— Et du sucre ?

Pedrillo sourit amèrement : — Tu seras bien heureux si tu as du pain demain, pauvre enfant. Ce sourire était forcé[d]. Ses lèvres bleuies par le froid laissèrent voir deux rangées de dents blanches et ses grands yeux noirs se fixaient sur l'enfant d'une manière qui lui fit peur.

En ce moment-là le vent redoublant de violence faisait craquer la cabane.

— Du sucre, mais pourtant tu m'en avais promis ?
— Tais-toi te dis-je.
— Oh papa je t'en prie.

Il le repoussa fortement, et le pauvre enfant s'en alla coucher en pleurant.

Pedrillo souffrait tout autant que lui, un mouvement convulsif lui faisait claquer les dents.

— Comme tu l'as rudoyé, dit Marguerite.

— C'est vrai, il resta dans une rêverie profonde et comme endormi même dans des pensées déchirantes.

Un second coup de vent vint éteindre la chandelle.

— J'ai froid, dit Marguerite en se rapprochant de lui, j'ai bien froid, prête-moi ton manteau.

— Mon manteau... mais je l'ai vendu mon manteau.

— Pourquoi ?

— Pour du pain Marguerite... ne faudra-t-il pas que je t'en donne aussi ?

— Que voulais-tu donc me dire tout à l'heure, que tu as fait retirer les enfants ?

— Ce que je voulais te dire, je ne sais...

— Mais j'ai bien froid.

— Que faire Marguerite, je n'ai plus rien, rien... il s'arrêta et reprit, rien qu'une balle...

— Oh par grâce pour moi Pedrillo.

Et elle l'entoura de ses deux bras rouges et amaigris.

A voir ainsi cette femme laide et couverte de haillons, embrasser avec tant d'amour cet homme qui la repoussait comme par un sentiment naturel, à voir cette misère et cette tendresse, c'était un spectacle hideux et sublime.

— Alors, dit Pedrillo, demain tu iras sur la place, avec tes enfants, tu prendras mon violon et tu tâcheras de faire que nous ayons du pain.

Une demi-heure après les baladins étaient tous endormis, le vent s'était apaisé.

La lune débarrassée de ses nuages qui l'entouraient, resplendissait belle et claire dans une blanche gelée d'hiver et argentait l'enseigne qui avait cessé de bondir et de se replier sur elle-même. La tente était tranquille, pourtant on entendait quelquefois des soupirs et des sanglots.

C'était une femme qui pleurait.

————————

III

Le lendemain Marguerite se leva de bonne heure, elle n'avait pas dormi de la nuit ; ses mains étaient trempées d'une sueur moite et malade. Une humidité fiévreuse avait rougi ses pieds, sa tête était chaude et brûlante.

Elle prit le violon de Pedrillo, un vieux tapis de Perse, et sortit avec Ernesto et Garofa.

N'avez-vous jamais rencontré par un temps de neige ou d'hiver quelque figure de mendiant accroupi aux portiques d'une église ? Le soir au détour d'une rue sombre et étroite ne vous êtes-vous point senti arrêté par votre manteau ? Vous vous détourniez... et c'était quelque mendiant en haillons, quelque pauvre femme qui vous disait en pleurant ces mots amers : J'ai faim, et puis elle sanglotait quand votre ombre s'échappant s'arrêtait à la porte d'un spectacle entre les équipages et les livrées d'or.

Vous vous êtes peut-être rappelé ensuite au milieu d'un entracte ces figures tristes et décolorées vues à la lueur du réverbère, et si votre âme est bonne et généreuse, vous êtes sorti pour les revoir et les secourir. Mais il n'était plus temps... la femme peut-être était entrée au lupanar. Acheter un morceau de pain. Une vie de prostitution, et le mendiant se débattait entre les arches du Pont-Neuf tandis que l'orchestre grondait et que les mains applaudissaient d'enthousiasme.

Pour moi rien ne m'attriste tant que la misère cachée sous les haillons de la richesse, que le galon d'un laquais autour des cheveux nus de la pauvreté, qu'un chant qui couvre des sanglots, qu'une larme sous une goutte de miel.

Aussi je plains d'un amour bien sincère les baladins et les filles de joie.

Mais si vous aviez rencontré Marguerite avec ses deux enfants, Marguerite jouant du violon et ses enfants sautant sur le tapis, si vous aviez vu l'indifférence de cette foule curieuse et barbare qui s'avançait avec son regard stupide et ironique, votre cœur eût saigné devant cet excès d'égoïsme parvenu à son plus beau degré de logique.

C'est vrai, la société a bien autre chose à faire que de regarder une baladine et ses marmots, l'état s'occupe fort peu si elle [a] du pain, d'abord il n'a point d'argent à lui donner, ne faut-il pas qu'il paye ses 86 bourreaux ?

En effet, je l'avoue par une rude matinée de novembre personne n'est disposé à s'arrêter sur la place pour regarder des tours de force ? Qui se fût arrêté avec intérêt devant Marguerite ?

Ses cheveux étaient rouges et retenus par un peigne de corne blanche. Sa taille était large et mal faite. Quant à sa robe on ne la voyait pas, car un morceau de toile percé de couleur brune l'entourait jusqu'aux genoux, puis l'œil descendant jusqu'à terre trouvait un mollet gros et mal fait entouré d'un bas rose, puis des pieds informes serrés dans des brodequins d'un cuir épais et cassé. Elle n'avait sur la tête qu'un bonnet de gaze, avec des rubans roses et quelques fleurs fanées qui tombaient sur ses joues pâles et sur sa mâchoire sans dents [3].

Il y avait déjà près d'une heure qu'Ernesto et Garofa s'épuisaient pour attirer les yeux de la foule, Marguerite avait plus d'une fois appelé de sa voix rauque et couverte de larmes, à la générosité des gens qui passaient devant eux, lorsqu'un brillant carrosse attelé de deux chevaux blancs passa auprès des danseurs en leur jetant de la boue sur leurs vêtements. Le manteau et les bas roses de Marguerite en furent couverts, elle baissa les yeux sur son violon et répandit quelques larmes qui coulèrent le long du bois et vinrent se perdre dans l'intérieur de l'instrument. Ses larmes redoublèrent et elle se cacha la tête sous son manteau. Alors elle fut en proie à une sorte de rêverie bizarre et déchirante. Elle se figurait entourée de carrosses qui lui jetaient de la boue, elle se voyait sifflée, méprisée, honnie, elle voyait ses enfants mourir de faim autour d'elle, son mari devenu fou, alors tous ses souvenirs repassèrent dans son esprit, elle voyait son lit, où [elle] était couchée à l'hôpital, elle se ressouvint de la sœur qui la soignait, des coups que Pedrillo lui avait donnés la veille, de l'accueil qu'on lui avait fait lorsqu'elle parut... et tous ses souvenirs passaient dans son esprit

comme des ombres paraissant, disparaissant, et s'effaçant tour à tour. Elle ne dormait pas, mais elle rêvait,
et ses yeux baissés sur sa poitrine répandaient des
larmes qui étaient chaudes en tombant sur ses mains.

Depuis quelque temps elle ne jouait plus, ses
enfants continuaient de danser, et l'on s'était arrêté en
les voyant ainsi exécuter leurs exercices tandis que la
femme tenait son violon sans en tirer une seule note.

Bientôt elle se réveilla en sursaut — Cette figure
ébahie, avec ses deux grands yeux gris s'ouvrant tout à
coup sembla grotesque et fit rire. Son accoutrement
bizarre, ses bas roses avec son manteau troué et qui
était presque pareil au tapis étendu sur le pavé, ses
fleurs fanées et ses cheveux rouges étaient ridicules,
une seule parole se fit entendre, — Qu'elle est laide,
— et l'on s'en alla en riant.

Il faisait froid, bien froid même, Marguerite ne
sentait plus ses doigts et n'avait pas la puissance de les
remuer, elle laissa tomber le violon... il se brisa et les
morceaux rebondirent sur le tapis en rendant un son
criard et faussé.

Elle le regarda encore sautiller quelque temps, les
bras croisés et la poitrine haletante. Qu'allait dire
Pedrillo lorsqu'il verrait revenir Marguerite sans
argent, sans argent.

Oh cette pensée-là torturait Marguerite, elle lui
serrait le cœur, et le lui déchirait sans pitié. Mille
projets ridicules d'éviter la colère de son mari lui
venaient à l'esprit comme un cauchemar et puis
s'évanouissaient poussés par d'autres plus bizarres
encore.

Tantôt, elle voulait fuir avec ses enfants, où ? elle
l'ignorait ! mais fuir, au moins, fuir le regard pénétrant et atroce de Pedrillo, fuir son rire lugubre, fuir
ces mots : Qu'allons-nous devenir Marguerite ?

Une autre fois, elle pensait à Dieu,... puis elle
invoquait Satan, et souhaitait mourir, ... et elle tenait
à la vie pour ses enfants. Que seraient-ils devenus sans
elle ?

Enfin roulant le vieux tapis et enveloppant les éclats du violon, elle partit de cette place, où elle avait reçu tant d'affronts, versé tant de larmes.

Une idée riante lui vint à l'esprit, elle sourit légèrement,... c'est qu'elle pensait qu'en vendant son manteau ou le tapis, elle pourrait apporter de l'argent à Pedrillo, et faire raccommoder son violon.

. . . .

Mais Pedrillo à son tour lui demanderait qu'est-ce qu'elle avait fait de son manteau.

Cette triste objection qu'elle se fit à elle-même, la rendit encore plus malheureuse, et elle accusa le ciel de lui avoir donné une minute l'espérance qui battue par la réalité fouette l'âme et la martyrise.

———————

Il était environ alors deux ou trois heures d'après-midi, le soleil était beau et venait réchauffer comme il arrive de temps en temps dans les dimanches d'hiver toute une ville qui se promène sur les boulevards. C'était l'heure des vêpres, beaucoup de monde s'agitait dans les rues, et quelques boutiques étaient ouvertes.

Marguerite s'arrêta devant celle d'un pâtissier à l'entour de laquelle quelques gâteaux sortant du four répandaient une vapeur tiède et odoriférante et qui venait chatouiller le nez des passants.

Lorsqu'elle s'arrêta aux vitres, elle vit dans l'intérieur une mère de famille avec deux enfants qui étaient à peu près de l'âge d'Ernesto et de Garofa.

Tous les deux c'étaient de gentils garçons à la chevelure blonde, au teint frais et rosé. Leurs habits étaient propres et bien faits et leur linge dépassant à travers leur cravate de satin était blanc comme le sucre qui couvrait leurs gâteaux.

Cette vue fit mal à Marguerite.

A côté de la dame en chapeau et en manteau vert avec une ceinture en corde d'or se tenait une femme de chambre qui portait dans ses bras un petit épagneul noir. Quand les enfants en eurent assez ils donnèrent leurs restes à l'animal qu'ils engageaient à prendre à

force de caresses. Marguerite trépignait de colère elle
qui avait faim, elle à qui ses enfants avaient demandé
déjà plus d'une fois dans la journée du pain, un seul
morceau de pain, son front était brûlant, et elle
s'appuyait contre le carreau pour le refroidir.

Quand la dame eut payé les friandises elle sortit
avec ses enfants, et sa robe de soie en passant effleura
avec bruit les mains de Marguerite.

Par un singulier sentiment dont elle aurait eu peine
à se rendre compte elle-même, elle resta encore
longtemps le visage collé contre les vitres; mais le
pâtissier ennuyé la renvoya avec une injure.

Qu'avait-elle à dire ?

En traversant une rue sombre et tortueuse, elle vit
étendue sur un lit une femme qui chantait des
chansons obscènes. Alors elle repensa à Pedrillo, à ce
qu'elle allait devenir... et puis elle regarda cette
femme longtemps, elle écouta les chants.....

— Oh non non — Qui voudrait de moi ?

IV

L'or roulait sur les tables. C'était une maison de jeu
mais non un tripot autorisé par la loi, un tripot du
Palais-Royal[4], où vous avez vu venir des ministres,
des princes, des banquiers, avec leur cravate aussi
bien mise qu'à l'ordinaire, avec une impassibilité de
regard qui indiquait qu'ils étaient experts dans cet
infâme commerce.

Mais une maison de jeu avec toute sa prostitution
hideuse, un de ces taudis où parfois le lendemain on
trouve quelque cadavre mutilé entre des verres brisés
et des haillons tout rouges de sang.

La salle était basse et ses murs enfumés; des
hommes salement vêtus entouraient des tables autour
desquelles d'autres visages se tassaient avec avidité, et
leurs yeux flamboyaient à travers leurs épais sourcils,
leurs dents se serraient, leurs mains se crispaient de
rage. Et malgré les rides sombres de leur front vous

auriez lu peut-être bien des crimes qui s'amoncelaient avec leurs angoisses.

Quelques femmes à moitié nues se promenaient paisiblement autour d'eux. Et plus loin dans un coin deux hommes armés debout devant une jeune fille couchée sur le pavé et liée avec des cordes tiraient à la courte paille.

— Vous frémissez peut-être, aimable lectrice, à la peinture de cette moitié de la société, la maison de jeu, l'autre c'est l'hôpital et la guillotine.

Ah voyez-vous jeune enfant, c'est que faussée par une éducation vicieuse, vous n'êtes pas descendue jusque dans la misère, vous n'avez pas vu son délire, vous n'avez pas entendu ses hurlements de rage, vous n'avez pas sondé ses plaies, vous n'avez pas compris ses douleurs amères, son désespoir et ses crimes.

Ah pauvre jeune fille c'est qu'il est des lieux dont vous ignorez l'existence, c'est qu'on vous a caché un mot qui est toute notre société : prostitution.

Puis quand le silence de l'attente avait fait place au bruit aigre du râteau, alors c'étaient les jurons les plus terribles, des serments hideux, des vengeances qui s'accomplissaient à l'instant de leur création, et la lueur de la lampe venait briller sur la lame de quelque poignard qui s'enfonçait dans la poitrine d'un homme.

Et alors le maître séparait les combattants en jetant une femme au milieu d'eux.

La porte violemment ébranlée remua tout à coup. On ouvrit.

Un homme entra.

Il avait un costume de Baladin. Sa taille était grande, une profusion de cheveux noirs et en désordre, lui couvraient les yeux, et empêchaient d'en voir l'expression. Mais elle devait être terrible dans ce moment-là. Sa main droite se tenait fortement serrée, ... tenez, dit-il en jetant son argent sur une table,... tenez... et il s'arrêta pour pousser un rire convulsif... voilà dix francs.

Oh plaignez-le, ce joueur, ce baladin, cet homme de mauvaise vie, cet homme qui n'aime pas [ses] enfants.

Qui bat sa femme. Oh plaignez-le parce que c'est un infâme, un baladin, un homme de mauvaise vie, un homme qui bat sa femme, et qui n'aime pas ses enfants.

C'est que la misère a voulu qu'il soit baladin, la faim lui a tellement aiguisé les dents qu'elle l'a poussé dans une maison de jeu. Son éducation l'a fait un homme de mauvaise vie, sa femme est laide, rouge, édentée. Oh une femme rouge, et ses enfants lui déplaisent parce qu'ils lui disent J'ai faim : et ce cri-là lui fait mal car il n'a rien à leur donner.

Plaignez-le. Tout à l'heure, sa femme est rentrée, — ... elle avait cassé son violon,... elle n'apportait pas de pain.

Il était 6 heures d'après-midi, il faisait froid et tous avaient faim.

Vouliez-vous qu'il laissât mourir ses enfants, ses pauvres enfants, qui les mains jointes comme devant l'autel rampaient à ses genoux, en lui disant avec un sourire et des larmes — du pain —.

A genoux les mains jointes devant un Saltimbanque — vous voyez bien que la misère fait faire des bassesses.

Et puis dans son désespoir, il avait battu sa femme, il avait maudit ses enfants, il avait appelé Satan... il avait chargé son pistolet... par un sentiment machinal il l'avait laissé tomber puis, la tête lui brûlait, tout tournait autour de lui, et il avait vendu son arme... il se trouvait alors dans une maison de jeu,... et c'est avec une sollicitude bien douloureuse qu'il regardait ses deux pièces rouler sur le tapis, ses deux pièces qui allaient décider de sa vie, de celle de ses enfants, de celle de sa femme.

Maintenant s'il perd, il se mettra brigand, assassin peut-être. — On le conduira sur l'échafaud, les mères en passant le montreront à leurs enfants comme un monstre, comme un être hideux dont un seul de ses regards peut faire mal et sa tête roulera sur les planches humides,... et la foule en passant, donnera encore des malédictions à son tronçon... Eh, voilà un

bien grand coupable — C'est un homme qui avait
faim.

Sa femme, si elle n'en meurt pas de douleur, elle
mourra de misère ou bien encore elle se mettra ignoble
fille de joie.

Et la foule lui crachera au visage en riant. C'est la
femme d'un assassin, c'est une fille publique — et elle
est laide —

Quant à ses enfants, la charité des hôpitaux les
ramass[er]a peut-être ; on les élèv[er]a dans une
crainte religieuse des autres hommes, on les séques-
trera de la société. On leur donnera un habit s'ils ont
froid, un morceau de pain s'ils ont faim. — Mais leurs
larmes — Ah elles resteront longtemps à couler sur
leur visage, elles creuseront leurs joues...

Les enfants des riches, en passant leur jetteront
parfois, quelque or bien brillant, avec un rire d'ironie.

Et puis devenus hommes ils machineront des crimes
en haine de cette société qui les a maudits parce qu'ils
sont les fils du maudit.

———————

Voilà tout ce qui tournait, sautait, tourbillonnait,
dansait dans Pedrillo.

Toutes ces idées-là se réalisaient dans son imagination ; il ne les inventait pas mais il les voyait, il les
sentait.

Mais il ne comprenait pas par exemple pourquoi sa
famille était malheureuse. Non il ne le comprenait
pas, et se raidissant contre le ciel, s'il l'avait pu il
aurait détruit la création, il aurait anéanti Dieu.

Sa respiration était forcée... il soupirait par
moments... il croyait peut-être devenir fou. Il a vingt
francs... il les prend avec joie, les serre, les embrasse,
... il les rejette avec un geste d'orgueil...

La salle résonne de cris... pour qui cet or passe à
travers les dents du râteau qui déborde de la table ?...
C'est à Pedrillo riche de dix mille francs.

... Il rit, il pleure, il saute, il les rejette encore une
fois l'insensé, il est heureux maintenant. Dix mille
francs. C'est un homme vertueux... il peut s'acheter

un habit, donner une robe à sa femme, à ses enfants
des jouets, dix mille francs — Il peut, avec son or dans
ses poches jeter à la misère son contingent d'opprobre,
c'est un homme honnête — dix mille francs — Ah —
Ah — Ses traits se décomposent, son rire s'apaise, son
regard est moins vif, sa tête moins haute. — Ah — ah,
il n'a plus que 400 francs... il pose sa main à sa
poitrine... il a encore 50 francs... il jette un léger cri de
douleur... il n'a plus que 5 francs... maintenant...
rien.

La mauvaise fortune ne paraissait point l'avoir
accablé — et comme son voisin lui en demanda la
Cause : tenez, dit-il avec le même rire et le même
accent qu'il avait eus en jetant ses dix francs — tenez
et il découvrit sa poitrine, elle était toute sanglante, et
ses mains avaient de la chair humaine au bout des
ongles.

V

Il était nuit, mais une nuit sombre, sans astre, une
de ces nuits qui font peur, qui vous font voir des
fantômes, et des spectres dansant sur le mur blanc des
cimetières, de ces nuits dont le vent fait frémir
d'horreur et dresser les cheveux sur la tête, de ces
nuits où l'on entend au loin le cri plaintif de quelque
chien rôdant autour d'un hôpital.

Pedrillo était sorti de la maison de jeu.

L'air frais de la nuit vint rafraîchir son front et lui
rendre le sentiment réel de sa position. Mais peu à peu
l'imagination prit le dessus. Il rêvait en marchant,
tous les objets qu'il voyait prenaient une forme
gigantesque. Les arbres que le vent faisait frémir avec
plus de furie que la nuit précédente lui apparaissaient
comme des géants hideux, toutes les maisons étaient
pour lui des tripots, entendait-il le bruit d'un orchestre en passant près d'un bal c'était la musique de
l'enfer ; une femme passait-elle en tournoyant près
d'un rideau rouge, c'était une courtisane. Le bruit des

verres sur le plateau c'était une orgie. Bientôt la neige
tomba, et regardant ses habits.... il se voyait entouré
d'un linceul.

C'était ainsi assiégé qu'il parcourait les rues en
courant. Quelquefois il s'arrêtait et s'asseyait sur une
borne, il regardait quelque rayon de la lune, et les
nuages qui roulaient sur les étoiles.

Ils prenaient tous les formes les plus bizarres et les
plus grotesques. C'étaient des monstres, grimaçants...
puis des tas d'or... une femme avec ses enfants... un
lion rugissant dans sa cage... une morgue et un
cadavre sur la dalle humide... et il entendait le
sifflement des monstres, le bruit de l'or résonnant sur
les tables. Il voyait les larmes de cette femme et de ses
enfants, il entendait le rugissement du lion... il sentait
l'odeur cadavéreuse de ce corps déjà verdâtre. Il le
regarda longtemps puis le nuage prit une autre
forme... il eut peur, se mit à courir n'osant regarder
derrière lui ; et quand il arriva à sa tente... il était
haletant hors d'haleine et ses traits étaient boule-
versés.

Marguerite était sur sa porte à l'attendre.

Elle n'osa rien lui demander, car elle comprit assez,
elle dont le malheur avait plus d'une fois coupé son
âme, elle comprit la sueur qui coulait de son visage.
Elle vit pourquoi ses yeux étaient rouges de colère.
Elle devina les choses qu'il pensait, à travers la pâleur
de son front, et elle savait ce que voulaient dire ses
claquements de dents.

Ils restèrent tous deux ainsi sans rien dire, sans se
communiquer ni leur peine ni leur désespoir. — Mais
leurs yeux pourtant avaient parlé et s'étaient dit des
pensées tristes et déchirantes.

Le lendemain quand les enfants s'éveillèrent
Pedrillo leur ordonna de faire leurs paquets, lui-même
défit sa tente, la plia dans la voiture. Et à neuf heures
du matin, tirée par la rossaille[5], la carriole roulait
lentement sur le pavé. La pluie n'avait point cessé
depuis la veille, elle venait battre sur les parois de bois
de la voiture. Son bruit régulier avec celui du vent et le

mouvement des soupentes endormirent peu à peu les baladins entassés sur leurs toiles et leurs costumes [de] parades.

Déjà tous, les yeux fermés, se laissaient balancer par les secousses, lorsque Ernesto qui conduisait le cheval rencontra deux voitures qui portaient une ménagerie. En passant à côté de celle de nos gens le montreur d'animaux reconnut à travers les vitres couvertes de vapeur la tête de Pedrillo. Or Pedrillo c'était une vieille connaissance.

Il réveilla la troupe en faisant claquer son fouet, et le premier mot qu'il adressa à son compagnon fut un juron accompagné des quelques *F* et autant de *B* puis après cet exorde il commença sa phrase en disant : Il fait joliment du bouillon aujourd'hui. Le père Eternel se vide la vessie.

Pedrillo leva sa figure bleuie et regarda cet homme avec surprise.

— Tiens c'est toi, dit-il étonné en ouvrant la lucarne.

— Parbleu est-ce que tu ne me reconnais pas ? Tu es donc bien fier. Pourtant tu n'as pas l'air trop bien fortuné. Et je crois que tu n'es pas *foutu* pour avoir une ménagerie comme la mienne. Ce disant il montra du doigt ses cages et une jeune fille assise à ses côtés.

Au premier village qu'ils rencontrèrent ils firent entrer leurs voitures sous le hangar d'une ferme ; et là les baladins descendirent et s'embrassèrent.

Pedrillo n'eut point de mal à embrasser Isabella. Mais quant à Isambart ce fut bien différent.

— Comment l'appelles-tu ? demanda-t-il à son ami.

— Marguerite.

— C'est une fraîche marguerite. Et il toucha délicatement du bout de ses lèvres le front rougeâtre.

— Ah ça, continua-t-il, nous voilà réunis. Veux-tu voyager ensemble — Nous associer ?

— Mais... hum... hum comme tu voudras.

Il ne fallait pas laisser échapper une aussi belle condition — Pedrillo le comprit bien, il lui frappa vigoureusement dans la main en disant :

— Soit — tu es un brave —

Isambart fit la grimace mais il n'y avait plus moyen de reculer, et puis la famille de Pedrillo, pensait-il, fera des tours de corde tandis que moi je montrerai mes animaux, tout le monde y gagnera — Après ça qu'il prenne Isabellada[6] s'il veut je n'y tiens guère.

Ils attendirent que la pluie fût passée, remontèrent dans les carrioles pour se diriger vers la ville la plus voisine où ils devaient donner des *représentations*. Quand Isambart disait ce mot, il ôtait son chapeau et ajoutait : A l'aimable société qui s'y trouvera.

VI

Vous avez vu cent fois Isambart. C'est un homme petit, trapu, au teint frais et rosé, au nez rouge, aux yeux gris. C'est lui qui dans toutes les troupes d'acrobates, vous a fait rire si vous êtes enfant, et pitié si vous êtes plus grand.

C'est lui qui avec ses bas rouges, sa culotte courte, ses souliers à larges boucles d'argent, son chapeau à l'hidalgo, gris, ras, et orné d'une plume de coq, c'est lui dis-je qui reçoit toujours la craie au milieu du visage, en en frappant la corde, c'est lui qui tombe par terre, reçoit les claques, ... c'est lui qui allumant les quinquets se laisse dégringoler du haut de l'échelle. Puis il prend un air *grave* et singeant le régisseur il s'avance le chapeau sous le bras annoncer le programme.

Marguerite vous la connaissez aussi, c'est elle qui reçoit les trois sous que chaque spectateur doit donner en sortant, elle a les sabots aux pieds, des bas blancs bien tirés sur le mollet, et un mouchoir d'indienne sur la tête en forme de béret.

Vous avez vu Pedrillo. C'est cet homme grand, mince, marqué de petite vérole, qui saute sur la corde d'un pas léger, et qui bondit et qui saute sans balancier.

Depuis deux ans nos deux troupes vivaient en

bonne intelligence, et la famille de Pedrillo ne s'était
pas repentie de son association. Tous vivaient heureux, tranquilles, sans souci, mangeant le soir ce qu'ils
avaient gagné tout le jour... Marguerite seule était
malheureuse.

Et pourtant, ... son mari ne la battait plus... ses
enfants avaient du pain.

Ah c'est que Isabellada était jeune, jolie, elle avait
vingt ans ; ses dents étaient blanches, ses yeux beaux,
ses cheveux noirs, sa taille fine, son pied mignon. Et
Marguerite était laide, elle avait 40 ans, les yeux gris,
les cheveux rouges, la taille grosse, le pied large.
L'une était la femme et l'autre l'amante. L'une était
celle qui donnait toujours des reproches, ... et l'autre
de si ardents baisers. — Isabellada était devenue mère,
et elle avait un enfant aussi beau qu'elle. C'était le
second amour de Pedrillo.

Isambart avait regardé tout cela d'un œil de philosophe, et s'était contenté de faire là-dessus une
mauvaise pointe en disant que l'on n'aurait plus
besoin d'aller chercher de l'eau pour faire la soupe
puisqu'on avait deux mers sous la tente. Il le répétait à
tout venant et disait ensuite : n'est-ce pas que je suis
farceur ?, et il en avait pour une demi-heure à rire.

Ce qui humiliait davantage Marguerite c'était cette
comparaison perpétuelle de tous les jours, de tous les
instants, qu'elle avait à soutenir avec Isabellada.

Ce mépris qui s'attachait à sa personne, à tout ce
qu'elle faisait, mais ce qui lui faisait le plus de mal
c'était lorsqu'elle entendait le soir les baisers des deux
amants heureux, lorsqu'elle les voyait s'entrelacer de
leurs bras sans crainte, sans pudeur. Mais avec amour.
Et puis l'enfant de Pedrillo, elle [le] haïssait d'une
jalousie sombre et amère.

Un jour, c'était dans l'été ; toute la troupe à
l'exception des enfants dansait dans le carrefour d'une
rue assez déserte.

Marguerite et Isabellada dansaient aussi. Pauvre
Marguerite.

Pedrillo un bonnet chinois sur la tête, des timbales aux genoux, une flûte de Pan[e] à la bouche, frappant de la grosse caisse, composait tout l'orchestre. Isabellada en robe blanche, une écharpe rose autour du cou, sautait, dansait, tourbillonnait sur le vieux tapis de Perse.

Son regard était vif et lançait des éclairs ; sa taille était fine, svelte et se pliait et s'abaissait et se dressait comme le cou d'un cygne.

Oh non ce n'était point une robe, c'était un léger jupon blanc avec des fleurs brodées au bas, un léger jupon tombant au milieu des cuisses sur des bas roses qui les serraient avec volupté.

C'était sa valse, sa danse, tourbillonnante comme des pensées d'amour qui bondissent dans le cœur d'un poète.

Et sa gorge si blanche, blanche comme du marbre le plus blanc, sa gorge, si pure, si fraîche, si suave... Et sa tête... et ses yeux... et son sourire...

Oh la gorge d'une femme quand elle est jeune et jolie, quand on la sent comme une rose à travers la mousseline sautillante au mouvement de sa danse, oh la gorge d'une femme, n'est-ce pas que c'est là... dans vos rêves d'amour... dans vos nuits d'insomnies... dans ces nuits que l'on passe à pleurer et à maudire sa mère. N'est-ce pas que c'est sur sa gorge que vous a[vez] posé votre tête toute chaude et toute bouillante, c'est sur sa gorge que vous avez tressailli d'amour, que toutes les fibres de votre âme ont vibré comme la lyre touchée par le doigt d'une jeune fille et se sont raidies de volupté comme les muscles d'un athlète.

N'est-ce pas entre ses deux seins que vous avez dévoré de si ardents baisers.

N'est-ce pas dans son regard si doux que vous avez bu la vie, n'est-ce pas dans ses sourires que vous avez vécu.

N'est-ce pas que son pied mignon, sa jambe si bien faite étaient là sur votre lit à s'entrelacer dans les vôtres ?

Et puis sa figure, sur cette gorge, sur cette taille de

femme, sur tout cet ensemble de gracieux, de céleste, de divin, il y avait dans son regard, dans le mouvement de sa prunelle, dans le bruit que sa robe faisait en tournant dans l'air, dans la manière dont son pied pivotait sur le tapis troué, quelque chose d'inexprimable et d'inouï, de rêveur et de pur.

Elle n'avait pas l'air d'une femme, ainsi sautant, tourbillonnant, dansant... Oh non ce n'était pas une femme c'était une pensée d'amour.

A la voir ainsi au milieu de cette musique aigre et bizarre, entre Isambart et Marguerite, ... c'était un diamant sur un tas de boue.

Isambart faisait encore l'insipide paillasse, il avait un justaucorps, des bas bleus et blancs, et une perruque moitié rouge, moitié noire. — Sous ce costume grotesque il disait mille choses plaisantes, ennuyeuses.

Et Marguerite que faisait-elle ?

Elle souffrait, elle pleurait en silence. Oui mais [pour] vous ce n'est rien, souffrir, pleurer.

Je comprends.

Eh bien... chaque spectateur qui venait regarder avec extase la sylphide jetait les yeux sur l'autre femme qui était là à quelques pas.

Que faisait-elle ?

Des tours de force.

Oui à côté de cette jeune fille si belle, si fraîche, se trouvait là comme contrepoids une femme rouge aux joues épaisses, aux pieds mal faits, à la tenue déhanchée. Elle s'avançait aussi au son de la même musique. Et ses pieds touchaient le même tapis que ceux d'Isabellada... Oui cette femme qui sautait si légèrement, qui vous inondait des éclairs de sa brillante prunelle, qui faisait tressaillir votre corps d'un long frisson d'amour quand sa robe en passant effleurait vos cuisses, ... c'était une baladine comme Marguerite. Elle était au même degré que cette masse de chair qui se contournait avec force, qui marchait la tête renversée au même niveau que les pieds, ne laissant apercevoir sous sa longue robe bleue qu'un ventre à la place d'une tête et que des seins qui tombaient avec dégoût et pesanteur.

Puis lorsqu'elle se relevait son visage était couleur de pourpre, ses yeux tout violets et pleins de sang, et ses veines gonflées.

Et sur tout cet ensemble grotesque, il y avait pourtant répandu un certain air de courtisane, de flatterie, sa bouche sans dents voulait sourire elle faisait une grimace, son regard ennuie et pèse, mais elle déplaît souverainement lorsqu'elle dit d'une voix aigre et d'un ton de pie-grièche :

« *Et regardez bien messieurs comme ceci est difficile.* »

Et la musique continuait, Isabella dansait, sautait, tourbillonnait comme des pensées d'amour dans le cœur d'un poète.

De temps en temps quelque chose se faisait entendre dans un plat qui était sur le tapis.

— *Y a gras,* dit Isambart en défaisant sa perruque.

VII

Vous ne savez peut-être pas ce que sont les quatre masques qui s'avancent crochés tous ensemble dans la rue du théâtre.

Il y a un pierrot avec une tête de bœuf, c'est un homme petit, large, de bonne humeur et qui promet de s'en donner une *bosse*, c'est son expression.

A sa gauche est un domino noir qui marche la tête baissée, ... ce domino a l'air d'une femme.

Puis c'est un Diavolo assez bien fait qui parle tout bas à une jolie Suissesse au cotillon court, et qui porte fièrement une tête sans masque.

Singulière chose qu'un bal masqué.

Ne croyez pas que je vous parle de ceux de l'Opéra qui naissent au mois de janvier, et meurent le mardi-gras, des bals de l'Opéra, où l'on s'ennuie, où je n'ai jamais été parce que là encore, vous voyez sur le masque la lunette d'or du banquier, sous la patte du singe le gant parfumé d'un dandy. Non. Mais c'était

un bal du peuple, où il va seul, les manches retroussées, où pour 20 sous il rit toute une nuit dans sa
bonne grosse joie.

Un bal où l'on s'intrigue plus qu'aux autres, où il
est de mauvais goût de se fâcher, et que les directeurs
bravant les préjugés des saisons livrent au public si le
dimanche est beau, et si le pain n'est pas cher.

C'est à ces bals-là qu'il y a des danses impudiques et
qui vous feraient rougir pauvre fille.

Et si vous [y] alliez le lendemain vous ne seriez plus
vierge peut-être.

Et l'on s'y amuse pourtant, l'on est heureux — les
hommes sans pudeur — les femmes souillées — sans
honneur.

On est heureux sans vertus.

Singulier n'est-ce pas ? Vous ne vous êtes pas douté
qu'on pût être heureux sans vertus.

— C'est vrai pourtant. En ce cas, à quoi servent-
elles ?

Vous avez reconnu ces masques... ce sont nos
saltimbanques.

Jadis ils n'avaient pas de pain, et aujourd'hui ils
courent au théâtre.

C'est qu'ils ont de l'argent, oui de l'Argent. D'où
leur vient-il ? d'Isabellada. Ne croyez point que ce soit
aux animaux d'Isambart, et à ses grimaces, aux tours
de force de Marguerite qu'ils doivent leur fortune.

Du tout ! C'est à cette belle enfant qui saute
maintenant une valse hongroise, au milieu du bal,
éperdue, enivrée, accablée d'applaudissements, de
fleurs et du brouhaha d'une salle entière qui trépigne
de joie.

Un seul masque reste pensif sur sa banquette. Il est
triste, et les applaudissements de la salle le font
pleurer. La grâce d'Isabellada lui est à charge.

C'est qu'aussi là comme autre part, il est venu
apporter sous son masque et sa jalousie amère, et sa
haine furieuse et ses peines, et ses plaies saignantes et
ses blessures profondes.

C'est le domino noir.

Quant à Isambart il dansait, lourdement, criait fort, intriguait le premier venu et puis il allait s'asseoir à la table de jeu, avec d'autres pierrots, trichait, riait aux éclats, faisait du vacarme, attroupait tout le monde autour de lui, et puis il recommençait. Marguerite depuis quelque temps l'avait perdu de vue, lorsqu'elle se sentit frappée sur l'épaule.

Elle se retourna.

C'était un pierrot avec une tête de bœuf.

Elle reconnut notre homme.

Mais lorsque celui-ci vint à lui dire — Je te connais bien, beau masque — ce n'était plus sa voix — non bien sûr ce n'était pas lui — Qu'en savait-elle après tout, car il y en avait tant d'autres du même costume et cette mode de porter des têtes d'animaux était alors fort en usage.

Quant à la voix elle était déguisée sous le masque.

— Je te connais bien, dit le pierrot, veux-tu que je te dise ton nom ?

— Oui.

— Marguerite La Rouge Laide.

Cette voix grêle et chevrotante, cette figure stupide de bœuf ouvrant ses larges narines, avec son rire imbécile fit peur à Marguerite. Elle se tapit dans son coin en tremblant.

— Tiens regarde, continua-t-il, cette jeune fille sauter là-bas, — la reconnais-tu ?

Et il montrait Isabellada, et sa large figure riait toujours, et sa voix continuait :

— Elle est plus jolie que toi, vois-tu comme son sein palpite, avec grâce, comme ses mains sont blanches, comme son costume lui dessine bien sa taille ?

Marguerite trépignait d'impatience, elle se mordait les lèvres, et commença à pleurer, et l'on vit ses larmes couler sur son masque noir et y laisser une trace blanche.

Et la tête de bœuf riait toujours ouvrant ses larges narines et ses lèvres s'écartaient avec une stupidité qui avait quelque chose de féroce, il continua avec plus de vitesse :

— Ce soir après le bal quand les lumières seront éteintes, lorsque tu retourneras dans ta tente joindre tes enfants, tu entendras non loin de toi le bruit des baisers d'amour.

— Oh grâce, grâce.

Et le masque riait de plus belle. Il se mit même à agiter ses longues manches autour de la tête de Marguerite et à lui en caresser les joues.

— Et cette femme que tout le monde admire maintenant sera à un seul homme. A ton mari.

— Ah pitié Isambart, pitié.

— Tenez, dit-il en riant et en s'adressant au public, en voilà une qui se fâche parce que je lui dis que son mari en caresse une autre, il se retourna vers Marguerite, l'amena dans l'embrasure d'une f .être. Alors elle ne pouvait plus lui échapper, il pouvait lui cracher toutes ces injures à la face, il pouvait lui raconter jusqu'au bout toutes les peines qu'elle avait eues, lui dire combien elle était laide, lui montrer toute la différence qu'il y avait entre elle et la danseuse, lui peindre jusqu'au dernier détail l'amour de Pedrillo, il pouvait lui représenter avec chaleur leurs entrelacements dans le lit nuptial, leurs mots à moitié dits, leurs soupirs entrecoupés.

C'est ce qu'il fit.

— Tu seras éveillée demain par les éclats de rire d'un enfant, ce sera le leur.

— O Isambart que t'ai-je fait ?

— Rien mais tu me déplais, tantôt quand je te voyais faire tes tours, que j'aurais eu de plaisir à jeter de la boue sur ta robe bleue, à tirer tes cheveux, à meurtrir tes seins. Je sais bien, tu ne m'as jamais rien fait — tu es peut-être meilleure qu'une autre. Mais enfin tu me déplais, je te souhaite du mal. C'est un caprice. D'abord pourquoi pleurer toujours, avoir un air si sombre, une démarche si déplaisante, une tournure qui me fait bisquer enfin ?

Et puis toujours geindre et se lamenter, — eh bien

morbleu, pourquoi ne t'en vas-tu pas d'avec nous, car nous te nourrissons et ce n'est jamais pour toi que nous recevons de l'argent. Tes enfants dis-tu ? et bien le *bureau*[7] les ramassera bien. Moi à ta place, *je ferais la vie* au moins...

Ah non t'es trop laide.

Oh mais quand je vois tes yeux de chat à travers ton masque... qué figure qui me déplaît... il quitta son air en colère et partit en riant aux éclats.

———

Isabellada, épuisée, demanda à Pedrillo à s'en aller, et en quittant le bal, elle s'appuya sur son bras langoureusement, laissa voir sa gorge décolletée, et son dos couvert d'une sueur odoriférante.

On l'applaudit encore.

VIII

Pedrillo en effet laissa seule Marguerite, et alla du côté de la ménagerie. Isambart les laissa tranquilles, se coucha vite, et ne se réveilla que le lendemain à une heure d'après-midi.

Le domino noir ôta son masque qui l'étouffait, et resta le coude appuyé sur la table, regardant brûler la chandelle et enfoncée dans ses souvenirs du bal.

Les paroles d'Isambart lui revenaient à l'esprit, elle entendait son rire éclatant perçant à travers son masque.

C'était le souvenir de la danse d'Isabellada qui lui faisait mal, tous ces applaudissements pour une autre, tous ces dédains pour elle, l'amour de Pedrillo pour son enfant. Et la tête de bœuf lui revenait encore dans l'esprit, avec ses narines ouvertes, et son rire féroce.

Son expression stupide l'effrayait encore.

Je ne sais si vous avez comme moi étudié, tous ces visages grotesques. Mais il y en a quelques-uns dont l'auteur doit être bien athée et bien misanthrope pour réunir sur le même carton la ressemblance de la brute avec l'homme.

La haine sans cause [d'Isambart] [f] lui avait fait une singulière impression. Sa haine avait pour motif qu'elle marchait mal, que ses cheveux étaient rouges et qu'elle aimait ses enfants.

Ce remède ignoble à ses maux qu'il lui avait proposé... cette insulte outrageante de lui avoir fait sentir qu'on la nourrissait par pitié, qu'elle leur était à charge, tout cela la faisait souffrir, elle qui aimait tant son Pedrillo, elle qui n'avait demandé au ciel qu'une vie d'amour, qu'un mari qui l'aim[ât], qui comprît toutes ses tendres affections et qui sentît toute la poésie qu'il [y] avait dans ce cœur de Baladine, de femme honnie, méprisée de la société. Ah, se disait-elle en elle-même, lorsqu'elle voyait passer en chapeau une femme honnête, — pourquoi ne suis-je point comme elle ? ; — et alors l'envie lui prenait au cœur. Quand elle voyait danser Isabellada — elle demandait au ciel pourquoi la nature ne l'avait point faite ainsi. Et elle haïssait la maîtresse de son mari — Oh dans ces moments-là quand elle avait froid, quand elle voyait Pedrillo vivre heureux et content — alors [elle] était méchante et ne croyait plus en Dieu.

Encore elle se serait passée d'argent — Elle demanda de l'amour à la société — On lui rit à la face — De l'humanité — On lui montra le chemin de l'hôpital — De la pitié — C'est une baladine — Ah de la pitié à une baladine — A une voleuse d'enfants, à une coureuse des rues —

Eh bien à cette société qui n'avait voulu lui donner ni pain, ni amour, ni pitié, elle voua la haine et la jalousie. A Dieu qu'elle avait imploré tant de fois les genoux sur le pavé, les larmes aux yeux, à Dieu qui n'écouta pas ses prières, elle donna l'impiété.

A la nature qui l'avait maltraitée le mépris.

Aussi quand elle voyait des gens riches, heureux, estimés, dont on prenait soin, elle leur souhaitait les calamités les plus grandes. Elle riait des prières des pauvres, de leurs vœux, de leurs reliques, et en passant elle crachait sur le seuil des églises.

Quand elle voyait une femme gracieuse, au doux

sourire, aux yeux tendres et langoureux, aux cheveux
de jais[g], au cou d'albâtre, elle se moquait de la foule
qui l'admirait. Elle se disait :

— Qu'aurait-il fallu pour qu'elle fût comme moi ?
Des cheveux d'une autre couleur, des yeux plus petits,
une taille moins bien faite. Et elle serait comme
Marguerite. Si son mari ne l'avait point aimée, l'avait
méprisée, l'avait battue, elle serait laide, méprisée
comme Marguerite.

C'est dans ces pensées-là qu'elle était alors puis peu
à peu elle s'assoupit. Elle dormait le coude appuyé sur
la table, la joue dans la main et la chandelle brûlait
toujours.

IX

Le lendemain elle fut réveillée par la voix d'Ernesto
qui se disputait avec Isabellada.

Elle se mit à les écouter.

— Pourquoi me l'avez-vous pris ? N'était-ce pas à
moi ? Je veux la ravoir.

Marguerite s'habilla à la hâte, se cacha derrière la
voiture aux animaux, et les regarda sans rien dire.

Elle vit la sœur d'Isambart, qui tenait la couverture
d'un de ses enfants, et qui ne voulait pas lui rendre.

Elle avait déjà bien d'autres motifs pour haïr cette
femme sans que celui-ci vînt s'y joindre encore, elle ne
put supporter plus longtemps cette vue, elle sauta en
un seul bond sur elle, lui arracha la couchette.

— Encore, toujours toi Isabellada. Elle prononça
ce mot de la manière la plus dure qu'il lui était
possible car son harmonie lui déplaisait.

— N'est-ce point assez, continua-t-elle avec verve
et chaleur, n'est-ce point assez que tu viennes chez
nous t'y établir, y dominer, y faire la souveraine, que
tu prennes mon mari, que tu me l'enlèves tous les
jours de ma couche pour le porter dans la tienne,
n'est-ce pas assez, fille de Satan, de nous insulter en
public par ta beauté que tu prostitues à l'admiration

du premier venu, dis, réponds, n'est-ce pas assez,
l'infamie et l'outrage ne sont-ils pas portés assez haut
sans que tu viennes encore arracher les linges qui
cachent le sang de nos plaies ? — Il retomberait sur
toi, le sang, prends-y garde.

Ah ah, les belles filles, les jolies à qui tout le monde
jette des fleurs, des louanges, de l'argent, vous nous
donnez en échange le mépris, la honte et la misère.

Tiens Pedrillo, regarde si je n'ai pas raison.

— Qu'y a-t-il Isabellada ?

— Son enfant a voulu prendre la couverture du
mien — et Marguerite soutient que c'est à elle.

— Marguerite qu'as-tu à dire ?

— Elle ment Pedrillo, ne l'écoute pas.

— C'est toi Marguerite, et il la repoussa durement
dans la tente.

Là elle s'arracha les cheveux, déchira ses habits, se
roula par terre, se mit le visage en sang.

Elle se releva.

Il faut donc boire l'amertume jusqu'à la lie, eh bien
oui encore, encore, — Isabellada, danse mieux s'il est
possible, Pedrillo aime-la plus encore et moi je vous
haïrai davantage.

Tout à coup, elle se jeta aux genoux de Pedrillo qui
entrait dans la tente au même moment.

— Que viens-tu faire ici ?

— Prendre de l'argent.

— Pour qui ?

— Pour elle.

— Ah oui, elle, elle, toujours. Ah Pedrillo, tu
l'aimes donc bien ?

— Oui.

— Grâce, oh ne m'accable plus de sa présence, de
son nom, de sa beauté. Je t'en prie aime-moi. Que te
faut-il pour te plaire ? Mais je t'en prie ne me parle
plus.

Cette femme, le visage ensanglanté, les habits
déchirés, pleurant, se tordant de rage à ses pieds,
l'attendrit un moment.

— Que veux-[tu] ma Marguerite ?

— Pedrillo laisse pour maintenant, mais un jour quand *elle*, tu m'entends, *Elle*, quand elle m'aurait tuée par ses insultes, tu sais comme le lion de Numidie, rugit bien dans sa cage, tu sais avec quelle volupté il dévore la viande qu'on lui donne le soir. Eh bien, un jour je te demanderai, le même honneur.

— Qu'as-tu voyons, Marguerite, reviens à toi.

— Ce que j'ai. Je suis jalouse, ah tu ne l'as jamais été toi. Ce que j'ai, je suis folle peut-être, je n'en sais rien. Mais je la hais et je t'aime.

X

Il fait chaud, le soleil darde ses rayons sur la route pleine de poussière, et les pommiers qui la bordent ont leurs feuilles toutes brûlées — C'est par ces vigoureuses chaleurs du mois de juin qu'il est doux de se laisser ballotter par le mouvement de la calèche, de s'abandonner à quelque rêve plein de poésie tandis que les rideaux bleus des vasistas sont fermés et laissent passer cependant quelque petit nuage de poussière chassé par le vent et qui vient couvrir vos habits.

Cela est vrai. Mais tout le monde ne voyage pas en calèche, et nos baladins dormaient alors dans leurs carrioles. Marguerite et Pedrillo marchent à pied, et causent tous deux. Le silence n'était alors interrompu que par le son de leurs voix qui se faisait seul entendre au milieu de la campagne, par le pas des chevaux sur la poussière, et par le bourdonnement d'une abeille qui bourdonnait autour de la cage du lion et l'empêchait de se livrer à ses rêves ; car il en avait peut-être aussi, lui ; il pensait, à son soleil d'Afrique, à sa tanière qu'il avait laissée bien loin là-bas dans d'autres pays, il pensait à son vaste désert, à la lionne qui couchait avec lui sous l'ombre du palmier, et il mordait le bout de ses griffes avec mélancolie.

Laissons-le penser à son bonheur d'autrefois, laissons-le rêver à ses joies brutales, et revenons aux peines de Marguerite.

— Tu l'aimes donc bien, dit-elle tout à coup.

— Eh bien oui Marguerite, pourquoi toujours le demander ?

— Que lui trouves-tu de bien ?

— Tout — mais tu m'ennuies, que veux-tu ?

— La mort.

— Ah tu es folle.

— Peut-être, — tu es méchant, je ne te demande pas l'amour, je ne te demande pas la pitié, mais je te demande, la cause de cet amour puis la mort après.

— Quant à la cause je n'en sais rien, dit Pedrillo d'un ton courroucé. Quant à la mort, je t'en prie, Marguerite, tu sais que l'homme a des accès de colère.

— Et la femme des accès de jalousie, répondit Marguerite en riant ironiquement, oui de jalousie. C'est-à-dire de haine. Je te demandais la cause de ton amour pour Isabellada, eh bien moi je vais te dire la cause de ma haine pour elle et pour toi.

— Marguerite prends garde.

— Non — la voilà, la cause, elle est belle, je hais les belles parce que je suis laide. Tu l'aimes, et je la hais, je hais ceux qu'on aime, tu es heureux, toi, je hais les heureux, vous êtes riches et je hais les riches, parce qu'on ne m'aime pas, parce que je suis malheureuse, et misérable.

Pourquoi hein Pedrillo, pourquoi m'as-[tu] rejetée toujours comme quelque chose dont on a honte ? Ah oui, parce que tu craignais la risée publique, eh bien je te hais parce que j'aime ce que la société méprise, j'aime les baladins, moi, j'aime les filles de joie, et celles du dernier rang, et je déteste ton Isabellada. Oh si je pouvais je l'écraserais sous mon pied, avec quelle joie je piétinerais sur son corps, sur ses seins, sur sa tête, sur sa figure, je la mangerais, je la dévorerais avec plaisir.

Pedrillo fit un geste de colère.

— Marguerite prends garde, le lion est là dans sa cage. De grâce finis, pas un mot.

— Il fallait que tu fusses un homme sans pudeur et sans âme pour me mépriser ainsi, pour bafouer, pour

salir, pour traîner dans la boue cette pauvre Marguerite qui t'aimait tant, qui s'était jetée dans tes bras,
pleine de poésie et d'amour, et que tu as repoussée du
pied comme un chien galeux qui veut lécher son
maître.

— O Marguerite, Marguerite, tu vas me faire faire
quelque chose d'odieux, d'horrible.

— Encore cette femme, elle avait des enfants et
leur père les traitait sans pitié, pas de pain quelquefois
— Et s'ils ne sont pas morts, c'est que Dieu a veillé sur
eux. Le sanglier, la bête féroce, dévore quelquefois ses
enfants, mais il ne les fait pas périr dans les agonies de
la faim — Eh bien oui va jette-moi si tu veux à ce lion,
je ne te demanderai ni secours ni pardon. Non car si tu
m'as abreuvée d'amertume, je t'empoisonnerai d'injures, d'insultes et de reproches. Ecoute, écoute j'en ai
encore à dire, écoute que je dise encore une fois que je
hais Isabellada. Oui je la déteste, je voudrais l'avoir
entre mes mains, l'écraser, la déchirer de mes ongles
et plonger ma tête dans son sang, et m'y désaltérer en
la replongeant encore.

Le lion rugit dans sa cage, il fait sonner sa queue, il
remue sa crinière, et la gueule ouverte il attend une
femme que Pedrillo a dans ses bras.

Celui-ci ouvre la porte et la précipite.

Déjà le fier animal l'avait saisie lorsqu'Isambart
survenu à ses rugissements arracha Marguerite. Elle
avait la poitrine déchirée et ses mains portaient
l'empreinte de ses griffes.

XI

Quelle est cette femme qui sort en chancelant de
l'hôpital ? Sa taille est grosse, ses cheveux rouges, son
regard stupide. Un bonnet de dentelle avec des fleurs
sales lui couvre la tête, ses habits sont déchirés et son
aspect est misérable et fait pitié. C'est une folle.

Vous voyez bien que son rire est étrange, ses mots entrecoupés, qu'elle court, qu'elle s'arrête. Bien sûr. C'est une folle.

Ses mains et son visage [ont] des balafres. Bien sûr. C'est Marguerite. Oui c'était elle.

Elle marcha ainsi pendant deux jours, ne sachant où elle allait, sans avoir rien pris, rien ramassé, rien que la boue qu'on lui jetait en passant.

Les gamins couraient après elle et lorsqu'elle se détournait pour leur dire : il fallait que vous soyez sans pudeur et sans âme, sa figure grimaçant, son costume, et ses fleurs sur le bonnet déchiré les faisaient rire, et ils l'accablaient de leurs huées et de leurs cris de dédain.

Fatiguée, harassée, n'en pouvant plus, elle tomba presque évanouie sur le gazon d'un boulevard.

Tout à coup elle releva la tête, promena ses regards hébétés autour d'elle — et s'écria d'une voix tonnante, — Mes enfants où sont-ils ? — Auguste — Ernesto — Garofa —

Un tilbury vint à passer.

Une grande dame s'y charrait[8] à son aise. Son cachemire blanc tombait derrière jusque sur le siège du domestique. Les plumes blanches et noires de son chapeau s'agitaient avec grâce dans l'air. Son sourire était doux, sa taille fine. Elle paraissait heureuse, elle avait des diamants, un équipage, des cachemires, et des colliers d'or.

Marguerite courut vers elle, s'accrocha aux rayons de la voiture et avec des trépignements de colère :

— N'est-ce pas assez d'infamie et d'injures sans venir, arracher le linge qui couvrait nos plaies ?... c'est toi Isabellada. Oh va je te reconnais bien, c'est toujours cet air de courtisane cette taille impudique.

Elle ne se trompait pas.

Un jour qu'Isabellada dansait sur la place, un grand seigneur la vit, et depuis ce jour elle devint sa dame de compagnie.

— Quelle est cette femme ? dit le monsieur qui était en tilbury.

— Je ne sais, une folle sans doute.

— Si je suis folle, peut-être.

— John chassez-la.

Le domestique lui donna des coups de fouet sur le visage. Mais elle restait toujours accrochée aux rayons de la roue.

— Non je ne m'en irai pas, disait-elle, écoute, écoute encore, si tu m'as abreuvée d'amertumes je peux t'empoisonner d'insultes, de reproches et d'outrages.

— La folle ! la folle ! criait le peuple en courant après Marguerite.

Elle s'arrêta, se frappa le front.

— La mort, dit-elle en riant.

Et elle se dirigea à grands pas vers la Seine.

XII

On venait de retirer un cadavre de l'eau, et il était exposé à la morgue.

C'était une femme, un bonnet de dentelle avec des fleurs sales lui couvrait la tête, ses habits étaient déchirés et laissaient voir des membres amaigris. Quelques mouches venaient bourdonner à l'entour et lécher le sang figé sur sa bouche entr'ouverte, ses bras gonflés étaient bleuâtres, et couverts de petites taches noires.

Le soleil était sur son déclin et un de ses derniers rayons perçant à travers les barreaux de la morgue vint frapper sur ses yeux à moitié fermés et leur donner un éclat singulier.

Ce corps couvert de balafres, de marques de griffes, gonflé, verdâtre, exposé ainsi sur la dalle humide était hideux et faisait mal à voir.

L'odeur nauséabonde, qui s'exhalait de ce cadavre en lambeaux, et qui faisait éloigner tous les passants oisifs, attira deux élèves en médecine.

— Tiens, dit l'un d'eux après l'avoir considérée quelque temps, elle était à l'hôpital l'autre jour. Il se tut et l'examina attentivement.

C'était un véritable élève en médecine, avec un habit vert râpé, couvert de duvet, une casquette rouge, et une pipe de faïence dans laquelle il fumait le fin Maryland.

— Mais si nous l'achetions ?

— Que voudrais-tu en faire ?

— Gare, cria la voix d'un cocher. C'était celui du tilbury de l'autre jour qui conduisait Mademoiselle à l'Opéra.

Nos disciples d'Esculape se rangèrent aussitôt.

En se retournant, le fumeur laissa tomber sa pipe.

— Sacré nom de Dieu, dit-il en frappant du pied, voilà la troisième que je casse de la journée.

1er avril 1836

MORALITÉ

Maître Michel de Montaigne[9], Gascon docte et prud'homme, bardereau, a dict :

Cecy est un livre de bonne foy... je donne mon advis, non comme bon mais comme mien.

Moi je dirai aussi que c'est de bonne foy que sont écrites ces pages. Et même je les ai composées avec feu et enthousiasme.

J'ai voulu tonner contre les préjugés et je ferai peut-être crier contre un auteur aussi impudent que moi.

Quant à ce que j'ai mis comme titre *Un parfum à sentir* j'ai voulu dire par là que Marguerite était un parfum à sentir, j'aurais pu ajouter une fleur à voir, car pour Isabellada, sa beauté était tout.

Maintenant de peur que la très Sainte Église Catholique, Apostolique et Romaine, ne lance contre moi ses foudres à cause de mon titre cocasse

Conte philosophique, immoral, moral
(ad libitum)

je me justifierai quand on m'aura fait la définition de ce qui est moral d'avec ce qui ne l'est pas.

Ce que vous voudrez

Vous ne savez peut-être pas quel plaisir c'est ! composer !

Écrire, oh écrire c'est s'emparer du monde, de ses préjugés, de ses vertus et le résumer dans un livre.

C'est sentir sa pensée naître, grandir, vivre, se dresser debout sur son piédestal, et y rester toujours.

Je viens donc d'achever ce livre étrange, bizarre, incompréhensible. Le premier chapitre, je l'ai fait [en] un jour. J'ai été ensuite pendant un mois sans y travailler, en une semaine, j'en ai fait 5 autres, et en deux jours je l'ai achevé.

Je [ne] vous donnerai pas d'explications sur sa pensée philosophique. Elle en a une, triste, amère, sombre et sceptique... cherchez-la —

Je suis maintenant fatigué, harassé, et je tombe de lassitude sur mon fauteuil sans avoir la force de vous remercier si vous m'avez lu, ni celle de vous engager à ne pas le faire si vous ne connaissez pas le titre de mon originale production.

1er avril 1836

Gve Flaubert.

LA PESTE A FLORENCE

Composé en septembre 1836, après l'été de la rencontre à Trouville, *La Peste à Florence* achève la série des « contes historiques », au terme d'une année scolaire particulièrement féconde dans ce genre : *Mort du duc de Guise* (septembre 1835), *Deux mains sur une couronne* (janvier 1836), *Chronique Normande du dixième siècle* (mai 1836), *Un secret de Philippe le Prudent* (septembre 1836). Historiens comme Froissart, romanciers et dramaturges romantiques (Hugo, Dumas), alimentent ce « rêve sanglant » qu'on appelle l'histoire des hommes en sujets divers, identiquement construits autour d'une rivalité mortelle. Celle qui oppose ici François, « l'aîné le chéri de la famille » au cadet Garcia sous l'œil du père s'achève par un fratricide où Sartre voit le transparent « règlement de compte » du cadet Gustave vis-à-vis d'Achille et du *pater familias*.

Flaubert a pu lire le récit de ce double meurtre chez les Médicis dans la fort répandue *Histoire littéraire d'Italie* de P.-L. Ginguené : « L'un des deux frères, nommé Jean, âgé de dix-neuf ans, était déjà cardinal, et l'était depuis deux années ; c'était une sorte de privilège dans sa famille. L'autre, appelé D. Garzia, était plus jeune ; tous deux annonçaient les dispositions les plus heureuses. Le cardinal Jean surtout montrait un goût décidé pour les sciences, et principalement pour les antiquités. Ces deux jeunes gens

étaient à la chasse; il y avait quelque jalousie entre
eux. Dans un moment où ils étaient écartés de leur
suite, D. Garzia tua son frère. Cosme, informé de la
mort de son fils, en soupçonna l'auteur. Il fit porter le
corps sanglant dans un appartement secret de son
palais, fit appeler D. Garzia, et s'enferma seul avec lui
et le cadavre. Cette apparition subite ayant forcé le
fratricide d'avouer son crime, le père, saisi de fureur,
lui arracha son épée, l'en perça de sa main et fit courir
le bruit que ses deux fils étaient morts d'une épidémie
qui régnait alors à Florence » (cité par J. Bruneau,
Débuts, p. 88).

De ce sommaire, Flaubert tire le plus développé de
ses contes historiques, en dramatisant les données par
resserrement du temps (deux jours au lieu de deux ans
entre le titre de cardinal et la chasse meurtrière) et en
divisant le drame en tableaux. Il ajoute un prologue
« fantastique » et une « moralité » sans morale plus
désinvolte que celle d'*Un parfum à sentir*.

Après *La Peste à Florence*, le conte s'oriente vers
d'autres domaines. A l'histoire, Flaubert donnera
encore le drame de *Loys XI*, achevé le 3 mars 1838.
Mais comme à Bouvard et Pécuchet sur le tard, le goût
de l'histoire pour elle-même lui est venu : « Maintenant que je n'écris plus, que je me suis fait historien
(soi-disant), que je lis des livres, que j'affecte des
formes sérieuses », dit-il à Ernest Chevalier (lettre du
24 juin 1837). Les études savantes reportent à plus
tard le rêve de « lier l'art à l'histoire » (*Novembre*).

Y. L.

Gve Flaubert

C'est que je te hais d'une haine de frère
Al. Dumas
(Don Juan de Marana) [1]

La Peste
à
Florence
———————

Septembre 1836

La Peste à Florence

I

Il y avait autrefois à Florence une femme d'environ 60 ans que l'on appelait Beatricia. Elle habitait dans le quartier le plus misérable de la ville et ses seuls moyens de vivre se réduisaient à dire la bonne aventure aux grands seigneurs et à vendre quelques drogues à ses voisins pauvres lorsqu'ils étaient malades. La mendicité complétait ses revenus.

Elle avait été grande [dame] dans sa jeunesse. Mais alors elle était si voûtée qu'on lui voyait à peine la figure. Ses traits étaient irréguliers, elle avait un grand nez aquilin, de petits yeux noirs, un menton allongé et une large bouche d'où sortaient deux ou trois dents longues, jaunes et chancelantes [qui] répandaient sans cesse de la salive sur sa lèvre inférieure. Son costume avait quelque chose de bizarre et d'étrange. Son jupon était bleu et sa camisole noire. Quant à ses chaussures — elle marchait toujours nu-pieds en s'appuyant sur un bâton plus haut qu'elle.

Joignez à cela une magnifique chevelure blanche qui lui couvrait les épaules et le dos et qui tombait des deux côtés de son visage sans ordre et sans soin car elle n'avait pas même un simple bandeau pour les retenir.

Le jour et une partie de la nuit elle se promenait dans les rues de Florence mais le soir elle rentrait chez elle pour manger et pour dire la Bonne aventure à ceux qui n'avaient pas voulu s'arrêter en public devant une pareille femme et qui avaient honte de leur superstition.

Un jour donc elle fut accostée par deux jeunes gens de distinction qui lui ordonnèrent de les conduire chez elle. Elle obéit et se mit à marcher devant eux.

Pendant la route et en traversant les rues sombres et tortueuses du vieux quartier de la ville le plus jeune des deux témoignait ses craintes à l'autre et lui reprochait l'envie démesurée qu'il avait de se faire dire son avenir.

— Quelle singulière idée as-tu, lui disait-il, de vouloir aller chez cette femme. — Cela est-il sensé ? — Songe que maintenant il est près de huit heures, que le jour baisse, songe encore qu'en allant dans ce sale quartier de la plus vile populace, nos riches épées, les plumes de nos feutres, et nos fraises de dentelles peuvent faire supposer qu'il y a de l'or...

— Ah tu es fou Garcia, interrompit François [2], quel lâche tu fais.

— Mais enfin cette femme la connais-tu ? Sais-tu son nom ?

— Oui. C'est Beatricia.

Ce mot produisit un singulier effet sur le jeune homme et l'arrêta tout court d'autant plus que la devineresse entendant prononcer son nom s'était retournée — et cette pâle figure le fixant avec ses longs cheveux blancs que le vent agitait légèrement le fit tressaillir.

Garcia comprima sa crainte et continua de marcher silencieusement mais se rapprochant de plus en plus de son frère François.

Enfin au bout d'une demi-heure de marche ils arrivèrent devant une longue allée qu'il fallait traverser avant d'arriver chez Beatricia.

— Tu peux faire tes opérations ici, lui dit Garcia en s'adressant à la vieille femme.

— Impossible, attendez encore quelques instants, nous voici arrivés, et elle ouvrit une porte qui donnait sur un escalier tortueux et en bois de chêne.

Après avoir monté bien des marches Beatricia

ouvrit une autre porte. C'était celle de son cabinet
éclairé par une lampe suspendue au plafond. Mais sa
pâle lumière éclairait si peu que l'obscurité était
presque complète. Pourtant avec quelque soin et
comme l'appartement était bas et petit on voyait dans
l'ombre quelques têtes de morts, et si la main par
hasard tâtonnait sur une grande table ronde qui se
trouvait là, elle rencontrait aussitôt des herbes mouillées et de longs cheveux encore tout sanglants.

— Vite dépêche-toi, dit François.

Beatricia lui prit la main et l'ayant amené sous la
lampe, elle lui dit :

— Tiens, vois-tu ces trois lignes en forme d'M ? —
Cela est signe de Bonheur. — Les autres lignes qui
s'entrecroisent et s'entrelacent vers le pouce indiquent
qu'il y aura des trahisons, ta famille, toi-même, tu
mourras par la trahison d'un de tes proches. Mais je te
le dis, tu verras bientôt réussir tes projets. Va.

— A moi, dit Garcia d'une voix tremblante. —
Beatricia lui prit sa main droite. — Elle était brûlante.

— Ta vie sera entremêlée de biens et de maux.
Mais le cancer de l'envie et de la haine te rongera le
cœur, le glaive du meurtre sera dans ta main et tu
trouveras dans le sang de ta victime l'expiation des
humiliations de ta vie — Va.

— Adieu femme de l'enfer, dit Garcia en lui jetant
une pièce d'or qui roula sur les pavés et alla frapper un
crâne. Adieu[a], femme de Babylone[3], que la malédiction du ciel tombe sur ta maison et sur ta science et
fasse que d'autres ne se laissent point prendre à tes
discours… Ils sortirent aussitôt et l'escalier résonnait
encore du bruit de leurs pas que Beatricia contemplait
par sa fenêtre les étoiles qui brillaient au ciel et la lune
qui argentait les toits de Florence.

II

Rentré chez Cosme son père, Garcia ne put fermer
l'œil de la nuit, il se leva n'en pouvant plus car la fièvre

battait avec violence dans ses artères, et il rêva toute la
nuit à la prédiction de Beatricia.

Je ne sais si comme moi vous êtes superstitieux mais
il faut avouer qu'il [y] avait dans cette vieille femme
aux longs cheveux blancs, dans son costume, dans
toute sa personne, dans ses paroles sinistres, dans cet
appareil lugubre qui décorait son appartement avec
des crânes humains et avec des cheveux d'exécutés
quelque chose de fantastique, de triste et même
d'effrayant qui devait, au 17ᵉ siècle, en Italie, à
Florence et la nuit effrayer un homme tel que Garcia
de Médicis.

Il avait alors vingt ans. C'est-à-dire que depuis vingt
ans il était en proie aux railleries, aux humiliations,
aux insultes de sa famille. En effet c'était un homme
méchant, traître et haineux que Garcia de Médicis
mais qui dit que cette méchanceté maligne, cette
sombre et ambitieuse jalousie qui tourmentèrent ses
jours ne prirent pas naissance dans toutes les tracasse-
ries qu'il eut à endurer ?

Il était faible, et maladif. François était fort et
robuste, Garcia était laid, gauche, il était mou, sans
énergie, sans esprit. François était un beau cavalier
aux belles manières, c'était un galant homme. Il
maniait habilement un cheval, et forçait le cerf aussi
aisément que le meilleur chasseur des états du Pape.

C'était donc l'aîné le chéri de la famille. A lui tous
les honneurs, les gloires, les titres et les dignités. Au
pauvre Garcia l'obscurité et le mépris.

Cosme chérissait son fils aîné. Il avait demandé
pour lui le cardinalat, il était sur le point de l'obtenir
tandis que le cadet était resté simple lieutenant dans
les troupes de son père.

Il y avait déjà longtemps que la haine de Garcia
couvait lentement dans son cœur. Mais la prédiction
de la vieille compléta l'œuvre que l'orgueil avait
commencée. Depuis qu'il savait que son frère allait
être cardinal, cette idée-là lui faisait mal. Dans sa
haine il souhaitait la mort de François. — Oh
comment, se disait-il à lui-même en pleurant de rage

et la tête dans ses mains. Oh comment, cet homme que je déteste sera Monseigneur le Cardinal François, plus qu'un duc, plus qu'un roi, presque le pape. Et moi... Ah moi son frère, toujours pauvre et obscur, comme le valet d'un bourgeois. — Quand on verra dans les rues de Florence la voiture de Monseigneur qui courra sur les dalles — si quelqu' enfant ignorant des choses de ce monde demande à sa mère :

— Quels sont ces hommes rouges derrière le Cardinal ?

— Ses valets.

— Et cet autre qui le suit à cheval habillé de noir ?

— Son frère. Son frère qui le suit à cheval. Ah dérision et pitié — Et dire — qu'il faudra respecter ce Cardinal, dire qu'il faudra l'appeler Monseigneur, se prosterner à ses pieds.

Ah quand j'étais jeune et pur, quand je croyais encore à l'avenir, au bonheur, à Dieu, — je méprisais les sarcasmes de l'impie. Ah je comprends maintenant, les joies du sang, les délices de la vengeance, et l'athéisme et l'impureté — et il sanglotait.

Le jour était déjà venu quand on vit de loin accourir un courrier aux armes du pape. Il se dirigea vers le palais ducal.

Garcia le vit, et il pleura amèrement.

III

C'était par une folle nuit d'Italie au mois d'août, à Florence. Le palais ducal était illuminé, le peuple dansait sur les places publiques. Partout c'était des danses, des rires et du bruit. Pourtant la peste avait exercé ses ravages sur Florence et avait décimé ses habitants.

Au palais aussi c'était des danses, des rires et du bruit mais non de joie. Car la peste là aussi avait fait ses ravages dans le cœur d'un homme, l'avait comprimé et l'avait endurci mais une autre peste que la contagion. Le malheur qui étreignait Garcia dans

ses serres cruelles le serra si fort qu'il le broya comme
le verre du festin entre les mains d'un homme ivre.

Or c'était Cosme de Médicis qui donnait toutes [ces]
réjouissances publiques parce que son fils chéri François de Médicis était nommé Cardinal. C'était sans
doute pour distraire le peuple des événements sinistres
qui le préoccupaient, pauvre peuple — que l'on amuse
avec du fard et des costumes de théâtre tandis qu'il
agonise. Oh c'est que souvent un rire cache une larme.

Peut-être qu'au milieu de la danse dans le salon du
duc quelqu'un des danseurs allait tomber sur le
parquet et se convulsionner à la lueur des lustres et des
glaces. Qui dit que cette jeune femme ne va pas
s'évanouir tout à coup ? Peut-être son délire
commence-t-il. Tenez, voyez-vous ses mains qui se
crispent, ses pieds qui trépignent, ses dents qui
claquent — Elle agonise, elle râle, ses mains défaillantes errent sur sa robe de satin, et elle expire dans sa
parure de bal.

La fête était resplendissante et belle. Cosme avait
appelé tous les savants et les artistes de l'Italie. Le
Cardinal François était au comble de la gloire et des
honneurs.

On lui jetait des couronnes, des fleurs, des odes, des
vers. C'était des louanges et des flatteries, des adula-
tions.

Dans un coin de la salle on voyait à un des groupes
les plus considérables un homme vêtu de noir dont le
maintien sérieux annonçait sans doute quelque profession savante. C'était le docteur Roderigo le médecin et
l'ami des Médicis.

C'était un singulier homme que le docteur Roderigo. Alchimiste assez distingué pour son époque il
était peu versé dans la science qui le faisait vivre et
savait bien mieux celle dont il ne s'occupait que
comme passe-temps.

L'étude des livres et celle des hommes avaient
imprimé sur sa figure un certain sourire sceptique et
moqueur qui effaçait légèrement les rides sombres de
son front. Dans sa jeunesse il avait beaucoup étudié

surtout la philosophie et la théologie mais au fond n'y ayant trouvé que doute et dégoût et il avait abandonné l'hypothèse pour la réalité et le livre pour le monde.

Autre livre aussi où il y a tant à lire.

Il était alors à s'entretenir avec le comte Salfieri et le duc de Florence. Il aimait particulièrement l'entretien de ce dernier parce qu'il trouvait là quelqu'un qui écoutait tous ses discours sans objection et qui y répondait toujours par un oui approbatif et lorsqu'on a une opinion hasardeuse, un système nouveau, on préfère l'exposer devant un homme supérieur à vous par le sang et inférieur par les moyens. Voilà pourquoi le docteur Roderigo qui était un homme de beaucoup d'esprit aimait la société de Cosme II de Médicis qui n'en avait guère.

Il y avait déjà près de deux heures qu'il tenait le duc dans une dissertation sur les miracles de l'Ancien Testament et déjà plusieurs [fois] Cosme s'était avoué vaincu car à sa religion simple et naïve Roderigo opposait de puissantes objections et une logique vive et pressante.

— Rangez-vous donc, lui dit Salfieri, vous empêchez cette jeune fille de danser, allons autre part, ici nous gênons. Voulez-vous une partie de dés ?

— Volontiers, répondit le médecin saisissant cette occasion de finir la conversation car il avait quelquefois peur d'humilier le complaisant prince.

Quant à celui-ci après chaque entretien qu'il avait eu avec son médecin il s'en allait toujours avec une croyance de moins, une illusion détruite et un vide de plus dans l'âme. Il le quittait en disant tout bas : Ce diable de Roderigo — il est bien instruit, il est bien habile. Mais Dieu me pardonne si ce n'est pas péché de croire un pareil homme — pourtant ce qu'il dit est vrai.

Et le lendemain il courait entamer avec lui quelque discussion philosophique.

Sa magnificence s'était largement déployée dans la fête de ce jour, et rarement on en avait vu de pareille, tout était beau, digne et somptueux, c'était riche,

c'était grandiose. Mais au milieu de toutes ces figures
où le luxe et la richesse éclataient, au milieu de ces
femmes parées de perles, de fleurs et de diamants,
entre les lustres, les glaces, au bruit du boléro qui
bondissait, au milieu de ce bourdonnement de la fête,
au retentissement de l'or sur les tables, au milieu donc
de tout ce qu'il y avait d'enivrant dans le bal,
d'entraînant dans la danse, d'enchanteur dans cette
longue suite d'hommes et de femmes richement parés
où il n'y avait que doux sourires, galantes paroles —
on voyait donc — apparaître là au milieu du bal
comme le spectre de Banco[4] la haute figure de Garcia
— sombre et pâle.

— Il était venu là aussi lui — tout comme un autre
— apporter au milieu des rires et de la joie sa blessure
saignante et son profond chagrin. Il contemplait tout
cela d'un œil morne et triste, comme quelqu'un
d'indifférent aux petites joies factices de la vie, comme
le mourant regarde le soleil sur son grabat d'agonie.

A peine si depuis le commencement du bal quelqu'un lui avait adressé la parole, il était seul au milieu
de tant de monde, seul avec son chagrin qui le rongeait
et le bruit de la danse lui faisait mal, la vue de son frère
l'irritait à un tel point que quelquefois en regardant
toute cette foule joyeuse et en pensant à lui-même, à
lui désespéré et misérable sous son habit de courtisan,
il touchait à la garde de son épée et qu'il était tenté de
déchirer avec ses ongles la femme dont la robe
l'effleurait en passant l'homme qui dansait devant —
pour narguer la fête et pour nuire aux heureux.

Son frère s'aperçut qu'il était malade et vint à lui
d'un air bienveillant.

— Qu'as-tu Garcia ? lui dit-il — Qu'as-tu, ta main
crève ton gant, tu tourmentes la garde de ton épée.

— Moi oh je n'ai rien, Monseigneur.

— Tu es fier Garcia.

— Oh oui, je suis fier va, bien fier, plus fier que toi
peut-être, c'est la fierté du mendiant qui insulte le
grand seigneur dont le cheval l'éclabousse et il accompagna ces derniers mots d'un rire forcé.

Le cardinal lui avait tourné le dos en haussant les épaules, et il alla recevoir les félicitations du duc de Bellamonte qui arrivait alors suivi d'un nombreux cortège.

— Un homme venait de s'évanouir sur une banquette, le premier valet qui passait par là le prit dans ses bras et l'emmena hors de la salle [b].

Personne ne s'informa de cet homme.

— C'était Garcia.

IV

Quelques archers rangés en ordre dans la cour attendaient l'arrivée des seigneurs pour partir — Car leurs chevaux étaient impatients et ils piaffaient tous désireux qu'ils étaient de courir dans la plaine. — Les chiens que chaque cavalier tenait en laisse aboyaient autour d'eux en leur mordant les jambes et déjà plus d'un juron, plus d'un coup de cravache avaient calmé l'ardeur de quelques-uns.

Le duc et sa famille étaient prêts et n'attendaient plus que quelques dames et le bon docteur Roderigo qui arriva monté sur une superbe mule noire. La grande porte s'ouvrit et l'on se mit en route, les hommes montés sur des chevaux, et la carabine sur l'épaule et le couteau de chasse au côté gauche.

Quant aux dames elles suivaient par-derrière montées sur des haquenées et le faucon au poing.

Cosme et le Cardinal ouvraient la marche, en passant sous la porte la jument de ce dernier eut peur de la toque rouge d'une des sentinelles et fit un bond qui faillit renverser son cavalier.

— Mauvais présage, grommela le duc.

— Bah est-ce que vous croyez à ces niaiseries-là, vous plaisantez sans doute, dit Roderigo. Cosme se tut et enfonça l'éperon dans le flanc de son cheval qui partit au trot — On le suivit.

Le bruit des chevaux sur le pavé et celui des épées qui battaient sur la selle firent mettre tous les habitants aux fenêtres pour voir passer le cortège de Monseigneur le duc Cosme II de Médicis qui allait à la chasse avec son fils le Cardinal.

Arrivée sur une grande place la compagnie se divisa en trois bandes différentes. Le premier piqueur donna du cor et les cavaliers partirent au galop dans les rues de Florence.

Cosme était avec Roderigo, Garcia avec François et Bellamonte avec les dames et les archers devait forcer le gibier.

Le temps était sombre et disposé à l'orage. L'air était étouffant et les chevaux étaient déjà blancs d'écume.

Il fait beau dans les bois, on y respire un air frais et pur. Alors on était en plein midi et chacun éprouvait la douce sensation que procure l'ombrage lorsque l'on voit au loin passer quelque rayon du soleil à travers les branches. Car il faut vous dire que l'on était alors dans la forêt.

Garcia vêtu de noir, sombre et pensif, avait suivi machinalement son frère qui s'était écarté pour aller à la piste du cerf dont il venait tout à l'heure de perdre les traces. Ils se trouvèrent bientôt isolés et seuls dans un endroit où le bois devenant de plus en plus épais, il leur fut impossible d'avancer. Ils s'arrêtèrent, descendirent de cheval et s'assirent sur l'herbe.

— Te voilà donc Cardinal, dit vivement Garcia qui jusqu'alors avait été silencieux et triste. Ah te voilà Cardinal, il tira son épée. Un Cardinal, et il rit de son rire forcé et éclatant dont le timbre avait quelque chose de cruel et de féroce —

— Cela t'étonne Garcia ?

— Oh non, te souviens-tu de la prédiction de Beatricia ?

— Oui, eh bien ?

— Te souviens-tu de sa chambre où il y avait des cheveux d'exécutés et des crânes humains — te souvient-il de ses longs cheveux blancs ? N'est-ce pas hein mon Cardinal, n'est-ce pas que cette femme avait quelque chose de satanique dans sa personne et

d'infernal dans son regard ? — Et ses yeux brillaient
avec une expression qui fit frémir François.

— Où veux-tu en venir avec cette femme ?

— Te souvient-il de sa prédiction ? — te souvient-il
qu'elle t'avait dit que tes projets réussiraient ? Oui
n'est-ce pas ? tu vois que j'ai la mémoire bonne
quoiqu'il y ait deux jours et que ces deux jours aient
été pour moi aussi longs que des siècles. Ah il y a dans
la vie des jours qui laissent le soir plus d'une ride au
front. Et des larmes roulaient dans ses yeux.

— Tu m'ennuies Garcia, lui dit brusquement son
frère.

— Je t'ennuie. Ah. Eh bien tes projets ont réussi.
La prédiction s'est accomplie, mais oublies-tu qu'elle
avait dit que le cancer de la jalousie et de la rage
m'abîmerait l'âme ? oublies-tu qu'elle avait dit que le
sang serait mon breuvage et un crime la joie de ma
vie ? oublies-tu cela ? — Va sa prédiction est juste.
Vois-tu la trace des larmes que j'ai versées depuis deux
jours ? Vois-tu les places de ma tête où manquent les
cheveux ? Vois-tu les marques rouges de mes joues ?
Vois-tu comme ma voix est cassée et affaiblie ? Car j'ai
arraché mes cheveux de colère, je me suis déchiré le
visage avec les ongles et j'ai passé les nuits à crier de
rage et de désespoir.

Il sanglotait et on eût dit que le sang allait sortir de
ses veines.

— Tu es fou Garcia, dit le Cardinal en se levant
effrayé.

— Fou. Ah oui fou. Assassin peut-être. Ecoute,
Monseigneur le Cardinal François nommé par le pape.
Ecoute notre vie c'était un duel terrible à mort mais un
duel à outrage dont le récit fait frémir d'horreur, tu as
eu l'avantage jusqu'alors, la société t'a protégé. Tout
est juste et bien fait — Tu m'as supplicié toute ma vie,
je t'égorge maintenant, — et il l'avait renversé d'un
bras furieux et tenait son épée sur sa poitrine.

— Oh pardon, pardon Garcia, disait François
d'une voix tremblante — que t'ai-je fait ?

— Ce que tu m'as fait tiens ?

Et il lui cracha au visage.

— Je te rends injure pour injure, mépris pour
mépris, tu es Cardinal j'insulte ta dignité de Cardinal,
tu es beau, fort et puissant j'insulte ta force, ta beauté
et ta puissance. Car je te tiens sous moi, tu palpites de
crainte sous mon genou. Ah tu trembles. Tremble
donc et souffre comme j'ai tremblé et souffert. Tu ne
savais pas toi dont la sagesse est si vantée combien un
homme ressemble au démon quand l'injustice l'a
rendu bête féroce. Ah je souffre de te voir vivre tiens.
. . . .

Et un cri perçant partit de dessous le feuillage et fit
envoler un nid de chouettes.

Garcia remonta sur son cheval et partit au galop. Il
avait des taches de sang sur sa fraise de dentelles.

Les bons habitants de Florence furent réveillés vers
minuit par un grand bruit de chevaux et de cavaliers
qui traversaient les rues avec des torches et des
flambeaux.

C'était monseigneur le duc qui revenait de la chasse.
Plus loin suivaient silencieusement quatre valets
portant une litière, ils avaient l'air de vouloir passer
inaperçus et ils marchaient à petits pas. A côté d'eux il
y avait un homme qui paraissait leur chef. Il était
triste, enveloppé dans son manteau et la tête baissée
sur sa poitrine, il semblait vouloir comprimer des
larmes.

Quand on arriva au château du duc une femme
courut au-devant des chasseurs en demandant où était
le Cardinal. Quand elle aperçut la litière elle demanda
au duc son mari :

— Qu'y a-t-il là-dedans ?

L'homme au manteau lança à Garcia un regard
sévère et froid puis hésitant quelques secondes il dit
avec un accent qui faisait mal à entendre :

— Un cadavre —

V

Un demi-jour éclairait l'appartement et les rideaux bien fermés n'y laissaient entrer qu'une lumière douce et paisible.

Un homme s'y promenait à grands pas. C'était un vieillard. Il paraissait [avoir] des pensées qui lui remuaient fortement l'âme, tantôt il allait à sa table et y prenait une épée nue qu'il examinait avec répugnance, tantôt il allait vers le fond où était tendu un large rideau noir autour duquel venaient bourdonner les mouches. Il faisait frais dans cette chambre et l'on y sentait même quelque chose d'humide et de sépulcral semblable à l'odeur d'un amphithéâtre de dissection.

Enfin il s'arrêta tout à coup et frappant du pied avec colère : — Oh Oui — Oui que justice se fasse — il le faut. — Le sang du juste crie vengeance vers nous — Eh bien vengeance. Et il ordonna à un de ses valets d'appeler Garcia.

Celui-ci arriva bientôt, ses lèvres étaient blanches et ridées comme quelqu'un qui sort d'un accès de fièvre et ses cheveux noirs rejetés en arrière laissaient voir un front pâle où la malédiction de Dieu semblait empreinte.

— Vous m'avez demandé mon père ? dit-il en [entrant].

— Oui. Ah tu es déjà en toilette, tu as changé d'habits. Ce ne sont pas ceux que tu portais hier. — Les taches se font bien voir sur un vêtement noir n'est-ce pas, Garcia ? Tes doigts sont humides. — Oh tu as bien lavé tes mains, tu t'es parfumé les cheveux.

— Mais pourquoi ces questions mon père ?

— Pourquoi ? Ah. Garcia mon fils — N'est-ce pas sur mon honneur que la chasse est un royal plaisir mais quelquefois on oublie son gibier et s'il ne se trouvait pas quelqu'un assez complaisant pour le ramasser...

Il prit son épée et amenant Garcia au fond de la

salle, il ouvrit le rideau de la main gauche et détournant les yeux — Vois et contemple !!!

. . . .

Etendu sur un lit le cadavre était nu, et le sang
suintait encore de ses blessures. Sa figure était horriblement contractée, ses yeux étaient ouverts et tournés
du côté de Garcia — Et ce regard morne et terne de
cadavre lui fit claquer des dents. Sa bouche était
entr'ouverte et quelques mouches à viande venaient
bourdonner jusque sur ses dents, il y en avait alors
cinq ou six qui restèrent collées dans du sang figé qu'il
avait sur la joue puis il y avait ce teint livide de la peau,
cette blancheur des ongles et quelques meurtrissures
sur les bras et les genoux.

Garcia resta muet de stupeur et d'étonnement. — Il
tomba à genoux, froid et immobile comme le cadavre
du Cardinal. Quelque chose siffla dans l'air.

. . . .

L'on entendit le bruit d'un corps pesant qui tombait
sur le parquet et un râle horrible, un râle forcené, un
râle d'enfer retentit sous les voûtes.

VI

Florence était en deuil — ses enfants mouraient par
la peste. Depuis un mois elle régnait en souveraine
dans la ville mais depuis deux jours surtout sa fureur
avait augmenté. Le peuple mourait en maudissant
Dieu et ses ministres, il blasphémait dans son délire et
sur son lit d'angoisse et de douleur, s'il lui restait un
mot à dire c'était une malédiction. Et puisqu'il était
sûr de sa fin prochaine il se vautrait en riant stupide-
ment dans la débauche et dans toute la boue du vice.

C'est qu'il est dans l'existence d'un homme de tels
malheurs, des douleurs si vives, des désespoirs si
poignants que l'on abandonne pour le plaisir d'insulter celui qui nous fait souffrir et que l'on jette avec
mépris sa dignité d'homme comme un masque de
théâtre. — Et l'on se livre à ce que la débauche a de

plus sale, le vice de plus dégradant, on expire en buvant et au son de la musique.

C'est l'exécuté qui s'enivre avant son supplice.

C'est alors que les philosophes devraient considérer l'homme quand ils parlent de sa dignité et de l'esprit des masses.

Un événement important était pourtant venu distraire Florence plongée au milieu de ses cris de désespoir, et de ses prières, de ses vœux ridicules.

C'était la mort des deux fils de Cosme de Médicis — que le fléau n'avait pas plus épargnés que le dernier laquais du dernier bourgeois.

C'était ce jour-là qu'on fêtait leurs obsèques et le peuple pour un instant s'était soulevé de son matelas, avait ouvert sa fenêtre de ses mains défaillantes et moites de sueur pour avoir la joie de contempler deux grands seigneurs que l'on portait en terre.

Le convoi passait triste et recueilli dans son deuil pompeux, au milieu de Florence.

Les corps de Garcia et de François étaient étendus sur des brancards tirés par des mules noires.

Tout était calme et paisible et l'on n'entendait que le pas lent des mules sur le pavé, le bruit du brancard dont les timons craquaient à chaque mouvement — puis les chants [de] mort qui gémissaient à l'entour de ces deux cadavres puis dans le lointain de divers côtés on entendait comme un chant de tristesse le glas funèbre de la cloche qui gémissait de sa forte voix d'airain.

A côté des brancards marchaient le docteur Roderigo, le duc de Bellamonte, le comte de Salfieri.

— Est-il possible, dit ce dernier en s'adressant au médecin, est-il possible qu'un homme tué de la peste ait de si larges balafres ? Et il lui montrait les blessures de Garcia.

— Oui quelquefois. Ce sont des ventouses, et l'on n'entendait que le chant des morts et le glas funèbre des cloches qui gémissaient par les airs.

Fin

Moralité

Car à toutes choses
il en
faut
une.

BIBLIOMANIE

Nouveau conte de rivalité, *Bibliomanie* place entre deux libraires ennemis l'objet même qui conjugue les désirs de l'écrivain et du lecteur : le livre. Sous la forme du premier livre imprimé et du manuscrit unique, il a pris les attributs du Dieu abandonné, dans l'adoration de l'ancien moine sorti des ordres pour entrer en littérature et qui a vendu son âme au diable contre un peu d'encre sur du papier. Que Giacomo sache « à peine lire » donne à l'objet de culte sa pleine valeur de fétiche. Charles Bovary hébété devant ses manuels de médecine non coupés, Bouvard et Pécuchet éblouis par la grande bibliothèque dont « ils auraient voulu connaître le nombre exact des volumes » partagent avec le bibliomane la même fascination muette pour la chose écrite.

Ce conte date de novembre 1836 ; le 23 octobre précédent est paru dans la *Gazette des Tribunaux* le compte rendu d'un procès très certainement imaginaire, intitulé « Le Bibliomane, ou le nouveau Cardillac » (reproduit intégralement dans *Bouvard et Pécuchet centenaires*, La Bibliothèque d'Ornicar ? 1981, pp. 144-150). Le fait divers romanesque, qui entre totalement dans la structure de rivalité préexistante chez Flaubert, fournit au conte toute la matière première d'écriture, transformée cependant sur un point capital : Giacomo n'est pas un assassin comme don Vincente mais un « honnête bibliophile »

condamné à mort pour des crimes qu'il n'a pas
directement commis. Si les possesseurs des exemplaires qu'il convoite meurent les uns après les autres,
c'est que le livre porte malheur, par son seul pouvoir.
Ainsi la chronique judiciaire bascule-t-elle « dans des
mystères de meurtre et d'échafaud » d'un conte
fantastique, *étrange* et *bizarre* comme son héros,
comme les lettres gothiques qu'il aime contempler. Le
nom d'Hoffmann signale à l'incipit le genre de lecture
pour ce « conte », sans autre précision, puisqu'il
touche à l'essence de la littérature.

Quête hallucinée du premier livre, *Bibliomanie* qui
fraie son chemin jusqu'à Borgès est le premier texte
imprimé du jeune Flaubert : il paraît dans *Le Colibri*
le 12 février 1837, signé F.

Y. L.

Bibliomanie[a]

Dans une rue de Barcelone, étroite et sans soleil[b], vivait, il y a peu de temps, un de ces hommes au front pâle, à l'œil terne, creux, un de ces êtres sataniques et bizarres, tels qu'Hoffmann en déterrait dans ses songes[1].

C'était Giacomo, le libraire ; il avait trente ans, et il passait déjà pour vieux et usé. Sa taille était haute, mais courbée comme celle d'un vieillard ; ses cheveux étaient longs, mais blancs ; ses mains étaient fortes et nerveuses, mais desséchées et couvertes de rides ; son costume était[c] misérable et déguenillé ; il avait l'air gauche et embarrassé ; sa physionomie était pâle, triste, laide et même insignifiante. On le voyait rarement dans les rues si ce n'est les jours où l'on vendait à l'enchère des livres rares et curieux. Alors, ce n'était plus ce même homme indolent et ridicule. Ses yeux s'animaient, il courait, il marchait, il trépignait ; il avait peine à modérer sa joie, ses inquiétudes, ses angoisses et ses douleurs ; il revenait chez lui, haletant, essoufflé, hors d'haleine. Il prenait le[d] livre chéri, le couvait des yeux, le regardait et l'aimait, comme un avare son trésor, un père sa fille, un roi sa couronne.

Cet homme n'avait jamais parlé à personne, si ce n'est aux bouquinistes et aux brocanteurs. Il était taciturne et rêveur, sombre et triste ; il n'avait qu'une

idée, qu'un amour, qu'une passion, les livres. Et cet
amour et cette passion le brûlaient intérieurement[e],
lui usaient ses jours, lui dévoraient son existence.

Souvent, la nuit, les voisins voyaient, à travers les
vitres du libraire, une lumière qui vacillait : puis elle
s'avançait, s'éloignait, montait, puis quelquefois elle
s'éteignait. Alors ils entendaient frapper à leur porte,
et c'était Giacomo qui venait rallumer sa bougie qu'un
feuillet avait soufflée.

Ces nuits fiévreuses et brûlantes, il les passait dans
ses livres ; il courait dans ses magasins ; il parcourait
les galeries de sa bibliothèque avec extase et ravisse-
ment, puis il s'arrêtait, les cheveux en désordre, les
yeux fixes et étincelants. Ses mains tremblaient en
touchant les livres des rayons ; elles étaient chaudes et
humides. Il prenait un livre, en retournait les feuillets,
en tâtait le papier, en examinait les dorures, le
couvert, les lettres, l'encre, les plis, et l'arrangement
des dessins pour le mot *finis*[2]. Puis il le changeait de
place, le mettait dans un rayon plus élevé, et restait
des heures entières à en regarder le titre et la forme.

Il allait ensuite vers ses manuscrits, car c'étaient ses
enfants chéris ; il en prenait un, le plus vieux, le plus
usé, le plus sale ; il en regardait le parchemin avec
amour et bonheur ; il en sentait la poussière sainte et
vénérable ; puis ses narines s'enflaient de joie et
d'orgueil, et un sourire venait sur ses lèvres.

Oh ! il était heureux, cet homme ; heureux au milieu
de toute cette science, dont il comprenait à peine la
portée morale et la valeur littéraire, il était heureux au
milieu de tous ces livres ; promenait ses yeux sur les
lettres dorées, sur les pages usées, sur le parchemin
terni. Il aimait la science comme un aveugle aime le
jour.

Non, ce n'était point la science qu'il aimait, c'était
sa forme et son expression. Il aimait un livre, parce
que c'était un livre ; il aimait son odeur, sa forme, son
titre. Ce qu'il aimait dans un manuscrit, c'était sa
vieille date illisible, les lettres gothiques, bizarres et
étranges, les lourdes dorures qui chargeaient les

dessins ; c'étaient ces pages couvertes de poussière, poussière dont il aspirait avec délice le parfum suave et tendre. C'était ce joli mot *finis,* entouré de deux amours, portés sur un ruban, s'appuyant sur une fontaine, gravé sur une tombe, ou reposant dans une corbeille, entre les roses et les pommes d'or et les bouquets bleus.

Cette passion l'avait absorbé tout entier : il mangeait à peine, il ne dormait plus ; mais il rêvait des jours et des nuits entières à son idée fixe, les livres. Il rêvait à tout ce que devait avoir de divin, de sublime et de beau, une bibliothèque royale, et il rêvait à s'en faire une aussi grande que celle d'un roi. Comme il respirait à son aise, comme il était fier et puissant lorsqu'il plongeait sa vue dans les immenses galeries où son œil se perdait dans les livres ! — il levait la tête, des livres — il l'abaissait, des livres — à droite, à gauche, encore des livres.

Il passait dans Barcelone pour un homme étrange et infernal, pour un savant ou un sorcier.

Il savait à peine lire. Personne n'osait lui parler, tant son front était sévère et pâle ; il avait l'air méchant et traître, et pourtant jamais il ne toucha à un enfant pour lui nuire ; il est vrai que jamais il ne fit l'aumône.

Il gardait tout son argent, tout son bien, toutes ses émotions pour les livres ; il avait été moine, et, pour eux, il avait abandonné Dieu. Plus tard, il leur sacrifia ce que les hommes ont de plus cher, après leur Dieu, l'argent ; ensuite il leur donna ce qu'on a de plus cher, après l'argent, son âme.

Depuis quelque temps surtout, ses veilles étaient plus longues. On voyait plus tard sa lampe des nuits qui brûlait sur ses livres ; c'est qu'il avait un nouveau trésor, un manuscrit.

Un matin, entra dans sa boutique un jeune étudiant de Salamanque. Il paraissait riche, car deux valets de pied tenaient sa mule à la porte de Giacomo. Il avait une toque de velours rouge, et des bagues brillaient sur ses doigts.

Il n'avait pourtant pas cet air de suffisance et de

nullité habituel aux gens qui ont des valets galonnés, de beaux habits et la tête creuse. Non, cet homme était un savant, mais un riche savant. C'est-à-dire, un homme qui, à Paris, écrit sur une table d'acajou, a des livres dorés sur tranche, des pantoufles brodées, des curiosités chinoises, une robe de chambre, une pendule en or, un chat qui dort sur son tapis, et deux ou trois femmes qui lui font lire ses vers, sa prose et ses contes, qui lui disent : Vous avez de l'esprit, et qui ne le trouvent qu'un fat. Les manières de ce gentilhomme étaient polies. En entrant il salua le libraire, fit une profonde révérence et lui dit d'un ton affable :

— N'avez-vous point ici, maître, des manuscrits[f]?

Le libraire devint embarrassé, et répondit en balbutiant : « Mais, seigneur, qui vous l'a dit ?

— Personne, mais je le suppose, et il déposa sur le bureau du libraire une bourse pleine d'or qu'il fit sonner en souriant, ainsi que tout homme qui touche à de l'argent dont il est le possesseur.

— Seigneur, reprit Giacomo, il est vrai que j'en ai, mais je ne les vends pas ; je les garde.

— Et pourquoi ? qu'en faites-vous ?

— Pourquoi, Monseigneur ? — Ici il devint rouge de colère. — Ce que j'en fais ! Oh ! non, vous ignorez ce que c'est qu'un manuscrit.

— Pardon, maître Giacomo, je m'y connais, et, pour en donner la preuve, je vous dirai que vous avez ici la *Chronique de Turpin !*

— Moi, oh ! on vous a trompé, Monseigneur.

— Non, Giacomo, répondit le gentilhomme, rassurez-vous ; je ne veux point vous le voler, mais vous l'acheter.

— Jamais !

— Oh ! vous me le vendrez, répondit l'écolier, car vous l'avez ici, il a été vendu chez Ricciamy, le jour de sa mort.

— Eh bien ! oui, seigneur, je l'ai ; c'est mon trésor, c'est ma vie. Oh ! vous ne me l'arracherez pas ! Ecoutez, je vais vous confier un secret. Baptisto, vous savez, Baptisto, le libraire, qui demeure sur la place

Royale, mon rival et mon ennemi, eh bien! il ne l'a
pas, lui, et moi je l'ai!

— Combien l'estimez-vous?

Giacomo s'arrêta longtemps, et répondit d'un air
fier: « Deux cents pistoles, Monseigneur. » Il regarda
le jeune homme d'un air triomphant, ayant l'air de lui
dire: Vous allez vous en aller; c'est trop cher, et
pourtant je ne le donnerai pas à moins. Il se trompa,
car celui-ci, lui montrant sa bourse:

— En voilà trois cents, dit-il.

Giacomo pâlit; il fut près de s'évanouir. Trois cents
pistoles! répéta-t-il.

— Mais, je suis un fou, Monseigneur; je ne le
vendrais pas pour quatre cents.

L'étudiant se mit à rire, et, fouillant dans sa poche,
dont il tira deux autres bourses. Eh bien! Giacomo, en
voilà 500. Oh! non, tu ne veux pas le vendre,
Giacomo, mais je l'aurai, je l'aurai aujourd'hui, à
l'instant; il me le faut. Dussé-je vendre cette bague,
donnée dans un long baiser d'amour, dussé-je vendre
mon épée garnie de diamants, mes hôtels et mes
palais, dussé-je vendre mon âme! il me faut ce livre.
Oui, il me le faut à toute force, à tout prix! Dans huit
jours je soutiens une thèse à Salamanque. Il me faut ce
livre pour être docteur; il me faut être docteur pour
être archevêque; il me faut la pourpre sur les épaules
pour avoir la tiare au front!

Giacomo s'approcha de lui, et le regarda avec
admiration et respect comme le seul homme qui l'eût
compris.

— Écoute, Giacomo, interrompit le gentilhomme,
je vais te dire un secret qui va faire ta fortune et ton
bonheur. Ici, il y a un homme, cet homme demeure à
la barrière des Arabes; il a un livre, c'est le *Mystère de
Saint-Michel*.

— Le *Mystère de Saint-Michel*, — dit Giacomo en
poussant un cri de joie; oh! merci, vous m'avez sauvé
la vie.

— Vite! donne-moi la *Chronique de Turpin*.

Giacomo courut vers un rayon ; là, il s'arrêta tout à coup, s'efforça de pâlir, et dit d'un air étonné : Mais, Monseigneur, je ne l'ai pas.

— Oh ! Giacomo, tes ruses sont bien grossières, et tes regards trahissent tes paroles.

— Oh ! Monseigneur, je vous jure ; je ne l'ai pas.

— Allons ! tu es un vieux fou, Giacomo ; tiens, voilà six cents pistoles. — Giacomo prit le manuscrit et le donna à ce jeune homme. — Prenez ce livre, dit-il ; lorsque celui-ci s'éloignait en riant, et disait à ses valets, en montant sur sa mule : — Vous savez que votre maître est un fou, mais il vient de tromper un imbécile. L'idiot de moine-bourru, répéta-t-il en riant, il croit que je vais être pape.

Et le pauvre Giacomo restait triste et désespéré, appuyant son front brûlant sur les carreaux de sa boutique en pleurant de rage, et regardant avec peine et douleur son manuscrit, objet de ses soins et de ses affections, que portaient les grossiers valets du gentilhomme.

— Oh ! sois maudit, homme de l'enfer ! sois maudit ! maudit cent fois, toi qui m'as volé tout ce que j'aimais sur la terre, où je ne pourrai vivre maintenant. Je sais qu'il m'a trompé, l'infâme, il m'a trompé ! S'il en était ainsi, oh ! je me vengerais. Non. Courons vite à la barrière des Arabes. Si cet homme allait me demander une somme que je n'ai pas, que faire alors ?... Oh ! c'est à en mourir !

Il prend l'argent que l'étudiant avait laissé sur le bureau et sort en courant.

Pendant qu'il allait par les rues, il ne voyait rien de tout ce qui l'entourait ; tout passait devant lui comme une fantasmagorie dont il ne comprenait pas l'énigme ; il n'entendait ni la marche des passants, ni le bruit des roues sur le pavé ; il ne pensait, il ne rêvait, il ne voyait qu'une chose ; les livres. Il pensait au *Mystère de Saint-Michel*, il se le créait dans son imagination [g], large et mince avec un parchemin orné de lettres d'or ; il tâchait de deviner le nombre des pages qu'il devait contenir. Son cœur battait avec violence comme celui d'un homme qui attend son arrêt de mort. Enfin il arriva.

— L'étudiant ne l'avait pas trompé !!!

Sur un vieux tapis de Perse tout troué étaient étendus par terre une dizaine de vieux livres.

Giacomo, sans parler à l'homme qui dormait à côté, couché comme les livres, et ronflant au soleil, tomba à genoux, se mit à parcourir, d'un œil inquiet et soucieux, tous les dos de livres ; puis il se leva pâle et abattu ; il éveilla le bouquiniste en criant, et lui demanda :

— Hé ! l'ami, n'avez-vous pas ici le *Mystère de Saint-Michel*[h] ?

— Quoi ! dit le marchand en ouvrant les yeux, ne voulez-vous pas parler d'un livre que j'ai ? regardez !

— L'imbécile ! dit Giacomo, en frappant du pied. En as-tu d'autres que ceux-là ?

— Oui. Tenez, les voici. Et il lui montra un petit paquet de brochures lié avec des cordes.

Giacomo les rompit avec colère, et en lut le titre en une seconde.

— Enfer ! dit-il, ce n'est pas cela. Ne l'as-tu pas vendu, par hasard ? Oh ! si tu le possèdes, donne, donne !... Cent pistoles... deux cents... tout ce que tu voudras.

Le bouquiniste, le regardant étonné :

— Ah ! vous voulez peut-être parler d'un petit livre que j'ai donné hier pour huit maravedis au curé de la cathédrale d'Oviédo ?

— Te souviens-tu du titre de ce livre ?

— Non.

— N'était-ce pas le *Mystère de Saint-Michel* ?

— Oui, c'est cela.

Giacomo s'écarta à quelques pas de là, et tomba sur la poussière, comme un homme fatigué d'une apparition qui l'obsède.

Quand il revint à lui, il faisait soir, et le soleil, qui rougissait à l'horizon, était à son déclin ; il se leva, et rentra chez lui malade et désespéré.

Huit jours après, Giacomo n'avait pas oublié sa

triste déception, sa blessure était encore vive et
saignante ; il n'avait point dormi depuis trois nuits ;
car ce jour-là devait se vendre le premier livre qui eût
été imprimé en Espagne, exemplaire unique dans ce
royaume.

Il y avait longtemps qu'il avait envie de l'avoir.
Aussi fut-il heureux, le jour où on lui annonça que le
propriétaire était mort. Mais une inquiétude lui tenait
à l'âme : Baptisto pourrait l'acheter ; Baptisto qui,
depuis quelque temps, lui enlevait, non les chalands,
peu lui importait, mais tout ce qui paraissait de rare et
de nouveau ; Baptisto, dont il haïssait la renommée
d'une haine d'artiste. Cet homme lui devenait à
charge. C'était toujours lui qui enlevait les manuscrits
aux ventes publiques : il enchérissait et il obtenait.
Oh ! que de fois le pauvre moine, dans ses rêves
d'ambition et d'argent, que de fois il vit venir à lui la
longue main de Baptisto, qui passait à travers la foule,
comme aux jours de vente, pour lui enlever un trésor
qu'il avait rêvé si longtemps, qu'il avait convoité avec
tant d'amour et d'égoïsme.

Que de fois aussi il fut tenté de finir avec un crime
ce que ni l'argent, ni la patience n'avaient pu faire ;
mais il refoulait cette idée dans son cœur ; tâchait de
s'étourdir sur la haine qu'il portait à cet homme, et
s'endormait sur ses livres[i].

Dès le matin, il fut devant la maison dans laquelle la
vente allait avoir lieu ; il y fut avant le commissaire,
avant le public et avant le soleil.

Aussitôt que les portes s'en ouvrirent, il se précipita
dans l'escalier, monta dans la salle, et demanda ce
livre. On le lui montra ; c'était déjà un bonheur.

Oh ! jamais il n'en avait vu de si beau, et qui lui
complut davantage ; c'était une Bible latine, avec des
commentaires grecs. Il la regarda et l'admira plus que
tous les autres ; il le serrait entre ses doigts en riant
amèrement, comme un homme qui se meurt de faim
et qui voit de l'or.

Jamais non plus il n'avait rien tant désiré : oh ! qu'il
eût voulu alors, même au prix de tout ce qu'il avait, de

ses livres, de ses manuscrits, de ses 600 pistoles, au prix de son sang, oh! qu'il eût voulu avoir ce livre, vendre tout, tout pour avoir ce livre, n'avoir que lui, mais l'avoir à lui; pouvoir le montrer à toute l'Espagne avec un rire d'insulte et de pitié pour le roi, pour les princes, pour les savants, pour Baptisto et dire : — A moi! à moi, ce livre, et le tenir dans ses deux mains toute sa vie; le palper comme il le touche, le sentir comme il le sent, et le posséder comme il le regarde.

Enfin l'heure arriva. Baptisto était présent, le visage serein, et l'air calme et paisible. On arriva au livre. Giacomo offrit d'abord vingt pistoles, Baptisto se tut et ne regarda pas la Bible. Déjà le Moine avançait la main pour saisir ce livre qui lui avait coûté si peu de peines et d'angoisses quand Baptisto se mit à dire 40. Giacomo vit avec horreur son antagoniste qui s'enflammait à mesure que le prix montait plus fort et plus haut. — Cinquante! s'écria-t-il de toutes ses forces. — Soixante! s'écria Baptisto. — Cent! quatre cents! cinq cents! ajouta le moine avec rage, et tandis qu'il trépignait d'impatience et de colère, Baptisto affectait un calme ironique et méchant. Déjà la voix aigre et cassée de l'huissier avait répété trois fois : Cinq cents, déjà Giacomo se rattachait au bonheur, quand un souffle échappé des lèvres d'un homme vint le faire évanouir. Car le libraire de la place Royale, se pressant dans la foule, se mit à dire : Six cents! La voix de l'huissier répéta : Six cents, quatre fois, et aucune autre voix ne lui répondit. Seulement, on voyait, à un des bouts de la table, un homme, au front pâle, aux mains tremblantes, un homme qui riait amèrement de ce rire des damnés du Dante. Il baissait la tête, et avait la main dans sa poitrine; quand il la retira, elle était chaude et mouillée, car il avait de la chair et du sang au bout des ongles.

On se passa le livre de main en main pour le faire parvenir à Baptisto. Ce livre passa devant Giacomo, il en sentit l'odeur, il le vit courir un instant devant ses yeux, puis s'arrêter à un homme qui le prit et l'ouvrit

en riant. Alors le moine baissa sa tête pour cacher son
visage, car il pleurait......

.... — En retournant par les
rues, sa démarche était lente et pénible ; il avait une
figure étrange et stupide ; sa tournure était grotesque
et¹ ridicule ; il avait l'air d'un homme enivré, car il
chancelait : ses yeux étaient à moitié fermés ; il avait
les paupières rouges et brûlantes ; la sueur coulait sur
son front, et il balbutiait entre ses dents comme un
homme qui a trop bu, et qui a pris trop de sa part au
banquet de la fête.

Sa pensée n'était plus à lui : elle errait comme son
corps, sans avoir de but ni d'intention ; elle était
chancelante, irrésolue, lourde et bizarre ; sa tête était
chaude comme des flammes ; son front le brûlait
comme un brasier.

Oui, il était ivre de ce qu'il avait senti ; il était
fatigué de ses jours ; il était soûl de l'existence.

Ce jour-là, c'était un dimanche : le peuple se
promenait dans les rues en causant et en chantant. Le
pauvre moine écouta les causeries et les chants ; il
ramassa quelques bribes de phrases, quelques mots,
quelques cris ; mais il lui semblait que c'était toujours
le même son et la même voix ; c'était un brouhaha
vague, confus, une bourrasque bizarre et bruyante,
qui bourdonnait dans son cerveau et l'accablait.

— Tiens, disait un homme à son voisin, as-tu
entendu parler de l'histoire de ce pauvre curé
d'Oviedo, qui fut trouvé étranglé dans son lit ?

Ici, c'était un groupe de femmes qui prenaient le
frais du soir sur leurs portes. Voici ce qu'entendit
Giacomo en passant devant elles :

— Dites donc, Martha, savez-vous qu'il y a eu à
Salamanque un jeune riche, don Bernardo, vous
savez, celui qui, lorsqu'il vint ici, il y a quelques jours,
avait une mule noire si jolie et si bien équipée, et qui la
faisait piaffer sur les pavés ; eh bien ! le pauvre jeune
homme, on m'a dit ce matin, à l'église, qu'il était
mort !

— Mort ! dit une jeune fille.

— Oui, petite, répondit la femme ; il est mort ici, à l'auberge de Saint-Pierre. D'abord, il se sentit mal à la tête ; enfin il eut la fièvre, et, au bout de quatre jours, on le porta en terre.

Giacomo en entendit encore d'autres. Tous ces souvenirs le firent trembler, et un sourire de férocité vint errer sur sa bouche.

Le moine rentra chez lui, épuisé et malade ; il se coucha par terre sous le banc de son bureau et dormit ; sa poitrine était oppressée, un son rauque et creux sortait de sa gorge ; il s'éveilla avec la fièvre, un horrible cauchemar avait épuisé ses forces. Il faisait nuit alors, et onze heures venaient de sonner à l'église voisine, Giacomo entendit des cris : Au feu ! au feu ! Il ouvrit ses vitres, alla dans les rues, et vit, en effet, des flammes qui s'élevaient au-dessus des toits. Il rentra chez lui, et il allait reprendre sa lampe pour aller dans ses magasins, quand il entendit, devant ses fenêtres, des hommes qui passaient en courant, et qui disaient : C'est sur la place Royale, le feu est chez Baptisto. Le moine tressaillit ; un rire éclatant partit du fond de son cœur, et il se dirigea avec la foule vers la maison du libraire. La maison était en feu, les flammes s'élevaient hautes et terribles, et, chassées par les vents, elles s'élançaient vers le beau ciel bleu d'Espagne qui planait sur Barcelone, agitée et tumultueuse, comme un voile sur des larmes.

On voyait un homme à moitié nu ; il se désespérait, s'arrachait les cheveux, se roulait par terre en blasphémant Dieu et en poussant des cris de rage et de désespoir. C'était Baptisto. Le moine contemplait son désespoir et ses cris avec calme et bonheur, avec ce rire féroce de l'enfant riant des tortures du papillon dont il a arraché les ailes.

On voyait dans un appartement élevé des flammes qui brûlaient quelques liasses de papiers. Giacomo prit une échelle, l'appuya contre la muraille noircie et chancelante. L'échelle tremblait sous ses pas ; il monta en courant, arriva à cette fenêtre. Malédiction ? ce n'était que quelques vieux livres de librairie sans valeur ni mérite. Que faire ? Il était entré. Il fallait, ou avancer au milieu de cette atmosphère enflammée, ou redescendre par l'échelle dont le bois commençait à s'échauffer. Non, il avança [k].

Il traversa plusieurs salles ; le plancher tremblait sous ses pas, les portes tombaient lorsqu'il en approchait, les solives se fendaient sur sa tête. Il courait au milieu de l'incendie, haletant et furieux ; il lui fallait ce livre, il le lui fallait ou la mort : il ne savait où diriger sa course, mais il courait ; enfin, il arriva devant une cloison qui était intacte, il la brisa avec un coup de pied, et vit un appartement obscur et étroit. Il tâtonnait, sentit quelques livres sous ses doigts ; il en toucha un, le prit et l'emporta hors de cette salle ; c'était lui, le *Mystère de Saint-[Michel]* [1] ; il retourna sur ses pas, comme un homme éperdu et en délire. Il sauta par-dessus les trous, il volait dans les flammes, mais il ne retrouva point l'échelle qu'il avait dressée contre le mur ; il arriva à une fenêtre et descendit en dehors, se cramponnant avec les mains et les genoux aux sinuosités. Ses vêtements commençaient à s'enflammer, et, lorsqu'il arriva dans la rue, il se roula dans le ruisseau, pour éteindre les flammes qui le brûlaient.

— Quelques mois se passèrent, et l'on n'entendait plus parler du libraire Giacomo, si ce n'est comme un de ces hommes singuliers et étranges dont la multitude rit dans les rues, parce qu'elle ne comprend point leurs passions et leurs manies.

L'Espagne était occupée d'intérêts plus graves et plus sérieux, un mauvais génie semblait peser sur elle. Chaque jour, de nouveaux meurtres et de nouveaux crimes, et tout cela paraissait venir d'une main invisible et cachée : c'était un poignard suspendu sur chaque toit et sur chaque famille ; c'étaient des gens qui disparaissaient tout à coup, sans qu'on eût aucune trace du sang que leurs blessures avaient répandu : un homme partait pour un voyage, il ne revenait plus.

On ne savait à qui attribuer cet horrible fléau ; car il

faut attribuer le malheur à quelqu'un d'étranger, mais le bonheur à soi.

En effet, il est des jours si néfastes dans la vie, des époques si funestes pour les hommes, que, ne sachant qui accabler de ses malédictions, on crie vers le ciel. C'est dans les époques malheureuses pour les peuples que l'on crut à la fatalité.

Une police vive et empressée avait tâché, il est vrai, de découvrir l'auteur de tous ces forfaits. L'espion soudoyé s'était introduit dans toutes les maisons, avait écouté toutes les paroles, entendu tous les cris, vu tous les regards, et il n'avait rien appris. Le procureur avait ouvert toutes les lettres, brisé tous les cachets, fouillé dans tous les coins, et n'avait rien trouvé.

Un matin pourtant, Barcelone avait quitté sa robe de deuil pour aller s'entasser dans les salles de la justice, où l'on allait condamner à mort celui que l'on supposait être l'auteur de tous ces horribles meurtres. Le peuple cachait ses larmes dans un rire convulsif; car lorsqu'on souffre et qu'on pleure, c'est une consolation, bien égoïste, il est vrai, mais enfin réelle, de voir d'autres souffrances et d'autres larmes.

Le pauvre Giacomo, si calme et si paisible, était accusé d'avoir brûlé la maison de Baptisto, d'avoir volé sa bible. Il était chargé encore de mille autres accusations. Il était donc là, assis sur le banc des meurtriers et des brigands; lui, l'honnête bibliophile, lui, le pauvre Giacomo, lui qui ne pensait qu'à lire ses livres, était donc compromis dans des mystères de meurtre et d'échafaud.

La salle regorgeait de peuple. Enfin, le procureur se leva et lut son rapport; il était long et diffus, à peine si on pouvait en distinguer l'action principale des parenthèses et des réflexions. Le procureur disait qu'il avait trouvé, dans la maison de Giacomo, la bible qui appartenait à Baptisto, puis que cette bible était la seule en Espagne. Or, il était probable que c'était Giacomo qui avait mis le feu à la maison de Baptisto, pour s'emparer de ce livre rare et précieux. Il se tut et se rassit essoufflé.

Quant au moine, il était calme et paisible, et ne répondit pas même par un regard à la multitude qui l'insultait.

Son avocat se leva, il parla longtemps et bien. Enfin, quand il crut avoir ébranlé son auditoire, il souleva sa robe et en tira un livre ; il l'ouvrit et le montra au public : c'était un autre exemplaire de cette bible.

Giacomo poussa un cri, et tomba sur son banc, en s'arrachant les cheveux. Le moment était critique, on attendait une parole de l'accusé, mais aucun son ne sortit de sa bouche. Enfin, il se rassit, regardant ses juges et son avocat comme un homme qui s'éveille. On lui demanda s'il était coupable d'avoir mis le feu chez Baptisto.

— Non, hélas ! répondit-il. Non : mais allez-vous me condamner ? Oh ! condamnez-moi, je vous en prie ; la vie m'est à charge, mon avocat vous a menti, ne le croyez pas. Oh ! condamnez-moi, j'ai tué don Bernardo, j'ai tué le curé, j'ai volé le livre, le livre unique, car il n'y en a point deux en Espagne. Messeigneurs, tuez-moi, je suis un misérable. Son avocat s'avança vers lui, et lui montrant cette bible : « Je puis vous sauver, regardez. »

— Oh ! moi qui croyais que c'était le seul en Espagne ! Giacomo prit le livre et le regarda : Oh ! dites-moi, dites-moi que vous m'avez trompé. Malheur sur vous, et il tomba évanoui.

Les juges revinrent et prononcèrent son arrêt de mort. Giacomo l'entendit sans frémir, et il parut même plus calme et plus tranquille. On lui fit espérer qu'en demandant sa grâce au pape, il l'obtiendrait peut-être. Il n'en voulut point, et demanda seulement que sa bibliothèque fût donnée à l'homme qui avait le plus de livres en Espagne.

Puis, lorsque le peuple se fut écoulé, il demanda à son avocat d'avoir la bonté de lui prêter son livre. Celui-ci le lui donna.

Giacomo le prit amoureusement, versa quelques larmes sur les feuillets usés, le déchira avec colère, puis il en jeta les morceaux à la figure de son défenseur, en lui disant : « Vous en avez menti, Monsieur l'avocat ; je vous disais bien que c'était le seul en Espagne ! » [3]

F.

RAGE ET IMPUISSANCE

L'année 1836 se termine sur *Rage et impuissance*, daté du 15 décembre (Flaubert a eu quinze ans le 12). Sous-titré « conte malsain pour les nerfs sensibles et les âmes dévotes », il sélectionne par antiphrase son public, l' « aimable et courageux lecteur », la « bénévolente et peu dormeuse lectrice », tenus éveillés par les blasphèmes de l'enterré vivant. Ce thème est devenu fréquent après une épidémie de choléra : « Je me rappelle avoir vécu en 1832 en plein choléra ; une simple cloison, percée d'une porte, séparait notre salle à manger d'une salle de malades où les gens mouraient comme des mouches » (à Mlle Leroyer de Chantepie, 24 août 1861). Le héros de *Novembre* demande qu'on l'ouvre, « de peur d'être enterré vif », preuve d'une angoisse persistante.

Un coin d'Allemagne balayé par la tempête (le *sturm* romantique), vieille terre des « légendes si terribles et si sanglantes » et des sinistres présages, offre son cadre aux rêves d'or de l'Orient, provoqués par l'opium et brusquement déchirés par « l'Agonie qui va et les rêves d'enfer » : titres d'un « conte fantastique » et de « pensées sceptiques » à venir. Ce texte prend plusieurs genres en écharpe : fantastique par son climat, mystique par la négation d'un Dieu bon, philosophique par la « moralité (cynique) » qui le conclut et par sa portée générale : ce docteur *Ohmlin* représente, d'abord par l'anagramme de son nom, *un homme* qui ouvre les yeux sur l'horreur du cadavre : « le rêve s'efface et la tombe reste ».

Y. L.

Dieu n'est qu'un mot rêvé pour expliquer le monde [1]

Alp. de Lamartine

———

Rage et impuissance
conte malsain
pour
Les nerfs sensibles et les âmes dévotes

(Décembre 1836)
Gve Flaubert

I

Rage et impuissance
conte

Tout dormait calme et paisible dans le village de Mussen. De toutes les lumières qui avaient disparu lentement et les unes après les autres une seule brillait encore aux vitres de ce bon monsieur Ohmlin[a] le médecin du pays.

Minuit venait de sonner à la petite église, la pluie tombait par torrents, et la neige sortie des flancs du mont Pilate tourbillonnait dans l'air emportée par les rafales de l'avalanche et la grêle résonnait sur les toits.

Cette lumière seule et isolée éclairait une chambre basse où était assise une femme d'environ soixante et quelques années. Elle était voûtée et couverte de rides, elle cousait mais la fatigue souvent surmontant son courage lui faisait fermer les yeux et pencher la tête puis si quelque coup de vent plus furieux et plus bruyant que tous les autres venait à faire craquer les auvents, si la pluie redoublait de violence alors elle se réveillait de son assoupissement, tournait ses petits yeux creux sur la chandelle dont la longue flammèche jetait encore quelque lueur autour d'elle, frissonnait, rapprochait son fauteuil de la cheminée — puis faisait un signe de croix.

C'était une de ces bonnes et honnêtes filles qui naissent et meurent dans les familles, qui servent leurs maîtres jusqu'à la mort, prennent soin de [leurs] enfants et les élèvent.

Celle-ci avait vu naître M. Ohmlin, elle avait été sa

nourrice, plus tard elle était sa servante. Aussi trem-
blait-elle alors pour son pauvre [maître] parti dès le
matin dans les montagnes et qui n'était point encore
de retour. Elle n'osait plus reprendre son ouvrage, se
tenait assise près du foyer les bras croisés, les pieds sur
l'âtre du foyer et la tête baissée sur ses mains, elle
écoutait avec terreur le vent qui sifflait dans la
serrure [b] et hurlait sur la montagne.

Triste et pensive elle tâchait de se rappeler une de
ces légendes si terribles et si sanglantes qu'on contait
chez elle, jadis dans sa jeunesse, quand toute la famille
réunie autour du foyer écoutait avec plaisir une
histoire de meurtre et de fantôme qui se passait ainsi
dans les montagnes par une nuit d'hiver bien sombre
et bien froide, au milieu des glaciers, des neiges et des
torrents.

C'est dans ses souvenirs d'enfance qu'errait ainsi
son imagination, et la vieille Berthe se retraçait ainsi
toute sa vie qui s'était passée monotone et uniforme
dans son village et qui dans un cercle si étroit avait eu
aussi ses passions, ses angoisses et ses douleurs.

Mais bientôt elle entendit sur le pavé de la place
voisine les aboiements sinistres et lugubres d'un chien
et le pas saccadé d'un mulet. Elle tressaillit, se leva de
sa chaise en s'écriant « C'est lui. » Puis elle courut à la
porte et l'ouvrit.

Après quelques instants un homme parut dans la
salle, il était entouré d'un large manteau brun tout
blanc de neige, l'eau ruisselait sur ses vêtements.

— Du feu Berthe, dit-il en entrant — du feu je me
meurs de froid.

La vieille fille sortit puis revint au bout de quelques
minutes apportant dans ses bras des copeaux et un
fagot qu'elle alluma avec les tisons blanchis qui
jetaient encore quelque chaleur dans la cheminée.

Aussitôt un feu clair et pétillant éclaira l'appartement, M. Ohmlin retira son manteau et laissa voir un
homme de taille ordinaire, maigre mais fort de
complexion. Ses joues étaient creuses et pâles, et
quand il eut ôté son chapeau on vit un crâne large et

blanc couvert de peu de cheveux noirs. Il avait l'aspect sérieux et réservé. Sa barbe noire lui donnait un aspect triste et sombre tempéré par un sourire bienveillant qui régnait sur ses lèvres.

Il s'assit, mit ses pieds sur les chenets et caressa un de ces beaux chiens des Alpes assis à ses côtés. L'animal regardait tristement son maître et lui léchait ses mains humides rougies par le froid.

— Eh bien comment ça va-t-il? dit Berthe en se rapprochant, — vos dents?

— Mal Berthe. Oh bien mal, cet air froid des montagnes m'a fait souffrir. Il y a quatre nuits que je n'ai fermé l'œil. Ce n'est pas de cette nuit que je dormirai.

Ici Fox (c'était le nom du chien favori qui était étendu aux pieds du médecin) Fox se mit à faire entendre ce son singulier et traînard que Berthe avait entendu lorsqu'il était arrivé avec son maître.

— Tais-toi Fox — tais-toi.

La pauvre bête se mit à geindre comme quelqu'un qui souffle ou qui pleure.

— Tais-toi Fox, poursuivit Berthe, tais-toi, et [elle] le repoussa rudement du pied.

— Pourquoi veux-tu le faire taire? dit M. Ohmlin. Il est de mauvaise humeur, dam[c] c'est tout simple, il est fatigué et il a faim.

— Tiens, dit Berthe en lui jetant un morceau de pain qu'elle alla chercher dans une armoire placée à côté de la cheminée, tiens —

Fox vit le pain d'un œil terne et humide, tourna sa belle tête noire vers son maître et le regarda tristement.

— Pauvre bête, dit-il, qu'as-tu?

— C'est signe de malheur, dit Berthe, Dieu et saint Maurice nous en préservent.

— Vieille folle — il est malade.

— Avez-vous faim, que voulez-vous?

— Moi oh rien, je vais dormir — s'il m'est possible. Ou plutôt non. J'ai encore quelques pilules d'opium, je vais en essayer. Adieu Berthe, éteins le feu et dors bien ma brave fille. Quant à toi Fox, à la niche. Et il ouvrit la porte qui donnait sur la cour. Fox n'obéit point, il se coucha par terre et se traîna aux pieds de M. Ohmlin. Celui-ci impatienté le laissa et monta précipitamment dans sa chambre. Il se coucha précipitamment avec le frisson de la fièvre, avala son opium et s'endormit dans des rêves d'or.

Quant à Berthe elle dormait profondément et était pourtant réveillée quelquefois par les gémissements plaintifs du pauvre Fox qui était resté précipitamment dans l'escalier. La neige avait diminué, les nuages s'étaient évanouis et la lune commençait à se montrer derrière les sommets du mont Pilate —

Le matin vers les neuf heures la vieille Berthe s'éveilla, fit sa prière et descendit dans la salle, la porte n'était point ouverte. Elle s'en étonna. Comme il dort aujourd'hui le pauvre homme, se dit-elle, probablement il va bientôt sortir. Mais aussitôt Maître Bernardo arriva, c'était un médecin des environs.

— Où est-il ? dit-il en entrant.

— Dans sa chambre je pense, allez voir il dort encore.

Celui-ci monta et entra sans cérémonie en criant :

— Allons, levez-vous donc il est tard.

M. Ohmlin ne répondit pas, sa tête était penchée hors de son lit et ses bras étaient étendus hors de sa couche.

Bernardo s'en approcha et le remuant avec violence

— Diable il a le sommeil dur.

Mais le corps céda au mouvement de la main et retomba dans sa position première comme un cadavre.

Bernardo pâlit, prit ses mains — elles étaient froides. Il s'approcha de sa bouche — il ne respirait pas. Il mit les doigts sur sa poitrine, pas un battement.

Il resta pâle et stupéfait, regarda ses paupières et les ouvrit, pas un regard — il ne vit que cet œil terne et à demi fermé qu'ont les morts dans leur sommeil.

Bernardo sortit de la chambre du médecin en courant — Berthe lui demanda ce qu'il avait. Il ne répondit [pas], seulement il était pâle et ses lèvres étaient blanches.

Quelques heures après une douzaine de médecins tous tristes et calmes entouraient le lit de leur confrère, et un seul mot errait sur leurs lèvres, il est mort.

Chacun s'approchait du corps inanimé, le retournait sur tous les sens puis s'écartait avec horreur et dégoût en disant — il est mort.

Un seul d'entre eux osa croire que ce cadavre n'était qu'endormi et manquant de preuves il ne put appuyer sa prévision et finit par se rendre à l'avis des autres médecins.

C'était un de ces jours d'hiver tristes et pluvieux, une pluie fine battait dans l'air et des flocons de neige blanchissaient les rues du village. — Ce jour-là il était triste aussi le village. Son père, son bienfaiteur était mort. — Les maisons étaient fermées, on ne se parlait [pas], les enfants ne riaient plus sur la place, les hommes étaient attendris — et l'on pleurait.

Le modeste convoi s'avançait vers le cimetière modeste et beau de sa douleur. Quelques hommes vêtus de noir portaient le cercueil dont le [drap] noir se blanchissait de neige. Les enfants aux têtes blondes suivaient par derrière, silencieux et étonnés et les prêtres chantaient tout bas car des larmes couvraient leurs voix. Un ami suivait le mort dans sa tombe. Mais à celui-[là], sa douleur était profonde et triste, plus désespérée et plus intime que celle de tous ces hommes — celui-là, était-ce une femme — un enfant — une maîtresse — un ami ? — non c'était un chien.

Le pauvre Fox marchant la tête baissée, suivant son maître avec des cris plaintifs et des larmes aussi grosses que celles d'un homme.

Le cimetière était à mi-côte, le chemin était glissant et boueux, on n'entendait que le pas des prêtres et des hommes dont les gros souliers ferrés s'enfonçaient dans la boue — puis les chants des morts, la neige qui tombait — la pluie qui roulait dans les ornières et le vent qui agitait le drap du cercueil.

Enfin on creusa la terre, — on y déposa le coffre avec quelques prières pour l'éternité. — Le fossoyeur jeta dessus quelques pelletées de terre qui résonnèrent sur le bois de chêne en rendant un son vide et creux.

— On se sépara, la grille de fer résonna dans ses gonds et le cimetière redevint silencieux et paisible.

De tous les amis du convoi un seul était resté, Fox couché sur la terre et regardant [avec] tristesse les bougies vacillantes du convoi qui s'éloignaient dans le brouillard et ces longs vêtements noirs qui s'abaissaient lentement et comme des ombres dans la vallée brumeuse.

La nuit arriva bientôt belle et blanche de sa lune dont la lueur mélancolique s'abattait sur les tombes comme le doute sur le mourant.

M. Ohmlin dormait toujours d'un sommeil lourd et pesant — il rêvait — et c'était des songes beaux d'illusions, voluptueux d'amour et d'enchantements.

Il rêvait l'Orient — l'Orient avec son soleil brûlant, son ciel bleu, ses minarets dorés, ses pagodes de pierre, l'Orient avec sa poésie toute d'amour et d'encens, l'Orient avec ses parfums, ses émeraudes, ses fleurs, ses jardins aux pommes d'or — l'Orient avec ses fées, ses caravanes dans les sables. L'Orient avec ses sérails, séjour des fraîches voluptés. Il rêvait l'insensé les ailes blanches des Anges qui chantaient des versets du Coran aux oreilles du prophète, il rêvait des lèvres de femme pures et rosées, il rêvait de grands yeux noirs qui n'avaient d'amour que pour lui, il rêvait cette peau brune et olivâtre des femmes de l'Asie, doux satin qu'effleure si souvent dans ses nuits le poète qui les rêve, il rêvait tout cela — Mais le réveil allait venir morne et impitoyable comme la réalité qu'il apporte.

Il rêvait l'amour dans une tombe. Mais le rêve s'efface et la tombe reste. —

Il ouvre les yeux, se sent entouré dans de longs plis, il s'en dégage, palpe de ses mains tremblantes le bois qui l'entoure, sur sa tête, sur ses côtés, partout, partout... Il se tâte lui-même, se sent nu. Oh c'est un

songe, un songe horrible, infernal, un pesant cauchemar. Arrière toute idée d'éternité, lui qui veut s'accrocher à la vie.

Mais l'éternité est là — là pauvre fou couchée avec
toi dans son lit de noces, t'attirant vers elle, riant
derrière ta tête avec une grimace de démon.

— Il a peur, peur de ce squelette hideux dont il lui
semble palper les os sur sa poitrine.

— Oh non c'est impossible — et il voulut se
rendormir, oublier tout cela, s'étourdir sur la réalité,
effacer de sa pensée cette masse de plomb qui pesait
sur sa tête et se bercer dans d'autres rêves.

Non — il avait trop rêvé — Ah d'autres rêves
maintenant, rêve l'éternité si tu veux; eh bien,
l'Orient maintenant, rêve donc l'Orient dans ta
tombe, dans une pensée de volupté et dans des rêves
dorés.

Non non l'Agonie qui va et les rêves d'enfer — Mais
l'Agonie qui s'arrache les cheveux, se tord de désespoir, appelle Satan et maudit Dieu.

Pourtant sa première terreur fut muette et calme.
C'était un étonnement étrange et stupide — une
stupeur d'idiot.

— Oh non non, se disait-il, voulant se faire illusion, non cela est impossible, oh non, mourir ainsi
dans une tombe, mourir de désespoir et de faim, oh ce
serait affreux et il touchait tout ce qui l'entourait, mais
je suis un fou, je rêve, ce bois eh bien c'est ma couche
— ce linge mon drap. — Mais enfer, une tombe, un
linceul, et il poussa un de ces rires amers qui eût
retenti bien fort s'il n'eût pas éclaté dans une tombe.

Et puis il avait froid, il se sentait nu, et l'humidité
des sépulcres humectait sa peau, il tremblait. Ses
dents claquaient et la fièvre battait dans ses artères, il
se sentit piqué au doigt, le porta à ses yeux, il ne vit
rien, il faisait si noir — à ses lèvres il sentit l'odeur du
sang, il s'était écorché à un clou de sa tombe.

— Mourir, mourir ainsi sans secours, sans pitié.
Oh non je sortirai de cet enfer, je sortirai de cette
tombe, cela ne s'est jamais vu, c'est à en devenir fou

avant de mourir de désespoir et oui je vais mourir. Oh mourir, [ne] plus vivre, quoi, rien, tout ce qui se passe sur cette terre, la nature, les champs, le ciel, les montagnes tout cela ah je vais le quitter. Je les ai quittés pour toujours, et il se tordait dans sa tombe comme le serpent sous les griffes du tigre.

Il pleurait de rage, il s'arrachait les cheveux, criait après la vie, lui si plein de force et de santé.

Que de larmes il versa sur ses mains. Que de cris il jeta dans sa tombe, que de coups de colère. Il frappa son cercueil. Il prit son linceul, le déchira avec ses ongles, le mit en pièces avec ses dents, — il lui fallait quelque chose à broyer, à anéantir sous ses mains, lui qui se sentait si impitoyablement écrasé sous celles de la fatalité.

Enfin il s'arrêta dans son désespoir, s'étendit sur sa planche, ferma les yeux et pensa à Dieu.

Un rayon d'espérance vint briller dans sa tombe — il pensa à son âme dont il doutait depuis longtemps, il crut à Dieu qu'il blasphéma tout à l'heure et il espéra la vie dont il désespérait.

Il prêta l'oreille, entendit sur sa tête un bruit faible et léger. Il lui semblait qu'on grattait la terre sur lui — plus il écoutait, plus le bruit devenait fort — il sourit de bonheur, joignit les mains et pria Dieu.

Oh merci, merci, tu m'as rendu la vie, tu me la donnes donc la vie. Je ne mourrai pas [dans] cette tombe hideuse et froide. Je mourrai mais plus tard car je serai vieux dans bien des années, je vais vivre. La vie est à moi, ses délices, ses joies — et il pleurait de bonheur, il maudit son scepticisme d'homme du monde et ses préjugés impies.

Merci, merci Dieu de m'avoir rendu tout cela.

Il entendit distinctement sur sa tête des pas d'hommes. On venait le délivrer oh c'était sûr. Quelque âme charitable aura eu pitié de son malheur, on se sera douté que dans cette tombe était un homme au lieu d'un cadavre. — Et on vient le déterrer c'est tout simple, la chose est certaine, positive. Oh béni soit l'homme qui vient lui donner la vie — Oh béni soit celui-là.

Son cœur battait avec violence — il riait de bonheur, s'il eût pu il aurait sauté de joie.

Les pas se rapprochèrent, puis s'écartèrent — et tout redevint calme.

C'était le fossoyeur qui venait chercher sa pioche qu'il avait oubliée et comme il pleuvait il craignait qu'elle ne se rouillât[2].

Un bon enfant ce fossoyeur qui fumait une petite [pipe] allemande, avait un chapeau de paille des montagnes et aimait le vin du Rhin, il avait l'âme charitable car lorsqu'il vit un chien sale et couvert de boue qui s'amusait à bouleverser la terre bénite, au lieu de le tuer comme tout autre eût fait à sa place, il se contenta de le repousser du pied.

M. Ohmlin écouta longtemps, bien longtemps, rien — il écouta encore, rien. Oh c'était fini. Il fallait mourir.

Mourir comme il l'avait prévu, de cette mort horrible et cruelle qui arrive à chaque minute mais lentement vous brûle à petit feu, vous mange avec délices. Et quand mourir ? Quand finira ce supplice, cette agonie, ce râle qui dure tant de siècles ?

Et il se mit à rire de pitié pour ses anciennes croyances et puisque le ciel n'avait [pas] voulu le sauver, il appela l'enfer, l'enfer vint à son secours, lui donna l'Athéisme, le désespoir et les blasphèmes.

D'abord il douta de Dieu puis il le nia puis il en rit puis il insulta ce mot.

Bah, se disait-il en riant d'un rire forcé, où est-il le créateur des misères ? Où est-il ? qu'il vienne me délivrer s'il existe. Je te nie mot inventé par l'heureux, je te nie, tu n'es qu'une puissance fatale et stupide comme la foudre qui tombe et qui brûle.

Et il s'arrachait les cheveux et se déchirait le visage avec les ongles.

Tu crois que j'irai te prier dans mon heure dernière ? oh je suis trop fier et trop malheureux. Je n'irai pas t'implorer, je t'abhorre. L'éternité je la nie — ton paradis — chimère, ton bonheur céleste je le méprise, ton enfer je le brave, l'éternité c'est une tête de mort qu'on trouvera dans quelques mois [ici] à ma place.

Le rire était sur son front et les larmes étouffaient sa voix.

Moi bénir la main qui me frappe, embrasser le bourreau. Oh si tu peux te réunir sous la forme humaine — viens dans ma tombe avec moi que j[e t']emporte aussi vers l'éternité qui te dévorera un jour, que je te livre au néant qui te donne son nom, viens, viens que je te broie, que je t'écrase entre ma tombe et moi, que je mange ta chair, fais-toi quelque chose de palpable pour que je puisse te déchirer en riant —

Ses dents claquaient comme celles du démon quand il fut vaincu par le Christ.

Il était furieux et bondissant, roulant dans une tombe en maudissant Dieu avec des cris à la bouche et le désespoir dans l'âme.

Où es-tu Dieu du ciel ? viens si tu existes, pourquoi ne me délivres-tu pas ? Si tu existes pourquoi m'as-tu fait malheureux ? Quel plaisir à me voir souffrir ? Si je ne croyais pas à toi c'est que j'étais malheureux — rends-moi la vie je t'aimerai. Si cela ne dépend pas de toi, eh bien fais-le puisque tu es tout-puissant — fais-le, donne-moi la foi, pourquoi ne veux-tu pas que je te croie ? tu vois que je souffre, que je pleure, abrège mes souffrances, taris mes larmes !

Puis il s'arrêta effrayé de ses blasphèmes. Il eut peur et trembla. Il avait peur et de Quoi ? La terre pouvait s'effacer, les révolutions pouvaient remuer la poussière du globe. Peu lui importait, il aurait toujours assez d'air pour respirer encore pendant quelques minutes dans une tombe — air corrompu, humide, échauffé et qui sentait le cadavre.

Mais il avait peur de l'éternité qu'il bravait, de ce mot dont il se moquait en riant couché sur le dos, accroupi dans sa tombe la face vers le ciel qui était pour lui les deux planches d'un cercueil — pour son malheur il doutait encore — il n'était sûr de rien.

Ne croyez point les gens qui [se] disent athées, ils ne sont que sceptiques et nient par vanité.

Eh bien lorsqu'on doute et qu'on a des souffrances on veut effacer toute probabilité, avoir la réalité vide et nue mais le doute s'augmente et vous ronge l'âme.

Il n'entendait que les aboiements de son chien qui pleurait sa mort ou qui devinait son malheur.

— Pauvre ami, dit-il, et il versa une larme de tendresse. La seule qui le soulagea.

Il était fatigué, avait les membres brisés — il avait faim — faim et rien sous la dent...

Enfin il se tourna sur le dos, se raccroupit en peloton, s'efforça de briser son cercueil — Je sortirai d'ici malgré toi, se disait-il avec fureur. Je vivrai malgré ta volonté, et penché sur le ventre il s'efforça avec des soubresauts et des secousses convulsives de faire ployer cette planche dure comme du fer.

Enfin par un dernier effort de rage et de désespoir il la brisa.

A la vue de cette tombe entr'ouverte ou plutôt sentant ployer, craquer son cercueil sur son dos, un rire de vainqueur éclata sur sa bouche — il se crut libre —

Mais la terre était là haute de six pieds, la terre qui allait l'écraser s'il faisait le moindre mouvement — car soutenue jusqu'alors par le cercueil, elle ne pouvait rester dans la position première et au moindre dérangement des planches elle allait tomber.

M. Ohmlin s'en aperçut, il pâlit et faillit s'évanouir.

— Il resta longtemps immobile, n'osant faire le moindre geste, — enfin il voulut tenter un dernier effort qui devait le tuer et le sauver.

La terre fraîchement remuée ne lui offrirait point une forte résistance, il voulait se lever brusquement et la fendre avec sa tête.

Le désespoir rend fou.

Il se leva, mais la planche du cercueil s'abaissa sur sa tête, il la vit — elle tomba.

Les gens les plus patients s'ennuient de tout. C'est un vieux proverbe il est vrai car notre bon fossoyeur ennuyé des aboiements de ce chien mélancolique dont nous avons déjà parlé, s'avisa de voir ce qu'il y avait donc là de si intéressant. Il creusa la terre dans l'espoir d'y trouver quelque chose, un trésor peut-être... dam qui sait. —

Ce qui l'étonna fort c'est que le coffre était brisé. Diable, voilà qui est drôle, il y a là-dessous quelque chose — et il leva la planche. Voici [ce] qu'il vit et ce qu'il racontait plus tard lorsqu'il voulait se faire passer pour brave.

Le cadavre était tourné sur le ventre, son linceul était déchiré, sa tête et son bras droit étaient sous sa poitrine. Quand je l'eus retourné avec ma pelle je vis qu'il avait des cheveux dans la main gauche, il s'était dévoré l'avant-bras — Sa figure faisait une grimace qui me fit peur — il y avait de quoi. Ses yeux tout grands ouverts sortaient à fleur de tête, les nerfs de son cou étaient raides et tirés. On voyait ses dents blanches comme de l'ivoire car ses lèvres vertes relevées par les coins découvraient ses gencives comme s'il eût ri en mourant.

— Quant à Fox, il quitta le cimetière, alla courir dans les montagnes et fut un jour tué par des chasseurs qui n'avaient rien tué et qui lui lâchèrent un coup de fusil par passe-temps.

Pour Berthe — elle quitta le coin de son feu — et fut désignée sous les enfants du village par le nom de Berthe la folle. Les soirs quand la lune était belle, quand le vent hurlait sur la montagne, quand la neige blanchissait la terre, on voyait une vieille femme qui parcourait le chemin du cimetière en pleurant —

Un jour elle se jeta dans le torrent qui est au pied de la colline où s'élèvent les tombes et les cyprès.

————————

Moralité
(cynique)
Pour indiquer la conduite que l'on doit tenir
à son heure dernière

————————

Maître Michel de Montaigne honnête gas, prud'homme et de bonace nature a souvent dit en ses écrits — que sais-je — et Maître François Rabelais tourangeau chinonais, curé de Meudon, docteur en Médecine, bon viveur, grand suceur de piot, chiffonneur de filles et joyeux sceptique, a encore plus souvent dit en les siens — Peut-être[3].

Eh bien aimable et courageux lecteur et vous bénévolente et peu dormeuse lectrice, que pensez-vous qu'eût répondu notre homme du cercueil si quelque malavenant lui eût demandé son avis sur la bonté de Dieu ? eût-il répondu : peut-être ? existe-t-elle ? que sais-je ? Pour moi je pense qu'il eût dit : J'en doute ou je la nie.

Et si le même malotru eût continué ses sottes questions en lui représentant la bonté de ce même Dieu miséricordieux, il aurait envoyé au diable l'escogriffe en lui répondant :

brain[4],

comme dit Pantagruel festoyant et troublé par l'arrivée de Panurge, et notre homme eut bien fait car lorsqu'on crève ainsi écorché d'âme autant encore en jurant après l'équarrisseur.

Or de ceci je conclus provisoirement qu'il ne faut point troubler les mourants dans leur agonie, les morts dans leur sommeil, les amants au lit, les suceurs du piot devant Dame-Jeanne et le père Éternel dans ses bêtises.

J'engage aussi et voilà toute la moralité de cette sotte œuvre, j'engage donc, ayant trouvé la conduite du sus-écrit médecin louable et bonne, j'engage tous les marmots à jeter la galette à la tête du pâtissier lorsqu'elle n'est point sucrée, les suceurs du piot leur vin quand il est mauvais, les mourants leur âme quand ils crèvent et les hommes — leur existence à la face de Dieu lorsqu'elle est amère.

Gve Flaubert
15 décembre 1836

UNE LEÇON D'HISTOIRE NATURELLE
GENRE COMMIS

Ce « cours de zoologie » humaine date de janvier 1837. Flaubert inaugure l'année avec un texte qui tranche absolument sur les écrits antérieurs par sa verve satirique, son trait caricatural, même si la critique sociale n'est pas absente des contes historiques, fantastiques ou philosophiques. Les physiologies sont à la mode, depuis *La Physiologie du mariage* de Balzac (1829), à laquelle Flaubert renvoie nommément le lecteur de *Smarh*. Celle du commis paraît, au milieu de beaucoup d'autres, dans *Le Colibri* du 30 mars 1837 (sous la rubrique « Mœurs Rouennaises »), un mois après *Bibliomanie* : « J'ai hier été chez Degouve-Denuncques [directeur du *Colibri*], mon *Commis* sera inséré jeudi prochain et mercredi je corrigerai avec lui les épreuves » (lettre à E. Chevalier du 24 mars 1837). L'auteur qui se présente en « savant zoologue » trouve à y exercer son esprit sceptique et analytique — cette fois en farce. Ce n'est pas Dieu ni la laideur qui sont exposés au rire amer, mais le ridicule professionnel d'un représentant de la classe bourgeoise.

On a voulu voir, dans ce texte grinçant, l'émergence d'une veine « réaliste » et une lointaine ébauche, à quarante ans de distance, du dernier roman. Il est vrai que le sujet d'étude est pris dans le quotidien le plus plat et que Bouvard et Pécuchet se partageront les habits et les habitudes du commis préposé à la copie (cf. mon essai sur *Bouvard et Pécuchet, La spirale et le monument,* Sedes, 1988, p. 26). Si ce texte indique un avenir littéraire, c'est moins le prétendu « réalisme » de *Madame Bovary* ou l'encyclopédie farcesque de Bouvard et Pécuchet aux prises avec les questions de classification, que le projet plus immédiat de se faire écrivain. Le commis aux écritures « qui s'élève quelquefois jusqu'au rang de maître d'études, se lance dans la littérature et rédige des affiches et des feuilletons » est bien l'envers de l'auteur qui refuse de mettre sa jeune plume au service de l'utilitarisme social. Figure dégradée de l'artiste, le commis souffre de graphomanie comme Giacomo de bibliomanie : « il écrit lentement en savourant l'odeur de l'encre qu'il voit avec plaisir s'étendre sur un immense papier ». Le narrateur de *Novembre* atteint le comble de la désillusion quand la découverte chez d'autres des pensées et des formes qu'il croyait originales l'oblige à se reconnaître dans la fonction du commis, à exorciser ici par l'ironie : « Je m'étais cru leur égal et je n'étais plus que leur copiste ! »

Y. L.

Mœurs Rouennaises

Une leçon d'histoire naturelle
Genre Commis [a]

Depuis Aristote jusqu'à Cuvier, depuis Pline jusqu'à M. de Blainville [1], on a fait des pas immenses dans la science de la nature. Chaque savant est venu apporter à cette science son contingent d'observations et d'études ; on a voyagé, fait des découvertes importantes, tenté de périlleuses excursions d'où l'on n'a rapporté le plus souvent que de petites fourrures noires, jaunes ou tricolores [b] ; et puis l'on était bien aise de savoir que l'ours mangeait du miel, et qu'il avait un faible pour les tartes à la crème.

Ce sont de bien grandes découvertes, je l'avoue : mais aucun homme n'a songé encore à parler du commis, l'animal le plus intéressant de notre époque.

Aucun sans doute n'a fait des études assez spéciales, n'a assez médité, assez vu, assez voyagé, pour pouvoir parler du commis avec ample connaissance de cause.

Un autre obstacle se présentait ; comment classer cet animal ? A quelle famille le rattacher ? [c]... Car on a hésité longtemps entre le bradype, le hurleur [2] et le chacal. Bref, la question resta indécise, et on laissa à l'avenir le soin de résoudre ce problème avec celui de découvrir le principe du genre chien.

En effet, il était difficile de classer un animal si peu logique dans sa complexion. Sa casquette de loutre faisait opiner pour une vie aquatique ainsi que sa redingote à longs poils bruns, tandis que son gilet de laine épais de quatre pouces prouvait certainement

que c'était un animal des pays septentrionaux; ses
ongles crochus l'auraient fait prendre pour un carni-
vore, s'il eût eu des dents. Enfin l'académie des
sciences avait statué pour un digitigrade; malheureusement on reconnut bientôt qu'il avait une canne en
bois de fer, et que parfois il faisait ses visites du jour
de l'an en fiacre et allait *dîner à la campagne* en coucou.

Pour moi, que ma longue expérience a mis à même
d'instruire le genre humain, je puis parler avec la
confiance modeste d'un savant zoologue. Mes fré-
quents voyages dans les bureaux m'ont laissé assez de
souvenirs pour décrire les animaux qui les peuplent,
leur anatomie, leurs mœurs. J'ai vu toutes les espèces
de commis, depuis le commis de barrière jusqu'au
commis d'enregistrement. Ces voyages m'ont entièrement ruiné, et je prie mes lecteurs de faire une
souscription pour un homme qui s'est dévoué à la
science et a usé pour elle deux parapluies, douze
chapeaux (avec leurs coiffes en toile cirée) et six
ressemelages de bottes.

Le commis a depuis trente-six ans jusqu'à soixante,
il est petit, replet, gras et frais; il a une tabatière dite
queue de rat[d], une perruque rousse, des lunettes en
argent pour le bureau et un mouchoir de rouenneries.
Il crache souvent, et lorsque vous éternuez, il vous
dit : « Dieu vous bénisse ». Il subit des variations de
pelage selon le changement des saisons. En été, il
porte un chapeau de paille, un pantalon de nankin
qu'il a soin de préserver des taches d'encre en étalant
dessus son mouchoir. Ses souliers sont en castor et son
gilet en coutil. Il a invariablement un faux[e] col de
velours. Pour l'hiver, c'est un pantalon bleu avec une
énorme redingote qui le préserve du froid. La redingote est l'élément[f] du commis, comme l'eau celui des
poissons.[g]

Originaire de l'ancien continent, *il est malheureusement fort répandu dans nos pays*. Ses mœurs sont
douces; il se défend quand on l'attaque.

Il reste le plus souvent célibataire, et mène alors la
vie de garçon.

La vie de garçon !

C'est-à-dire qu'au *café* il dit mademoiselle à la dame du comptoir, prend le sucre qui lui reste sur son plateau et se permet parfois le fin cigare de trois sous. Oh ! mais alors le Commis est infernal ! Le jour qu'il a fumé, il se sent belliqueux, taille quatre plumes avant d'en trouver une bonne, rudoie le garçon de bureau, laisse tomber ses lunettes et fait des pâtés sur ses registres, ce qui le désole considérablement.

D'autres fois le commis est marié. Alors il est citoyen paisible et vertueux, et n'a plus la tête chaude de sa jeunesse. Il monte sa garde, se couche à neuf heures, ne sort pas sans parapluie. Il prend son café au lait tous les dimanches matin, et lit le *Constitutionnel*, l'*Echo*, les *Débats* ou quelqu'autre journal de cette force.

Il est chaud partisan de la charte de 1830 et des libertés de juillet. Il a du respect pour les lois de son pays, crie vive le roi ! devant un feu d'artifice, et[h] blanchit son baudrier tous les samedis soir. Le commis est enthousiaste de la garde nationale ; son cœur s'allume au son du tambour, et il court à la place d'armes, sanglé et étranglé dans son col en fredonnant : « Ah quel plaisir d'être soldat ! »

Quant à sa femme, elle garde la maison tout le long du jour, raccommode les bas, fait des manchettes en toile pour son époux, lit les mélodrames de l'Ambigu[3] et trempe la soupe : c'est là sa spécialité.

Quoique chaste, le commis a pourtant l'esprit licencieux et enjoué ; car il dit *ma belle enfant* aux jeunes personnes qui entrent dans le bureau. De plus, il est abonné aux romans de Paul de Kock[4], dont il fait ses lectures favorites, le soir, auprès de son poêle, les pieds dans ses pantoufles et le bonnet de soie noire sur la tête.

Il faut voir cet intéressant bipède[i] au bureau, copiant des contrôles. Il a ôté sa redingote et son col, et travaille en chemise, c'est-à-dire en gilet de laine.

Il est penché sur son pupitre, la plume sur l'oreille gauche : il écrit lentement en savourant l'odeur de

l'encre qu'il voit avec plaisir s'étendre sur un immense
papier[j] : il chante entre ses dents ce qu'il écrit, et fait
une musique perpétuelle avec son nez ; mais lorsqu'il
est pressé, il jette avec ardeur les points, les virgules,
les barres, les *fions*[5] et les paraphes. Ceci est le comble
du talent. Il s'entretient avec ses collègues du dégel,
des limaces[k], du repavage du port, du pont de fer et
du gaz. S'il voit, à travers les épais rideaux qui lui
bouchent le jour, que le temps est pluvieux, il s'écrie
subitement : « Diable, va y avoir du bouillon » Puis il
se remet à la besogne.

Le commis aime la chaleur, il vit dans une étuve
perpétuelle. Son plus grand plaisir est de faire rougir
le poêle du comptoir. Alors il rit du rire de l'heureux :
la sueur de la joie inonde son visage qu'il essuie avec
son mouchoir et en soufflant régulièrement ; mais
bientôt, étouffant sous le poids du bonheur, il ne peut
retenir cette exclamation : « Qu'il fait bon ici ! » Et
quand il est au plus fort de cette béatitude, il copie
avec une nouvelle ardeur : sa plume va plus vite que
de coutume, ses yeux s'allument, il oublie de remettre
le couvercle de sa tabatière, et, emporté par l'ivresse,
il se lève tout à coup de sa place et revient bientôt dans
le sanctuaire, apportant dans ses bras une énorme
bûche ; il s'approche du poêle, s'en écarte à diverses
reprises, en ouvre la porte avec une règle, puis jette le
morceau de bois en s'écriant : « Encore une allu-
mette ! » Et il reste quelques moments, debout, la
bouche béante, à écouter avec délices la flamme qui
fait trembler le tuyau en rendant un bruit sourd et
agréable.

Si par malheur vous laissez la porte ouverte en
entrant dans le bureau, le commis devient furieux, ses
ongles se redressent, il gratte sa perruque, frappe du
pied, jure[l], et vous entendez sortir d'entre les registres, les contrôles, les nombreux cahiers d'additions et
de divisions, vous entendez sortir une voix glapissante
qui crie : « Fermez la porte, corbleu ! vous ne savez
donc pas lire ? Regardez l'avis qui est à la porte du
comptoir. La chaleur va s'en aller, mâtin ! »

Ne vous avisez pas de l'appeler commis[m] ; dites au contraire : Monsieur l'employé.

L'employé a de longs ongles, et c'est un de ses plus doux passe-temps que de les gratter avec son grattoir.

L'employé apporte le matin son petit pain dans sa poche, ouvre son pupitre, prend sa casquette à larges bords verts et attend que le garçon lui ait apporté son déjeuner de beurre salé ou son fromage quotidien.

Lorsque le jour commence à baisser, l'employé se réjouit fort de voir la porte du comptoir s'entr'ouvrir et de voir entrer la personne qui doit allumer les quinquets.

Car le quinquet est pour le bureaucrate un long sujet de conversation, de discussion et une cause de disputes entre lui et ses semblables. A peine est-il allumé, qu'il regarde si la mèche est bonne, s'il ne file pas, et puis quand il a haussé le bouton à une hauteur démesurée, lorsqu'il a cassé cinq ou six verres, alors il se plaint amèrement de son sort, et dit souvent, avec l'accent de la plus profonde tristesse, que la lumière lui blesse la vue, et c'est pour s'en préserver qu'il a cette énorme casquette qui étend son ombre sur le papier de son voisin. Le voisin déclare qu'il est impossible d'écrire sans y voir, et veut lui faire ôter sa casquette ; mais le rusé commis l'enfonce davantage sur ses oreilles et il a même soin de mettre la gorgette[6].

Il va tous les dimanches au spectacle, se place aux secondes, ou au parterre : il siffle le lever du rideau et applaudit le vaudeville. Quand il est jeune, il va faire sa partie de dominos entre les entractes. Quelquefois il perd, alors il rentre chez lui, casse deux assiettes, n'appelle plus sa femme *mon épouse*, oublie Azor, mange avidement le bouilli réchauffé de la veille, sale avec fureur les haricots, et puis s'endort dans des rêves de contrôle, de dégels, de repavages et de soustractions.

J'ai dit, je crois, tout ce qu'il y avait à dire sur le commis en général, ou du moins je sens que la patience du lecteur commence à se lasser. J'ai encore dans mes cartons de nombreuses observations sur les diverses espèces de ce genre, telles que le commis de barrière, le commis de rouenneries, le commis douanier, qui s'élève quelquefois jusqu'au rang de maître d'études, se lance dans la littérature et rédige des affiches et des feuilletons ; le commis-voyageur, l'employé de mairie et mille autres encore.

Tel est le fruit ingrat des veilles de ma vie studieuse. Mais si des temps meilleurs se font plus tard sentir, si les orages politiques qui tendent à augmenter diminuent, eh bien ! je pourrai alors reparaître sur la scène et publier la suite de ce cours de zoologie, immense échelon social qui s'étend depuis le commis de barrière jusqu'au caissier de l'agent de change.

F.[n]

QUIDQUID VOLUERIS

Daté du 8 octobre 1837, c'est-à-dire de l'entrée en
seconde, *Quidquid volueris* (tout ce qu'on voudra,
comme la moralité d'*Un parfum à sentir* : « ce que vous
voudrez ») n'appartient pas nommément à la série des
contes, encore qu'il y participe par le fantastique et la
philosophie : il est sous-titré plus scientifiquement
« études psychologiques ». Le « savant zoologue »
d'*Une leçon d'histoire naturelle* continue l'analyse, sur le
mode grave cette fois, d'autres espèces aussi difficiles
à classer que le commis. Djalioh est en effet un « métis
de singe et d'homme », issu par croisement d'une
esclave noire et d'un orang-outang, ce grand singe
évolué ou cet homme à l'état sauvage alors à la mode
dans les gazettes et les cirques, avant que Darwin ne
nous en fasse descendre.

A ce « monstre de la nature », animal par le corps
mais homme par le cœur et l'âme, s'oppose « cet autre
monstre ou plutôt cette merveille de la civilisation »
prénommé Paul, le savant dilettante responsable de
l'expérience (*Frankenstein* date de 1817). Objet de
répulsion, l'anthropopithèque joue le rôle d'un
« miroir grossissant » où se reflète la dérisoire comédie
sociale. C'est son point de vue qui commande pour
une grande part la narration.

Les tendres sentiments indisables qu'il éprouve au
contact d'Adèle, la femme de Paul, réactive le schéma
bien connu de la rivalité, rendue plus douloureuse

pour l'auteur depuis la rencontre l'été précédent d'Elisa, possédée par un autre (cf. les *Mémoires d'un fou*). A cette couche biographique s'ajoutent d'autres souvenirs marquants : la nuit passée au château du Héron, chez le marquis de Pomereu, à la Saint-Michel de 1836. Mais le texte touche à quelque chose de plus intime : ce que Flaubert projette de lui en Djalioh, c'est moins telle tranche de vie vécue que cette aspiration à l'infini apparentant le poète à une créature étrangère à l'espèce, aphasique, séparée de son désir comme Giacomo illettré.

Y. L.

Quidquid volueris
études psychologiques

septembre-octobre 1837
Gve Flaubert

Quidquid volueris
études psychologiques

I

A moi donc mes souvenirs d'insomnie, à moi mes
rêves [a] de pauvre fou. Venez tous, venez tous, mes
bons amis les diablotins, vous qui la nuit sautez sur
mes pieds, courez sur mes vitres, montez au plafond et
puis violets, verts, jaunes, noirs, blancs, avec de
grandes ailes, de longues barbes, remuez les cloisons
de la chambre, les ferrures de ma porte et de votre
souffle faites vaciller la lampe qui pâlit sous vos lèvres
verdâtres.

Je vous vois bien souvent dans les pâles nuits
d'hiver venir tous paisiblement, couverts de grands
manteaux bruns qui tranchent bien sur la neige des
toits, avec vos petits crânes osseux comme des têtes de
morts, — vous arrivez tous par le trou de ma serrure
— et chacun va réchauffer ses longs ongles à la barre
de ma cheminée qui jette encore une tiède chaleur.

Venez tous enfants de mon cerveau, donnez-moi
pour le moment quelques-unes de vos folies, de vos
rires étranges, et vous m'aurez épargné une préface
comme les Modernes et une invocation à la muse
comme les Anciens.

II

— Contez-nous votre voyage au Brésil, mon cher
ami, disait par une belle soirée du mois d'août Mme de

Lansac [1] à son [neveu] [b] Paul. — Cela amusera Adèle.

Or Adèle était une jolie blonde bien nonchalante qui se pendait à son bras, dans les allées sablées du parc.

M. Paul répondit : — mais ma tante j'ai fait un excellent voyage, je vous assure.

— Vous me l'avez déjà dit —

— Ah, fit-il, et il se tut.

Le silence des promeneurs dura longtemps, et chacun marchait sans penser à son voisin, l'un effeuillant une rose, l'autre remuant de ses pieds le sable des allées, un troisième regardant la lune à travers les grands ormes que leurs branches entr'écartées laissaient apparaître limpide et calme.

Encore... la lune, mais elle doit nécessairement jouer un grand rôle. C'est le *sine qua non* de toute œuvre lugubre, comme les claquements de dents et les cheveux hérissés. Mais enfin ce jour-là il y avait une lune.

Pourquoi me l'ôter ma pauvre lune ? O ma lune je t'aime. Tu reluis bien sur le toit escarpé du château, tu fais du lac une large bande d'argent et à ta pâle lueur chaque goutte d'eau de la pluie qui vient de tomber, chaque goutte d'eau dis-je, suspendue au bout d'une feuille de rose semble une perle sur un beau sein de femme. Ceci est bien vieux. Mais coupons là et revenons à nos moutons, comme dit Panurge.

Cependant dans cette nonchalance affectée, dans cet abandon rêveur de cette grande fille dont la taille se penche si gracieusement sur le bras de son cousin il y a je ne sais quoi de langoureux et de roucoulant, dans ces belles dents blanches qui se montrent pour sourire, dans ces cheveux blonds qui encadrent en larges boucles ce visage pâle et mignon — il y a dans tout cela un parfum d'amour qui porte à l'âme une sensation délicieuse.

Ce n'était point une beauté méridionale et ardente, — une de ces filles du Midi, à l'œil brûlant comme un volcan, aux passions brûlantes aussi, — son œil n'était pas noir, sa peau n'avait point un velouté d'Andalouse, mais c'était quelque chose d'une forme vapo-

reuse et mystique comme ces fées scandinaves, au cou
d'albâtre, aux pieds nus sur la neige des montagnes, et
qui apparaissent dans une belle nuit étoilée, sur le
bord d'un torrent, légères et fugitives au barde qui
chante ses chants d'amour.

Son regard était bleu et humide — son teint était
pâle, c'était une de ces pauvres jeunes filles qui ont des
gastrites de naissance, boivent de l'eau, tapotent sur
un piano bruyant la musique de Liszt, aiment la
poésie, les tristes rêveries, les amours mélancoliques,
et ont des maux d'estomac.

Elle aimait — qui donc? ses cygnes qui glissaient
sur l'étang, — ses singes qui croquaient des noix que
sa jolie main blanche leur passait à travers les barreaux
de leurs cages, — et puis encore ses oiseaux, son
écureuil, les fleurs du parc, ses beaux livres dorés sur
tranche et... son cousin, son ami d'enfance M. Paul
qui avait de gros favoris noirs, qui était grand et fort,
qui [devait] l'épouser dans quinze jours.

Soyez sûr qu'elle sera heureuse avec un tel mari,
c'est un homme sensé par excellence et je comprends
dans cette catégorie tous ceux qui n'aiment point la
poésie, qui ont un bon estomac et un cœur sec,
qualités indispensables pour vivre jusqu'à cent ans et
faire sa fortune. L'homme sensé est celui qui sait vivre
sans payer ses dettes, sait goûter un bon verre de vin,
profite de l'amour d'une femme [comme] d'un habit
dont on se couvre pendant quelque temps et puis qui
le jette avec toute la friperie des vieux sentiments qui
sont passés de mode.

En effet, — vous répondra-t-il, qu'est-ce que
l'amour? — une sottise — j'en profite.

Et la tendresse?

Une niaiserie, disent les géomètres, or je n'en ai
point.

Et la poésie?

Qu'est-ce que ça prouve? aussi je m'en garde.

Et la religion? — la patrie? l'art?

Fariboles et fadaises.

Pour l'âme, il y a longtemps que Cabanis et Bichat

nous ont prouvé que les veines donnent au cœur[2] et
voilà tout —

Voilà l'homme sensé, celui qu'on respecte et qu'on
honore, car il monte sa garde nationale, s'habille
comme tout le monde, parle morale et philanthropie,
vote pour les chemins de fer — et l'abolition des
maisons de jeu.

Il a un château, une femme, un fils qui sera notaire,
une fille qui se mariera à un chimiste. Si vous le
rencontrez à l'Opéra, — il a des lunettes d'or, un habit
noir, une canne et prend des pastilles de menthe pour
chasser l'odeur du cigare car la pipe lui fait horreur,
cela est si mauvais ton.

Paul n'avait point encore de femme mais il allait en
prendre une — sans amour et par la raison que ce
mariage-là doublerait sa fortune, et il n'avait eu besoin
que de faire une simple addition pour voir qu'il serait
riche alors de 50 mille livres de rente.

Au collège il était fort en mathématiques.

Quant à la littérature il avait toujours trouvé ça
bête.

La promenade dura longtemps, silencieuse et toute
contemplative de la belle nuit bleue qui enveloppait
les arbres, le bosquet, l'étang, dans un brouillard
d'azur que perçaient les rayons de la lune comme si
l'atmosphère eût été couverte d'un voile de gaze.

On ne rentra dans le salon que vers onze heures.
Les bougies pétillaient et quelques roses tombées de la
jardinière d'acajou étaient étendues sur le parquet
ciré, pêle-mêle, effeuillées et foulées aux pieds.

— Qu'importe, il y en avait tant d'autres.

Adèle sentait ses souliers de satin humectés par la
rosée. Elle avait mal à la tête et s'endormit sur le sofa
— un bras pendant à terre.

Mme de Lansac était partie donner quelques ordres
pour le lendemain et fermer toutes les portes, tous les
verrous, il ne restait que Paul et Djalioh[3]. Le premier
regardait les candélabres dorés, la pendule de bronze
dont le son argentin sonna minuit — le piano de Pape,
— les tableaux, les fauteuils — la table de marbre

blanc, le sofa tapissé — puis allant à la fenêtre et regardant vers le plus fourré du parc : Demain à 4 heures il y aura du lapin.

Quant à Djalioh il regardait la jeune fille endormie. — Il voulut dire un mot — mais il fut dit si bas, si craintif, qu'on le prit pour un soupir.

Si c'était un mot ou un soupir peu importe. Mais il y avait là dedans toute une âme.

III

Le lendemain en effet, par un beau lever de soleil, — le chasseur partit accompagné de sa grande levrette favorite, — de ses deux chiens bassets et du garde qui portait dans une large carnassière la poudre, les balles, le plomb, tous les ustensiles de chasse et un énorme pâté de canards que notre fiancé avait commandé lui-même depuis deux jours. Le piqueur sur son ordre donna du cor et ils s'avancèrent à grands pas vers la plaine.

Aussitôt à une fenêtre du second étage un contre-vent vert s'ouvrit et une tête entourée de longs cheveux blonds apparut à travers le jasmin qui montait le long du mur et dont le feuillage tapissait les briques rouges et blanches du château.

Elle était en négligé — ou du moins vous l'auriez présumé d'après l'abandon de ses cheveux, le laisser-aller de sa pose et l'entre-bâillement de sa chemise garnie de mousseline, décolletée jusqu'aux épaules, et dont les manches ne venaient que jusqu'aux coudes. — Son bras était blanc, rond, charnu mais par malheur il s'égratigna quelque peu contre la muraille en ouvrant précipitamment la fenêtre pour voir partir Paul. Elle lui fit un signe de main et lui envoya un baiser.

Paul se détourna et après avoir regardé longtemps cette tête d'enfant fraîche et pure au milieu des fleurs, après avoir réfléchi que tout cela serait bientôt à lui et les fleurs et la jeune fille et l'amour qu'il y avait dans tout cela — il dit... Elle est gentille.

Alors une main blanche ferma l'auvent, — l'horloge sonna 4 heures, le coq se mit à chanter et un rayon de soleil passant à travers la charmille vint darder sur les ardoises du toit.

Tout redevint silencieux et calme.

A dix heures, — M. Paul n'était pas de retour. On sonna le déjeuner — et l'on [se] mit à table.

La salle était haute et spacieuse, meublée à la Louis XV. — Sur les dessus de la cheminée, on voyait à demi effacée par la poussière une scène pastorale. — C'était une bergère bien poudrée, couverte de mouches, avec des paniers au milieu de ses blancs moutons, l'amour volait au-dessus d'elle et un joli carlin était étendu à ses pieds assis sur un tapis brodé où l'on voyait un bouquet de roses lié par un fil d'or. Aux corniches étaient suspendus des œufs de pigeon enfilés les uns aux autres et peints en blanc, avec des taches vertes.

Les lambris étaient d'un blanc pâle et terni, décorés çà et là de quelques portraits de famille et puis des paysages coloriés — représentant des vues de Norvège ou de Russie, des montagnes de neige — des moissons ou bien des vendanges. — Plus loin des gravures encadrées en noir. Ici c'est le portrait en pied de quelque président au parlement avec ses peaux d'hermine et sa perruque à trois marteaux, plus loin un cavalier allemand qui fait caracoler son cheval dont la queue longue et fournie se replie dans l'air et ondule comme les anneaux d'un serpent. Enfin quelques tableaux de l'école flamande avec ses scènes de cabaret, ses gaillardes figures toutes bouffies de bière et son atmosphère de fumée de tabac, sa joie, ses gros seins nus, ses gros rires sur de grosses lèvres et ce franc matérialisme qui règne depuis l'enfant dont la tête frisée se plonge dans un pot de vin jusqu'aux formes charnues de la bonne Vierge assise dans sa niche noircie et enfumée.

Du reste les fenêtres hautes et larges répandaient

une vive lumière dans l'appartement qui malgré la vétusté de ces meubles ne manquait pas d'un certain air de jeunesse, — si vous aviez vu les deux fontaines de marbre aux deux bouts de la salle — et les dalles noires et blanches qui la pavaient. Mais le meuble principal, celui qui donnait le plus à penser et à sentir était un immense canapé bien vieux, bien doux, bien mollet, tout chamarré de vives couleurs, de vert, de jaune, d'oiseaux de paradis, de bouquets de fleurs, le tout parsemé richement sur un fond de satin blanc et moelleux. Là sans doute, bien des fois après que les domestiques avaient enlevé les débris du souper, — la châtelaine s'y rendait et assise sur ces frais coussins de satin, la pauvre femme attendait M. le Chevalier qui arrivait sans vouloir déranger personne pour prendre un rafraîchissement. Car par hasard il avait soif. — Oui là sans doute plus d'une jolie marquise, plus d'une grande comtesse au court jupon, au teint rose, à la jolie main, au corsage étroit entendit de doux propos que maint gentil abbé philosophe et athée glissait au milieu d'une conversation sur les sensations et les besoins de l'âme. Oui il y eut là peut-être bien des petits soupirs, des larmes et des baisers furtifs.

. . . .

Et tout cela avait passé, les marquises, les abbés, les chevaliers, — les propos des gentilshommes, — tout s'était évanoui, tout avait coulé, fui — les baisers, les amours, les tendres épanchements, les séductions des talons rouges, — le canapé était resté à sa place sur ses quatre pieds d'acajou mais son bois était vermoulu, et sa garniture en or s'était ternie et effilée.

Djalioh était assis à côté d'Adèle. Celle-ci fit la moue en s'asseyant, — et recula sa chaise, rougit et se versa précipitamment du vin. Son voisin en effet n'avait rien d'agréable car depuis un mois qu'il était avec M. Paul dans le château, il n'avait pas encore parlé, il était fantasque selon les uns, mélancolique disaient les autres, stupide, fou — enfin muet ajoutaient les plus sages.

Il passait chez Mme de Lansac pour l'ami de

M. Paul — un drôle d'ami, pensaient tous les gens qui
le voyaient.

Il était petit, maigre et chétif. Il n'y avait que ses
mains qui annonçassent quelque force dans sa personne. Ses doigts étaient courts, écrasés, munis
d'ongles robustes et à moitié crochus. Quant au reste
de son corps il était si faible et si débile, il était couvert
d'une couleur si triste et si languissante que vous
auriez gémi sur cet homme jeune encore et qui
semblait né pour la tombe comme ces jeunes arbres
qui vivent cassés et sans feuilles.

Son vêtement complètement noir rehaussait encore
la couleur livide de son teint, car il était d'un jaune
cuivré. Ses lèvres étaient grosses et laissaient voir deux
rangées de longues dents blanches — comme celles
des singes et des nègres.

Quant à sa tête elle était étroite et comprimée sur le
devant mais par derrière elle prenait un développement prodigieux. Ceci s'observait sans peine car la
rareté de ses cheveux laissait voir un crâne nu et ridé.

Il y avait sur tout cela un air de sauvagerie et de
bestialité étrange et bizarre qui le faisait ressembler
plutôt à quel[que] animal fantastique qu'à un être
humain.

Ses yeux étaient ronds, grands, d'une teinte terne et
fausse et quand le regard plombé de cet homme
s'abaissait sur vous on se sentait sous le poids d'une
étrange fascination. Et pourtant — il n'avait point sur
les traits un air dur ni féroce, il souriait à tous les
regards — mais ce [rire] était stupide et froid.

S'il eût ouvert la chemise qui touchait à cette peau
épaisse et noire vous eussiez contemplé une large
poitrine qui semblait celle d'un athlète tant les vastes
poumons qu'elle contenait respiraient tout à l'aise sous
cette poitrine velue.

O son cœur aussi était vaste et immense — mais
vaste comme la mer, immense et vide comme sa
solitude.

Souvent, en présence des forêts, des hautes montagnes, de l'Océan — son front plissé se déridait tout à

coup — ses narines s'écartaient avec violence et toute son âme se dilatait devant la nature comme une rose qui s'épanouit au soleil et il tremblait de tous ses membres, sous le poids d'une volupté intérieure — et la tête entre ses deux mains il tombait dans une léthargique mélancolie. Alors dis-je, son âme brillait à travers son corps comme les beaux yeux d'une femme derrière un voile noir.

Car ces formes si laides, si hideuses, ce teint jaune et maladif, ce crâne rétréci, ces membres rachitiques, tout cela prenait un tel air de bonheur et d'enthousiasme, — il y avait tant de feu et de poésie dans ces vilains yeux de singe, qu'il semblait alors comme remué violemment par un galvanisme[4] de l'âme.

La passion chez lui devait être rage et l'amour une frénésie.

Les fibres de son cœur étaient plus molles et plus sonores que celles des autres[c]. La douleur se convertissait en des spasmes convulsifs et les jouissances en voluptés inouïes[d].

Sa jeunesse était fraîche et pure. Il avait 17 ans ou plutôt soixante, cent et des siècles entiers, tant il était vieux et cassé, usé et battu par tous les vents du cœur, par tous les orages de l'âme.

Demandez à l'océan combien il porte de rides au front, comptez les vagues de la tempête.

Il avait vécu longtemps, bien longtemps, non point par la pensée. Les méditations du savant ni les rêves n'avaient point occupé un instant dans toute sa vie. Mais il avait vécu et grandi de l'âme — et il était déjà vieux[e] par le cœur.

Pourtant ses affections ne s'étaient tournées sur personne, car il avait en lui un chaos des sentiments les plus étranges, des sensations les plus étranges. La poésie avait remplacé la logique et les passions avaient pris la place de la science. Parfois il lui semblait entendre des voix qui lui parlaient derrière un buisson de roses et des mélodies qui tombaient des cieux. La nature le possédait sous toutes ces forces, volupté de l'âme, passions brûlantes, appétits gloutons.

C'était le résumé d'une grande faiblesse morale et physique avec toute la véhémence du cœur mais d'un fragile et qui se brisait d'elle-même à chaque obstacle comme la foudre insensée qui renverse les palais, brûle les diadèmes, abat les chaumières et va se perdre dans une flaque d'eau.

Voilà le monstre de la nature qui était en contact avec M. Paul, cet autre monstre ou plutôt cette merveille de la civilisation et qui en portait tous les symboles, — grandeur de l'esprit, sécheresse du cœur. Autant l'un avait d'amour pour les épanchements de l'âme — les douces causeries du cœur — autant Djalioh aimait les rêveries de la nuit et les songes de sa pensée.

Son âme se prenait à ce qui était beau et sublime comme le lierre aux débris, les fleurs au printemps, la tombe au cadavre, le malheur à l'homme, s'y cramponnait et mourait avec lui.

Où l'intelligence finissait — le cœur prenait son empire. Il était vaste et infini, car il comprenait le monde dans son amour. Aussi il aimait Adèle, mais d'abord comme la nature entière, d'une sympathie douce et universelle, puis peu à peu cet amour augment[a], à mesure que sa tendresse sur les autres êtres diminuait[f].

En effet nous naissons tous avec une certaine somme de tendresse et d'amour que nous jetons gaiement sur les premières choses venues, des chevaux, des places, des honneurs, des trônes, des femmes, des voluptés, quoi, enfin ? à tous les vents, à tous les courants rapides. — Mais réunissons-la et nous aurons un trésor immense.

Jetez des tonnes d'or à la surface du désert — le sable les engloutira bientôt mais réunissez-les en un monceau et vous formerez des pyramides.

Eh bien il concentra bientôt toute son âme sur une seule pensée, et il vécut de cette pensée.

IV

La fatale quinzaine s'était expirée et évanouie dans une longue attente pour la jeune fille, dans une froide indifférence pour son futur époux.

La première voyait dans le mariage un mari — des cachemires, une loge à l'Opéra — des courses au Bois de Boulogne — des bals tout l'hiver — O tant qu'elle voudra et puis encore tout ce qu'une fillette de 18 ans rêve dans ses songes dorés et dans son alcôve fermée.

Le mari au contraire voyait dans le mariage — une femme, des cachemires à payer — une petite poupée à habiller — et puis encore tout ce qu'un pauvre mari rêve lorsqu'il mène sa femme au bal. Celui-là pourtant était assez fat pour croire toutes les femmes amoureuses de lui-même.

C'est une question qu'il s'adressait [toutes les fois] qu'il se regardait dans sa glace et lorsqu'il avait bien peigné ses favoris noirs.

Il avait pris une femme parce qu'il s'ennuyait d'être seul chez lui et qu'il ne voulait plus avoir de maîtresse depuis qu'il avait découvert que son domestique en avait une. — En outre le mariage le forcera à rester chez lui et sa santé ne s'en trouvera que mieux. Il aura une excuse pour ne plus aller à la chasse et la chasse l'ennuie. Enfin la meilleure de toutes les raisons, il aura — de l'amour, du dévouement — du bonheur domestique, de la tranquillité, des enfants... bah bien mieux que tranquillité, bonheur, amour, 50 mille livres de rente en bonnes fermes, en jolis billets de banque qu'il placera sur les fonds d'Espagne.

Il avait été à Paris, avait acheté une corbeille de 10 mille francs, avait fait cent 20 invitations pour le bal et était revenu au château de sa belle-mère, le tout en 8 jours. C'était un homme prodigieux.

C'était donc par un dimanche de septembre que la noce eut lieu. Ce jour-là il faisait humide et froid, un brouillard épais pesait sur la vallée, le sable du jardin s'attachait aux frais souliers des dames.

La messe se dit à dix heures, peu de monde y assista. Djalioh s'y laissa pousser par le flot des villageois et entra.

L'encens brûlait sur l'autel, on respirait à l'entour un air chaud et parfumé.

L'église était basse, ancienne, petite, barbouillée de blanc[5]. Le conservateur intelligent en avait ménagé les vitraux. Tout autour du chœur il y avait les conviés, le maire, son conseil municipal, des amis, le notaire, un médecin et les chantres en surplis blancs.

Tout cela avait des gants blancs, un air serein, chacun tirait de sa bourse une pièce de 5 francs dont le son argentin tombant sur le plateau interrompait la monotonie des chants d'église. La cloche sonnait.

Djalioh se ressouvint de l'avoir entendue un jour chanter aussi sur un cercueil, il avait vu également des gens vêtus de noir prier sur un cadavre et puis portant ses regards sur la fiancée en robe blanche courbée à l'autel avec des fleurs au front, et un triple collier de perles sur sa gorge nue et ondulante, une horrible pensée[g] le glaça tout à coup. — Il chancela et s'appuy[a] dans une niche de saint vide en grande partie, une figure seule restait, elle était grotesque et horrible à faire peur.

A côté d'elle il était là lui — son bien-aimé, celui qu'elle regardait si complaisamment avec ses yeux bleus et ses grands sourcils noirs comme deux diamants enchâssés dans l'ébène.

Il avait un lorgnon en écaille incrusté d'or et il lorgnait toutes les femmes en se dandinant sur son fauteuil de velours cramoisi.

Djalioh était là, debout, immobile et muet, sans qu'on remarquât ni la pâleur de sa face, ni l'amertume de son sourire, car on le croyait indifférent et froid comme le monstre de pierre qui grimaçait sur sa tête, et pourtant la tempête régnait en son âme et la colère couvait dans son cœur comme les volcans d'Islande sous leurs têtes blanchies par les neiges. Ce n'était point une frénésie brutale et expansive, mais l'action se passait intimement, sans cris, sans sanglots, sans blasphèmes, sans efforts. Il était muet et son regard ne parlait pas plus que ses lèvres, son œil était de plomb et sa figure était stupide.

De jeunes et jolies femmes vivent longtemps avec un teint frais, une peau douce, blanche, satinée, — puis elles languissent, leurs yeux s'éteignent, s'affaiblissent, se closent enfin — et puis cette femme gracieuse et légère qui courait les salons avec des fleurs dans les cheveux, dont les mains étaient si blanches, exhalaient une odeur de musc et de rose, eh bien un beau jour, un de vos amis s'il est médecin vous apprend que deux pouces plus bas que l'endroit où elle était décolletée elle avait un cancer et qu'elle est morte, la fraîcheur de sa peau était celle du cadavre, c'est là l'histoire de toutes les passions intimes, de tous ces sourires glacés.

Le rire de la malédiction est horrible, c'est un supplice de plus que de comprimer la douleur.

Ne croyez donc plus alors ni aux sourires, ni à la joie, à la gaieté. A quoi faut-il donc croire ?...

Croyez à la tombe.

Son asile est inviolable et son sommeil est profond.

Quel gouffre s'élargit sous nous à ce mot : éternité. Pensons un instant à ce que veulent dire ces mots, — vie, mort, désespoir, joie, bonheur, demandez-vous un jour que vous pleurerez sur quelque tête chère, et que vous gémirez la nuit sur un grabat d'insomnie, demandez-vous pourquoi nous vivons, pourquoi nous mourrons, et dans quel but, à quel souffle de malheur, à quel vent du désespoir, grains de sable que nous sommes, nous roulons ainsi dans l'ouragan ? Quelle est cette hydre qui s'abreuve de nos pleurs et se complaît à nos sanglots ? pourquoi tout cela... et alors le vertige vous prend et l'on se sent entraîné vers un gouffre incommensurable au fond duquel on entend vibrer un gigantesque rire de damné.

Il est des choses dans la vie et des idées dans l'âme qui vous attirent fatalement vers les régions sataniques comme si votre tête était de fer et qu'un aimant de malheur vous y entraînât. O une tête de mort ! ses yeux caves et fixes, la teinte jaune de sa surface, sa mâchoire ébréchée, sera-ce donc là la réalité, et le Vrai serait-il le Néant ?

C'est dans cet abîme sans fond du doute le plus cuisant, de la plus amère douleur que se perdait Djalioh. En voyant cet air de fêtes, ces visages riants, en contemplant Adèle, son amour, sa vie, le charme de ses traits, la suavité de ses regards — il se demanda pourquoi tout cela lui était refusé, semblable à un condamné qu'on fait mourir de faim devant des vivres et que quelques barreaux de fer séparent de l'existence.

Il ignorait aussi pourquoi ce sentiment-là était distinct des autres. Car autrefois si quelqu'un dans la chaude Amérique venait lui demander une place à l'ombre de ses palmiers, un fruit de ses jardins, il l'offrait, pourquoi donc, se demandait-il, l'amour que j'ai pour elle est-il si exclusif et si entier ?

C'est que l'amour est un monde, l'unité est indivisible.

Et puis il baissa la tête sur sa poitrine et pleura longtemps en silence comme un enfant.

Une fois seulement il laissa échapper un cri rauque et perçant comme celui d'un hibou mais il alla se confondre avec la voix douce et mélodieuse de l'orgue qui chantait un Te Deum.

Les sons étaient purs et nourris, ils s'élevèrent en vibrant dans la nef et se mêlèrent avec l'encens...

Il s'aperçut ensuite qu'il y avait une grande rumeur dans la foule, que les chaises remuaient et qu'on sortait, un rayon de soleil pénétrait à travers les vitraux de l'église, il fit reluire le peigne en or de la fiancée et brilla pour quelques instants sur les barres dorées du cimetière, seule distance qui séparât la mairie de l'église. L'herbe des cimetières est verte, haute, épaisse et bien nourrie. Les conviés eurent les pieds mouillés, leurs bas blancs et leurs escarpins reluisants furent salis. Ils jurèrent après les morts.

Le maire se trouvait à son poste, debout au haut d'une table carrée couverte d'un tapis vert.

Quand on en vint à prononcer le *Oui* fatal, M. Paul sourit, Adèle pâlit, et Mme de Lansac sortit son flacon de sels.

Adèle alors réfléchit. La pauvre fille n'en revenait pas d'étonnement, elle qui quelque temps auparavant, était si folle, si pensive, qui courait dans les prairies, qui lisait les romans, les vers, les contes, qui galopait sur sa jument grise à travers les allées de la forêt, qui aimait tant à entendre le bruissement des feuilles, le murmure des ruisseaux — elle se trouvait tout à coup une dame.

C'est-à-dire quelque chose qui a un grand châle, — et qui va seule dans les rues.

Tous ces vagues pressentiments, ces commotions intimes du cœur, ce besoin de poésie et de sensations qui la faisaient rêver sur l'avenir, sur elle-même, tout cela allait se trouver expliqué, pensait-elle. Comme si elle allait se réveiller d'un songe.

Hélas, tous ces pauvres enfants du cœur et de l'imagination allaient se trouver étouffés au berceau entre les soins du ménage et les caresses qu'il faudra prodiguer à un être hargneux qui a des rhumatismes et des cors aux pieds et qu'on appelle : — un mari.

Quand la foule s'écarta pour laisser passer le cortège, Adèle se sentit la main piquée comme par une griffe de fer. C'était Djalioh qui en passant l'avait égratignée avec ses ongles. Son gant déchiré devint rouge de sang. Elle s'entoura de son mouchoir de batiste. En se retournant pour monter en calèche elle vit encore Djalioh appuyé sur le marchepied — un frisson la saisit et elle s'élança dans la voiture.

Il était pâle [comme]ʰ la robe de la mariée. Ses grosses lèvres crevassées par la fièvre et couvertes de boutons se remuaient vivement comme quelqu'un qui parle vite, — ses paupières clignotaient et sa prunelle roulait lentement dans son orbite, comme les idiots —

V

Le soir il y eut un bal au château[6] et des lampions à toutes les fenêtres.

Il y avait [de] nombreux cortèges d'équipages, de chevaux et de valets.

De temps en temps on voyait une lumière apparaître à travers les ormes. Elle s'approchait de plus en plus en suivant mille détours, dans les tortueuses allées, enfin elle s'arrêtait devant le perron, avec une calèche tirée par des chevaux ruisselants de sueur. Alors la portière s'ouvrait et une femme descendait, — elle était jeune ou vieille, laide ou belle, en rose ou en blanc, comme vous voudrez, et puis après avoir rétabli l'économie de sa coiffure par quelques coups de main donnés à la hâte, dans le vestibule à la lueur des quinquets et au milieu des arbres verts et des fleurs et du gazon qui tapissaient les murs, elle abandonnait son manteau et son boa aux laquais, elle entrait. On ouvre les portes à deux battants, on l'annonce, il se fait un grand bruit de chaises et de pieds. On se lève, on fait un salut et puis il s'ensuit ces mille et une causeries, ces *petits riens*, ces charmantes futilités qui bourdonnent dans les salons et qui voltigent de côtés et d'autres comme des brouillards légers dans une serre chaude.

La danse commença à dix heures.

Et au dedans on entendait le glissement des souliers sur le parquet, le frôlement des robes, le bruit de la musique, les sons de la danse.

Et au dehors, le bruissement des feuilles, les voitures qui roulaient au loin sur la terre mouillée, les cygnes qui battaient de l'aile sur l'étang, les aboiements de quelque chien du village après les sons qui partaient du château et puis quelques causeries naïves et railleuses de paysans dont les têtes apparaissaient à travers les vitres du salon[7].

Dans un coin était un groupe de jeunes gens, les amis de Paul, ses anciens compagnons de plaisir, en

gants jaunes ou azurés, avec des lorgnons, des fracs en
queue de morue, des têtes moyen âge et des barbes
comme Rembrandt et toute l'école Flamande n'en vit
et n'en rêva jamais.

— Dis-moi donc de grâce, disait l'un d'eux, membre du Jockey-Club, quelle est cette mine renfrognée
et plissée comme une vieille, celle qui est là derrière la
causeuse où est ta femme ?

— Ça ? — C'est Djalioh.

— Qui est-ce Djalioh ?

— Oh ceci, c'est toute une histoire.

— Conte-nous-la, dit un des jeunes gens qui avait
des cheveux aplatis sur les deux oreilles et la vue
basse, puisque nous n'avons rien pour nous amuser.

— Au moins du punch, repartit vivement un
monsieur, grand, maigre, pâle et aux pommettes
saillantes.

— Quant à moi je n'en prendrai pas et pour cause,
c'est trop fort. Des cigares, dit le membre du Jockey-
Club.

— Fi des cigares, y penses-tu Ernest, devant des
femmes.

— Elles en sont folles au contraire, j'ai dix maîtresses qui fument comme des dragons, dont deux ont
culotté à elles seules toutes mes pipes.

— Moi j'en ai une qui boit du kirsch à ravir.

— Buvons, dit un des amis qui n'aimait ni les
cigares, ni le punch, ni la danse, ni la musique.

— Non, que Paul nous conte son histoire.

— Mes chers amis, elle n'est pas longue, la voilà
tout entière. C'est que j'ai parié avec M. Petterwell,
un de mes amis qui est planteur au Brésil, un ballot de
Virginie contre Mirsa, une de ses esclaves, que les
singes... Oui, qu'on peut élever un singe, c'est-à-dire
qu'il m'a défié de faire passer un singe pour un
homme.

— Eh bien Djalioh est un singe ?

— Imbécile, pour ça non.

— Mais enfin...

— C'est qu'il faut vous expliquer que dans mon

voyage au Brésil je me suis singulièrement amusé. —
Petterwell avait une esclave noire nouvellement débar-
quée du vieux canal de Bahama, diable m'emporte si
je me rappelle son nom. — Enfin, cette femme-là
n'avait pas de mari. Le ridicule ne devait tomber sur
personne. — Elle était bien jolie. Je l'achetai à
Petterwell, jamais la sotte ne voulait de moi, elle me
trouvait probablement plus laid qu'un sauvage.

Tous se mirent à rire, Paul rougit.

— Enfin un beau jour, comme je m'ennuyais,
j'achetai à un nègre le plus bel orang-outang qu'on eût
jamais vu. — Depuis longtemps l'Académie des
sciences s'occupait de la solution d'un problème :
savoir s'il pouvait y avoir un métis de singe et
d'homme. Moi j'avais à me venger d'une petite sotte
de négresse et voilà qu'un jour après mon retour de la
chasse, je trouve mon singe, que j'avais enfermé dans
ma chambre avec l'esclave, évadé et parti, l'esclave en
pleurs et toute ensanglantée des griffes de Bell.
Quelques semaines [après] elle sentit des douleurs de
ventre et des maux de cœur. Bien, enfin cinq mois
après, elle vomit pendant plusieurs jours consécutifs.
J'étais pour le coup presque sûr de mon affaire. Une
fois elle eut une attaque de nerfs si violente qu'on la
saigna des quatre membres car j'aurais été au désespoir de la voir mourir. — Bref au bout de sept mois un
beau jour elle accoucha sur le fumier, elle en mourut
quelques heures après mais le poupon se portait à
ravir. J'étais ma foi bien content, la question était
résolue.

J'ai envoyé de suite le procès-verbal à l'Institut et le
ministre à sa requête m'envoya la croix d'honneur.

— Tant pis, mon cher Paul, c'est bien canaille
maintenant.

— Raison d'écolier. Ça plaît aux femmes, elles
regardent ça en souriant pendant qu'on leur parle.
Enfin j'élevai l'enfant, je l'aimai comme un père.

— Ah ah, fit un monsieur qui avait des dents
blanches et qui riait toujours, pourquoi ne l'avez-vous
pas amené en France dans vos autres voyages ?

— J'ai préféré le faire rester dans sa patrie jusqu'à mon départ définitif, d'autant plus que l'âge fixé par le pari était seize ans car il fut conclu la première année de mon arrivée à Janeiro. Bref, j'ai gagné Mirsa, j'ai eu la croix à vingt ans, et de plus j'ai fait un enfant par des moyens inusités.

— Infernal, dantesque, dit un ami pâle.

— Risible, cocasse, dit un autre qui avait de grosses joues et un teint rouge.

— Bravo, dit le cavalier.

— A faire crever de rire, dit en se tordant de plaisir sur une causeuse élastique un homme sautant et frétillant comme une carpe, petit, court, au front plat, aux yeux petits, le nez épaté, les lèvres minces, rond comme une pomme et bourgeonné comme un cantaloup.

Le coup était fameux et partait d'un maître, jamais un homme ordinaire n'aurait fait cela.

— Eh bien que fait-il Djalioh ? aime-t-il les cigares ? dit le fumeur en en présentant plein les deux mains et en les laissant tomber avec intention sur les genoux d'une dame.

— Du tout mon cher, il les a en horreur.

— Chasse-t-il ?

— Encore moins, les coups de fusil lui font peur.

— Sûrement il travaille, il lit, il écrit tout le jour.

— Il faudrait pour cela qu'il sache lire et écrire.

— Aime-t-il les chevaux ? demanda le convales-cent.

— Du tout.

— C'est donc un animal inerte et sans intelligence. Aime-t-il le sexe ?

— Un jour je l'ai mené chez les filles et il s'est enfui emportant une rose et un miroir.

— Décidément c'est un idiot, fit tout le monde. Et le groupe se sépara pour aller grimacer et faire des courbettes devant les dames qui de leur côté, bâillaient et minaudaient en l'absence des danseurs. L'heure avançait rapidement au son de la musique qui bondis-

sait sur le tapis entre la danse et les femmes. Minuit
sonna pendant qu'on galopait.

Djalioh était assis depuis le commencement du bal
sur un fauteuil à côté des musiciens. De temps en
temps il quittait sa place et changeait de côté. — Si
quelqu'un de la fête, gai et insouciant, heureux du
bruit, content des vins, enivré enfin de toute cette
chaîne de femmes aux seins nus, aux lèvres souriantes,
aux doux regards, l'apercevait, — aussitôt il devenait
pâle et triste.

Voilà pourquoi sa présence gênait et qu'il paraissait
là comme un fantôme ou un démon. — Une fois les
danseurs fatigués s'assirent.

Tout alors devint plus calme, on passa de l'orgeat et
le bruit seul des verres sur les plateaux interrompait le
bourdonnement de toutes les voix qui parlaient.

Le piano était ouvert, un violon était dessus, un
archet à côté.

Djalioh saisit l'instrument, il le tourna plusieurs fois
entre ses mains comme un enfant qui manie un jouet.
Il toucha à l'archet et le plia si fort qu'il faillit le briser
plusieurs fois.

Enfin il approcha le violon de son menton [8]. Tout le
monde se mit à rire, tant la musique était fausse,
bizarre, incohérente. Il regarda tous ces hommes,
toutes ces femmes, assis, courbés, pliés, étalés sur des
banquettes, des chaises, des fauteuils, avec de grands
yeux ébahis.

Il ne comprenait pas tous ces rires et cette joie
subite [9].

Il continua :

Les sons étaient d'abord lents, mols, l'archet effleurait les cordes et les parcourait depuis le chevalet
jusqu'aux chevilles sans rendre presque aucun son,
puis, peu à peu sa tête s'anima, s'abaissant graduellement sur le bois du violon, son front se plissa, ses yeux
se fermèrent et l'archet sautillait sur les cordes comme
une balle élastique à bonds précipités.

La musique était saccadée, remplie de notes aiguës,
de cris déchirants. On se sentait en l'entendant sous le

poids d'une oppression terrible comme si toutes ces notes eussent été de plomb et qu'elles eussent pesé sur la poitrine.

Et puis c'était des arpèges hardis, des octaves qui montaient — comme une flèche gothique — des notes qui couraient en masse et puis qui s'envolaient — des sauts précipités — des accords chargés.

Et tous ces sons, tout ce bruit de cordes et de notes qui sifflent, sans mesure, sans chant, sans rythme — une mélodie nulle, — des pensées vagues et coureuses qui se succédaient comme une ronde de démons, — ou des rêves qui passent et s'enfuient poussés par d'autres dans un tourbillon sans repos, dans une course sans relâche.

Djalioh tenait avec force le manche de l'instrument et chaque fois qu'un de ses doigts se relevait de la touche, son ongle faisait vibrer la corde qui sifflait en mourant.

Quelquefois il s'arrêtait, effrayé du bruit, — souriait bêtement et reprenait avec plus d'amour le cours de sa rêverie, — enfin fatigué il s'arrêta, écouta longtemps pour voir si tout cela allait revenir — mais rien, la dernière vibration de la dernière note était morte d'épuisement. Chacun se regarda, étonné d'avoir laissé durer si longtemps un si étrange vacarme. — La danse recommença. — Comme il était près de trois heures on dansa un cotillon. Les jeunes femmes seules restaient. Les vieilles étaient parties ainsi que les hommes mariés et poitrinaires.

On ouvrit donc pour faciliter la valse la porte du salon, celles du billard et de la salle à manger, qui se succédaient immédiatement. Chacun prit sa valseuse, on entendit le son fêlé de l'archet qui frappait le pupitre et l'on se mit en train.

Djalioh était debout, appuyé sur un battant de la porte. La valse passait devant lui tournoyante, bruyante, avec des rires et de la joie.

Chaque fois il voyait Adèle tournoyer devant lui et puis disparaître — revenir — et disparaître — encore.

Chaque fois il la voyait s'appuyer sur un bras qui

soutenait sa taille, fatiguée qu'elle était de la danse et
des plaisirs — et chaque fois il sentait en lui un démon
qui frémissait et un instinct sauvage qui rugissait dans
son âme, comme un lion dans sa cage.

Chaque fois, à la même mesure répétée, — au même
coup d'archet, à la même note, au bout d'un même
temps, il voyait passer devant [lui] le bas d'une robe
blanche à fleurs roses et deux souliers de satin qui
s'entrebâillaient, et cela dura longtemps. Vingt
minutes environ. La danse s'arrêta, oppressée elle
essuya son front et puis elle repartit plus légère, plus
sauteuse, plus folle et plus rose que jamais.

C'était un supplice infernal, une douleur de damné.
Quoi, sentir dans sa poitrine, toutes les forces qu'il
faut pour aimer, et avoir l'âme navrée d'un feu brûlant
et puis ne pouvoir éteindre le volcan qui vous consume
et ni briser ce lien qui vous attache. — Etre là attaché
à un roc aride, la soif à la gorge, comme Prométhée,
voir sur son ventre un vautour qui vous dévore — et
ne pouvoir dans sa colère le saisir de ses deux mains et
l'écraser.

O pourquoi, se demandait Djalioh dans son amère
douleur, la tête baissée pendant que la valse courait et
tourbillonnait folle de plaisir et que les femmes
dansaient et que la musique vibrait en chantant, —
pourquoi donc ne suis-je pas comme tout cela, heureux, dansant — pourquoi suis-je laid comme cela et
pourquoi ces femmes ne le sont-elles [pas], pourquoi
fuient-elles quand je souris, pourquoi donc je souffre
ainsi et je m'ennuie et je me hais moi-même ? O si je
pouvais la prendre — elle — et puis déchirer tous les
habits qui la couvrent, mettre en pièces et en morceaux, les voiles qui la cachent, et puis la prendre dans
mes deux bras, fuir avec elle bien loin à travers les
bois, les prés, les prairies, traverser les mers — et
enfin arriver enfin à l'ombre d'un palmier et puis là la
regarder bien longtemps et faire qu'elle me regarde
aussi — qu'elle me saisisse de ses deux bras nus — et
puis... ah... et il pleurait de rage.

Les lampes s'éteignaient, ... la pendule sonna cinq

heures. — On entendit quelques voitures qui s'arrêtaient, et puis danseurs et danseuses prirent leurs
vêtements et partirent.

Les valets fermèrent les auvents et sortirent.

Djalioh était resté à sa place et quand il releva la tête
— tout avait disparu, les femmes, — la danse et les
sons, tout s'était envolé et la dernière lampe pétillait
encore dans quelques gouttes d'huile qui lui restaient
à vivre.

En ce moment-là l'aube apparut à l'horizon derrière
les tilleuls.

VI

Il prit une bougie et monta dans sa chambre.

Après avoir ôté son habit et ses souliers il sauta sur
son lit, abaissa sa tête sur son oreiller et voulut dormir.

Mais impossible.

Il entendait dans sa tête un bourdonnement prolongé, un fracas singulier, une musique bizarre. — La
fièvre battait dans ses artères et les veines de son front
étaient vertes et gonflées. Son sang bouillonnait dans
ses veines, lui montait au cerveau et l'étouffait.

Il se leva et ouvrit sa fenêtre. L'air frais du matin
calma ses sens. Le jour commençait, — et les nuages
fuyaient avec la lune aux premiers rayons de la clarté.
La nuit il regarda longtemps les mille formes fantastiques que dessinent les nuages, puis il tourna sa vue
sur sa bougie dont le disque lumineux éclairait ses
rideaux de soie verte.

Enfin au bout d'une heure il sortit.

La nuit durait presque encore, et la rosée était
suspendue à chaque feuille des arbres. Il avait plu
longtemps, les allées foulées par les roues des voitures
étaient grasses et boueuses. Djalioh s'enfonça dans les
plus tortueuses et les plus obscures.

Il se promena longtemps dans le parc, foulant à ses
pieds les premières feuilles d'automne, jaunies et

emportées par les vents. Marchant sur l'herbe mouillée, à travers la charmille au bruit de la brise qui
agitait les arbres, il entendait dans le lointain les
premiers sons de la nature qui s'éveille. Qu'il est doux
de rêver ainsi en écoutant avec délices le bruit de ses
pas sur les feuilles sèches et sur le bois mort que le
pied brise, de [se] laisser aller dans des chemins sans
barrière, comme le courant de la rêverie qui emporte
votre âme, et puis une pensée triste et poignante
souvent vous saisit longtemps en contemplant ces
feuilles qui tombent, ces arbres qui gémissent et cette
nature entière qui chante tristement à son réveil
comme au sortir du tombeau. Et alors quelque tête
chérie vous apparaît dans l'ombre, une mère, une
amie, et les fantômes qui passent le long du mur noir,
tous graves et dans des surplis blancs. — Et puis le
passé revient aussi comme un autre fantôme, le passé
avec ses peines, ses douleurs, ses larmes et ses
quelques rires — enfin l'avenir qui se montre à son
tour — plus varié, plus indéfini, entouré d'une gaze
légère comme ces sylphides longtemps rêvées qui
s'élèvent d'un buisson et qui s'envolent avec les
oiseaux.

On aime à entendre le vent qui passe à travers les
arbres en faisant plier leur tête et qui chante comme
un convoi des morts, — et dont le souffle agite vos
cheveux et rafraîchit votre front brûlant.

C'était dans des pensers plus terribles — qu'était
perdu Djalioh.

Une mélancolie rêveuse pleine de caprice et de
fantaisie — provient d'une douleur tiède et longue.
Mais le désespoir est matériel et palpable.

C'était au contraire la réalité qui l'écrasait.

O la réalité, fantôme lourd comme un cauchemar et
qui pourtant n'est qu'une durée comme l'esprit.

Pour lui, que lui faisait le passé qui était perdu et
l'avenir qui se résumait dans un mot insignifiant : la
mort ? Mais c'était le présent qu'il avait, la minute,
l'instant qui l'obsédait. C'était ce présent même qu'il
voulait anéantir, le briser du pied, l'égorger de ses

mains. Lorsqu'il pensait à lui, pauvre et désespéré, les bras vides, le bal et ses fleurs et ces femmes, Adèle et ses seins nus et son épaule et sa main blanche, lorsqu'il pensait à tout cela un rire sauvage éclatait sur sa bouche et retentissait dans ses dents comme un tigre qui a faim et qui se meurt. Il voyait dans son esprit le sourire de Paul, les baisers de sa femme. — Il les voyait tous deux étendus sur une couche soyeuse — s'entrelaçant de leurs bras avec des soupirs et des cris de volupté, il voyait jusqu'aux draps qu'ils tordaient dans leurs étreintes, jusqu'aux fleurs qui étaient sur les tables et les tapis et les meubles et tout enfin qui était là, et quand il reportait la vue sur lui entouré des arbres, marchant sur l'herbe *seul* et les branches cassées, il tremblait. Il comprenait aussi la distance immense qui l'en séparait et quand il en venait à se demander pourquoi tout cela était ainsi, alors une barrière infranchissable se présentait devant lui — et un voile noir obscurcissait sa pensée.

Pourquoi Adèle n'était-elle pas à lui ? O s'il l'avait, comme il serait heureux de la tenir dans ses bras, de reposer sa tête sur sa poitrine et de la couvrir de ses baisers brûlants — et il pleurait en sanglotant.

O s'il avait su comme nous autres hommes comment la vie quand elle vous obsède s'en va et part vite avec la gâchette d'un pistolet — s'il avait su que pour six sols un homme est heureux — et que la rivière engloutit bien les morts !... mais non, — le malheur est dans l'ordre de la nature. — Elle nous a donné le sentiment de l'existence pour le garder plus longtemps.

Il arriva bientôt aux bords de l'étang. Les cygnes s'y jouaient avec leurs petits, ils glissaient sur le cristal les ailes ouvertes et le cou replié sur le dos. Les plus gros, le mâle et la femelle, nageaient ensemble au courant rapide de la petite rivière qui traversait l'étang, de temps en temps, ils tournaient l'un vers l'autre leur long cou blanc et se regardaient en nageant, puis ils revenaient derrière eux, se plongeaient dans l'eau et battaient de l'aile sur la surface de l'eau qui se trouvait agitée de leurs jeux lorsque leur poitrine s'avançait comme la proue d'une nacelle.

Djalioh contempla la grâce de leurs mouvements et la beauté de leurs formes. — Et il se demanda pourquoi il n'était pas cygne et beau comme ces animaux. Lorsqu'il s'approchait de quelqu'un on s'enfuyait, on le méprisait parmi les hommes. Que n'était-il donc beau comme eux, — pourquoi le ciel ne l'avait-il pas fait cygne, oiseau, quelque chose de léger, qui chante et qu'on aime ? — ou plutôt que n'était-il le néant ? Pourquoi, disait-il en faisant courir une pierre du bout de son pied, — pourquoi ne suis-je pas comme cela, je [la] frappe, [elle] court, et ne souffre pas. Alors il sauta dans la barque, détacha la chaîne, prit les rames et alla aborder de l'autre côté dans la prairie qui commençait à se parsemer de bestiaux.

Après quelques instants, il revint vers le château. Les domestiques avaient déjà ouvert les fenêtres et rangé le salon.

La table était mise car il était près de neuf [heures], tant la promenade de Djalioh avait été lente et longue.

Le temps passe vite dans la joie, vite aussi dans les larmes et ce vieillard court toujours sans perdre haleine.

Cours vite, marche sans relâche, fauche et abats sans pitié, — Vieille Chose à cheveux blancs. — Marche, et cours toujours, traîne ta misère, toi qui es condamné à vivre et mène-nous bien vite dans la fosse commune, où tu jettes ainsi tout ce qui barre ton chemin.

VII

Après le déjeuner, la promenade, car le soleil perçant les nuages commençait à se montrer. —

Les dames voulurent se promener en barque. La fraîcheur de l'eau les délasserait de leurs fatigues de la nuit. —

La société se divisa en trois bandes. Dans la même étaient Paul, Djalioh et Adèle. Elle avait l'air fatigué et le teint pâle. Sa robe était de mousseline bleue avec des fleurs blanches. Elle était plus belle que jamais.

Adèle accompagna son époux, par sentiment des convenances.

Djalioh ne comprit pas cela. Autant son âme embrassait tout ce qui était de sympathie et d'amour, autant son esprit résistait à tout ce que nous appelons : — délicatesse, usage, honneur, pudeur et convenance. Il se mit sur le devant et rama.

Au milieu de l'étang était une petite île formée à dessein pour servir de refuge aux cygnes, elle était plantée de rosiers dont les branches pliées se miraient dans l'eau en y laissant quelques fleurs fanées. La jeune femme émietta un morceau de pain, puis le jeta sur l'eau et aussitôt les cygnes accoururent, allongeant leur cou pour saisir les miettes qui couraient emportées par la rivière.

Chaque fois qu'elle se penchait et que la main blanche s'allongeait, Djalioh sentait son haleine passer dans ses cheveux et ses joues effleurer sa tête, — qui était brûlante.

L'eau du lac était limpide et calme mais la tempête était dans son cœur, plusieurs fois il crut devenir fou — et il portait les mains à son front, comme un homme en délire ou qui croit rêver.

Il ramait vite et cependant la barque avançait moins que les autres tant ses mouvements étaient saccadés et convulsifs. De temps en temps son œil terne et gris se tournait lentement sur Adèle et se reportait sur [Paul]. Il paraissait calme, — mais comme le calme de la cendre qui couvre un brasier et puis l'on [n']entendait que la rame qui tombait dans l'eau, l'eau qui clapotait lentement sur les flancs de la nacelle et quelques mots échangés entre les époux — et puis ils se regardaient en souriant — et les cygnes couraient en nageant sur l'étang. — Le vent faisait tomber quelques feuilles sur les promeneurs et le soleil brillait au loin sur les vertes prairies où serpentait la rivière, et la barque glissait entre tout cela rapide et silencieuse.

Djalioh, une fois, se ralentit, porta sa main à ses yeux et [la] retira quelques instants après toute chaude et toute humide. Il reprit ses rames et les pleurs qui coulaient sur ses mains se perdirent dans le ruisseau. M. Paul, voyant qu'il était éloigné de la compagnie, prit la main d'Adèle et déposa sur son gant satiné un long baiser de bonheur qui retentit aux oreilles de Djalioh.

VIII

Madame de Lansac avait une quantité de singes. C'est une passion de vieille femme, seules créatures qui avec les chiens ne repoussent pas leur amour.

Ceci est dit sans maligne intention et s'il y en avait une ce serait plutôt pour plaire aux jeunes qui les haïssent mortellement. Lord Byron [10] disait qu'il ne pouvait voir sans dégoût manger une jolie femme, il n'a peut-être jamais pensé à la société de cette femme, quelque 40 ans plus tard et qui se résumera [en] son carlin et sa guenon. Toutes les femmes que vous voyez si jeunes et si fraîches, eh bien si elles ne meurent pas avant la soixantaine, auront donc un jour la manie des chiens au lieu de celle des hommes et vivront avec un singe au lieu d'un amant.

Hélas c'est triste mais c'est vrai et puis après avoir ainsi jauni pendant une douzaine d'années et racorni comme un vieux parchemin au coin de son feu en compagnie d'un chat, d'un roman, — de son dîner et de sa bonne, cet ange de beauté mourra et deviendra un cadavre, c'est-à-dire une charogne qui pue et puis un peu de poussière, le néant... de l'air fétide emprisonné dans une tombe.

Il y a des gens que je vois toujours à l'état de squelette et dont le teint jaune me semble bien pétri de la terre qui va les contenir.

Je n'aime guère les singes et pourtant j'ai tort, car ils

me semblent une imitation parfaite de la nature
humaine. Quand je vois un de ces animaux (je ne parle
pas ici des hommes) il me semble me voir dans les
miroirs grossissants, mêmes sentiments, — mêmes
appétits brutaux, — un peu moins d'orgueil et voilà
tout.

Djalioh se sentait attiré vers eux par sympathie
étrange. Il restait souvent des heures entières à les
contempler, plongé dans une méditation profonde ou
dans une observation des plus minutieuses.

Adèle s'approcha de leurs cages communes (car les
jeunes femmes aiment quelquefois les singes probablement comme symboles de leurs époux) et leur jeta des
noisettes et des gâteaux. — Aussi[tôt] ils s'élancèrent
dessus, se chamaillant, s'arrachant les morceaux,
comme des députés les miettes qui tombent du
fauteuil ministériel et poussant des cris comme des
avocats.

Un surtout s'empara du plus gros gâteau, le mangea
bien vite, prit la plus belle noisette, la cassa avec ses
ongles, l'éplucha et jeta les coquilles à ses compagnons
d'un air de libéralité. Il avait tout autour de la tête une
couronne de poils clairsemés sur son crâne rétréci, qui
le faisait ressembler passablement à un roi.

Un second était humblement assis dans un coin, les
yeux baissés d'un air modeste comme un prêtre et
prenant par-derrière tout ce qu'il ne pouvait pas voler
en face.

Un troisième enfin — c'était une femelle — avait les
chairs flasques, le poil long, les yeux bouffis, il allait et
venait de tous côtés avec des gestes lubriques qui
faisaient rougir les demoiselles, — mordant les mâles,
les pinçant et sifflant à leurs oreilles, celui-là ressemblait à mainte fille de joie de ma connaissance.

Tout le monde riait de leurs gentillesses et de leurs
manières, c'était si drôle. Djalioh seul ne riait pas,
assis par terre, les genoux à la hauteur de la tête, les
bras sur les jambes et les yeux à demi morts tournés
vers un seul point.

L'après-midi on partit pour Paris. Djalioh était

encore placé en face d'Adèle, comme si la fatalité se
plaisait perpétuellement à rire de ses douleurs.

Chacun fatigué s'endormait au doux balancement
des soupentes et au bruit des roues qui allaient
lentement dans les grandes ornières creusées par la
pluie et les pieds des chevaux enfonçaient en glissant
dans la boue.

Une glace ouverte derrière Djalioh donnait de l'air
dans la voiture et le vent soufflait sur ses épaules et
dans son cou.

Tous laissaient aller leurs têtes sommeillantes au
mouvement de la calèche.

Djalioh seul ne dormait pas et la tenait baissée sur sa
poitrine.

IX

On était aux premiers jours du mois de mai. Il était
alors je crois sept heures du matin. — Le soleil se
levait et illuminait de sa splendeur tout Paris qui
s'éveillait par un beau jour de printemps.

Mme Paul de Monville s'était levée de bonne heure
et s'était retirée dans un salon pour y terminer bien
vite avant l'heure du bain, du déjeuner et de la
promenade, un roman de Balzac [11].

La rue qu'habitaient les mariés était dans le faubourg Saint-Germain, déserte, large et toute couverte
de l'ombre que jetaient les grands murs, les hôtels
hauts et élevés et les jardins qui se prolongeaient avec
leurs acacias, leurs tilleuls dont les touffes épaisses et
frémissantes retombaient par-dessus les murs où les
brins d'herbe perçaient entre les pierres.

Rarement on entendait du bruit si ce n'est celui de
quelque équipage roulant sur le pavé avec ses deux
chevaux blancs, ou bien encore la nuit celui de la
jeunesse revenant d'une orgie ou d'un spectacle avec
quelques ribaudes aux seins nus, aux yeux rougis, aux
vêtements déchirés.

C'était dans un de ces hôtels qu'habitait Djalioh, avec M. Paul et sa femme.

Et depuis bientôt deux ans il s'était passé bien des choses dans son âme, et les larmes contenues y avaient creusé une fosse profonde.

Un matin, c'était ce jour-là dont je vous parle, il se leva, — et sortit dans le jardin où un enfant d'un an environ, entouré de mousseline, de gaze, de broderies, d'écharpes coloriées, — dormait dans un berceau en nacelle dont la flèche était dorée aux rayons du soleil.

Sa bonne était absente, il regarda de tous côtés, s'approcha près, bien près du berceau, ôta vivement la couverture, et puis il resta quelque temps, à contempler cette pauvre créature sommeillante et endormie avec ses mains potelées, ses formes arrondies, — son cou blanc, ses petits ongles. Enfin il le prit dans ses deux mains, le fit tourner en l'air sur sa tête — et le lança de toutes ses forces sur le gazon — qui retentit du coup. L'enfant poussa un cri et sa cervelle alla jaillir à dix pas auprès d'une giroflée.

Djalioh ouvrit ses lèvres pâles et poussa un rire forcé qui était froid et terrible comme le regard des morts. Aussitôt il s'avança vers la maison, monta l'escalier, ouvrit la porte de la salle à manger, la referma, prit la clef, celle du corridor également, et arrivé au vestibule du salon, il les jeta par la fenêtre dans la rue. Enfin il entra dans le salon, doucement sur la pointe des pieds et une fois entré il ferma à double tour.

Un demi-jour l'éclairait à peine tant les persiennes soigneusement fermées laissaient entrer peu de lumière.

Djalioh s'arrêta et il n'entendit que le bruit des feuillets que retournait la jolie main blanche d'Adèle, étendue mollement sur son sofa de velours rouge et le gazouillement des oiseaux de la volière qui étaient sur la terrasse et dont on entendait à travers les jalousies vertes les battements d'ailes sur le treillage en fer.

Dans un coin du salon à côté de la cheminée était une jardinière en acajou toute remplie de fleurs embaumantes, roses, blanches, bleues, hautes ou touffues avec un feuillage vert, une tige polie et qui se miraient par-derrière dans une grande glace.

Enfin il s'approcha de la jeune fille et s'assit à côté d'elle. Elle tressaillit subitement et porta sur lui ses yeux bleus égarés. Sa robe de chambre de mousseline blanche était flottante, ouverte sur le devant et ses deux jambes croisées dessinaient malgré ses vêtements la forme de ses cuisses.

Il y avait tout autour d'elle un parfum enivrant, ses gants blancs jetés sur le fauteuil avec sa ceinture, son mouchoir, son fichu, tout cela avait une odeur [si] délicieuse et [si] particulière que les grosses narines de Djalioh s'écartèrent pour en aspirer la saveur.

O il y a à côté de la femme qu'on aime une atmosphère embaumée qui vous enivre.

— Que me voulez-vous ? dit-elle avec effroi aussitôt qu'elle l'eut reconnu.

Et il s'ensuivit un long silence. Il ne répondit pas et fixa sur elle un regard dévorant, — puis se rapprochant de plus en plus, il prit sa taille de ses deux mains et déposa sur son cou un baiser brûlant qui sembla pincer Adèle comme la morsure d'un serpent. — Il vit sa chair rougir et palpiter.

— O je vais appeler au secours, s'écria-t-elle avec effroi. Au secours ! au secours ! O le monstre, ajouta-t-elle en le regardant.

Djalioh ne répondit pas. — Seulement il bégaya et frappa sa tête avec colère.

Quoi, ne pouvoir lui dire un mot, — ne pouvoir énumérer ses tortures et ses douleurs et n'avoir à lui offrir que les larmes d'un animal et les soupirs d'un monstre.

Et puis être repoussé comme un reptile — être haï de ce qu'on aime et sentir devant soi l'impossibilité de rien dire, — être maudit et ne pouvoir blasphémer.

— Laissez-moi de grâce, laissez-moi, est-ce que vous ne voyez pas que vous me faites horreur et dégoût ? Je vais appeler Paul, et [il] va vous tuer.

Djalioh lui montra la clef qu'il tenait dans sa main et

il s'arrêta. Huit heures sonnèrent à la pendule — et les oiseaux gazouillaient dans la volière. On entendit le roulement d'une charrette qui passait puis elle s'écarta.

— Eh bien allez-vous sortir ? laissez-moi au nom du ciel. Et elle voulut se lever mais Djalioh la retint par le pan de sa robe, qui se déchira sous ses ongles.

— J'ai besoin de sortir, il faut que je sorte... il faut que je voie mon enfant. Vous me laisserez voir mon enfant — Une idée atroce la fit frémir de tous ses membres. Elle pâlit et ajouta :

— Oui mon enfant, il faut que je le voie et tout de suite, à l'instant.

Elle se retourna et vit grimacer en face d'elle une figure de démon. Il se mit à rire si longtemps, si fort, et tout cela d'un seul éclat, qu'Adèle pétrifiée d'horreur tomba à ses pieds, à genoux.

Djalioh aussi se mit à genoux puis il la prit, la fit asseoir de force sur ses genoux, et de ses deux mains il lui déchira tous les vêtements, il mit en pièces les voiles qui la couvraient — et quand il la vit tremblante comme la feuille sans sa chemise et croisant ses deux bras sur ses seins nus en pleurant, les joues rouges et les lèvres bleuâtres, il se sentit sous le poids d'une oppression étrange[1]. — Puis il prit les fleurs, les éparpilla sur le sol. Il tira les rideaux de soie rose et, lui, ôta ses vêtements.

Adèle le vit nu, elle trembla d'horreur et détourna la tête. Djalioh s'approcha et la tint longtemps serrée contre sa poitrine. Elle sentit alors sur sa peau chaude et satinée la chair froide et velue du monstre.

Il sauta sur le canapé, jeta les coussins et se balança longtemps sur le dossier avec un mouvement machinal et régulier de ses flexibles vertèbres. Il poussait de temps en temps un cri guttural et il souriait entre ses dents[12].

Qu'avait-[il] de mieux à désirer, — une femme devant lui, — des fleurs à ses pieds, un jour rose qui l'éclairait, le bruit d'une volière pour musique et quelque pâle rayon de soleil pour l'éclairer.

Il cessa bientôt son exercice, courut sur Adèle, lui enfonça ses griffes dans la chair et l'attira vers lui, il lui ôta sa chemise.

En se voyant toute nue dans la glace entre les bras de Djalioh elle poussa un cri d'horreur et pria Dieu. — Elle voulait appeler au secours, mais impossible d'articuler une seule parole.

Djalioh en la voyant ainsi nue et les cheveux épars sur ses épaules s'arrêta immobile de stupeur, comme le premier homme qui vit une femme, il la respecta pendant quelque temps, lui arracha ses cheveux blonds, les mit dans sa bouche, les mordit, les baisa, puis il se roula par terre sur les fleurs, entre les coussins, sur les vêtements d'Adèle, content, fou — ivre d'amour.

Adèle pleurait et une trace de sang coulait sur ses seins d'albâtre.

Enfin sa féroce brutalité ne connut plus de bornes. — Il sauta sur elle d'un bond — écarta ses deux mains, l'étendit par terre et l'y roula échevelée...

Souvent il poussait des cris féroces et étendait les deux bras, stupide. — Et immobile. Puis il râlait de volupté — comme un homme qui se meurt.

Tout à coup il sentit sous lui les convulsions d'Adèle. Ses muscles se raidirent comme le fer. — Elle poussa un cri et un soupir plaintif qui furent étouffés par des baisers.

Puis il la sentit froide, — ses yeux se fermèrent, elle se roula sur elle-même — et sa bouche s'ouvrit.

Quand il l'eut bien longtemps sentie immobile et glacée, il se leva, la retourna sur tous les sens, embrassa ses pieds, ses mains, sa bouche, et courut en bondissant sur les murailles.

Plusieurs fois il reprit sa course, une fois cependant il s'élança la tête la première sur la cheminée de marbre et tomba immobile et ensanglanté, sur le corps d'Adèle.

X

Quand on vint à trouver Adèle, elle avait sur le corps des traces de griffes larges, profondes. Pour Djalioh, il avait le crâne horriblement fracassé. On crut que la jeune femme en défendant son honneur l'avait tué avec un couteau.

Tout cela fut dans les journaux. Et vous pensez s'il y en eut pour huit jours à faire des *Ah* et des *Oh*.

Le lendemain on enterra les morts. Le convoi était superbe, deux cercueils, celui de la mère et de l'enfant et tout cela avec des panaches noirs, des cierges, des prêtres qui chantent, de la foule qui se presse et des hommes noirs en gants blancs.

XI

— C'est bien horrible, s'écriait quelques jours après toute une famille d'épiciers réunis patriarcalement autour d'un énorme gigot dont le fumet chatouillait l'odorat.

— Pauvre enfant, dit la femme de l'épicier, aller tuer un enfant, qu'est-ce qu'il lui avait fait ?

— Comment, disait l'épicier, indigné dans sa vertu, homme éminemment moral, décoré de la croix d'honneur pour bonne tenue dans la garde nationale, et abonné au *Constitutionnel*, comment aller tuer *ct'eu povre ptite* femme, c'est indigne.

— Mais aussi, je crois que c'est l'effet de la passion, dit un gros garçon joufflu, le fils de la maison qui venait d'achever sa quatrième à 17 ans parce que son père était d'avis qu'on donnât de *l'induction* à la jeunesse.

— O faut-il que des gens aient peu de retenue, dit le garçon épicier en redemandant pour la troisième fois des haricots.

On sonna à la boutique et il alla vendre pour deux sous de chandelles.

XII

Vous voulez une fin à toute force n'est-ce pas ? et vous trouvez que je suis bien [long] à la donner, eh bien soit.

Pour Adèle elle fut enterrée. Mais au bout de deux ans elle avait bien perdu de sa beauté. Car on l'exhuma pour la mettre au Père-Lachaise et elle puait si fort qu'un fossoyeur s'en trouva mal.

— Et Djalioh ?

O il est superbe, verni, poli, soigné, magnifique. Car vous savez que le cabinet de zoologie s'en est emparé et en a fait un superbe squelette.

— Et M. Paul ?

— Tiens je l'oubliais. Il s'est remarié. Tantôt je l'ai vu au Bois de Boulogne et ce soir vous le rencontrerez aux Italiens.

8 octobre 1837
Gve Flaubert

PASSION ET VERTU

Commencé un mois après *Quidquid volueris* et achevé le 10 décembre 1837, deux jours avant le seizième anniversaire de Flaubert, *Passion et vertu* pourrait appartenir aux mêmes « études psychologiques ». Son sous-titre, « conte philosophique », le rapproche d'*Un parfum à sentir*, autre histoire tragique d'une femme passionnée. Celle-ci existe d'abord dans une version judiciaire, publiée par la *Gazette des Tribunaux* du 4 octobre 1837 sous le titre « La Moderne Brinvilliers » (reproduite par J. Bruneau, *Débuts*, pp. 132-135). Le conte de Flaubert conserve la progression dramatique, l'adultère, l'abandon, puis l'assassinat du mari et des enfants, enfin le suicide à « l'acide prussique », mais il modifie les caractères du trio de base : la criminelle du fait divers devient une héroïne romantique victime de la passion, entre un mari tranquille et un amant cynique.

Celui qui n'est pas encore « l'écolier de Rhétorique » évoqué au détour d'une phrase trouve dans la chronique judiciaire une sorte d'invitation à écrire lancée sous forme de défi : « Comment elle fut entraînée de ses pensées d'amour à une résolution de meurtre et de crime ; c'est ce qu'il ne sera donné à personne d'analyser ». C'est précisément l'analyse de cette transition insensible qui donnera au conte sa tournure « philosophique », par l'opposition de la *passion,* qui est une force, à la *vertu,* réduite à l'inconsistance d'un mot.

Le triangle de *Madame Bovary* s'ébauche là, avant la rencontre dans la réalité du fait divers Delamare : la femme supérieure, le mari insignifiant et le séducteur effrayé par le feu qu'il allume. L'analogie profonde entre ce conte et le roman à paraître vingt ans plus tard tient surtout à l'approche de la passion au féminin, qui lie Emma et Mazza par cette « sensation d'amour — de rêverie — de mysticisme » marinant dans l'ennui. Par le point de vue narratif, presque exclusivement celui de Mazza, Flaubert se fait femme, selon le mot de Baudelaire rendant compte de *Madame Bovary.* Le vers de *Roméo et Juliette,* placé en exergue, « Peux-tu parler de ce que tu ne sens point ? » se rapporte aussi bien au séducteur impassible, à l'adolescent traitant un sujet au-dessus de son âge, qu'au jeune auteur changeant de sexe.

(Sur le parallèle entre ce conte et *Madame Bovary,* souvent tracé, on peut lire les pages toniques de Mario Vargas Llosa dans *L'Orgie perpétuelle,* Gallimard, 1978, pp. 98-99).

                                                Y. L.

PASSION ET VERTU
conte philosophique

Péux-tu parler de ce que tu ne sens point [1]
(Shakespeare)
Roméo et Juliette
acte III scène V.

Novembre-Décembre 1837

Gve Flaubert

Passion et vertu

I

Elle l'avait déjà vu, je crois, deux fois.

La première dans un bal chez le ministre.

La seconde au Français.

Et quoiqu'il ne fût ni un homme supérieur, ni un bel homme elle pensait souvent à lui lorsque le soir après avoir soufflé sa lampe elle restait souvent quelques instants rêveuse, les cheveux épars sur [ses] seins nus, la têtê tournée vers la fenêtre où la nuit jetait une clarté blafarde, — les bras hors de sa couche et l'âme flottante entre des émotions indécises et vagues comme ces sons confus qui s'élèvent des champs par les soirées d'automne.

Loin d'être une de ces âmes d'exception comme il y en a dans les livres et dans les drames, c'était un cœur sec, un esprit juste, et par-dessus tout cela un chimiste.

Mais il possédait à fond cette théorie de séductions, ces principes, ces règles, ce *chic* enfin pour employer le mot vrai et vulgaire, par lequel un habile homme en arrive à ses fins.

Ce n'est plus cette méthode pastorale à [la] Louis XV, dont la première leçon commence par les soupirs, la seconde [par les] billets doux et continue ainsi jusqu'au dénouement, science si bien exposée dans

Faublas, les comédies du second ordre et les contes moraux de Marmontel[2].

Mais maintenant un homme s'avance vers une femme, il la lorgne, il la trouve bien — il en fait le pari avec ses amis. — Est-elle mariée, la farce n'en sera que meilleure[a]. Alors il s'introduit chez elle. Il lui prête des romans, la mène au spectacle, il a surtout soin de faire quelque chose d'étonnant, de ridicule mais enfin d'étrange. — Et puis de jour en jour il va chez elle avec plus de liberté, il se fait l'ami de la maison, du mari, des enfants, des domestiques. — Enfin la pauvre femme s'aperçoit du piège, elle veut le chasser comme un laquais, mais celui-ci s'indigne à son tour, il la menace de publier quelque lettre bien courte mais qu'il interprétera d'une façon infâme n'importe à qui fût-elle adressée et il répétera lui-même à son époux quelque mot arraché peut-être dans un moment de vanité, de coquetterie ou de désir. C'est une cruauté d'anatomiste mais on a fait des progrès dans les sciences et il y a des gens qui dissèquent un cœur comme un cadavre.

Alors cette pauvre femme éperdue, pleure et supplie. Point de pardon pour elle, point de pardon pour ses enfants, son mari, sa mère. Inflexible, car c'est un homme, il peut user de force et de violence, il peut dire partout qu'elle est sa maîtresse, le publier dans les journaux, l'écrire tout au long dans un mémoire et le prouver même au besoin. — Elle se livre donc à lui à demi morte. Il peut même alors la faire passer devant ses laquais qui tout bas sous leurs livrées ricanent en la voyant venir si matin chez leur maître et puis quand il l'a rendue brisée et abattue — seule avec ses regrets, ses pensées sur le passé, ses déceptions d'amour — il la quitte, la reconnaît à peine, — l'abandonne à son infortune. Il la hait même quelquefois. Mais enfin il a gagné son pari — et c'est un homme à bonne fortune.

C'est donc non un *Lovelace*[3] comme on l'aurait dit il y a soixante ans mais bien un *Don Juan,* ce qui est plus beau.

L'homme qui possède à fond cette science, qui en

connaît les détours et les replis cachés n'est pas rare
maintenant. Cela est si facile en effet de séduire une
femme qui vous aime et puis de la laisser là avec toutes
les autres, quand on n'a pas d'âme, ni de pitié dans le
cœur[b].

Et il y a tant de moyens de s'en faire aimer — soit
par la jalousie — la vanité, le mérite, les talents,
l'orgueil, l'horreur, la crainte même. Ou bien encore
par la fatuité de vos manières, le négligé d'une cravate,
la prétention à être désespéré, quelquefois par la
coupe de votre habit, ou la finesse de vos bottes.

Car combien de gens n'ont dû leurs conquêtes qu'à
l'habileté de leur tailleur ou de leur cordonnier.

Ernest s'était aperçu que Mazza souriait à ses
regards. Partout il la poursuivait. Au bal par exemple
elle s'ennuyait s'il n'était pas là. Et n'allez pas croire
qu'il fût assez novice pour louer la blancheur de sa
main ni la beauté de ses bagues comme l'aurait pu
faire un écolier de Rhétorique. Mais devant elle il
déchirait toutes les autres femmes qui dansaient. Il
avait sur chacune les aventures les plus inconnues et
les plus étranges et tout cela la faisait rire et la flattait
secrètement quand elle pensait que sur elle on n'avait
rien à dire.

Elle s'était engagée à le recevoir et elle ne l'invitait
que lorsqu'il n'y avait aucune femme surtout des
jeunes.

Elle l'avait souvent surpris en se détournant vivement, les yeux fixés sur son cou, la pointe de sa
pèlerine ou le tour de sa ceinture.

Ernest aussi avait vu qu'elle causait volontiers avec
lui à demi couchée sur le sopha tandis que lui était
affaissé sur un pliant à ses pieds et que le reste de la
société réunie en cercle autour de la cheminée discu-
tait sur la politique, ou l'industrie. Il avait vu aussi
avec plaisir et vanité qu'elle se décolletait quand elle
l'attendait et que souvent elle avait rougi sous ses
regards et détourné la tête comme machinalement.

Cependant de jour en jour Mazza se sentait entraînée sur une pente d'idées inconnues, vers un but

vague, indéfini. Elle tremblait quelquefois et voulait s'arrêter[c] sur le penchant du gouffre. Elle prenait de belles résolutions de l'abandonner, de ne plus jamais le revoir.

Mais la vertu s'évapore bien vite au sourire d'une bouche qu'on aime. Il avait vu aussi qu'[elle] aimait la poésie, la mer, le théâtre, Byron[d], et puis résumant toutes ces observations en une seule, il avait dit : C'est une sotte — Je l'aurai[4]. Et elle souvent aussi avait dit en le voyant partir et quand la porte du salon tournait rapidement sur ses pas... O je t'aime. Ajoutez à cela que Ernest lui fit croire à la phrénologie, au magnétisme, et que Mazza avait trente ans, qu'elle [était] toujours restée pure et fidèle à son mari, repoussant tous les désirs qui naissaient chaque jour en son âme et qui mouraient le lendemain, qu'elle était mariée à un banquier et que la passion dans les bras de cet homme-là était un devoir pour elle — rien de plus — comme de surveiller ses domestiques et d'habiller ses enfants.

II

Longtemps elle se complut dans cet état de rêverie amoureuse et à demi mystique. La nouveauté du plaisir lui plaisait, et elle joua longtemps avec cet amour plus longtemps qu'avec les autres et elle finit par s'y prendre fortement, d'abord d'habitude, puis de besoin.

Il est dangereux de rire et de jouer avec le cœur. Car la passion est une arme à feu qui part et vous tue, — lorsqu'on la croyait sans péril.

Un jour Ernest vint de bonne heure chez Mme Willer. Son mari était à la Bourse, ses enfants étaient sortis, [il] se trouva seul avec elle.

Tout le jour il resta chez elle et le soir vers les cinq heures quand il en sortit, Mazza fut triste, rêveuse et de toute la nuit elle ne dormit pas.

Ils [étaient] restés longtemps, bien des heures à

causer, à se dire qu'ils s'aimaient, à se parler de
poésie[e], à s'entretenir d'amours larges et forts comme
on voit dans Byron et puis à se plaindre des exigences
sociales qui les attachaient l'un et l'autre et qui les
séparaient pour la vie.

Et puis ils avaient causé des peines du cœur — de la
vie et de la mort — de la nature — de l'océan qui
mugissait dans les nuits — enfin ils avaient compris le
monde, leur passion et leurs regards s'étaient même
plus parlé que leurs lèvres qui se touchèrent si
souvent.

C'était un jour du mois de mars, une de ces longues
journées sombres et mornes qui portent à l'âme une
vague amertume. Leurs paroles avaient été tristes.
Celles de Mazza surtout avaient une mélancolie harmonieuse.

Chaque fois qu'Ernest allait dire qu'il l'aimait pour
la vie, chaque fois qu'il lui échappait un sourire, un
regard, un cri d'amour, Mazza ne répondait pas. Elle
le regardait silencieuse avec ses deux grands yeux
noirs, son front pâle — sa bouche béante.

Tout le jour elle se sentit oppressée — comme si une
main de plomb lui eût pesé sur la poitrine. Elle
craignait — mais elle ne savait quel était l'objet de ses
craintes — et se complaisait dans cette appréhension
mêlée[f] d'une étrange sensation d'amour — de rêverie
— de mysticisme.

Une fois elle recula son fauteuil — effrayée du
sourire d'Ernest qui était bestial et sauvage à faire
peur. Mais celui-ci se rapprocha d'elle aussitôt, lui prit
les mains et les porta à ses lèvres. Elle rougit et lui dit
d'un ton de calme affecté :

— Est-ce que vous auriez envie de me faire la cour ?
— Vous faire la cour — Mazza — à vous !...
Cette réponse-là voulait tout dire.
— Est-ce que vous m'aimeriez ?
Il la regarda en souriant.
— Ernest vous auriez tort.
— Pourquoi ?
— Mon mari. Y pensez-vous ?

— Eh bien votre mari, qu'est-ce que cela veut dire ?

— Il faut que je l'aime.

— Cela est plus facile à dire qu'à faire, c'est-à-dire que si la loi vous dit : Vous l'aimerez, votre cœur s'y pliera comme un régiment qu'on fait manœuvrer ou une barre d'acier qu'on ploie des deux mains. Et si moi je vous aime...

— Taisez-vous Ernest, pensez à ce que vous devez à une femme qui vous reçoit comme moi, dès le matin, sans que son mari y soit, seule, abandonnée à votre délicatesse.

— Oui et si je vous aime à mon tour, il faudra que je ne vous aime plus parce qu'il le faudra — et rien de plus. Mais cela est-il sensé et juste ?

— Ah vous raisonnez à merveille mon cher ami, dit Mazza en penchant sa tête sur son épaule gauche et en faisant tourner dans ses doigts un étui d'ivoire.

Une mèche de ses cheveux se dénoua et tomba sur ses joues. Elle la rejeta par-derrière avec un geste de la tête plein de grâce et de brusquerie.

Plusieurs fois Ernest se leva, prit son chapeau comme s'il allait sortir. Puis il se rasseyait et reprenait ses causeries.

Souvent ils s'interrompaient tous deux et se regardaient longtemps en silence respirant à peine, ivres et contents de leurs regards et de leurs soupirs. Puis ils souriaient. Un moment, quand Mazza vit Ernest à ses pieds affaissé sur le tapis de sa chambre, quand elle vit sa tête posée sur ses genoux, les cheveux en arrière, ses yeux tout près de sa poitrine et son front blanc et sans rides qui était là devant sa bouche, elle crut qu'elle allait défaillir de bonheur et d'amour, elle crut qu'elle allait prendre sa tête dans ses deux bras, la presser sur son cœur et la couvrir de ses baisers.

— Demain je vous écrirai, lui dit Ernest.

— Adieu — et il sortit.

Mazza resta l'âme indécise et toute flottante entre des oppressions étranges, des pressentiments vagues, des rêveries indicibles. La nuit elle se réveilla —, sa

lampe brûlait et jetait au plafond un disque lumineux
qui tremblait en vacillant sur lui-même comme l'œil
d'un damné qui vous regarde. Elle resta longtemps
jusqu'au jour à écouter les heures qui sonnaient à
toutes les cloches, à entendre tous les bruits de la nuit,
la pluie qui tombe et bat les murs et les vents qui
soufflent et tourbillonnent dans les ténèbres. — Les
vitres qui tremblent, le bois du lit qui criait à tous les
mouvements qu'elle lui donnait en se retournant sur
ses matelas, agitée qu'elle était par des pensées
accablantes et des images terribles qui l'envelopp-
p[aient] tout entière en la roulant dans ses draps.

Qui n'a ressenti dans des heures de fièvre et de
délire ces mouvements intimes du cœur — ces convulsions d'une âme qui s'agite et se tord sans cesse sous
des pensées[g] indéfinissables tant elles [sont] pleines
tout à la fois de tourments et de voluptés — vagues
d'abord et indécises comme un fantôme. Cette pensée
bientôt se consolide et s'arrête, prend une forme et un
corps. Elle devient une image — et une image qui
vous fait pleurer et gémir.

Qui n'a donc jamais vu dans des nuits chaudes et
ardentes, quand la peau brûle et que l'insomnie vous
ronge, assise, aux pieds de votre couche, une figure
pâle et rêveuse et qui vous regarde tristement. Ou bien
elle apparaît dans des habits de fête, si vous l'avez vue
danser dans un bal, ou entourée de voiles noirs,
pleurante et vous vous rappelez ses paroles, le son de
sa voix, la langueur de ses yeux. —

Pauvre Mazza pour la première fois elle sentit
qu'elle aimait, que cela allait devenir un besoin, —
puis un délire du cœur, une rage. Mais dans sa naïveté
et son ignorance, elle se traça bien vite un avenir
heureux, une existence paisible où la passion lui
donnerait la joie — et la volupté le bonheur.

En effet ne pourra-t-elle vivre contente dans les bras
de celui qu'elle aime et tromper son mari ? Qu'est-ce
que tout cela auprès de l'amour, se disait-elle. Elle
souffrait cependant de ce délire du cœur et s'y
plongeait de plus en plus comme ceux qui s'enivrent

avec plaisir et que les boissons brûlent. — O qu'elles sont poignantes et amères[h] il est vrai, ces palpitations du cœur, ces angoisses de l'âme, entre un monde de vertu qui s'en va et l'avenir d'amour qui arrive.

Le lendemain Mazza reçut une lettre. Elle était en papier satiné, toute embaumante de rose et de musc. Elle était signée par un *E* entouré d'un paraphe. Je ne sais ce qu'il y avait. — Mais Mazza relut la lettre plusieurs fois, elle en retourna les deux feuillets, en considéra les plis, elle s'enivra de son odeur embaumée, — puis la roula en boulette et la jeta au feu, — le papier consumé s'envola pendant quelque temps, et revint enfin se reposer doucement sur les chenets comme une gaze blanche et plissée.

— Ernest l'aime, il [le] lui a dit. Ô elle est heureuse, le premier pas est fait, les autres ne lui coûteront plus. Elle pourra maintenant le regarder sans rougir, elle n'aura plus besoin de tant de ménagements, de petites mines de femme pour se faire aimer, — il vient lui-même, il se donne à elle. Sa pudeur est ménagée, et c'est cette pudeur qui reste toujours aux femmes, ce qu'elles gardent même au fond de leurs amours les plus brûlants, des plus ardentes voluptés comme un dernier sanctuaire d'amour et de passion où elles cachent comme sous un voile tout ce qu'elles ont de brutal et d'effréné. —

Quelques jours après une femme voilée passait presque en courant le Pont des Arts. Il était sept heures du matin.

Après avoir longtemps marché elle s'arrêta à une porte cochère et elle demanda M. Ernest. Il n'était pas sorti, elle monta. L'escalier lui semblait d'une interminable longueur et quand elle fut parvenue au second étage, — elle s'appuya sur la rampe et se sentit défaillir. — Elle crut alors que tout tournait autour d'elle et que des voix basses chuchotaient à ses oreilles en sifflant. Enfin elle posa une main tremblante sur la sonnette. — Quand elle entendit son battement perçant et répété il y eut un écho qui résonna dans son cœur, comme par une répulsion galvanique.

Enfin la porte s'ouvrit. — C'était Ernest lui-même.

— Ah c'est vous Mazza.

Celle-ci ne répondit pas. Elle était pâle et toute couverte de sueur. Ernest la regardait froidement en faisant tourner en l'air, la corde de soie de sa robe de chambre. Il avait peur de se compromettre.

— Entrez, dit-il enfin, et il la prit par le bras et la fit asseoir de force sur un fauteuil.

Après un moment de silence : — Je suis venue Ernest, lui dit-elle, pour vous dire une chose — c'est la dernière fois que je vous parle. Il faut que vous me quittiez, que je ne vous revoie plus.

— Parce que ?

— Parce que vous m'êtes à charge, que vous m'accablez — que vous me feriez mourir.

— Moi, comment cela Mazza ? — Il se leva, tira ses rideaux et ferma sa porte.

— Que faites-vous ? s'écria-t-elle avec horreur.

— Ce que je fais ?

— Oui.

— Vous êtes ici. Mazza, vous êtes venue chez moi. Oh ne niez pas. Je connais les femmes, dit-il en souriant.

— Continuez, ajouta-t-elle avec dépit.

— Eh bien Mazza... c'est assez[i].

— Et vous avez assez d'insolence, pour me dire cela — en face à une femme que vous dites, — aimer.

— Pardon, oh pardon, il se mit à genoux et la regarda longtemps.

— Eh bien oui, Ernest moi aussi je t'aime plus que ma vie, tiens je me donne à toi.

Et puis là, entre les quatre pans d'une muraille, sous les rideaux de soie, sur un fauteuil — il y eut plus d'amour, de baisers, de caresses enivrantes, de voluptés qui brûlent, — qu'il n'en faudrait pour rendre fou ou pour faire mourir.

Et puis quand il l'eut bien flétrie, usée, abîmée dans ses étreintes, — quand il l'eut rendue lasse, brisée, haletante, quand bien des fois il eut serré sa poitrine

contre la sienne et qu'il la vit mourante dans ses bras,
— il la laissa seule et partit. —

Le soir chez Véfour[5] il fit un excellent souper, où le
champagne frappé circulait en abondance. — On
l'entendit dire tout haut, vers le dessert — Mes chers
amis, j'en ai encore une !...

Celle-là était rentrée chez elle l'âme triste, — les
yeux en pleurs — non de son honneur qui était perdu,
car cette pensée-là ne la torturait nullement, s'étant
d'abord demandé ce que c'était que l'honneur, et n'y
ayant vu au fond qu'un mot elle avait passé outre.
Mais elle pensait aux sensations qu'elle avait éprou-
vées et ne trouvait en y pensant rien que déception et
amertume. — O ce n'est pas là ce que j'avais rêvé,
disait-elle.

Car il lui sembla lorsqu'elle fut dégagée des bras de
son amant qu'il y avait en elle quelque chose de froissé
comme ses vêtements, de fatigué et d'abattu comme
son regard, et qu'elle était tombée de bien haut, que[j]
l'amour ne se bornait pas là, se demandant enfin — si
derrière la volupté il n'y [en] avait [pas] une plus
grande encore ni après le plaisir une plus vaste
jouissance. Car elle avait une soif inépuisable
d'amours infinis, de passions sans bornes.

Mais quand elle vit que l'amour n'était qu'un
baiser, une caresse, un moment de délires où se
roulent entrelacés avec des cris de joie l'amant et sa
maîtresse et puis que tout finit ainsi, que l'homme se
relève, que la femme s'en va, et que leur passion a
besoin d'un peu de chair et d'une convulsion pour se
satisfaire et s'enivrer — l'ennui lui prit à l'âme —
comme ces affamés qui ne peuvent se nourrir.

Mais elle quitta bientôt [tout] retour sur le passé
pour ne songer qu'au présent qui souriait. Elle ferma
les yeux sur ce qui n'était [plus], secoua comme un
songe les anciens rêves sans bornes, ses oppressions
vagues et indécises pour se donner tout entière au
torrent qui l'entraînait[k] et elle arriva bientôt à cet état
de langueur et de nonchalance, à ce demi-sommeil où
l'on sent que l'on s'endort — qu'on s'enivre, — que le

monde s'en va loin de nous, tandis que l'on reste seul sur la nacelle, où vous berce la vague, et qu'entraîne l'océan. Elle ne pensa plus ni à son mari, ni à ses enfants, encore moins à sa réputation que les autres femmes déchiraient à belles dents dans les salons et que les jeunes gens, amis d'Ernest, vautraient et vilipendaient à plaisir dans les cafés et les estaminets.

Mais il y eut tout à coup pour elle une mélodie jusqu'alors inconnue dans la nature, et dans son âme, et elle découvrit dans l'une et dans l'autre des mondes nouveaux, des espaces immenses — des horizons sans bornes. — Il sembla que tout était né pour l'amour, — que les hommes étaient des créatures d'un ordre supérieur susceptibles de passions et de sentiments, qu'ils n'étaient bons qu'à cela et qu'ils ne devaient vivre que pour le cœur. Quant à son mari elle l'aimait toujours, et l'estimait encore plus, ses enfants lui semblaient gracieux, mais elle les aimait comme on aime ceux d'un autre.

Chaque jour cependant elle sentait qu'elle aimait plus que la veille, que cela devenait un besoin de son existence, qu'elle n'aurait pu vivre sans cela, mais cette passion avec laquelle elle avait d'abord joué en riant finit par devenir sérieuse et terrible une fois entrée dans son cœur, elle devint un amour violent puis une frénésie, une rage.

Il y avait chez elle tant de feu et de chaleur, tant de désirs immenses, une telle soif de délices et de voluptés qui étaient dans son sang, dans ses veines, sous sa peau, jusque sous ses ongles, qu'elle était devenue folle, ivre, éperdue qu'elle aurait voulu faire sortir son amour des bornes de la nature, et il lui semblait qu'en prodiguant les caresses et les voluptés, en brûlant sa vie dans des nuits pleines de fièvre, d'ardeur, en se roulant dans tout ce que la passion a de plus frénétique, de plus sublime, il allait s'ouvrir devant elle une suite continue de voluptés, de plaisirs.

Souvent dans les transports du délire elle s'écriait — que la vie n'était que la passion, que l'amour était tout pour elle et puis les cheveux épars, l'œil en feu, la poitrine haletante de sanglots, elle demandait à son amant s'il n'aurait pas souhaité comme elle de vivre des siècles ensemble seuls sur une haute montagne, sur un roc aigu au bas duquel viendraient se briser les vagues et se confondre tous deux avec la nature et le ciel et de mêler leurs soupirs aux bruits de la tempête et puis elle le regardait longtemps, lui demandant encore de nouveaux baisers, de nouvelles étreintes et tombait entre ses bras muette et évanouie.

Et puis quand le soir son époux l'âme tranquille, le front calme, rentrait chez lui, lui disant qu'il avait gagné aujourd'hui, fait le matin une bonne spéculation, acheté une ferme, vendu une rente, et puis qu'il pouvait ajouter un laquais de plus à ses équipages, acheter deux chevaux de plus pour ses écuries et qu'avec ses mots et ses pensées il venait à l'embrasser, à l'appeler son amour et sa vie, ô la rage alors lui prenait à l'âme, elle le maudissait, repoussant avec horreur ses caresses et ses baisers qui étaient froids et horribles comme ceux d'un singe. Il y avait donc dans son amour une douleur et une amertume, comme la lie du vin qui le rend plus âcre et plus brûlant.

Et quand après avoir quitté sa maison, son ménage, — ses laquais, elle se retrouvait avec Ernest, seule assise à ses côtés, alors elle lui contait qu'elle eût voulu mourir de sa main, se sentir étouffée par ses bras et puis elle ajoutait qu'elle n'aimait plus rien — qu'elle méprisait tout, qu'elle n'aimait que lui, pour lui elle avait abandonné Dieu et le sacrifiait à son amour, — pour lui elle laissait son mari et le donnait à l'ironie, pour lui elle abandonnait ses enfants. Elle crachait sur tout cela à plaisir — religion, vertus, elle foulait tout cela aux pieds, — elle vendait sa réputation pour ses caresses et c'était avec bonheur et délices qu'elle immolait tout cela pour lui plaire, qu'elle détruisait toutes ces croyances, toutes ces illusions, toute sa vertu, tout ce qu'elle aimait enfin pour obtenir de lui un regard ou un baiser. Et il lui semblait qu'elle serait plus belle en sortant de ses bras, après avoir reposé sur

ses lèvres, comme les violettes fanées qui répandent
un parfum plus doux.

O qui pourrait savoir combien il y a parfois de
délices et de frénésie sous les deux seins palpitants
d'une femme.

Ernest cependant commençait à l'aimer un peu plus
qu'une grisette ou une figurante. Il alla même jusqu'à
faire des vers pour elle qu'il lui donna.

En outre un jour je le vis avec des yeux rouges d'où
l'on pouvait conclure qu'il avait pleuré, — ou mal
dormi.

III

Un matin [en] réfléchissant sur Mazza, assis dans
un grand fauteuil élastique, les pieds sur ses deux
chenets, le nez enfoncé sous sa robe de chambre, tout
en regardant la flamme de son feu qui pétillait et
montait sur la plaque en langues de feu — il lui vint
une idée qui le surprit, — d'une manière étrange il eut
peur.

En se rappelant qu'il était aimé par une femme
comme Mazza qui lui sacrifiait avec tant de prodigalité
et d'effusion sa beauté, son amour, — il eut peur et
trembla devant la passion de cette femme comme ces
enfants qui s'enfuient loin de la mer en disant qu'elle
est trop grande. Et une idée morale lui vint en tête car
c'était une habitude qu'il venait de prendre depuis
qu'il s'était fait collaborateur au *Journal des connaissances utiles* et au *Musée des familles*[6]. — Il pensa, dis-
je, qu'il était peu moral de séduire ainsi une femme
mariée, de la détourner de ses devoirs d'épouse, de
l'amour de ses enfants et qu'il était mal à lui de
recevoir toutes ces offrandes qu'elle brûlait à ses pieds
comme un holocauste.

Enfin il était ennuyé et fatigué de cette femme qui
prenait le plaisir au sérieux, qui ne concevait qu'un
amour entier et sans partage et avec laquelle on ne
pouvait parler ni de romans ni de modes ni d'Opéra.

Il voulut d'abord s'en séparer, la laisser là et la

rejeter au milieu de la société avec les autres femmes
flétries comme elle. Mazza s'aperçut de son indifférence et de sa tiédeur, elle l'attribua à de la délicatesse
et ne l'en aima que davantage.

Souvent Ernest l'évitait, s'échappait d'elle mais elle
savait le rencontrer partout, au bal, à la promenade,
dans les jardins publics, aux musées, elle savait
l'atteindre dans la foule, lui dire deux mots et lui faire
monter la rougeur au front devant tous ces gens qui les
regardaient. D'autres fois c'était lui qui venait chez
elle. Il entrait avec un front sévère et un air grave, la
jeune femme naïve et amoureuse lui sautait au cou et
le couvrait de baisers mais celui-ci la repoussait avec
froideur et puis il lui disait qu'ils ne devaient plus
s'aimer, que le moment de délire et de folie une fois
passé tout devait être fini entre eux, qu'[il] fallait
respecter son mari, chérir ses enfants et veiller à son
ménage et il ajoutait qu'il avait beaucoup vu et étudié
et qu'au reste la providence était juste, que la nature
était un chef-d'œuvre et la société une admirable
création, et puis que la philanthropie après tout était
une belle chose et qu'il fallait aimer les hommes.

Et celle-ci alors pleurait de rage, d'orgueil et
d'amour, elle lui demandait le rire sur les lèvres mais
l'amertume dans le cœur si elle n'était plus belle et ce
qu'il fallait faire pour lui plaire et puis elle lui souriait,
lui étalant à la vue son front pâle, ses cheveux noirs, sa
gorge, son épaule, ses seins nus.

Ernest restait insensible à tant de séductions car il
ne l'aimait plus et s'il sortait de chez elle avec quelque
émotion dans l'âme c'était comme les gens qui viennent de voir des fous. Et si quelque vestige de passion,
quelque rayon d'amour venait à se rallumer chez lui il
s'éteignait bien vite avec une raison ou un argument.

Heureux donc les gens qui peuvent combattre leur
cœur avec des mots et détruire la passion qui est
enracinée dans l'âme avec la moralité qui n'est collée
que sur les livres comme le vernis du libraire et le
frontispice du graveur.

Un jour dans un transport de fureur et de délire

Mazza le mordit à la poitrine et lui enfonça ses ongles dans la gorge. En voyant couler du sang dans leurs amours Ernest comprit que la passion de cette femme était féroce et terrible, qu'il régnait autour d'elle une atmosphère empoisonnée qui finirait par l'étouffer et le faire mourir, que cet amour était un volcan à qui il fallait jeter toujours quelque chose à mâcher et à broyer dans ses convulsions et que ses voluptés enfin étaient une lave ardente qui brûlait le cœur.

Il fallait donc partir, la quitter pour toujours — ou bien se jeter avec elle dans ce tourbillon qui vous entraîne comme un vertige, dans cette route immense de la passion qui commence avec un sourire et ne finit que sur une tombe.

Il préféra partir.

Un soir à dix heures Mazza reçut une lettre, elle y comprit ces mots :

« Adieu Mazza.

Je ne vous reverrai plus. — Le Ministre de l'intérieur m'a enrôlé d'une commission savante qui doit analyser les produits[1] et le sol même du Mexique. Adieu je m'embarque au Havre. — Si vous voulez être heureuse ne m'aimez plus, aimez au contraire la vertu et vos devoirs, c'est un dernier conseil. Encore une fois adieu, je vous embrasse.

Ernest. »

Elle la relut plusieurs fois accablée par ce mot adieu et restait les yeux fixes et immobiles sur cette lettre qui contenait tout son malheur et son désespoir, où elle voyait s'enfuir et couler tout son bonheur et sa vie, elle ne versa pas une larme, ne poussa pas un cri, mais elle sonna un domestique, lui ordonna d'aller chercher des chevaux de poste et de préparer sa chaise.

Son mari voyageait en Allemagne, personne ne pouvait donc l'arrêter dans sa volonté.

A minuit elle partit, — elle allait rapidement en courant de toute la vitesse des chevaux. Dans un village elle s'arrêta pour demander un verre d'eau et repartit, croyant après chaque côte, chaque colline, chaque détour de la route voir apparaître la mer, but de ses désirs et de sa jalousie puisqu'elle allait lui enlever quelqu'un de cher à son cœur. Enfin vers 3 heures d'après-midi elle arriva au Havre.

A peine descendue elle courut au bout de la jetée et regarda sur la mer... Une voile blanche s'enfonçait sous l'horizon.

IV

Il était parti — parti pour toujours et quand elle releva sa figure toute couverte de larmes elle ne vit plus rien... que l'immensité de l'Océan[m].

C'était une de ces brûlantes journées d'été où la terre exhale de chaudes vapeurs comme l'air embrasé d'une fournaise. — Quand Mazza fut arrivée sur la jetée la fraîcheur salée de l'eau la ranima quelque peu, car une brise du sud enflait les vagues qui venaient mollement mourir sur la grève et râlaient sur le galet.

Les nuages noirs et épais s'amoncelaient à sa gauche sous le soleil couchant qui était rouge et lumineux sur la mer. On eût dit qu'ils allaient éclater en sanglots.

La mer sans être furieuse roulait sur elle-même en chantant lugubrement et quand elle venait à se briser sur les pierres de la jetée les vagues sautaient en l'air et retombaient [en] poudre d'argent.

Il y avait dans cela une sauvage harmonie, Mazza l'écoutant longtemps fascinée par sa puissance, — le bruit de ces flots avait pour elle un langage, une voix, comme elle, la mer était triste et pleine d'angoisses, comme elle ses vagues venaient mourir en se brisant sur les pierres et ne laissaient sur le sable mouillé que la trace de son passage.

Une herbe qui avait pris naissance entre deux fentes de la pierre penchait sa tête toute pleine de la rosée, chaque coup de vague venait la tirer de sa racine et chaque fois elle se détachait de plus en plus, enfin elle disparut sous la lame. On ne la revit plus et pourtant elle était jeune et portait des fleurs. Mazza sourit amèrement. La fleur était comme elle enlevée par la vague dans la fraîcheur du printemps.

Il y avait des marins qui rentraient couchés dans leur barque, en tirant derrière eux la corde de leurs filets, leur voix vibrait au loin avec le cri des oiseaux de nuit qui planaient en volant de leurs ailes noires sur la tête de Mazza et qui allaient tous s'abattre vers la grève, sur les débris qu'apportait la marée.

Elle entendait alors une voix qui l'appelait au fond du gouffre et la tête penchée vers l'abîme elle calculait combien il lui faudrait de minutes et de secondes pour râler et mourir. Tout était triste comme elle dans la nature, et il lui sembla que les vagues avaient des soupirs et que la mer pleurait.

Je ne sais cependant quel misérable sentiment de l'existence lui dit de vivre et qu'il y avait encore sur la terre du bonheur et de l'amour, — qu'elle n'avait qu'à attendre et espérer — et qu'elle le reverrait plus tard.

Mais quand la nuit fut venue et que la lune vint à paraître au milieu de ses compagnes, comme une sultane au harem, entre ses femmes et qu'on ne vit plus que la mousse des flots qui brillait sur les vagues, comme l'écume à la bouche d'un coursier, alors que le bruit de la ville commença à s'évanouir dans le brouillard avec ses lumières qui s'éteignaient, Mazza repartit.

La nuit — il était peut-être deux heures, elle ouvrit ses glaces et regarda dehors. On était dans une plaine et la route était bordée d'arbres. Les clartés de la nuit passant à travers leurs branches les faisaient ressembler à des fantômes aux formes gigantesques qui couraient tous devant Mazza et remuaient au gré du vent (qui sifflait entre les feuilles), leur chevelure en désordre.

Une fois la voiture s'arrêta au milieu de la campagne, un trait se trouvait cassé. Il faisait nuit. On n'entendait que le bruit des arbres, l'haleine des chevaux haletant de sueur et les sanglots d'une femme qui pleurait seule.

Vers le matin elle vit des gens qui allaient vers la

ville la plus voisine portant au marché des fruits tout
couverts de mousse et de feuillage vert. — Ils
chantaient aussi, et comme la route montait et qu'on
allait au pas, elle les écouta longtemps. « O comme il y
a des gens heureux » dit-elle.

Il faisait grand jour. C'était un dimanche, dans un
village à quelques heures de Paris sur la place de
l'église, à l'heure où tout le monde en sortait. — Il y
avait un grand soleil qui brillait sur le coq de l'église et
illuminait sa modeste rosace. Les portes qui étaient
ouvertes laissaient voir à Mazza, du fond de sa voiture,
l'intérieur de la nef et les cierges qui brillaient dans
l'ombre sur l'autel, elle regarda la voûte de bois peinte
de couleur bleue et les vieux piliers de pierre nus et
blanchis et puis toute la suite des bancs où s'étalait une
population entière bigarrée de vêtements de couleur,
elle entendit l'orgue qui chantait et il se fit alors un
grand flot dans le peuple et l'on sortit, plusieurs
avaient des bouquets de fausses fleurs et des bas
blancs, elle vit que c'était une noce. On tira des coups
de fusil sur la place et les mariés sortirent.

La bru avait un bonnet blanc et souriait en regardant le bout des pattes de sa ceinture qui étaient de
dentelle brodée. — Le mari s'avançait à côté d'elle, il
voyait la foule d'un air heureux et donnait des
poignées de main à plusieurs.

C'était le maire du pays, qui était aubergiste et qui
mariait sa fille à son adjoint, le maître d'école.

Un groupe d'enfants et de femmes s'arrêta devant
Mazza pour regarder la belle calèche, et le manteau
rouge qui pendait de la portière — tout cela souriait et
parlait haut.

Quand elle eut relayé elle rencontra au bout du pays
le cortège qui entrait à la mairie et le sourire vint sur sa
bouche quand elle vit l'écume de ses chevaux qui
tombait sur les mariés et la poussière de leur pas qui
salissait leurs vêtements blancs. Elle avança la tête et
leur lança un regard de pitié et d'envie.

Car de misérable elle était devenue méchante et
jalouse. Le peuple alors en haine des riches lui

répondit par des injures et l'insulta en lui jetant des pierres sur les armoiries de sa voiture.

Longtemps dans la route, à moitié endormie par le mouvement des ressorts, le son des grelots et la poussière qui tombait sur ses cheveux noirs elle pensa à la noce du village. Et le bruit du violon qui précédait le cortège, le son de l'orgue, les voix des enfants qui avaient parlé autour d'elle, tout cela tintait à ses oreilles comme l'abeille qui bourdonne ou le serpent qui siffle.

Elle était fatiguée. La chaleur l'accablait sous les cuirs de sa calèche, le soleil dardait en face. Elle baissa la tête sur ses coussins de drap bleu et s'endormit.

Elle se réveilla aux portes de Paris.

Quand on a quitté la campagne et les champs et qu'on se retrouve dans les rues, le jour semble sombre et baissé comme dans ces théâtres de foire qui sont lugubres et mal éclairés. Mazza se plongea avec délices [dans] les rues les plus tortueuses, elle s'enivra du bruit et de la rumeur qui venaient la tirer d'elle-même et la reporter dans le monde. Elle voyait rapidement et comme des ombres chinoises toutes les têtes qui passaient devant sa portière, toutes lui semblaient froides, impassibles et pâles. — Elle regarda avec étonnement pour la première fois la misère qui va pieds nus sur les quais, la haine dans le cœur et un sourire sur la bouche comme pour cacher les trous de ses haillons, elle regarda la foule qui s'engouffrait dans les spectacles et les cafés, et tout ce monde de laquais et de grands seigneurs qui s'étale comme un manteau de couleur un jour de parade.

Tout cela lui parut un immense spectacle, un vaste théâtre avec ses palais de pierre, ses magasins allumés, ses habits de parades, ses ridicules, ses sceptres de carton et ses royautés d'un jour. Là le carrosse de la danseuse éclabousse le peuple[n]. Et là l'homme se meurt de faim en voyant des tas d'or derrière les vitres, partout le rire et les larmes, partout la richesse et la misère, partout le vice qui insulte la vertu et lui

crache à la face — comme le châle usé de la fille de joie
qui effleure en passant la robe noire du prêtre.

O il y a dans les grandes cités une atmosphère
corrompue et empoisonnée qui vous étourdit et vous
enivre, quelque chose de lourd et de malsain comme
ces sombres brouillards du soir qui planent sur ses
traits.

Mazza aspira cet air de corruption à pleine poitrine,
elle le sentit comme un parfum et la première fois alors
elle comprit tout ce qu'il y avait de large et d'immense
dans le vice — et de voluptueux dans le crime.

En se retrouvant chez elle — il lui sembla qu'il y
avait longtemps qu'elle était partie tant elle avait
souffert et vécu en peu d'heures. Elle passa la nuit à
pleurer, à rappeler sans cesse son départ, son retour,
elle voyait de là les villages qu'elle avait traversés,
toute la route qu'elle avait parcourue, il lui semblait
encore être sur la jetée à regarder la mer et la voile qui
s'en va ; — elle se rappelait aussi la noce avec ses
habits de fête, ses sourires de bonheur, elle entendait
de là le bruit de sa voiture sur les pavés. Elle entendait
encore les vagues qui mugissaient et bondissaient sous
elle. Et puis elle fut effrayée de la longueur du temps,
elle crut avoir vécu un siècle et être devenue vieille et
avoir les cheveux blancs, — tant la douleur vous
affaisse, tant le chagrin vous ronge car il est des jours
qui vous vieillissent comme des ans, des pensées qui
font bien des rides.

Elle se rappela aussi en souriant avec regret les jours
de son bonheur, ses vacances paisibles sur les bords de
la Loire où elle courait dans les allées des bois, se
jouait avec les fleurs et pleurait en voyant passer les
mendiants, elle se rappela ses premiers bals, où elle
dansait si bien, où elle aimait tant les sourires gracieux
et les paroles aimables. Et puis encore ses heures de
fièvre et de délire dans les bras de son amant, ses
moments de transport et de rage où elle eût voulu que
chaque regard durât des siècles et° que l'éternité fût
un baiser. Elle se demanda alors si tout cela était parti

et effacé pour toujours... comme la poussière de la
route et le sillon du navire sur les vagues de la mer.

V

Enfin la voilà revenue mais seule — plus personne
pour la soutenir, plus rien à aimer. Que faire — quel
parti prendre ? O la mort, la tombe cent fois si malgré
son dégoût et son ennui, elle n'avait eu au cœur un peu
d'espérance.

Qu'espérait-elle donc ? —

Elle l'ignorait elle-même, seulement elle avait
encore foi à la vie. Elle crut encore qu'Ernest l'aimait
lorsqu'un jour elle reçut une de ses lettres — mais ce
fut une désillusion de plus.

La lettre était longue, bien écrite, toute remplie de
riches métaphores et de grands mots. Ernest lui disait
qu'il ne fallait plus l'aimer, penser à ses devoirs et à
Dieu, et puis il lui donnait en outre d'excellents
conseils sur la famille, l'amour maternel — et il
terminait par un peu de sentiment comme M. de
Bouilly ou Mme Cottin[7].

Pauvre Mazza, tant d'amour, de cœur et de tendresse pour une indifférence si froide, un calme si
raisonné. Elle tomba dans l'affaissement et le dégoût.
Je croyais, dit-elle un jour, qu'on pouvait mourir de
chagrin.

Du dégoût elle passa à l'amertume et à l'envie.

C'est alors que le bruit du monde lui parut une
musique discordante et infernale, et la nature une
raillerie de Dieu. — Elle n'aimait rien et portait de la
haine à tout, à mesure que chaque sentiment sortait de
son cœur. La haine y entrait si bien qu'elle n'aima plus
rien au monde — sauf un homme. Souvent quand elle
voyait dans les jardins publics des mères avec leurs
enfants qui jouaient avec eux et souriaient à leurs
caresses et puis des femmes avec leurs époux, des
amants avec leurs maîtresses et que tous ces gens-là
étaient heureux ; souriaient, aimaient la vie, elle les

enviait et les maudissait à la fois, elle eût voulu
pouvoir les écraser tous du pied et sa lèvre ironique
leur jetait en passant quelque mot de dédain, quelque
sourire d'orgueil.

D'autres fois quand on lui disait qu'elle devait être
heureuse dans la vie avec sa fortune, son rang, que [sa]
santé était bonne, que ses joues étaient fraîches et
qu'on voyait qu'elle était heureuse et que rien ne lui
manquait, elle souriait cependant la rage dans l'âme.

— Ah les imbéciles, disait-elle, qui ne voient que le
bonheur sur un front calme et qui ne savent pas que la
torture arrache des rires.

Elle prit la vie dès lors comme un long cri de
douleur. Si elle voyait des femmes qui se paraient de
leur vertu, d'autres de leur amour, elle raillait leur
vertu et leurs amours. Quand elle trouvait des gens
heureux et confiants en Dieu elle les tourmentait par
un rire ou un sarcasme[p]. Les prêtres elle les faisait
rougir en passant devant eux par un regard lascif et
riait à leurs oreilles, les jeunes filles et les vierges elle
les faisait pâlir par ses contes d'amour et ses histoires
passionnées et puis l'on se demandait quelle était cette
femme pâle et amaigrie, ce fantôme errant avec ses
yeux de feu et sa tête damnée et si on venait à vouloir
la connaître on ne trouvait au fond de son existence
qu'une douleur et dans sa conduite que des larmes[q].

O les femmes, les femmes, elle les haïssait dans
l'âme — les jeunes et les belles surtout et quand elle
les voyait dans un spectacle ou dans un bal, à la lueur
des lustres et des bougies, étalant leur gorge ondulante, ornée de dentelles et de diamants et que les
hommes empressés souriaient à leurs sourires et qu'on
les flattait et les vantait, elle eût voulu froisser ces
vêtements et ces gazes brodées, cracher sur ces figures
chéries et traîner dans la boue ces fronts si calmes et si
fiers de leur froideur. Elle ne croyait plus à rien qu'au
malheur et à la mort. La vertu pour elle était un mot[8],
la religion un fantôme, la réputation un masque
imposteur comme un voile qui cache les rides. Elle
trouvait alors des joies dans l'orgueil, des délices dans

le dédain et elle crachait en passant sur le seuil des
églises.

Quand elle pensait à Ernest, à sa voix, à ses paroles,
à ses bras qui l'avaient tenue si longtemps palpitante et
éperdue d'amour et qu'elle se trouvait dans les baisers
de son mari — ah elle se tordait de douleur et
d'angoisses et se roulait sur elle-même comme un
homme qui râle et agonise en criant après un nom, en
pleurant sur un souvenir. Elle avait des enfants de cet
homme. Ces enfants ressemblaient à leur père, une
fille de trois ans, un garçon de cinq et souvent dans
leurs jeux, leurs rires pénétraient jusqu'à elle, le matin
ils venaient l'embrasser en riant quand elle — elle —
leur mère avait veillé toute la nuit dans des tourmentes
inouïes et que ses joues étaient encore fraîches de ses
larmes. Souvent quand elle pensait à lui errant sur les
mers, ballotté peut-être par la tempête, lui qui se
perdait peut-être dans les flots, seul et voulant se
rattacher à la vie et qu'elle voyait de là un cadavre
bercé sur la vague où vient s'abattre le vautour alors
elle entendait des cris de joie, des voix enfantines qui
accouraient pour lui montrer un arbre en fleurs ou le
soleil qui faisait reluire la rosée des herbes. —

C'était pour elle comme la douleur de l'homme qui
tombe sur le pavé et qui voit la foule rire et battre des
mains.

Alors que pensait Ernest, loin d'elle ? Parfois il est
vrai quand il n'avait rien à faire dans ses moments de
loisir et de désœuvrement, en pensant à elle, à ses
étreintes brûlantes, à sa croupe charnue, à ses seins
blancs, à ses longs cheveux noirs — il la regrettait mais
s'empressait d'aller éteindre dans les bras d'une
esclave le feu allumé dans l'amour le plus fort et le
plus sacré. Et d'ailleurs il se consolait de cette perte
avec facilité en pensant qu'il avait fait une bonne
action, que cela était agir en citoyen, que Franklin ou
Lafayette [9] n'auraient pas mieux fait. Car il était alors
sur la terre nationale du patriotisme, de l'esclavage, du
café et de la tempérance, je veux dire l'Amérique.
C'était un de ces gens chez qui le jugement et la raison

occupent une si grande place qu'ils ont mangé le cœur comme un voisin incommode.

Un monde les séparait car Mazza au contraire était plongée dans le délire et l'angoisse, et tandis que son amant se vautrait à plaisir dans les bras des négresses et des mulâtresses, elle se mourait d'ennui croyant aussi qu'Ernest ne vivait que pour elle et ressentait un mal dont il se moquait dans son rire bestial et sauvage, il se donnait à une autre.

Tandis que cette pauvre femme pleurait et maudissait Dieu — qu'elle appelait l'enfer à son secours et se roulait en demandant si Satan enfin n'arriverait pas, Ernest peut-être au même moment où elle embrassait avec frénésie un médaillon de ses cheveux, au même moment peut-être, il se promenait gravement sur la place publique d'une ville des Etats-Unis, en veste et en pantalon blanc comme un planteur et allait au marché acheter quelque esclave noire qui eût des bras forts et musclés, de pendantes mamelles, et de la volupté pour de l'or.

Du reste il s'occupait de travaux chimiques, il y avait plein deux immenses cartons de notes sur les couches de silex et les analyses minéralogiques et d'ailleurs le climat lui convenait beaucoup, il se portait à ravir dans cette atmosphère embaumée d'académies savantes, de chemins de fer, de bateaux à vapeur, de cannes à sucre et d'indigo.

Dans quelle atmosphère vivait Mazza ? Le cercle de sa vie n'était pas si étendu. Mais c'était un monde à part qui tournait dans les larmes et le désespoir et qui enfin se perdait dans l'abîme d'un crime.

VI

Un drap noir était tendu sur la porte cochère de l'hôtel. Il était relevé par le milieu et formait une espèce d'ogive brisée qui laissait voir une tombe et deux flambeaux dont les lumières tremblaient, comme la voix d'un mourant, au souffle froid de l'hiver qui passait sur ces draps noirs tout étoilés de larmes d'argent.

De temps en temps les deux fossoyeurs qui avaient soin de la fête se rangeaient de côté pour faire place aux conviés arrivant l'un après l'autre tous vêtus de noir avec des cravates blanches, un jabot plissé et des cheveux frisés, ils se découvraient en passant près du mort et trempaient dans l'eau bénite le bout de leur gant noir.

C'était dans l'hiver, la neige tombait. Après que le cortège fut parti une jeune femme entourée d'une mante noire descendit dans la cour, marcha sur la pointe des pieds à travers la couche de neige qui couvrait les pavés et elle avança sa tête pâle entre ses voiles noirs pour voir le char funèbre qui s'éloignait. Puis elle éteignit les deux bougies qui brûlaient encore, elle remonta, défit son manteau, réchauffa ses sandales blanches au feu de sa cheminée, détourna la tête encore une fois mais elle ne vit plus que le dos noir du dernier des assistants qui tournait à l'angle de la rue.

Quand elle n'entendit plus le ferraillement monotone des roues du char sur le pavé — et que tout fut passé et parti, les chants des prêtres, le convoi du mort, elle se jeta sur le lit mortuaire, s'y roula à plaisir en criant dans les accès de sa joie convulsive : « Arrive maintenant, à toi, à toi tout cela. Je t'attends. — Viens donc, à toi mon bien-aimé la couche nuptiale et ses délices, à toi, à toi seul, à nous deux un monde d'amour et de voluptés. Viens ici, je m'y étendrai sous tes caresses, je m'y roulerai sous tes baisers ».

Elle vit sur sa commode une petite boîte en palissandre que lui avait [donnée] Ernest.

C'était comme ce jour-là un jour d'hiver. Il arriva entouré de son manteau, son chapeau avait de la neige et quand il l'embrassa sa peau avait une fraîcheur et un parfum de jeunesse qui rendait les baisers doux comme l'aspiration d'une rose.

Cette boîte avait au milieu leurs chiffres entrelacés un M et un E. Son bois était odoriférant, elle y porta ses narines et y resta longtemps contemplative et rêveuse.

Bientôt on lui amena ses enfants, ils pleuraient et demandaient leur père. Ils voulurent embrasser Mazza et se consoler avec elle. Celle-ci les renvoya avec sa femme de chambre, sans un mot, sans un sourire.

Elle pensait à lui... qui était bien loin et qui ne revenait pas.

VII

Elle vécut ainsi plusieurs mois seule avec son avenir qui avançait, se sentant chaque jour plus heureuse et plus libre à mesure que tout ce qui était dans son cœur s'en allait pour faire place à l'amour, toutes les passions, tous les sentiments, tout ce qui trouve place dans une âme était parti comme les scrupules de l'enfance — la pudeur d'abord, la religion ensuite — la vertu après et enfin les débris de tout cela qu'elle avait jetés comme les éclats d'un verre brisé.

Elle n'avait plus rien d'une femme si ce n'est l'amour, mais un amour entier et terrible qui se tordait lui-même et brûlait les autres, comme le Vésuve qui se déchire dans ses éruptions et répand sa lave bouillante sur les fleurs de la vallée.

Elle avait des enfants — ses enfants moururent comme leur père — chaque jour ils pâlissaient de plus en plus — s'amaigrissaient et la nuit ils se réveillaient dans le délire, se tordaient sur leur couche d'agonie en disant qu'un serpent leur mangeait la poitrine car il y avait là quelque chose qui les déchirait et les brûlait sans cesse et Mazza contemplait leur agonie avec un sourire [sur] les lèvres — qui était rempli de colère et de vengeance.

Ils moururent tous deux le même jour, quand elle vit clouer leurs bières ses yeux n'eurent point de larmes — son cœur pas de soupirs.

Elle les vit d'un œil sec et froid enveloppés dans leur linceul. Et lorsqu'elle fut seule enfin elle passa la nuit

heureuse et confiante — l'âme calme et la joie dans le
cœur, pas un remords ni un cri de douleur car elle
allait partir le lendemain, quitter la France après s'être
vengée de l'amour profané, de tout ce qu'il y avait eu
de fatal et de terrible dans sa destinée — après s'être
raillée de Dieu, des hommes, de la vie, de la fatalité
qui s'était jouée un moment, après s'être amusée à son
tour de la vie et de la mort, des larmes et des chagrins
et avoir rendu au ciel des crimes pour ses douleurs.

Adieu terre d'Europe, pleine de brouillards et de
glaciers, où les cœurs sont tièdes comme l'atmosphère
et les amours aussi flasques, aussi mous que ses nuages
gris, à moi l'Amérique et sa terre de feu, son soleil
ardent, son ciel pur, ses belles nuits dans les bosquets
de palmiers et de platanes.

Adieu le monde. Merci de vous, je pars, je me jette
sur un navire. Va mon beau navire, cours vite, que tes
voiles s'enflent au souffle du vent et que ta proue brise
les vagues. Bondis sur la tempête, saute sur les flots et
dusses-tu te briser enfin, jette-moi avec tes débris sur
la terre où il respire.

Cette nuit-là fut passée dans le délire et l'agitation
mais le délire de la joie et de l'espérance.

Lorsqu'elle pensait à lui, qu'elle allait l'embrasser et
vivre pour toujours avec lui, elle souriait et pleurait de
bonheur.

La terre du cimetière où reposaient ses enfants était
encore fraîche et mouillée d'eau bénite.

VIII

On lui apporta le matin une lettre, elle avait sept
mois de date, — c'était d'Ernest, elle en brisa le cachet
en tremblant, — la parcourut avidement. Quand elle
l'eut terminée, elle recommença sa lecture, pâle
d'effroi et pouvant à peine lire. Voici ce qu'il y avait :

Pourquoi, madame, vos lettres sont-elles toujours
aussi peu honnêtes ? La dernière surtout, je l'ai

brûlée, j'aurais rougi que quelqu'un y jetât les yeux.
Ne pourriez-vous enfin avoir plus de bornes dans vos
passions ? Pourquoi venez-vous sans cesse avec votre
souvenir me troubler dans mes travaux, m'arracher à
mes occupations ? que vous ai-je fait pour m'aimer
tant ?

Encore une fois madame je veux qu'un amour soit
sage. J'ai quitté la France, oubliez-moi donc comme je
vous ai oubliée, aimez votre mari, le bonheur se
trouve, dans les routes battues par la foule, les sentiers
de la montagne sont pleins de ronces et de cailloux, ils
déchirent et vous usent vite.

Maintenant je vis heureux, j'ai une petite maison
charmante sur le bord d'un fleuve, et dans la plaine
qu'il traverse je fais la chasse aux insectes, j'herborise
et quand je rentre chez moi je suis salué par mon nègre
qui se courbe jusqu'à terre et embrasse mes souliers
quand il veut obtenir quelque faveur. Je me suis donc
créé une existence heureuse, calme et paisible au
milieu de la nature et de la science, que n'en faites-
vous autant ? qui vous en empêche ? On peut ce qu'on
veut.

Pour vous, pour votre bonheur même, je vous
conseille de ne plus penser à moi, de ne plus m'écrire.
A quoi bon cette correspondance ? à quoi cela nous
avancera-t-il quand vous direz cent fois que vous
m'aimez et que vous écrirez encore sur les marges tout
autant de fois je t'aime ?

Il faut donc oublier tout madame et ne plus penser à
ce que nous avons été l'un vis-à-vis [de] l'autre.
N'avons-nous pas eu chacun ce que nous désirions ?

Ma position est à peu près faite, je suis directeur
principal de la commission des essais pour les mines,
la fille du directeur de première classe est une
charmante personne de 17 ans, son père a soixante
mille livres de rentes, elle est fille unique. Elle est
douce et bonne, elle a beaucoup de jugement et
s'entendra à merveille à diriger un ménage, à tenir une
maison.

Dans un mois je me marie. Si vous m'aimez comme

vous le dites toujours, cela doit vous faire plaisir
puisque je le fais pour mon bonheur.

« Adieu, madame Willers, — ne pensez plus à un
homme qui a la délicatesse de ne plus vous aimer et si
vous voulez me rendre un dernier service c'est de me
faire passer au plus vite un demi-litre d'acide prussique que vous donnera très bien sur ma recommandation le secrétaire de l'Académie des sciences, c'est un
chimiste fort habile.

« Adieu je compte sur vous, n'oubliez pas mon
acide.

Ernest Vaumont.

Quand Mazza eut lu cette lettre elle poussa un cri
inarticulé comme si on l'eût brûlée avec des tenailles
rouges.

Elle resta longtemps dans la consternation et la
surprise.

— Ah le lâche, dit-elle enfin, il m'a séduite et il
m'abandonne pour une autre. Avoir tout donné pour
lui et n'avoir plus rien, jeter tout à la mer et s'appuyer
sur une planche et la planche vous glisse des mains et
l'on sent qu'on s'enfonce sous les flots.

Elle l'aimait tant, cette pauvre femme, elle lui avait
donné sa vertu, elle lui avait prodigué son amour, elle
[avait] renié Dieu et puis, encore oh! bien pis encore
— son mari, ses enfants, qu'elle avait vus râler,
mourir, en souriant car elle pensait à lui. Que faire?
que devenir? Une autre, une autre femme à qui il va
dire je t'aime, à qui il va baiser les yeux, les seins, en
l'appelant sa vie et sa passion. — Une autre et elle, en
avait[-elle] eu d'autres que lui? pour lui n'avait-elle
pas repoussé son mari dans la couche nuptiale? ne
l'avait-elle pas trompé de ses lèvres adultères? ne
l'avait-elle pas empoisonné en versant des larmes de
joie?

C'était son Dieu et sa vie. Il l'abandonne après
s'être servi d'elle, après en avoir assez joui, assez usé,
voilà qu'il la repousse au loin et la jette. O l'abîme sans
fond que celui du crime et du désespoir!

D'autres fois elle ne pouvait en croire ses yeux, elle

relisait cette lettre fatale et la couvrait de ses pleurs.

— Oh comment, disait-elle, après que l'abattement eut fait place à la rage, à la fureur, oh comment tu me quittes mais je suis au monde, seule — sans famille, sans parents car je t'ai donné et famille et parents, — seule sans honneur car je l'ai immolé pour toi, seule sans réputation car je l'ai sacrifiée sous tes baisers à la vue du monde entier qui m'appelait ta maîtresse — ta maîtresse dont tu rougis maintenant. — Lâche !

Et les morts où sont-ils ?

Que faire, que devenir ? J'avais une seule idée, une seule chose au cœur, elle me manque. — Irai-je te trouver ? mais tu me chasseras comme une esclave, si je me jette au milieu des autres femmes, elles m'abandonneront en riant, me montreront du doigt avec fierté car elles n'ont aimé personne elles — elles ne connaissent pas les larmes. — Oh tiens puisque je veux encore de l'amour, de la passion et de la vie, ils me diront sans doute d'aller quelque part où l'on vend à prix fixe de la volupté et des étreintes et le soir avec mes compagnes de luxure j'appellerai les passants à travers les vitres et il faudra quand ils seront venus que je les fasse jouir bien fort, que je leur en donne pour leur argent, qu'ils s'en aillent contents — et que je ne me plaigne pas encore, que je me trouve heureuse, que je rie à tout venant car j'aurai mérité mon sort.

Et qu'ai-je fait ? je t'ai aimé plus qu'un autre. Oh grâce Ernest, si tu entendais mes cris tu aurais peut-être pitié de moi, moi qui n'ai pas eu de pitié pour eux. Car je me maudis maintenant, je me roule ici dans l'angoisse, et mes vêtements sont mouillés de mes larmes.

Et elle courait éperdue, et puis elle tombait, se roulait par terre en maudissant Dieu, les hommes, la vie elle-même, tout ce qui vivait, tout ce qui pensait au monde, elle arrachait de sa tête des poignées de cheveux noirs et ses ongles étaient rouges de sang.

Oh ne pouvoir supporter la vie, en être venue à se jeter dans les bras de la mort comme dans ceux d'une mère mais douter encore au dernier moment si la tombe n'a pas de supplices et le néant des douleurs. — Être dégoûté de tout, n'avoir plus de foi à rien, pas même à l'amour la première religion du cœur et ne pouvoir quitter ce malaise continuel comme un homme qui serait ivre et qu'on forcerait à boire encore.

Pourquoi donc es-tu venu dans ma solitude, — m'arracher à mon bonheur ? j'étais si confiante et si pure et tu es venu pour m'aimer et je t'ai aimé. Les hommes cela est si beau quand ils vous regardent — tu m'as donné de l'amour, tu m'en refuses maintenant et moi je l'ai nourri par des crimes — voilà qu'il me tue aussi.

J'étais bonne alors quand tu me vis et maintenant je suis féroce et cruelle, je voudrais avoir quelque chose à broyer, à déchirer, à flétrir et puis après à jeter au loin comme moi — O je hais tout, les hommes, Dieu, et toi aussi je te hais et pourtant je sens encore que pour toi je donnerais ma vie.

Plus je t'aimais, plus je t'aimais encore comme ceux qui se désaltèrent avec l'eau salée de la mer et que la soif brûle toujours et maintenant je vais mourir — la mort ! plus rien, quoi des ténèbres, une tombe, et puis... l'immensité du néant. — Oh je sens que je voudrais pourtant vivre et faire souffrir comme j'ai souffert. Oh le bonheur, où est-il ? mais c'est un rêve, la vertu un mot — l'amour une déception — la tombe que sais-je ?

... Je le saurai.

IX

Elle se leva, essuya ses larmes, tâcha d'apaiser ses sanglots qui lui brisaient la poitrine et l'étouffaient, elle regarda dans une glace si ses yeux étaient encore bien rouges de pleurs, renoua ses cheveux et sortit s'acquitter du dernier désir d'Ernest.

Mazza arriva chez le chimiste. Il allait venir, on la

fit attendre dans un petit salon au premier dont les meubles étaient couverts de drap rouge et de drap vert, — une table ronde en acajou au milieu — des lithographies représentant les batailles de Napoléon sur les lambris et sur la cheminée de marbre gris une pendule en or où le cadran servait d'appui à *un Amour* qui se reposait de l'autre main sur ses flèches.

La porte s'ouvrit comme la pendule sonnait deux heures. Le chimiste entra, c'était un homme petit et mince, l'air sec et des manières polies.

Il avait des lunettes, des lèvres minces, de petits yeux renfoncés.

Quand Mazza lui eut expliqué le motif de sa visite, il se mit à faire l'éloge de M. Ernest Vaumont, son caractère, son cœur, ses dispositions, enfin il lui remit le flacon d'acide, la mena par la main au bas de l'escalier. Il se mouilla même les pieds dans la cour, en la reconduisant jusqu'à la porte de la rue.

Mazza ne pouvait marcher dans les rues tant sa tête était brûlante, ses joues étaient pourprées, il lui sembla plusieurs fois que le sang allait lui sortir par les pores.

Elle passa par des rues où la misère était affichée sur les maisons comme ces filets de couleur qui tombent des murs blanchis et en voyant la misère elle disait : Je vais me guérir de votre malheur. Elle passa devant le palais des rois et dit en serrant le poison dans ses deux mains : Adieu l'existence, je vais me guérir de vos soucis.

En rentrant chez elle avant de fermer sa porte elle jeta un regard sur le monde qu'elle quittait et sur la cité pleine de bruit, de rumeurs et de cris. Adieu vous tous, dit-elle.

X

Elle ouvrit son secrétaire — cacheta le flacon d'acide, y mit l'adresse, et écrivit un autre billet, il était adressé au commissaire central. Elle sonna et le donna à un domestique. Elle écrivit sur une troisième feuille ces mots : « J'aimais un homme — pour lui j'ai tué mon mari, pour lui j'ai tué mes enfants. Je meurs sans remords, sans espoir, mais avec des regrets. » Elle le plaça sur sa cheminée.

Encore une demi-heure, dit-elle, bientôt il va venir et m'emmener — au cimetière.

Elle ôta ses vêtements et resta quelques minutes à regarder son beau corps que rien ne couvrait, à penser à toutes les voluptés qu'il avait données, aux jouissances immenses qu'elle avait prodiguées à son amant.

— Quel trésor que l'amour d'une telle femme.

Enfin après avoir pleuré, pensant à ses jours qui s'étaient enfuis — à son bonheur, à ses rêves, à ses caprices de jeunesse et puis encore à lui bien longtemps, et s'être demandée ce que c'était que la mort et s'être perdue dans ce gouffre sans fond de la pensée qui se ronge et se déchire de rage et d'impuissance, elle se releva tout à coup comme d'un rêve, — prit quelques gouttes du poison qu'elle avait versées dans une tasse de vermeil, but avidement, et s'étendit pour la dernière fois sur ce sofa où si souvent elle s'était roulée dans les bras d'Ernest dans les transports de l'amour.

XI

Quand le commissaire entra — Mazza râlait encore. Elle fit quelques bonds par terre, se tordit plusieurs fois, tous ses membres se raidirent ensemble, elle poussa un cri déchirant —

Quand il approcha d'elle elle était morte.

Gve Flaubert
10 décembre 1837

AGONIES. ANGOISSES

Avec *Agonies* et *Angoisses* s'ouvre véritablement la série des écrits intimes. Non que la première personne soit absente des œuvres antérieures, mais sous forme d'interventions d'auteur subordonnées au récit, ou par le biais d'un je abstrait, philosophique ou métaphysique. Ici, « un pauvre enfant de 16 ans » signe des « pensées sceptiques » dédiées à Alfred Le Poittevin, comme une lettre glissée dans plusieurs enveloppes gigognes, les noms de l'auteur et du destinataire figurant sur trois feuillets successifs.

La dédicace d'*Agonies* porte la date du 20 avril 1838, ainsi que les fragments numérotés de I à IX, encadrés par cette même date répétée. Flaubert veut clairement indiquer que les neuf « pensées sceptiques » ont été rédigées en une seule journée. Mais la chronologie interne d'*Agonies* démultiplie les temps d'écriture : « ce travail commencé il y a deux ans » (*Agonies*, fragment I) remonterait donc à l'année 1836, époque où Flaubert compose *Rage et impuissance* dans lequel on a relevé l'expression « l'Agonie qui va et les rêves d'enfer », en provision de titres à venir. Or, l'introduction d'*Agonies*, placée entre les dédicaces et la première pensée, et rédigée sur deux feuillets différents des autres, fixe une autre date initiale : « Il y aura bientôt un an que l'auteur en a écrit la première page. » On pourrait faire remonter cette introduction à l'année 1837, contemporaine donc des « vieilles causeries de l'an passé » avec Alfred, évoquées dans la dédicace. Mais la difficulté reste entière quant à une éventuelle « première page » écrite en 1836. Ce ne peut être ni une pensée d'*Agonies*, toutes datées 1838, ni le début de l'introduction, manifestement écrite d'un seul jet.

Si cette chronologie interne n'est pas fictive, la réponse est peut-être à chercher dans le second ensemble intitulé *Angoisses*. Ses vingt-deux fragments ne portent aucune date ; ils sont écrits sur des feuillets paginés de 1 à 38 par Flaubert, différents de ceux qui constituent *Agonies*. Extérieurement, aucun indice matériel ne permet de rattacher *Angoisses* et *Agonies*. Qu'ils soient reliés désormais sous la même couverture, qu'ils aient toujours été publiés ensemble, coiffés par le seul titre *Agonies, pensées sceptiques*, ne prouvent pas leur proximité dans l'esprit de Flaubert. Certes, la forme du fragment numéroté, le ton, les thèmes, l'utilisation de la première personne les rapprochent. Mais ce qui les apparente en profondeur, c'est sans doute Alfred Le Poittevin, auteur d'un poème intitulé *Heures d'angoisse*, paru dans *Le Colibri* le 21 août 1836. Les trois moments d'écriture, attestés par autant de manuscrits différents, s'établiraient ainsi : 1836 pour *Angoisses*, contemporain du poème d'Alfred auquel le titre rend hommage ; 1837 pour l'introduction d'*Agonies* ; 1838, seule date certaine, pour la dédicace et les pensées d'*Agonies*. Ainsi s'expliquerait la triple dédicace à Alfred : les deux dédicaces d'*Agonies* et, dans l'ordre du manuscrit, la première, qui ne porte pas de titre d'œuvre, regroupant, comme dans une grande enveloppe qui en contient de plus petites, *Agonies* et *Angoisses*. Simple hypothèse pour tenter de résoudre la contradiction des années.

Mais l'essentiel est au-delà d'une reconstitution de chronologie réelle : ces couches temporelles différentes sont à lire dans leur effet de déliaison, qui s'ajoute aux autres discontinuités : la dispersion des « feuilles » volantes, empilées en « tas de papier », le pluriel des deux titres *Agonies* et *Angoisses* qui divisent l'unité d'une « vie morale » en pensées, en cris, le fragment numéroté comme mode de composition (ou de décomposition), la multiplicité des moments et des lieux d'écriture (jours de doute, moments d'ennui, nuits fiévreuses, « au milieu d'un bal — sous les lauriers d'un jardin — ou sur les rochers de la mer »), le mélange des genres et des tons ainsi juxtaposés, de l'affirmation personnelle à la maxime générale en passant par le récit historique, le dialogue ou la fable philosophique. Le *sujet* se disperse comme les feuilles au vent avant de se bloquer dans un juron ou, à la fin d'*Angoisses,* dans le recopiage d'un passage du *Voyage en enfer,* paru dans *Art et progrès* n° 2 (1835), lui-même imité de Lamennais.

Y. L.

A Mr Alfred Le Poittevin
                Gv Flaubert
        avril 1838

AGONIES

pensées sceptiques

dédiées à mon cher ami
Alfred Le Poittevin

Gve Flaubert

A mon ami
        Alfred Le Poittevin
ces pauvres feuilles sont dédiées
            par [a] l'auteur
bizarres comme ses pensées incorrectes
comme l'âme elles sont l'expression
de son cœur et de son cerveau —

———

Tu les as vues éclore, mon cher Alfred, les voilà réunies sur un tas de papier. Que le vent disperse les feuilles, — que la mémoire les oublie. Ce méchant cadeau te rappellera nos vieilles causeries de l'an passé. — Sans doute ton cœur se dilatera en te ressouvenant de ce suave parfum de jeunesse qui embaumait tant de pensées désespérantes. — Et si tu ne peux lire les caractères qu'aura tracés ma main, tu vois couramment dans le cœur qui les a versés.

Maintenant je te les envoie comme un soupir, comme un signe de la main à un ami qu'on espère revoir [1].

Peut-être riras-tu plus tard quand tu seras un homme marié et rangé et moral en rejetant les yeux sur les pensées d'un pauvre enfant de 16 ans qui t'aimait par-dessus toute chose et qui déjà avait l'âme tourmentée de tant de sottises.

Gve FLAUBERT.
20 avril 1838.

Titre singulier n'est-ce pas? Et à voir ainsi cet arrangement de lettres insignifiant et banal jamais on ne se serait douté qu'il pût renfermer une pensée sérieuse.

Agonies. — Eh bien c'est quelque roman bien hideux et bien noir, je présume — Vous vous trompez, c'est plus, c'est tout un immense résumé d'une vie morale bien hideuse et bien noire.

C'est quelque chose de vague, d'irrésolu, qui tient du cauchemar, du rire de dédain, des pleurs et d'une longue rêverie de poète. Poète, puis-je donner ce nom à celui qui blasphème froidement avec un sarcasme cruel et ironique et qui parlant de l'âme se met à rire? Non, c'est moins que de la poésie, c'est de la prose — moins que de la prose — des cris — mais il y en a de faux, d'aigus, de perçants, de sourds, toujours de vrais[b], rarement d'heureux. C'est une œuvre bizarre et indéfinissable comme ces masques grotesques qui vous font peur.

Il y aura bientôt un an que l'auteur en a écrit la première page et depuis — ce pénible travail fut bien des fois rejeté, bien des fois repris. Il a écrit ces feuilles dans ses jours de doute, dans ses moments d'ennui — quelquefois dans des nuits fiévreuses, d'autres fois au milieu d'un bal — sous les lauriers d'un jardin — ou sur les rochers de la mer.

Chaque fois qu'une mort s'opérait dans son âme — chaque fois qu'il tombait de quelque chose de haut — chaque fois qu'une illusion se défaisait et s'abattait comme un château de cartes, chaque fois enfin que quelque chose de pénible et d'agité se passait sous sa vie extérieure, calme et tranquille — alors dis-je, il jetait quelques cris et versait quelques larmes. Il a écrit sans prétention de style, sans désirs de gloire comme on pleure sans apprêt, comme on souffre sans art.

Jamais il n'a fait ceci avec l'intention de le publier plus tard. Il a mis trop de vérité et trop de bonne foi dans sa croyance à rien pour la dire aux hommes.

Il l'a fait pour le montrer à un, à deux tout au plus

qui lui serreront la main après l'avoir entendu et qui ne lui diront pas : c'est bien — mais qui diront : c'est vrai.

Enfin si par hasard quelque main malheureuse venait à découvrir ces lignes, qu'elle se garde d'y toucher. — Car elles brûlent et dessèchent la main qui les touche, — usent les yeux qui les lisent, assassinent l'âme qui les comprend.

— Non, si quelqu'un vient à découvrir ceci, qu'il se garde de le lire — ou bien si son malheur l'y pousse, qu'il ne dise pas après : c'est l'œuvre d'un insensé, d'un fou. Mais qu'il dise : il a souffert quoique son front fût calme, quoique le sourire fût sur ses lèvres et le bonheur dans ses yeux. Qu'il lui sache gré si c'est un de ses proches de lui avoir caché tout cela — de ne point s'être tué de désespoir avant d'écrire et enfin d'avoir réuni dans quelques pages tout un abîme immense de scepticisme et de désespoir.

————————————

Vendredi 20 avril 1838

I

Je reprends donc ce travail commencé il y a deux ans. Travail triste et long, symbole de la vie, la tristesse et la longueur.

Pourquoi l'ai-je interrompu si longtemps, pourquoi ai-je tant de dégoût à le faire ? — qu'en sais-je ?

II

Pourquoi donc tout m'ennuie-t-il sur cette terre ? Pourquoi le jour, la nuit, la pluie, le beau temps, tout cela me semble-t-il toujours un crépuscule triste, où un soleil rouge se couche derrière un Océan sans limites ?

Ô la pensée, autre Océan sans limites, c'est le déluge d'Ovide, une mer sans bornes, où la tempête est la vie et l'existence.

III

Souvent je me suis demandé pourquoi je vivais, ce que j'étais venu [faire] au monde et je n'ai trouvé là dedans qu'un abîme derrière moi, un abîme devant —

à droite, à gauche, en haut, en bas, partout des
ténèbres.

IV

La vie de l'homme est comme une malédiction
partie de la poitrine d'un géant et qui va se briser de
rochers en rochers en mourant à chaque vibration qui
retentit dans les airs.

V

On a souvent parlé de la providence et de la bonté
céleste. — Je ne vois guère de raisons pour y croire.
Le Dieu qui s'amuserait à tenter les hommes pour voir
jusqu'où ils peuvent souffrir[2] ne serait-il pas aussi
cruellement stupide qu'un enfant qui sachant que le
hanneton va mourir lui arrache d'abord les ailes puis
les pattes puis la tête ?

VI

La vanité selon moi est le fond de toutes les actions
des hommes. Quand j'avais parlé, agi, fait n'importe
quel acte de ma vie et que j'analysais mes paroles ou
mes actions, je trouvais toujours cette vieille folle
nichée dans mon cœur ou dans mon esprit. Bien des
hommes sont comme moi, peu ont la même franchise.

Cette dernière réflexion peut être vraie, la vanité me
l'a fait écrire, la vanité de ne pas paraître vain me la
ferait peut-être ôter. La gloire même après qui je cours
n'est qu'un mensonge. Sotte espèce que la nôtre, je
suis comme un homme qui trouvant une femme laide
en serait amoureux.

VII

Quelle chose grandement niaise et cruellement bouffonne que ce mot qu'on appelle Dieu.

VIII

Pour moi le dernier mot du sublime dans l'art sera la pensée c'est-à-dire la manifestation de la pensée aussi rapide aussi spirituelle que la pensée.

Quel [est l']homme qui n'a pas senti son esprit accablé de sensations et d'idées incohérentes, terrifiantes et brûlantes ? L'analyse ne saurait les décrire, mais un livre ainsi fait serait la nature. Car qu'est-ce que la poésie si ce n'est la nature exquise, le cœur et la pensée réunis.

Ô si j'étais poète comme je ferais des choses qui seraient belles.

Je me sens dans le cœur une force intime que personne ne peut voir. — Serai-je condamné toute ma vie [c] à être comme un muet qui veut parler et écume de rage ?

Il y a peu de positions aussi atroces.

IX

Je m'ennuie — Je voudrais être crevé, être ivre, ou être Dieu pour faire des farces.

Et merde.   ——————————

20 avril 1838.

ANGOISSES

I

A quoi bon faire ceci ? — A rien. Car à quoi bon apprendre la vérité. — Quand elle est triste. A quoi bon venir pleurer au milieu des rires, gémir dans un banquet joyeux, et jeter le suaire des morts sur la robe de la fiancée.

II

Oh oui pourtant — laissez-moi vous dire combien mon âme a de blessures saignantes, laissez-moi vous dire combien mes larmes ont creusé mes joues.

III

— Eh quoi tu ne crois à rien ?
— Non.
— Pas à la gloire ?
— Regarde l'envie.
— Pas à la générosité ?
— Et l'avarice.
— Pas à la liberté ?

— Tu ne t'aperçois donc pas du despotisme qui fait courber le cou du peuple ?

— Pas à l'amour ?

— Et la prostitution.

— Pas à l'immortalité ?

— En moins d'un an les vers déchirent un cadavre — puis c'est la poussière — puis le néant — après le néant... le néant et là tout ce qui existe.

IV

L'autre jour — on exhumait un cadavre, on transportait les morceaux d'un homme illustre dans un autre coin de la terre. C'était une cérémonie comme une autre, aussi belle, aussi pompeuse, aussi fardée qu'un enterrement à l'exception près que dans un enterrement la viande est fraîche, dans la seconde elle est pourrie. Tout le monde attendait le fossoyeur. Lorsqu'enfin au bout de dix minutes il arriva en chantant, — c'était un bien brave homme que cet homme, indifférent pour le présent, insoucieux pour l'avenir. Il avait un chapeau de cuir ciré, et une pipe à la bouche. — L'opération commença. Après quelques pelletées de terre nous vîmes le cercueil. — Le bois en était de chêne et à demi consumé car un seul coup le rompit maladroitement. Alors nous vîmes l'homme, l'homme dans toute son affreuse horreur. Pourtant une vapeur épaisse qui s'éleva aussitôt nous empêcha pendant quelque temps de bien distinguer. Son ventre était rongé et sa poitrine et ses cuisses étaient d'une blancheur mate. En s'approchant de plus près il était facile de reconnaître que cette blancheur était une infinité de vers qui rongeaient avec avidité. Ce spectacle nous fit mal. Un jeune homme s'évanouit. Le fossoyeur n'hésita pas, il prit cette chair infecte entre ses bras et l'alla porter dans le char qui était à quelques pas plus loin. Comme il allait vite, la cuisse gauche tomba par terre, — il la releva avec force et la mit sur son dos, puis il vint recouvrir le trou. Alors il s'aperçut qu'il avait oublié quelque chose c'était la tête. Il la tira par les cheveux. — C'était quelque chose de hideux à voir — que les yeux ternes et à moitié fermés, le visage gluant, froid, dont on voyait les pommettes et dont les mouches lui dévoraient les yeux.

Où était donc alors cet homme illustre, où était sa gloire, ses vertus, son nom ? L'homme illustre c'était quelque chose d'infect, d'*indécis*, de hideux, quelque chose qui répandait une odeur fétide, quelque chose dont la vue faisait mal.

Sa gloire — vous voyez, on le traitait comme un chien de basse qualité. Car tous les hommes étaient venus là par curiosité — oui par curiosité — poussés par ce sentiment qui fait rire l'homme à la vue des tortures de l'homme, poussés par ce sentiment qui excite les femmes à montrer leurs belles têtes blondes aux fenêtres un jour d'exécution. C'est ce même instinct naturel qui porte l'homme à se passionner pour ce qu'il y a de hideux et d'amèrement grotesque.

Quant à ses vertus on ne s'en souvenait plus. Car il avait laissé des dettes après sa mort, et ses héritiers avaient été obligés de payer pour lui.

Son nom ? — Il était éteint, car il n'avait point laissé d'enfants. Mais beaucoup de neveux qui soupiraient depuis longtemps après sa mort.

— Dire qu'il y a un an cet homme-là était riche, heureux, puissant, qu'on l'appelait Monseigneur, qu'il habitait dans un palais et que maintenant, il n'est rien, qu'on l'appelle un cadavre et qu'il pourrit dans un cercueil. — Ah l'horrible idée ! et dire que nous serons comme cela nous autres qui vivons maintenant, qui respirons la brise du soir, qui sentons le parfum des fleurs. Ah c'est à en devenir fou.

Dire qu'après ce moment-là il n'y a rien — rien — et toujours le néant, toujours, voilà encore qui passe l'esprit de l'homme. Oh vraiment est-ce qu'après la vie tout est fini et fini pour l'éternité ? Dites, est-ce qu'il ne subsiste rien ? . . . .

Imbécile regarde une tête de mort.

V

Mais l'âme ?!

— Ah oui l'âme. Si tu avais vu l'autre jour le fossoyeur avec un chapeau de cuir ciré sur le coin de l'oreille avec son brûle-gueule bien culotté. — Si tu avais vu comment il a ramassé cette cuisse en pourriture. Et comme tout cela ne l'empêchait pas de siffler en ricanant. « Jeunes filles voulez-vous danser ? » tu aurais ri de pitié — et tu aurais dit : l'âme c'est peut-être cette exhalaison fétide qui sort d'un cadavre.

— Il ne faut pas être philosophe pour deviner cela.

VI

Pourtant il est si triste de penser qu'après la mort tout s'en va. Oh non, non, vite un prêtre, un prêtre qui me dise, qui me prouve, qui me persuade que l'âme existe dans le corps de l'homme.

Un prêtre. Mais lequel ira-t-on chercher ?

— Celui-là dîne chez l'archevêque.

— Un autre fait le catéchisme.

— Un troisième n'a pas le temps.

Eh quoi donc ils me laisseront mourir. Moi qui me tords les bras de désespoir, qui appelle à moi une bénédiction ou une malédiction, qui appelle la haine ou l'amour, Dieu ou Satan (Ah Satan va venir, je le sens).

Au secours. Hélas personne ne me répond.

Cherchons encore.

J'ai cherché et je n'ai [pas] trouvé, j'ai frappé à la porte, personne ne m'a ouvert et on m'y a fait languir de froid et de misère, — si bien que j'ai failli en mourir.

En passant dans une rue sombre, tortueuse et étroite, j'ai entendu des paroles mielleuses et lascives, j'ai entendu des soupirs entrecoupés par des baisers, j'ai entendu des mots de volupté, et j'ai vu un prêtre et

une prostituée qui blasphémaient Dieu et qui dansaient des danses impudiques. J'ai détourné [la vue] et
j'ai pleuré — Mon pied heurta quelque chose. C'était
un Christ en bronze. Un Christ dans la boue —

VII

Il appartenait probablement au prêtre qui l'avait
jeté avant d'entrer comme un masque de théâtre ou un
habit d'Arlequin. Dites-moi maintenant que la vie
n'est pas une ignoble farce puisque le prêtre jette son
Dieu pour entrer chez la fille de joie — Bravo. Satan
rit. Vous voyez bien — bravo il triomphe. Allons j'ai
raison, la vertu c'est le masque, le vice c'est la vérité.
Voilà pourquoi peu de gens la disent c'est qu'elle est
trop hideuse à dire. Bravo, la maison de l'honnête
homme c'est le masque, le lupanar c'est la vérité, la
couche nuptiale c'est le masque, l'adultère qui s'y
consomme c'est la vérité, la vie c'est le masque, la
mort c'est la vérité. La religieuse c'est le masque, la
fille de joie c'est la femme. Le bien c'est faux, le mal
c'est vrai.

VIII

Ah criez donc bien fort, faiseurs de vertu aux gants
jaunes, criez bien vous qui parlez de morale et
entretenez des danseuses, criez fort, vous qui faites
plus pour votre chien que pour votre laquais, criez
fort, vous qui condamnez à mort l'homme qui tue par
besoin, vous qui tuez par mépris, criez fort juges dont
la robe est rouge de sang, criez fort vous qui montez
chaque jour à votre tribunal sur les têtes que vous y
avez abattues. Criez fort ministres aux mains cro-
chues, — vous qui vous vantez des places à accorder à
l'époux et payées par sa femme — par sa pauvre
femme qui vous demandait pardon, grâce, pitié, merci
— Qui embrassait vos genoux, qui se cramponnait au

drap bleu de votre bureau aux pieds d'or, qui se
cachait les yeux dans les draps rouges de vos fenêtres,
et [vous] qui avez brisé son honneur, vous dont la
noire bouche a dit : « Cet homme sera directeur de
poste », et qui en même [temps] avez craché sur le
visage de sa femme.

IX

Enfin on m'indiqua un prêtre —

J'allai chez lui. Je l'attendis quelques instants et je
m'assis dans sa cuisine devant un grand feu. Sur ce feu
pétillait dans une large poêle une énorme quantité de
pommes de terre. —

Mon homme arriva bientôt. C'était un vieillard à
cheveux blancs. Au maintien plein de douceur et de
bonté.

— Mon père, lui dis-je en l'[abordant]d, je désire-
rais avoir un moment d'entretien avec vous.

Il m'introduisit dans une salle voisine. Mais à peine
avais-je commencé qu'entendant du bruit dans la
cuisine — Rose, s'écria-t-il, prenez donc garde aux
pommes de terre et en me détournant [je vis] grâce à la
clarté de la chandelle que l'amateur de pommes de
terre avait le nez de travers et tout bourgeonné.

— Je partis d'un éclat de rire — et la porte se
referma aussitôt sur mes pas.

Dites maintenant à qui la faute ? Je suis venu là
pour m'éclairer dans mes doutes. Eh bien l'homme
qui devait m'instruire je l'ai trouvé ridicule. Est-ce ma
faute à moi si cet homme a le nez crochu et couvert de
boutons, est-ce ma faute si sa voix avide m'a semblé
d'un timbre glouton et bestial ? Non certes. Car j'étais
entré là avec des sentiments pieux.

Ce n'est pourtant point non plus la faute de ce
pauvre homme si son nez est mal fait et s'il aime les
pommes. Du tout, la faute est à Celui qui fait les nez
crochus et les pommes de terre[3].

X

Du Nord au Sud, de l'Est à l'Ouest, partout où vous irez, vous ne pouvez faire un pas sans que la tyrannie, l'injustice, l'avarice, la cupidité ne vous repoussent avec égoïsme. Partout, vous dis-je, vous trouverez des hommes qui vous diront : retire-toi de devant mon soleil, retire-toi tu marches sur le sable que j'ai étalé sur la terre, retire-toi tu marches sur mon bien, retire-toi tu aspires l'air qui m'appartient.

O oui l'homme est un voyageur qui a soif, il demande de l'eau pour boire. On la lui refuse. Et il meurt.

XI

O oui la tyrannie pèse sur les peuples et je sens qu'il est beau de les en affranchir. Je sens mon cœur se soulever d'aise au mot liberté comme celui d'un enfant bat de terreur au mot fantôme. Et ni l'un ni l'autre ne sont vrais. — Encore une illusion détruite, encore une fleur fanée.

XII

Bien des gens sans doute essaieront de la conquérir cette belle liberté, fille de leurs rêves, idole des peuples. Beaucoup tenteront et ils succomberont sous le poids de leur fardeau.

XIII

Jadis il y avait un voyageur qui marchait dans les grands déserts d'Afrique. Il osa s'avancer par un chemin qui abrégeait sa route de quinze milles mais qui était dangereux, rempli de serpents, de bêtes féroces et de rochers difficiles à franchir.

Et il se faisait tard, il avait faim, il était fatigué, malade et il pressait le pas pour arriver plus tôt.

Mais à chaque pas il rencontrait des obstacles. Pourtant il était courageux et marchait la tête haute.

Et au milieu de son chemin voilà que se présente tout à coup à ses yeux une énorme pierre. Or c'était dans un sentier et escarpé, couvert de ronces et d'épines.

Il fallait donc ou rouler cette pierre jusqu'au haut de la montagne ou tâcher d'escalader cette roche. Ou bien encore attendre jusqu'au matin pour voir s'il n'arriverait pas d'autres voyageurs qui voulussent l'aider.

Mais il avait tant faim, la soif le tourmentait si cruellement qu'il résolut de faire tous ses efforts pour faire en sorte d'arriver à la hutte la plus voisine qui était encore à quatre milles de là. Il se mit donc à s'aider des pieds et des mains pour monter en haut de la roche.

Il suait à grosses gouttes, ses bras se contractaient avec vigueur et ses mains saisissaient convulsivement chaque brin d'herbe qui s'offrait à lui, — mais l'herbe manquait et il retombait découragé. Plusieurs fois il renouvela ses efforts. Ce fut en vain.

Et toujours il retombait plus faible, plus harassé, plus désespéré, il maudissait Dieu et blasphémait. Enfin il tenta une dernière fois. Cette fois il réunit toutes les forces dont il était capable. Après une prière à Dieu il monta.

O qu'elle était humble, sublime, tendre, cette courte prière. N'allez pas croire qu'il récita quelque chose qu'une nourrice lui ait appris dans son enfance. Du tout, ses paroles, c'était des larmes, et ses signes de croix des soupirs. Il monta donc bien résolu à se laisser mourir de faim s'il ne réussissait pas.

Le voilà en route — il monte — il avance — il lui semble qu'une main protectrice l'attire vers le sommet, il lui semble voir sourire la face de quelqu'ange qui l'appelle à lui. Puis tout à coup tout change. C'est comme une vision effroyable [qui] s'empare de ses

sens, il entend le sifflement d'un serpent qui glisse sur
la pierre et qui va l'atteindre. Ses genoux ploient sous
lui, ses ongles qui s'accrochaient aux sinuosités de la
roche se retournèrent en dehors... Il tomba à la
renverse.

Que faire maintenant ?

Il a faim, il a froid, il a soif, le vent siffle dans
l'immense désert rouge et la lune s'obscurcit dans les
nuages.

Il se mit à pleurer et à avoir peur comme un enfant.
Il pleura sur ses parents qui mourront de douleur, et il
eut peur des bêtes féroces.

— Car, se disait-il, il fait nuit, je suis malade, les
tigres vont venir me déchirer. —

Il attendit longtemps quelqu'un qui voulût le
secourir. Mais les tigres vinrent, le déchirèrent et
burent son sang.

Eh bien, je vous le dis, il en est de même de vous
autres qui voulez conquérir la liberté.

Découragés de vos efforts vous attendrez quelqu'un
pour vous aider.

Mais quelqu'un ne viendra pas... Oh non...

Et les tigres viendront, vous déchireront et boiront
votre sang comme celui du pauvre voyageur [4].

XIV

Oh oui la misère et le malheur règnent sur l'homme.
O la misère, la misère, vous ne l'avez peut-être
jamais ressentie vous qui parlez sur les vices des
pauvres. C'est quelque chose qui vous prend un
homme, vous l'amaigrit, vous l'égorge, l'étrangle, le
dissèque et puis après elle jette ses os à la voirie.
Quelque chose de hideux, de jaune, de fétide qui se
cache dans un taudis, dans un bouge, sous l'habit d'un
poète, sous les haillons du mendiant. La misère c'est
l'homme aux longues dents blanches qui vient vous
dire avec sa voix sépulcrale le soir dans l'hiver au coin
d'une rue : « Monsieur, du pain » et qui vous montre

un pistolet, la misère c'est l'espion qui se glisse derrière votre paravent, écoute vos paroles et va dire au ministre — Ici il y a une conspiration. Là on fait de la poudre —, la misère c'est la femme qui siffle sur les boulevards entre les arbres. Vous vous approchez d'elle, et cette femme a un vieux manteau usé, elle ouvre son manteau, elle a une robe blanche mais cette robe blanche a des trous, elle ouvre sa robe et vous voyez sa poitrine mais sa poitrine est amaigrie. Et dans cette poitrine il y a la faim. Ah la faim, la faim. Oui partout la faim jusque dans son manteau dont elle a vendu les agrafes d'argent, jusque dans sa robe dont elle a vendu la garniture de dentelles, jusque dans les mots dits avec souffrance (Viens, viens.) Oui la faim jusque sur ses seins où elle a vendu des baisers.

Ah la faim, la faim. Ce mot-là, ou plutôt cette chose-là, a fait les révolutions, elle en fera bien d'autres.

XV

Le malheur, lui, avec sa figure aux yeux caves va plus loin, il pose sa griffe de fer jusque sur la tête du roi, et pour percer son crâne, il brise sa couronne. Le malheur, il assomme un ministre, il siège au chevet d'un grand, il va chez l'enfant, le brûle, le dévore, blanchit ses cheveux, creuse ses joues et le tue. Il se tord, il rampe comme un serpent et il tord les autres et les fait ramper aussi. O oui le malheur est impitoyable, insatiable, sa soif est continuelle, c'est comme le tonneau des Danaïdes qui était sans fond, lui son avidité est sans fin. Aucun homme ne peut se vanter d'avoir échappé à ses coups. Il s'attache aux jeunes, il les embrasse, les caresse. Mais ces caresses sont comme celles du lion. Elles laissent des marques saignantes. Il vient tout à coup au milieu de la fête des rires, de la joie et du vin.

Il aime surtout à frapper les têtes couronnées. Jadis il y avait dans une salle basse du Louvre — un homme, non je me trompe, un fou. Et ce fou montrait sa figure livide à travers les barreaux de ses fenêtres dont les vitres étaient brisées et par lesquelles entraient les oiseaux de nuit. Il était couvert de haillons dorés — de l'or sur des haillons, songez à cela et vous rirez. Ses mains se crispaient avec rage, sa bouche écumait, ses pieds tout nus frappaient les dalles humides. Ah c'est que voyez-vous, lui, lui l'homme aux haillons dorés, il entendait au-dessus de sa tête le bruit du bal, le retentissement des verres, le bourdonnement de l'orgue. — Et il mourut ensuite le pauvre fou. — On l'enterra sans honneurs, sans discours, sans larmes, sans pompes, sans fanfares. Rien de tout cela — Et c'était le roi Charles VI.

Plus tard il y en eut un autre qui éprouva encore un sort plus affreux et plus cruel. Qui l'eût dit à ses beaux jours de jeunesse, qui eût dit que cette belle tête de jeune homme tomberait avant l'âge — et par la main du bourreau ? Un jour, il y avait dans une salle du Temple une famille qui se désolait et qui pleurait à chaudes larmes — parce qu'un de ses membres allait périr.

Et c'était un père de famille qui embrassait ses enfants et sa femme. Et lorsqu'ils eurent bien pleuré, après que le cachot eut retenti des cris de leur désespoir, la porte s'ouvrit, un homme entra, c'était le geôlier. Après le geôlier ce fut le bourreau qui d'un coup de guillotine décapita toute la vieille monarchie. Et le peuple hurlait de joie autour de la sanglante estrade et vengeait par une tête tous ces supplices passés. Cet homme c'était Louis XVI.

Non loin de là un autre roi tomba encore. Mais comme celle d'un colosse sa chute fit trembler la terre.

Pauvre grand homme — tué à coup d'épingles, comme un lion par les mouches — Ah que cette haute figure était belle quoique posée sur ses genoux. Ah que ce géant était grand à son lit de mort, qu'il était grand dans sa tombe, qu'il était grand sur son trône, qu'il est grand chez le peuple.

Et qu'est-ce que tout cela, un lit de mort, une tombe, un trône, un peuple.

Quelque chose qui fait rire Satan.

Rien. Rien toujours le Néant.

Et pourtant c'était Napoléon, le plus malheureux des rois, le plus grand des hommes.

Eh bien, oui. C'est cela, que l'habit aille à la taille de chacun.

La misère aux peuples, le malheur aux Rois.

XVI

Ah le malheur, le malheur, voilà un mot qui règne sur l'homme comme la fatalité sur les siècles et les révolutions sur la civilisation.

XVII

Et qu'est-ce que c'est qu'une révolution ? un souffle d'air qui ride l'océan, s'en va et laisse la mer agitée.

XVIII

Et qu'est-ce que c'est qu'un siècle ? une minute dans la nuit.

XIX

Et qu'est-ce que le malheur ? la vie.

XX

Qu'est-ce qu'un mot ? Rien, c'est comme la réalité ! une durée.

XXI

Qu'est-ce que l'homme ? Ah ! qu'est-ce que l'homme ? qu'en sais-je moi ? Allez demander à un fantôme ce qu'il est, il vous répondra, s'il vous répond : Je suis l'ombre d'un tel. — Eh bien l'homme c'est l'image du Dieu. Duquel ? C'est de celui qui gouverne. Est-il fils du Bien, du Mal ou du Néant, — choisissez des trois c'est une trinité. —

XXII

Et dans le temps que j'étais jeune et pur, que je croyais à Dieu, à l'amour, au bonheur, à l'avenir, à la patrie, dans le temps que mon cœur bondissait au mot liberté — alors, oh que Dieu soit maudit par ses créatures, alors Satan m'apparut et me dit :

— Viens, viens à moi, tu as de l'ambition au cœur et de la poésie dans l'âme, viens je te montrerai mon monde, mon royaume à moi.

Et il m'emmena avec lui et je planais dans les airs. Comme l'aigle qui se berce dans les nuages.

Et voilà que nous arrivâmes en Europe.

Là il me montra des savants, des hommes de lettres, des femmes, des fats, des bourreaux, des rois, des prêtres, des peuples et des sages. Ceux-là étaient les plus fous.

Et je vis un frère qui tuait son frère, une mère qui prostituait sa fille, des écrivains qui trompaient le peuple, des prêtres qui trahissaient les fidèles, la peste qui mange les nations et la guerre qui moissonne les hommes. Là c'était un intrigant qui rampait dans la boue, arrivait jusqu'aux pieds des grands, leur mordait le talon — ils tombaient. Et alors il tressaillait de joie de la chute qu'avait faite cette tête en tombant dans la boue.

Là un roi savourait ses sales débauches dans la couche d'infamie où de père en fils ils reçoivent des leçons d'adultère[5].

MÉMOIRES D'UN FOU

La dédicace des *Mémoires d'un fou* (à Alfred Le Poittevin, déjà destinataire d'*Agonies*) présente ce texte comme l'aboutissement d'un projet de « roman intime » dévié sous la poussée de « l'impression personnelle ». Par « roman intime », il faut entendre une œuvre de fiction dont le sujet principal devait être l'âme, « une âme tout entière », s'exprimant à la première personne et pourtant indéfinie ; une sorte d'autobiographie métaphysique (scepticisme et désespoir) où n'importe qui reconnaîtrait son moi dans les différents âges de la vie : « Enfant, j'ai rêvé l'amour ; — jeune homme, la gloire ; — homme, la tombe. » L'ouverture de ces pages, et les longues apostrophes finales à l'homme (« Toi, libre ! ») appartiennent à ces *Mémoires* de toute vie. Même les phases amoureuses, qu'on pourrait croire strictement individuelles, suivent des étapes communes : le premier amour « en cinquième » (chap. XV), la passion, le dépucelage à froid (chap. XVI) ; « Enfin, à quatorze ou quinze <ans>, amour d'une jeune fille qui vient chez vous : un peu plus qu'une sœur, moins qu'une amante ; puis à seize, amour d'une autre femme jusqu'à vingt-cinq. »

Flaubert en a quinze quand il rencontre à Trouville, pendant l'été 1836, Elisa Schlesinger, alors âgée de vingt-six ans, compagne de l'éditeur de musique Maurice Schlesinger (né à Berlin en 1797), et mère d'une petite fille de quelques mois. Quant aux « pauvres Anglaises » du chapitre XV, on les a longtemps identifiées avec les sœurs Collier, mais on sait, depuis les travaux de Philip Spencer et Constance West [1], que la famille Flaubert n'en fait pas la connaissance à Trouville avant 1842 ; l'Anglaise Caroline a trouvé un répondant plus vraisemblable en Caroline Anne Heuland [2].

Ces épisodes de l'initiation amoureuse ne sont pas exposés dans l'ordre chronologique de l'histoire : la figure ardente de Maria fait un trou dans le texte, et l'irruption de l'autobiographie dans le « roman intime » isole trois temps bien distincts. La rencontre capitale permet de couper avec ce qui précède : « Après trois semaines d'arrêt [...] Ici commencent vraiment les *Mémoires*... », et entraîne après elle l'épisode antérieur de l'Anglaise, dont la narration rétrospective est clairement présentée comme le résultat d'un collage : « Mais je dois remonter plus haut : c'est un serment que j'ai fait de tout dire ; le fragment qu'on va lire avait été composé en partie en décembre dernier, avant que j'eusse l'idée de faire les *Mémoires d'un fou*. »

La mention de « décembre dernier » renvoie au temps de l'écriture. Aucune date explicite ne permet de l'établir avec certitude. René Descharmes, qui a consulté le manuscrit (désormais inaccessible) au début du siècle signale la présence d'une dédicace datée du 4 janvier 1839. Flaubert compose probablement l'essentiel des *Mémoires* pendant le dernier trimestre 1838 (il est en rhétorique ; il lit *les Confessions* de Rousseau en octobre), après un retour à Trouville ce même été 1838 : « J'y revins deux ans plus tard ; vous pensez où : elle n'y était pas »

1. Voir Jean Bruneau, *Débuts*, pp. 242-245 et « La famille Collier et Gustave Flaubert (lettres inédites, 1842-1879) » in *Nineteenth-century french studies*, vol. 17, n°s 1 et 2, 1988-1989, pp. 70-88.
2. Lucien Andrieu, « Un amour inconnu de Gustave Flaubert : Caroline Anne Heuland, l'Anglaise probable des *Mémoires d'un fou* », in *Bulletin des Amis de Flaubert*, n° 23, déc. 1963, pp. 26-29.

(chap. XXI). Le chapitre XV, rédigé en « décembre dernier », 1837 donc, raconte une aventure qui s'est passée « vers le mois de novembre, il y a deux ans ». A l'automne 1835, l'élève Gustave entrait en quatrième, et non en cinquième comme le narrateur. Mais à cette différence près, les chronologies de la vie et de l'œuvre concordent.

Deux ans : ce délai paraît la bonne distance pour parler de soi, revenir sur ses traces, et prendre conscience, après coup, de l'amour : « Comment aurait-elle pu, en effet, voir que je l'aimais, car je ne l'aimais pas alors. » Flaubert écrit en 1838, pour la première fois, ce qui s'est passé en 1836 : latence nécessaire à la percée de « l'impression personnelle », à la recréation de la présence dans l'hallucination : « Je me la créais là [...] Ces souvenirs étaient une passion. »

Les distorsions formelles trouvent leur justification dans le titre : si l'auteur n'écrit ni « un roman ni un drame avec un plan fixe », c'est qu'on ne peut l'exiger d'un « pauvre fou sans idées fixes ». La folie court d'un bout à l'autre de ces *Mémoires* (Shoshana Felman a relevé 25 occurrences des mots « fou » et folie(s) »[1]), tantôt subie comme signe d'exclusion sociale (au collège notamment), tantôt revendiquée comme envers de la bêtise imputée au lecteur ; folie à la fois singulière et collective (« un fou, c'est-à-dire le monde »), provoquée par la terreur (chap. IV) ou par les chimères ; autre mot pour signifier romantiquement l'imagination, la poésie et la passion.

Donné à Alfred, ainsi que le précise la dédicace, ce texte passe à la mort de Le Poittevin (1848) à son fils Louis, qui le cède au bibliophile Pierre Dauze. Celui-ci le publie dans la *Revue blanche* en quatre livraisons

---

1. Dans sa communication « Thématique et Rhétorique, ou la folie du texte », colloque de Cerisy (1974), in *La production du sens chez Flaubert*, UGE, 10/18, 1975. On lira avec intérêt la discussion transcrite à la suite. Texte repris in *La Folie et la chose littéraire*, Seuil, 1978.

(15 déc. 1900, 1er et 15 janv., 1er fév. 1901), puis chez
Floury en 1901 (avec, en fac-similé, la première page
du manuscrit). Ces deux publications présentent quelques différences de lecture, auxquelles s'ajoutent
celles qu'introduit l'édition Conard (1910). Vendu à la
mort de Pierre Dauze, en 1914, le manuscrit n'est plus
consultable quand René Descharmes établit l'édition
du Centenaire (Librairie de France, 1923) : il donne le
texte de l'édition originale parue chez Floury en
signalant les variantes des éditions Conard (1910) et
Fasquelle (1914). A défaut d'avoir pu localiser et faire
ouvrir le coffre-fort où sont enfermés les *Mémoires
d'un fou,* j'adopte une solution bâtarde. Pour l'établis-
sement du texte, je pars de l'édition donnée par Pierre
Dauze chez Floury, qui me paraît plus près de ce que
nous connaissons par ailleurs de la lettre flaubertienne
(ponctuation, ô, etc.) — L'édition Conard apporte des
ajouts (signalés ici entre crochets à angle aigu : < >),
des marques de restitution ou de lecture hypothétique
(entre crochets droits) et six formes qui semblent
préférables à celles de l'édition Floury. Les substitu-
tions que j'opère, ainsi que les variantes les plus
significatives entre les deux éditions, font l'objet de
notes appelées par une lettre.

Y. L.

A toi, mon cher Alfred,
ces pages sont dédiées et données [1]

Elles renferment une âme tout entière. — Est-ce la mienne ? Est-ce celle d'un autre ? J'avais d'abord voulu faire un roman intime où le scepticisme serait poussé jusqu'aux dernières bornes du désespoir, mais, peu à peu, en écrivant, l'impression personnelle perça à travers la fable, l'âme remua la plume et l'écrasa.

J'aime donc mieux laisser cela dans le mystère des conjectures. Pour toi, tu n'en feras pas.

Seulement, tu croiras peut-être en bien des endroits que l'expression est forcée et le tableau assombri à plaisir. Rappelle-toi que c'est un fou qui a écrit ces pages, et, si le mot paraît souvent surpasser le sentiment qu'il exprime, c'est que, ailleurs, il a fléchi sous le poids du cœur.

Adieu, pense à moi et pour moi.

Mémoires d'un fou

I

Pourquoi écrire ces pages ? — A quoi sont-elles
bonnes ? — Qu'en sais-je moi-même ? Cela est assez
sot à mon gré d'aller demander aux hommes le motif
de leurs actions et de leurs écrits. — Savez-vous vous-
même pourquoi vous avez ouvert les misérables
feuilles que la main d'un fou va tracer ?

Un fou, cela fait horreur. Qu'êtes-vous, vous,
lecteur ? Dans quelle catégorie te ranges-tu ? dans celle
des sots ou celle des fous ? — Si l'on te donnait à
choisir ta vanité préférerait encore la dernière condition. Oui, encore une fois, à quoi est-il bon, je le
demande en vérité, un [2] livre qui n'est ni instructif, ni
amusant, ni chimique, ni philosophique, ni agricultu-
ral, ni élégiaque, un livre qui ne donne aucune recette
ni pour les moutons ni pour les puces, qui ne parle ni
des chemins de fer, ni de la Bourse, ni des replis
intimes du cœur humain, ni des habits moyen âge, ni
de Dieu, ni du diable, mais qui parle d'un fou, c'est-
à-dire le monde, ce grand idiot, qui tourne depuis tant
de siècles dans l'espace sans faire un pas, et qui hurle,
et qui bave, et qui se déchire lui-même ?

Je ne sais pas plus que vous ce que vous allez lire —
car ce n'est point un roman ni un drame avec un plan
fixe, ou une seule idée préméditée, avec des jalons

pour faire serpenter la pensée dans des allées tirées au cordeau.

Seulement, je vais mettre sur le papier tout ce qui me viendra à la tête, mes idées avec mes souvenirs, mes impressions, mes rêves, mes caprices, tout ce qui passe dans la pensée et dans l'âme, — du rire et des pleurs, du blanc et du noir, des sanglots partis d'abord du cœur et étalés comme de la pâte dans des périodes sonores, — et des larmes délayées dans des métaphores romantiques. Il me pèse cependant à penser que je vais écraser le bec à un paquet de plumes, que je vais user une bouteille d'encre, que je vais ennuyer le lecteur et m'ennuyer moi-même; j'ai tellement pris l'habitude du rire et du scepticisme qu'on y trouvera, depuis le commencement jusqu'à la fin, une plaisanterie perpétuelle, et les gens qui aiment à rire pourront à la fin rire de l'auteur et d'eux-mêmes.

On y verra comment il y faut croire au plan de l'univers, aux devoirs moraux de l'homme, à la vertu et à la philanthropie, mot que j'ai envie de faire inscrire sur mes bottes, quand j'en aurai, afin que tout le monde le lise et l'apprenne par cœur, même les vues les plus basses, les corps les plus petits, les plus rampants, les plus près du ruisseau.

On aurait tort de voir dans ceci autre chose que les récréations d'un pauvre fou. Un fou !

Et vous, lecteur, vous venez peut-être de vous marier ou de payer vos dettes ?

II

Je vais donc écrire l'histoire de ma vie. — Quelle vie ! Mais ai-je vécu ? Je suis jeune, j'ai le visage sans ride et le cœur sans passion. — Oh ! comme elle fut calme, comme elle paraît douce et heureuse, tranquille et pure. Oh ! oui, paisible et silencieuse comme un tombeau dont l'âme serait le cadavre.

A peine ai-je vécu : je n'ai point connu le monde, — c'est-à-dire je n'ai point de maîtresses, de flatteurs, de domestiques, d'équipages, — je ne suis pas entré (comme on dit) dans la société, car elle m'a paru toujours fausse et sonore, et couverte de clinquant, ennuyeuse et guindée.

Or, ma vie, ce ne sont pas des faits ; ma vie, c'est ma [a] pensée [3].

Quelle est donc cette pensée qui m'amène maintenant, à l'âge où tout le monde sourit, se trouve heureux, où l'on se marie, où l'on aime ; à l'âge où tant d'autres s'enivrent de toutes les amours et de toutes les gloires, alors que tant de lumières brillent et que les verres sont remplis au festin, à me trouver seul et nu, froid à toute inspiration, à toute poésie, me sentant mourir et riant cruellement de ma lente agonie, comme cet épicurien qui se fit ouvrir les veines, se baigna dans un bain parfumé et mourut en riant, comme un homme qui sort ivre d'une orgie qui l'a fatigué ?

O comme elle fut longue cette pensée ; comme une hydre, elle me dévora sous toutes ses faces. Pensée de deuil et d'amertume, pensée de bouffon qui pleure, pensée de philosophe qui médite...

Oh ! oui ! combien d'heures se sont écoulées dans ma vie, longues et monotones, à penser, à douter ! Combien de journées d'hiver, la tête baissée devant mes tisons blanchis aux pâles reflets du soleil couchant ; combien de soirées d'été, par les champs, au crépuscule, à regarder les nuages s'enfuir et se déployer, les blés se plier sous la brise, entendre les bois frémir et écouter la nature qui soupire dans les nuits !

O comme mon enfance fut rêveuse ! Comme j'étais un pauvre fou sans idées fixes, sans opinions positives ! Je regardais l'eau couler entre les massifs d'arbres qui penchent leur chevelure de feuilles et laissent tomber des fleurs ; je contemplais de dedans mon berceau la lune sur son fond d'azur qui éclairait ma chambre et dessinait des formes étranges sur les murailles ; j'avais des extases devant un beau soleil ou une matinée de printemps avec son brouillard blanc, ses arbres fleuris, ses marguerites en fleurs.

J'aimais aussi, et c'est un de mes plus tendres et
< plus > délicieux souvenirs, à regarder la mer, les
vagues mousser l'une sur l'autre, la lame se briser en
écume, s'étendre sur la plage et crier en se retirant sur
les cailloux et les coquilles.

Je courais sur les rochers, je prenais le sable de
l'Océan que je laissais s'écouler au vent entre mes
doigts, je mouillais des varechs, et j'aspirais à pleine
poitrine cet air salé et frais de l'Océan qui vous pénètre
l'âme de tant d'énergie, de poétiques et larges pensées ; je regardais l'immensité, l'espace, l'infini, et
mon âme s'abîmait devant cet horizon sans bornes.

Oh ! mais ce n'est pas [là] qu'est l'horizon sans
bornes, le gouffre immense. Oh ! non, un plus large et
plus profond abîme s'ouvrit devant moi. Ce gouffre-là
n'a point de tempête : s'il y avait une tempête, il serait
plein — et il est vide !

J'étais gai et riant, aimant la vie et ma mère, pauvre
mère !

Je me rappelle encore mes petites joies à voir les
chevaux courir sur la route, à voir la fumée de leur
haleine et la sueur inonder leurs harnais, j'aimais le
trot monotone et cadencé qui fait osciller les soupentes
— et puis, quand on s'arrêtait, tout se taisait dans les
champs. On voyait la fumée sortir de leurs naseaux, la
voiture ébranlée se raffermissait sur ses ressorts, le
vent sifflait sur les vitres, et c'était tout...

Oh ! comme j'ouvrais aussi de grands yeux sur la
foule en habits de fête, joyeuse, tumultueuse, avec des
cris ; mer d'hommes orageuse, plus colère encore que
la tempête et plus sotte que sa furie.

J'aimais les chars, les chevaux, les armées, les
costumes de guerre, les tambours battants, le bruit, la
poudre et les canons roulant sur le pavé des villes.

Enfant, j'aimais ce qui [se] voit ; adolescent, ce qui
se sent ; homme, je n'aime plus rien.

Et cependant, combien de choses j'ai dans l'âme,
combien de forces intimes et combien d'océans de
colère et d'amours se heurtent, se brisent dans ce cœur
si faible, si débile, < si tombé, > si lassé, si épuisé !

On me dit de reprendre à la vie, de me mêler à la foule !... Et comment la branche cassée peut-elle porter des fruits ? Comment la feuille arrachée par les vents et traînée dans la poussière peut-elle reverdir ? Et pourquoi, si jeune, tant d'amertume ? Que sais-je ! il était peut-être dans ma destinée de vivre ainsi, lassé avant d'avoir porté le fardeau, haletant avant d'avoir couru...

J'ai lu, j'ai travaillé dans l'ardeur de l'enthousiasme... j'ai écrit... O comme j'étais heureux alors ! — comme ma pensée, dans son délire, s'envolait haut dans ces régions inconnues aux hommes, où il n'y a ni monde, ni planètes, ni soleils ; j'avais un infini plus immense, s'il est possible, que l'infini de Dieu, où la poésie se berçait et déployait ses ailes dans une atmosphère d'amour et d'extase, et puis il fallait redescendre de ces régions sublimes vers les mots, et comment rendre par la parole cette harmonie qui s'élève dans le cœur du poète et les pensées de géant qui font ployer les phrases comme une main forte et gonflée fait crever le gant qui la couvre ?

Là encore, la déception ; car nous touchons à la terre, à cette terre de glace où tout feu meurt, où toute énergie faiblit. Par quels échelons descendre de l'infini au positif ? Par quelle gradation la pensée [b] s'abaisse-t-elle sans se briser ? Comment rapetisser ce géant qui embrasse l'infini ?

Alors j'avais des moments de tristesse et de désespoir, je sentais ma force qui me brisait et cette faiblesse dont j'avais honte — car la parole n'est qu'un écho lointain et affaibli de la pensée ; je maudissais mes rêves les plus chers et mes heures silencieuses passées sur la limite de la création. Je sentais quelque chose de vide et d'insatiable qui me dévorait.

Lassé de la poésie, je me lançai dans le champ de la méditation.

Je fus épris d'abord de cette étude imposante qui se propose l'homme pour but et qui veut se l'expliquer, qui va jusqu'à disséquer des hypothèses et à discuter sur les suppositions les plus abstraites et à peser géométriquement les mots les plus vides.

L'homme, grain de sable jeté dans l'infini par une main inconnue, pauvre insecte aux faibles pattes qui veut se retenir sur le bord du gouffre à toutes les branches, qui se rattache à la vertu, à l'amour, < à l'égoïsme, > à l'ambition et qui fait des vertus de tout cela pour mieux s'y tenir, qui se cramponne à Dieu, et qui faiblit toujours, lâche les mains et tombe...

Homme qui veut comprendre ce qui n'est pas, et faire une science du néant; homme, âme faite à l'image de Dieu et dont le génie sublime s'arrête à un brin d'herbe et ne peut franchir le problème d'un grain de poussière! Et la lassitude me prit; je vins à douter de tout. Jeune, j'étais vieux; mon cœur avait des rides, et en voyant des vieillards encore vifs, pleins d'enthousiasme et de croyances, je riais amèrement sur moi-même, si jeune, si désabusé de la vie, de l'amour, de la gloire, de Dieu, de tout ce qui est, de tout ce qui peut être. J'eus cependant une horreur naturelle avant d'embrasser cette foi au néant; au bord du gouffre, je fermai les yeux, — j'y tombai.

Je fus content : je n'avais plus de chute à faire, j'étais froid et calme comme la pierre d'un tombeau. — Je croyais trouver le bonheur dans le doute, insensé que j'étais. — On y roule dans un vide incommensurable.

Ce vide-là est immense et fait dresser les cheveux d'horreur quand on s'approche du bord.

Du doute de Dieu, j'en vins au doute de la vertu, fragile idée que chaque siècle a dressée comme il a pu sur l'échafaudage des lois, plus vacillant encore.

Je vous conterai plus tard toutes les phases de cette vie morne et méditative passée au coin du feu, les bras croisés, avec un éternel bâillement d'ennui — seul pendant tout un jour — et tournant de temps [en temps] mes regards sur la neige des toits voisins, sur le soleil couchant avec ses jets de pâle lumière, sur le pavé de ma chambre, ou sur une tête de mort jaune, édentée et grimaçant[c] sans cesse sur ma cheminée, symbole de la vie et, comme elle, froide et railleuse.

Plus tard, vous lirez peut-être toutes les angoisses de ce cœur si battu, si navré d'amertume. Vous saurez les aventures de cette vie si paisible et si banale, si remplie de sentiments, si vide de faits.

Et vous me direz ensuite si tout n'est pas une dérision et une moquerie, si tout ce qu'on chante dans les écoles, tout ce qu'on délaie dans les livres, tout ce qui se voit, se sent, se parle, si tout ce qui existe...

. . . .

Je n'achève pas tant j'ai d'amertume à le dire. Eh bien ! si tout cela enfin n'est pas de la pitié, de la fumée, du néant !

III

Je fus au collège dès l'âge de dix ans et j'y contractai de bonne heure une profonde aversion pour les hommes, — cette société d'enfants est aussi cruelle pour ses victimes que l'autre petite société, celle des hommes.

Même injustice de la foule, même tyrannie des préjugés et de la force, même égoïsme quoi qu'on en ait dit sur le désintéressement et la fidélité de la jeunesse. Jeunesse — âge de folie et de rêves, de poésie et de bêtise, synonymes dans la bouche des gens qui jugent le monde *sainement.* J'y fus froissé dans tous mes goûts : dans la classe, pour mes idées ; aux récréations, pour mes penchants de sauvagerie solitaire. Dès lors, j'étais un fou[4].

J'y vécus donc seul et ennuyé, tracassé par mes maîtres et raillé par mes camarades. J'avais l'humeur railleuse et indépendante, et ma mordante et cynique ironie n'épargnait pas plus le caprice d'un seul que le despotisme de tous.

Je me vois encore, assis sur les bancs de la classe, absorbé dans mes rêves d'avenir, pensant à ce que l'imagination d'un enfant peut rêver de plus sublime,

tandis que le pédagogue se moquait de mes vers latins,
que mes camarades me regardaient en ricanant. Les
imbéciles ! eux, rire de moi ! eux, si faibles, si
communs, au cerveau si étroit ; moi, dont l'esprit se
noyait sur les limites de la création, qui étais perdu
dans tous les mondes de la poésie, qui me sentais plus
grand qu'eux tous, qui recevais des jouissances infinies et qui avais des extases célestes devant toutes les
révélations intimes de mon âme !

Moi qui me sentais grand comme le monde et
qu'une seule de mes pensées, si elle eût été de feu
comme la foudre, eût pu réduire en poussière ! pauvre
fou !

Je me voyais jeune, à vingt ans, entouré de gloire ; je
rêvais de lointains voyages dans les contrées du sud ; je
voyais l'Orient et ses sables immenses, ses palais que
foulent les chameaux et leurs clochettes d'airain ; je
voyais les cavales bondir vers l'horizon rougi par le
soleil ; je voyais des vagues bleues, un ciel pur, un
sable d'argent ; je sentais le parfum de ces Océans
tièdes du Midi ; et puis, près de moi, sous une tente, à
l'ombre d'un aloès aux larges feuilles, quelque femme
à la peau brune, au regard ardent, qui m'entourait de
ses deux bras et me parlait la langue des houris.

Le soleil s'abaissait dans le sable, les chamelles et les
juments dormaient, l'insecte bourdonnait à leurs
mamelles, le vent du soir passait près de nous.

Et, la nuit venue, quand cette lune d'argent jetait
ses regards pâles sur le désert, que les étoiles brillaient
sur le ciel d'azur, alors, dans le silence de cette nuit
chaude et embaumée, je rêvais des joies infinies, des
voluptés qui sont du ciel.

Et c'était encore la gloire, avec ses bruits de mains,
ses fanfares vers le ciel, ses lauriers, sa poussière d'or
jetée aux vents, — c'était un brillant théâtre avec des
femmes parées, des diamants aux lumières, un air
lourd, des poitrines haletantes, — puis un recueille-
ment religieux, des paroles dévorantes comme l'incendie, des pleurs, du rire, des sanglots, l'enivrement de
la gloire, — des cris d'enthousiasme, le trépignement

de la foule, quoi ! — de la vanité, du bruit, du néant.

Enfant, j'ai rêvé l'amour ; — jeune homme, la gloire ; — homme, la tombe, ce dernier amour de ceux qui n'en ont plus.

Je percevais aussi l'antique époque des siècles qui ne sont plus et des races couchées sous l'herbe ; je voyais la bande de pèlerins et de guerriers marcher vers le Calvaire, s'arrêter dans le désert, mourant de faim, implorant ce Dieu qu'ils allaient chercher, et, lassée de ses blasphèmes, marcher toujours vers cet horizon sans bornes, — puis, lasse, haletante, arriver enfin au but de son voyage, désespérée et vieille, pour embrasser quelques pierres arides, hommage du monde entier. — Je voyais les chevaliers courir sur les chevaux couverts de fer comme eux ; et les coups de lance dans les tournois ; et le pont de bois s'abaisser pour recevoir le seigneur suzerain qui revient avec son épée rougie et des captifs sur la croupe de ses chevaux [d] ; la nuit encore, dans la sombre cathédrale, toute la nef ornée d'une guirlande de peuples qui montent vers la voûte, dans les galeries, avec des chants ; des lumières qui resplendissent sur les vitraux ; et, dans la nuit de Noël, toute la vieille ville avec ses toits aigus couverts de neige, s'illuminer et chanter.

Mais c'était Rome que j'aimais — la Rome impériale, cette belle reine se roulant dans l'orgie, salissant ses nobles vêtements du vin de la débauche, plus fière de ses vices qu'elle ne l'était de ses vertus. — Néron ! — Néron, avec ses chars de diamant volant dans l'arène, ses mille voitures, ses amours de tigre et ses festins de géant [5]. — Loin des classiques leçons, je me reportais vers tes immenses voluptés, tes illuminations sanglantes, tes divertissements qui brûlent, Rome.

Et, bercé dans ces vagues rêveries, ces songes sur l'avenir, emporté par cette pensée aventureuse échappée comme une cavale sans frein qui franchit les torrents, escalade les monts et vole dans l'espace, — je restais des heures entières la tête dans mes mains à regarder le plancher de mon étude, ou une araignée

jeter sa toile sur la chaire de notre maître. — Et quand
je me réveillais avec un grand œil béant, on riait de
moi, — le plus paresseux de tous, — qui jamais
n'aurais[e] une idée positive, qui ne montrais aucun
penchant pour aucune profession, qui serais inutile
dans ce monde où il faut que chacun aille prendre sa
part du gâteau, et qui, enfin, ne serais jamais bon à
rien, tout au plus à faire un bouffon, un montreur
d'animaux ou un faiseur de livres.

(Quoique d'une excellente santé, mon genre d'esprit perpétuellement froissé par l'existence que je
menais et par le contact des autres, avait occasionné en
moi une irritation nerveuse qui me rendait véhément
et emporté comme le taureau malade de la piqûre des
insectes. — J'avais des rêves, des cauchemars
affreux.)

O la triste et maussade époque ! Je me vois encore
errant, seul, dans les longs corridors blanchis de mon
collège, à regarder les hiboux et les corneilles s'envoler
des combles de la chapelle, ou bien, couché dans ces
mornes dortoirs éclairés par la lampe dont l'huile se
gelait, dans les nuits, j'écoutais longtemps le vent qui
soufflait lugubrement dans les longs appartements
vides et qui sifflait dans les serrures en faisant
trembler les vitres dans leurs châssis ; j'entendais les
pas de l'homme de ronde qui marchait lentement avec
sa lanterne, et, quand il venait près de moi, je faisais
semblant d'être endormi et je m'endormais, en effet,
moitié dans les rêves, moitié dans les pleurs.

IV

C'étaient d'effroyables visions à rendre fou de
terreur.

J'étais couché dans la maison de mon père ; tous les
meubles étaient conservés, mais tout ce qui m'entourait cependant avait une teinte noire. — C'était une
nuit d'hiver et la neige jetait une clarté blanche dans
ma chambre ; tout à coup la neige se fondit et les
herbes et les arbres prirent une teinte rousse et brûlée

comme si un incendie eût éclairé mes fenêtres ;
j'entendis des bruits de pas — on montait l'escalier —
un air chaud, une vapeur fétide monta jusqu'à moi —
ma porte s'ouvrit d'elle-même. On entra, ils étaient
beaucoup — peut-être [sept à huit], je n'eus pas le
temps de les compter. Ils étaient petits ou grands,
couverts de barbes noires et rudes — sans armes, mais
tous avaient une lame d'acier entre les dents, et,
comme ils s'approchèrent en cercle autour de mon
berceau, leurs dents vinrent à claquer et ce fut
horrible. — Ils écartèrent mes rideaux blancs et
chaque doigt laissait une trace de sang ; ils me
regardèrent avec de grands yeux fixes et sans paupières ; je les regardai aussi, je ne pouvais faire aucun
mouvement — je voulus crier.

Il me sembla alors que la maison se levait de ses
fondements, comme si un levier l'eût soulevée.

Ils me regardèrent ainsi longtemps, puis ils s'écartèrent et je vis que tous avaient un côté du visage sans
peau et qui saignait lentement. — Ils soulevèrent tous
mes vêtements et tous avaient du sang. — Ils se mirent
à manger et le pain qu'ils rompirent laissait échapper
du sang, qui tombait goutte à goutte, et ils se mirent à
rire, comme le râle d'un mourant.

Puis, quand ils n'y furent plus, tout ce qu'ils avaient
touché, les lambris, l'escalier, le plancher, tout cela
était rougi par eux.

J'avais un goût d'amertume dans le cœur, il me
sembla que j'avais mangé de la chair, et j'entendis un
cri prolongé, rauque [f], aigu et les fenêtres et les portes
s'ouvrirent lentement, et le vent les faisait battre et
crier, comme une chanson bizarre dont chaque sifflement me déchirait la poitrine avec un stylet.

Ailleurs, c'était dans une campagne verte et émaillée de fleurs, le long d'un fleuve : — j'étais avec ma
mère qui marchait du côté de la rive ; — elle tomba. Je
vis l'eau écumer, des cercles s'agrandir et disparaître
tout à coup. — L'eau reprit son cours, et puis je
n'entendis plus que le bruit de l'eau qui passait entre
les joncs et faisait ployer les roseaux.

Tout à coup, ma mère m'appela : Au secours ! Au secours ! ô mon pauvre enfant, au secours ! à moi !

Je me penchai à plat ventre sur l'herbe pour regarder : je ne vis rien ; les cris continuaient.

Une force invincible m'attachait sur la terre — et j'entendais les cris : Je me noie ! je me noie ! A mon secours !

L'eau coulait, coulait limpide, et cette voix que j'entendais du fond du fleuve m'abîmait de désespoir et de rage... [6]

V

Voilà donc comme j'étais : rêveur — insouciant, avec l'humeur indépendante et railleuse, me bâtissant une destinée et rêvant à toute la poésie d'une existence pleine d'amour, vivant aussi sur mes souvenirs, autant qu'à seize ans on peut en avoir.

Le collège m'était antipathique. Ce serait une curieuse étude que ce profond dégoût des âmes nobles et élevées manifesté de suite par le contact et le froissement des hommes. Je n'ai jamais aimé une vie réglée, des heures fixes, une existence d'horloge où il faut que la pensée s'arrête avec la cloche, où tout est remonté [g] d'avance pour des siècles et des générations. Cette régularité sans doute peut convenir au plus grand nombre, mais pour le pauvre enfant qui se nourrit de poésie, de rêves et de chimères, qui pense à l'amour et à toutes les balivernes, c'est l'éveiller sans cesse de ce songe sublime, c'est ne pas lui laisser un moment de repos, c'est l'étouffer en le ramenant dans notre atmosphère de matérialisme et de bon sens dont il a horreur et dégoût.

J'allais à l'écart avec un livre de vers, un roman, de la poésie, quelque chose qui fasse tressaillir ce cœur de jeune homme vierge de sensations et si désireux d'en avoir.

Je me rappelle avec quelle volupté je dévorais alors les pages de Byron et de *Werther* ; avec quels trans-

ports je lus *Hamlet*, *Roméo*[7] et les ouvrages les plus
brûlants de notre époque, toutes ces œuvres enfin qui
fondent l'âme en délices[8] ou la brûlent d'enthousiasme.

Je me nourris donc de cette poésie âpre du Nord qui
retentit si bien, comme les vagues de la mer, dans les
œuvres de Byron. — Souvent j'en retenais à la
première lecture des fragments entiers, et je me les
répétais à moi-même, comme une chanson qui vous a
charmé et dont la mélodie vous poursuit toujours.
Combien de fois n'ai-je pas dit le commencement du
Giaour : *Pas un souffle d'air...* ou bien dans Childe-
Harold : *Jadis dans l'antique Albion*, et : *O mer, je t'ai
toujours aimée*. La platitude de la traduction française
disparaissait devant les pensées seules, comme si elles
eussent eu un style à elles sans les mots eux-mêmes.

Ce caractère de passion brûlante, joint à une si
profonde ironie, devait agir fortement sur une nature
ardente et vierge. Tous ces échos inconnus à la
somptueuse dignité des littératures classiques avaient
pour moi un parfum de nouveauté, un attrait qui
m'attirait sans cesse vers cette poésie géante qui vous
donne le vertige et nous fait tomber dans le gouffre
sans fond de l'infini.

Je m'étais donc faussé le goût et le cœur, comme
disaient mes professeurs, et, parmi tant d'êtres aux
penchants si ignobles, mon indépendance d'esprit
m'avait fait estimer le plus dépravé de tous ; j'étais
ravalé au plus bas rang par la supériorité même. A
peine si on me cédait l'imagination, c'est-à-dire, selon
eux, une exaltation de cerveau voisine de la folie.

Voilà quelle fut mon entrée dans la société, et
l'estime que je m'y attirai.

VI

Si l'on calomniait mon esprit et mes principes, on
n'attaquait pas mon cœur, car j'étais bon alors et les
misères d'autrui m'arrachaient des larmes.

Je me souviens que, tout enfant, j'aimais à vider mes poches dans celles du pauvre ; de quel sourire ils accueillaient mon passage et quel plaisir aussi j'avais à leur faire du bien. C'est une volupté qui m'est depuis longtemps inconnue — car maintenant j'ai le cœur sec, les larmes se sont séchées. Mais malheur aux hommes qui m'ont rendu corrompu et méchant, de bon et de pur que j'étais ! Malheur à cette aridité de la civilisation qui dessèche et étiole tout ce qui s'élève au soleil de la poésie et du cœur ! Cette vieille société corrompue qui a tout séduit et tout usé[h]. Ce vieux juif cupide mourra de marasme et d'épuisement sur ces tas de fumier qu'il appelle ses trésors, sans poète pour chanter sa mort, sans prêtre pour lui fermer les yeux, sans or pour son mausolée, car il aura tout usé pour ses vices.

VII

Quand donc finira cette société abâtardie par toutes les débauches, débauches d'esprit, de corps et d'âme ?

Alors, il y aura sans doute une joie sur la terre, quand ce vampire menteur et hypocrite qu'on appelle civilisation viendra à mourir. On quittera le manteau royal, le sceptre, les diamants, le palais qui s'écroule, la ville qui tombe, pour aller rejoindre la cavale et la louve. Après avoir passé sa vie dans les palais et usé ses pieds sur les dalles des grandes villes, l'homme ira mourir dans les bois.

La terre sera séchée par les incendies qui l'ont brûlée et toute pleine de la poussière des combats ; le souffle de désolation qui a passé sur les hommes aura passé sur elle, et elle ne donnera plus que des fruits amers et des roses d'épines, et les races s'éteindront au berceau, comme les plantes battues par les vents qui meurent avant d'avoir fleuri.

Car il faudra bien que tout finisse et que la terre s'use à force d'être foulée. Car l'immensité doit être lasse enfin de ce grain de poussière qui fait tant de bruit et trouble la majesté du néant. Il faudra que l'or s'épuise à force de passer dans les mains et de corrompre. Il faudra bien que cette vapeur de sang s'apaise, que le palais s'écroule sous le poids des richesses qu'il recèle, que l'orgie finisse et qu'on se réveille.

Alors il y aura un rire immense de désespoir quand les hommes verront ce vide, quand il faudra quitter la vie pour la mort — pour la mort qui mange, qui a faim toujours. Et tout craquera pour s'écrouler dans le néant — et l'homme vertueux maudira sa vertu et le vice battra des mains.

Quelques hommes encore errants dans une terre aride s'appelleront mutuellement; ils iront les uns vers les autres, et ils reculeront d'horreur, effrayés d'eux-mêmes et ils mourront. Que sera l'homme alors, lui qui est déjà plus féroce que les bêtes fauves et plus vil que les reptiles? Adieu pour jamais, chars éclatants, fanfares et renommées, adieu au monde, à ces palais, à ces mausolées, aux voluptés du crime et aux joies de la corruption, — la pierre tombera tout à coup, écrasée par elle-même, et l'herbe poussera dessus! — Et les palais, les temples, les pyramides, les colonnes, mausolées du roi, cercueil du pauvre, charogne du chien, tout cela sera à la même hauteur sous le gazon de la terre.

Alors, la mer sans digues battra en repos les rivages, et ira baigner ses flots sur la cendre encore fumante des cités; les arbres pousseront, verdiront, sans une main pour les casser et les briser; les fleuves couleront dans des prairies émaillées; la nature sera libre sans homme pour la contraindre, et cette race sera éteinte, car elle était maudite dès son enfance.

. . . .

Triste et bizarre époque que la nôtre! Vers quel océan ce torrent d'iniquités coule-t-il? Où allons-nous dans une nuit si profonde? Ceux qui veulent palper ce monde malade se retirent vite, effrayés de la corruption qui s'agite dans ses entrailles.

Quand Rome se sentit à son agonie, elle avait au

moins un espoir : elle entrevoyait derrière le linceul la croix radieuse, brillant sur l'éternité. Cette religion a duré deux mille ans et voilà qu'elle s'épuise, qu'elle ne suffit plus, et qu'on s'en moque, — voilà ses églises qui tombent, ses cimetières tassés de morts et qui regorgent.

Et nous, quelle religion aurons-nous ?

Être si vieux que nous le sommes et marcher encore dans le désert comme les Hébreux qui fuyaient d'Égypte.

Où sera la Terre Promise ?

Nous avons essayé de tout et nous renions tout sans espoir — et puis une étrange cupidité nous a pris dans l'âme et l'humanité ; il y a une inquiétude immense qui nous ronge ; il y a un vide dans notre foule — Nous sentons autour de nous un froid de sépulcre.

L'humanité s'est prise à tourner des machines, et, voyant l'or qui en ruisselait, elle s'est écriée : C'est Dieu. Et ce Dieu-là, elle le mange. Il y a — c'est que tout est fini, adieu ! adieu ! — du vin avant de mourir ! Chacun se rue où le pousse son instinct ; le monde fourmille comme les insectes sur un cadavre ; les poètes passent sans avoir le temps de sculpter leurs pensées, à peine s'ils les jettent sur des feuilles et les feuilles volent ; tout brille et tout retentit dans cette mascarade, sous ses royautés d'un jour et ses sceptres de carton ; l'or roule, le vin ruisselle, la débauche froide lève sa robe et remue... horreur ! horreur ! Et puis, il y a sur tout cela un voile dont chacun prend sa part et se cache le plus qu'il peut.

Dérision ! horreur ! horreur !

VIII

Et il y a des jours où j'ai une lassitude immense, et un sombre ennui m'enveloppe comme un linceul partout où je vais : ses plis m'embarrassent et me gênent, la vie me pèse comme un remords. Si jeune et si lassé de tout, quand il y en a qui sont vieux et encore pleins d'enthousiasme ! et moi, je suis si tombé, si désenchanté. — Que faire ? La nuit, regarder la lune qui jette sur mes lambris ses clartés tremblantes comme un large feuillage, et, le jour, le soleil dorant les toits voisins ? — Est-ce là vivre ; non, c'est la mort, moins le repos du sépulcre.

Et j'ai des petites joies à moi seul, des réminiscences enfantines qui viennent encore me réchauffer dans mon isolement comme des reflets de soleil couchant par les barreaux d'une prison : un rien, la moindre circonstance, un jour pluvieux, un grand soleil, une fleur, un vieux meuble, me rappellent une série de souvenirs qui passent tous, confus, effacés comme des ombres. — Jeux d'enfants sur l'herbe au milieu des marguerites dans les prés, derrière la haie fleurie, le long de la vigne aux grappes dorées, sur la mousse brune et verte, sous les larges feuilles, les frais ombrages. Souvenirs calmes et riants comme un souvenir[1] du premier âge, vous passez près de moi comme des roses flétries.

La jeunesse, ses bouillants transports, ses instincts confus du monde et du cœur, ses palpitations d'amour, ses larmes, ses cris. — Amours du jeune homme, ironies de l'âge mûr ! Oh ! vous revenez souvent avec vos couleurs sombres ou ternes, fuyant, poussées les unes par les autres, comme les ombres qui passent en courant sur les murs, dans les nuits d'hiver. Et je tombe souvent en extase devant le souvenir de quelque bonne journée passée depuis bien longtemps, journée folle et joyeuse, avec des éclats et des rires qui vibrent encore à mes oreilles et qui palpitent encore de gaieté, et qui me font sourire d'amertume. — C'était quelque course sur un cheval bondissant et couvert d'écume, quelque promenade bien rêveuse sous une large allée couverte d'ombre, à regarder l'eau couler sur les cailloux ; ou une contemplation d'un beau soleil resplendissant avec ses gerbes de feu et ses auréoles rouges. Et j'entends encore le galop du cheval, ses naseaux qui fument ; j'entends l'eau qui glisse, la feuille qui tremble, le vent qui courbe les blés comme une mer.

D'autres sont mornes et froids comme des journées pluvieuses ; des souvenirs amers et cruels qui reviennent aussi — des heures de calvaire passées à pleurer sans espoir, et puis à rire forcément pour chasser les larmes qui cachent les yeux, les sanglots qui couvrent la voix.

Je suis resté bien des jours, bien des ans, assis à ne penser à rien, ou à tout, abîmé dans l'infini que je voulais embrasser, et qui me dévorait.

J'entendais la pluie tomber dans les gouttières, les cloches sonner en pleurant ; je voyais le soleil se coucher < lentement > et la nuit venir, la nuit dormeuse qui vous apaise, et puis le jour reparaissait — toujours le même avec ses ennuis, son même nombre d'heures à vivre et que je voyais mourir avec joie.

Je rêvais la mer, les lointains voyages, les amours, les triomphes, toutes choses avortées dans mon existence, cadavre avant d'avoir vécu.

Hélas ! tout cela n'était donc pas fait pour moi. Je n'envie pas les autres, car chacun se plaint du fardeau dont la fatalité l'accable ; — les uns le jettent avant l'existence finie, d'autres le portent jusqu'au bout. Et moi, le porterai-je ?

A peine ai-je vu la vie, qu'il y a eu un immense dégoût dans mon âme ; j'ai porté à ma bouche tous les fruits : — ils m'ont semblé amers ; je les ai repoussés, et voilà que je meurs de faim. Mourir si jeune, sans espoir dans la tombe, sans être sûr d'y dormir, sans savoir si sa paix est inviolable ! Se jeter dans les bras du néant et douter s'il vous recevra !

Oui, je meurs, car est-ce vivre de voir son passé comme l'eau écoulée dans la mer, le présent comme une cage, l'avenir comme un linceul ?

IX

Il y a des choses insignifiantes qui m'ont frappé fortement et que je garderai toujours comme l'em-

preinte d'un fer rouge, quoiqu'elles soient banales et
niaises.

Je me rappellerai toujours une espèce de château[9]
non loin de ma ville, et que nous allions voir souvent.
— C'était une de ces vieilles femmes du siècle dernier
qui l'habitait. Tout chez elle avait conservé le souvenir
pastoral ; — je vois encore les portraits poudrés, les
habits bleu ciel des hommes, et les roses et les œillets
jetés sur les lambris avec des bergères et des troupeaux. — Tout avait un aspect vieux et sombre : les
meubles, presque tous de soie brodée, étaient spacieux
et doux ; — la maison était vieille ; d'anciens fossés,
alors plantés de pommiers, l'entouraient, et les pierres
qui se détachaient de temps en temps des <anciens>
créneaux allaient rouler jusqu'au fond.

Non loin était le parc planté de grands arbres, avec
des allées sombres, des bancs de pierre couverts de
mousse, à demi brisés, entre les branchages et les
ronces. — Une chèvre paissait et, quand on ouvrait la
grille de fer, elle se sauvait dans le feuillage.

Dans les beaux jours, il y avait des rayons de soleil
qui passaient entre les branches et doraient la mousse
çà et là.

C'était triste, le vent s'engouffrait dans ces larges
cheminées de briques et me faisait peur, — quand le
soir surtout les hiboux poussaient leurs cris dans les
vastes greniers.

Nous prolongions souvent nos visites assez tard le
soir, réunis autour de la vieille maîtresse, dans une
grande salle couverte de dalles blanches, devant une
vaste cheminée en marbre. Je vois encore sa tabatière
d'or pleine du meilleur tabac d'Espagne, son carlin
aux longs poils blancs, et son petit pied mignon
enveloppé dans un joli soulier à haut talon orné d'une
rose noire.

Qu'il y a longtemps de tout cela ! La maîtresse est
morte, ses carlins aussi, sa tabatière est dans la poche
du notaire ; — le château sert de fabrique, et le pauvre
soulier a été jeté à la rivière.
. . . .

APRÈS TROIS SEMAINES D'ARRÊT

... Je suis si lassé que j'ai un profond dégoût à continuer, ayant relu ce qui précède.

Les œuvres d'un homme ennuyé peuvent-elles amuser le public ?

Je vais cependant m'efforcer de divertir davantage l'un et l'autre.

Ici commencent vraiment les *Mémoires*...

X

Ici sont mes souvenirs les plus tendres et les plus pénibles à la fois, et je les aborde avec une émotion toute religieuse. Ils sont vivants à ma mémoire et presque chauds encore pour mon âme, tant cette passion l'a fait saigner. C'est une large cicatrice au cœur qui durera toujours; mais, au moment de retracer cette page de ma vie, mon cœur bat comme si j'allais remuer des ruines chéries.

Elles sont déjà vieilles ces ruines : en marchant dans la vie, l'horizon s'est écarté par derrière, et que de choses depuis lors ! car les jours semblent longs, un à un, depuis le matin jusqu'au soir. Mais le passé paraît rapide, tant l'oubli rétrécit le cadre qui l'a contenu. Pour moi tout semble vivre encore ; j'entends et je vois le frémissement des feuilles, je vois jusqu'au moindre pli de sa robe. J'entends le timbre de sa voix, comme si un ange chantait près de moi.

Voix douce et pure — qui vous enivre et qui vous fait mourir d'amour, voix qui a un corps, tant elle est belle, et qui séduit, comme s'il y avait un charme à ses mots.

. . . .

Vous dire l'année précise me serait impossible; mais alors j'étais fort jeune, — j'avais, je crois, quinze ans ; nous allâmes cette année aux bains de mer de..., village de Picardie [10], charmant avec ses maisons entassées les unes sur les autres, noires, grises, rouges, blanches, tournées de tous côtés, sans alignement et sans symétrie, comme un tas de coquilles et de cailloux que la vague a poussés sur la côte.

Il y a quelques années personne n'y venait, malgré sa plage d'une demi-lieue de grandeur et sa charmante position ; mais, depuis peu, la vogue s'y est tournée. La dernière fois que j'y fus, je vis quantité de gants jaunes et de livrées ; on proposait même d'y construire une salle de spectacle.

Alors, tout était simple et sauvage : il n'y avait guère que des artistes et des gens du pays. Le rivage était désert et à marée basse on voyait une plage immense avec un sable gris et argenté qui scintillait au soleil, tout humide encore de la vague. A gauche, des rochers où la mer battait paresseusement, dans ses jours de sommeil, les parois noircies de varech ; puis au loin l'océan bleu sous un soleil ardent et mugissant sourdement comme un géant qui pleure.

Et, quand on rentrait dans le village, c'était le plus pittoresque et le plus chaud spectacle. Des filets noirs et rongés par l'eau étendus aux portes, partout les enfants à moitié nus marchant sur un galet gris, seul pavage du lieu, des marins avec leurs vêtements rouges et bleus ; et tout cela simple dans sa grâce, naïf et robuste, — tout cela empreint d'un caractère de vigueur et d'énergie.

J'allais souvent seul me promener sur la grève ; un jour, le hasard me fit aller vers l'endroit où l'on se baignait. C'était une place, non loin des dernières maisons du village, fréquentée plus spécialement pour cet usage. — Hommes et femmes nageaient ensemble : on se déshabillait sur le rivage ou dans sa maison et on laissait son manteau sur le sable.

Ce jour-là, une charmante pelisse rouge avec des raies noires était restée[j] sur le rivage. La marée montait, le rivage était festonné d'écume, déjà un flot plus fort avait mouillé les franges de soie de ce manteau. Je l'ôtai pour le placer au loin ; l'étoffe en était moelleuse et légère ; c'était un manteau de femme.

Apparemment on m'avait vu, car le jour même, au

repas de midi, et comme tout le monde mangeait dans une salle commune à l'auberge où nous étions logés, j'entendis quelqu'un qui me disait :

— Monsieur, je vous remercie bien de votre galanterie.

Je me retournai.

C'était une jeune femme assise avec son mari à la table voisine.

— Quoi donc ? lui demandai-je, préoccupé.

— D'avoir ramassé mon manteau : n'est-ce pas vous ?

— Oui, madame, repris-je, embarrassé.

Elle me regarda.

Je baissai les yeux et rougis. Quel regard, en effet ! Comme elle était belle, cette femme ! je vois encore cette prunelle ardente [11] sous un sourcil noir se fixer sur moi comme un soleil.

Elle était grande, brune, avec de magnifiques cheveux noirs qui lui tombaient en tresses sur les épaules ; son nez était grec, ses yeux brûlants, ses sourcils hauts et admirablement arqués, — sa peau était ardente et comme veloutée avec de l'or ; elle était mince et fine, on voyait des veines d'azur serpenter sur cette gorge brune et pourprée. Joignez à cela un duvet fin qui brunissait sa lèvre supérieure et donnait à sa figure une expression mâle et énergique à faire pâlir les beautés blondes. On aurait pu lui reprocher trop d'embonpoint ou plutôt un négligé artistique — aussi les femmes en général la trouvaient-elles de mauvais ton. Elle parlait lentement : c'était une voix modulée, musicale et douce. — Elle avait une robe fine de mousseline blanche qui laissait voir les contours moelleux de son bras.

Quand elle se leva pour partir, elle mit une capote blanche avec un seul nœud rose. Elle le noua d'une main fine et potelée, une de ces mains dont on rêve longtemps et qu'on brûlerait de baisers.

Chaque matin j'allais la voir se baigner ; je la contemplais de loin sous l'eau, j'enviais la vague molle et paisible qui battait sur ses flancs et couvrait

d'écume cette poitrine haletante, je voyais le contour
de ses membres sous les vêtements mouillés qui la
couvraient, je voyais son cœur battre, sa poitrine se
gonfler ; je contemplais machinalement son pied se
poser sur le sable, et mon regard restait fixé sur la
trace de ses pas, et j'aurais pleuré presque en voyant le
flot les effacer lentement.

Et puis, quand elle revenait et qu'elle passait près
de moi, que j'entendais l'eau tomber de ses habits et le
frôlement de sa marche, mon cœur battait avec
violence ; je baissais les yeux, le sang me montait à la
tête. — J'étouffais. Je sentais ce corps de femme à
moitié nu passer près de moi avec le parfum de la
vague. Sourd et aveugle, j'aurais deviné sa présence,
car il y avait en moi quelque chose d'intime et de doux
qui se noyait en extase et en gracieuses pensées, quand
elle passait ainsi.

Je crois voir encore la place où j'étais fixé sur le
rivage ; je vois les vagues accourir de toutes parts, se
briser, s'étendre ; je vois la plage festonnée d'écume ;
j'entends le bruit des voix confuses des baigneurs
parlant entre eux, j'entends le bruit de ses pas,
j'entends son haleine quand elle passait près de moi.

J'étais immobile de stupeur comme si la Vénus fût
descendue de son piédestal et s'était mise à marcher.
C'est que, pour la première fois alors, je sentais mon
cœur, je sentais quelque chose de mystique, d'étrange
comme un sens nouveau. J'étais baigné de sentiments
infinis, tendres ; j'étais bercé d'images vaporeuses,
vagues ; j'étais plus grand et plus fier tout à la fois.
J'aimais.

Aimer, se sentir jeune et plein d'amour, sentir la
nature et ses harmonies palpiter en vous, avoir besoin
de cette rêverie, de cette action du cœur et s'en sentir
heureux ! O les premiers battements du cœur de
l'homme, ses premières palpitations d'amour ! qu'elles
sont douces et étranges ! Et plus tard, comme elles
paraissent niaises et sottement ridicules ! Chose
bizarre, il y a tout ensemble du tourment et de la joie
dans cette insomnie. — Est-ce par vanité encore ?

... Ah ! l'amour ne serait-il que de l'orgueil ? Faut-il nier ce que les < plus > impies respectent ? Faudrait-il rire du cœur ?

Hélas ! hélas !

La vague a effacé les pas de Maria.

Ce fut d'abord un singulier état de surprise et d'admiration, une sensation toute mystique en quelque sorte, toute idée de volupté à part. Ce ne fut que plus tard que je ressentis cette ardeur frénétique et sombre de la chair et de l'âme et qui dévore l'une et l'autre.

J'étais dans l'étonnement du cœur qui sent sa première pulsation. J'étais comme le premier homme quand il eut connu toutes ses facultés.

A quoi je rêvais serait fort impossible à dire. Je me sentais nouveau et tout étranger à moi-même, une voix m'était venue dans l'âme. — Un rien, un pli de sa robe, un sourire, son pied, le moindre mot insignifiant m'impressionnaient comme des choses surnaturelles, et j'avais pour tout un jour à en rêver. Je suivais sa trace à l'angle d'un long mur et le frôlement de ses vêtements me faisait palpiter d'aise. < Quand j'entendais ses pas, les nuits qu'elle marchait ou qu'elle avançait vers moi... >

Non, je ne saurais vous dire combien il y a de douces sensations, d'enivrement du cœur, de béatitude et de folie dans l'amour.

Et maintenant, si rieur sur tout, si amèrement persuadé du grotesque de l'existence, je sens encore que l'amour, cet amour comme je l'ai rêvé au collège sans l'avoir, et que j'ai ressenti plus tard, qui m'a tant fait pleurer et dont j'ai tant ri, combien je crois encore que ce serait tout à la fois la plus sublime des choses, ou la plus bouffonne des bêtises.

Deux êtres jetés sur la terre par un hasard, quelque chose, et qui se rencontrent, s'aiment, parce que l'un est femme et l'autre homme. Les voilà haletants l'un pour l'autre, se promenant ensemble la nuit et se mouillant à la rosée, regardant le clair de lune et le trouvant diaphane, admirant les étoiles et disant sur

tous les tons : Je t'aime, tu m'aimes, il m'aime, nous
nous aimons, et répétant cela avec des soupirs, des
baisers ; — et puis ils rentrent poussés tous les deux
par une ardeur sans pareille, car ces deux âmes ont
leurs organes violemment échauffés, et les voilà bientôt grotesquement accouplés avec des rugissements et
des soupirs, soucieux l'un et l'autre pour reproduire
un imbécile de plus sur la terre, un malheureux qui les
imitera. Contemplez-les, plus bêtes en ce moment que
les chiens et les mouches, s'évanouissant et cachant
soigneusement aux yeux des hommes leur jouissance
solitaire, pensant peut-être que le bonheur est un
crime et la volupté une honte.

On me pardonnera, je pense, de ne pas parler de
l'amour platonique, cet amour exalté comme celui
d'une statue ou d'une cathédrale, qui repousse toute
idée de jalousie et de possession et qui devrait se
trouver entre les hommes mutuellement, mais que j'ai
rarement eu l'occasion d'apercevoir. Amour sublime,
s'il existait, mais qui n'est qu'un rêve comme tout ce
qu'il y a de beau en ce monde.

Je m'arrête ici, car la moquerie du vieillard ne doit
pas ternir la virginité des sentiments du jeune
homme ; je me serais indigné autant que vous, lecteur,
si on m'eût alors tenu un langage aussi cruel. Je
croyais qu'une femme était un ange . . . .
Oh ! que Molière a eu raison de la comparer à un
potage [12] !

XI

Maria avait un enfant, c'était une petite fille. — On
l'aimait, on l'embrassait, on l'ennuyait de caresses et
de baisers. Comme j'aurais recueilli un seul de ces
baisers jetés, comme des perles, avec profusion sur la
tête de cette enfant au maillot.

Maria l'allaitait elle-même, et un jour je la vis
découvrir sa gorge et lui présenter son sein.

C'était une gorge grasse et ronde, avec une peau

brune et des veines d'azur qu'on voyait sous cette chair ardente; jamais je n'avais vu de femme nue alors. — O la singulière extase où me plongea la vue de ce sein, — comme je le dévorai des yeux, comme j'aurais voulu seulement toucher cette poitrine ! il me semblait que si j'eusse posé mes lèvres, mes dents l'auraient mordue de rage. Et mon cœur se fondait en délices en pensant aux voluptés que donnerait ce baiser.

O comme je l'ai revue longtemps, cette gorge palpitante, ce long cou gracieux et cette tête penchée avec ses cheveux noirs en papillotes vers cette enfant qui tétait, et qu'elle berçait lentement sur ses genoux en fredonnant un air italien.

XII

Nous fîmes bientôt une connaissance plus intime. Je dis *nous,* car pour moi personnellement, je me serais bien hasardé[k] de lui adresser une parole en l'état où sa vue m'avait plongé.

Son mari tenait le milieu entre l'artiste et le commis voyageur : il était orné de moustaches, <de vêtements à *guise*> ; il fumait intrépidement, était vif, bon garçon, amical ; il ne méprisait point la table, et je le vis une fois faire trois lieues à pied pour aller chercher un melon à la ville la plus voisine[13] ; il était venu dans sa chaise de poste avec son chien, sa femme, son enfant et vingt-cinq bouteilles de vin du Rhin.

Aux bains de mer, à la campagne ou en voyage, on se parle plus facilement, on désire se connaître. Un rien suffit pour la conversation : la pluie et le beau temps bien plus qu'ailleurs y tiennent place. On se récrie sur l'incommodité des logements, sur le détestable de la cuisine d'auberge ; ce dernier trait surtout est du meilleur ton possible. O le linge, — est-il sale ! C'est trop poivré, c'est trop épicé ! Ah ! l'horreur, ma chère !

Va-t-on ensemble à la promenade, c'est à qui

s'extasiera davantage sur la beauté du paysage. — Que
c'est beau, que la mer est belle !

Joignez à cela quelques mots poétiques et boursou-
flés, deux ou trois réflexions philosophiques entrelar-
dées de soupirs et d'aspirations du nez plus ou moins
fortes. Si vous savez dessiner, tirez votre album en
maroquin — ou, ce qui est mieux, enfoncez votre
casquette sur les yeux, croisez-vous les bras et dormez
pour faire semblant de penser.

Il y a des femmes que j'ai flairées bel-esprit à un
quart de lieue loin, seulement à la manière dont elles
regardaient la vague.

Il faudra vous plaindre des hommes, manger peu et
vous passionner pour un rocher, admirer un pré et
vous mourir d'amour pour la mer. Ah ! vous serez
délicieux alors ; on dira : Le charmant jeune homme !
— quelle jolie blouse il a ! comme ses bottes sont
fines ! quelle grâce ! la belle âme ! C'est ce besoin de
parler, cet instinct d'aller en troupeau où les plus
hardis marchent en tête qui a fait, dans l'origine, les
sociétés et qui, de nos jours, forme les réunions.

Ce fut sans doute un pareil motif qui nous fit causer
pour la première fois. C'était l'après-midi, il faisait
chaud et le soleil dardait dans la salle malgré les
auvents. Nous étions restés, quelques peintres, Maria
et son mari et moi, étendus sur des chaises à fumer, en
buvant du grog.

Maria fumait, ou du moins, si un reste de sottise
féminine l'en empêchait, elle aimait l'odeur du tabac
(monstruosité !) ; elle me donna même des cigarettes.

On causa littérature, sujet inépuisable avec les
femmes. — J'y pris ma part, — je parlai longuement
et avec feu. — Maria et moi étions parfaitement du
même sentiment en fait d'art. Je n'ai jamais entendu
personne le sentir avec plus de naïveté et avec moins
de prétention. Elle avait des mots simples et expressifs
qui partaient en relief et surtout avec tant de négligé et
de grâce, tant d'abandon, de nonchalance, — vous
auriez dit qu'elle chantait.

Un soir, son mari nous proposa une partie de

barque. — Il faisait le plus beau temps du monde.
Nous acceptâmes.

XIII

Comment rendre par des mots ces choses pour
lesquelles il n'y a pas de langage, ces impressions du
cœur, ces mystères de l'âme inconnus à elle-même,
comment vous dirai-je tout ce que j'ai ressenti, tout ce
que j'ai pensé, toutes les choses dont j'ai joui cette
soirée-là ?

C'était une belle nuit d'été. Vers neuf heures, nous
montâmes sur la chaloupe, — on rangea les avirons,
nous partîmes. Le temps était calme, la lune se
reflétait sur la surface unie de l'eau et le sillon de la
barque faisait vaciller son image sur les flots. La marée
se mit à remonter et nous sentîmes les premières
vagues bercer lentement la chaloupe. On se taisait, —
Maria se mit à parler. — Je ne sais ce qu'elle dit, je me
laissais enchanter par le son de ses paroles comme je
me laissais bercer par la mer. — Elle était près de moi,
je sentais le contour de son épaule et le contact de sa
robe ; elle levait son regard vers le ciel, pur, étoilé,
resplendissant de diamants et se mirant dans les
vagues bleues.

C'était un ange — à la voir ainsi la tête levée avec ce
regard céleste.

J'étais enivré d'amour, j'écoutais les deux rames se
lever en cadence, les flots battre les flancs de la
barque, je me laissais toucher par tout cela, <et>
j'écoutais la voix de Maria douce et vibrante.

Est-ce que je pourrai jamais vous dire toutes les
mélodies de sa voix, toutes les grâces de son sourire,
toutes les beautés de son regard ? Vous dirai-je jamais
comme c'était quelque chose à faire mourir d'amour,
que cette nuit pleine du parfum de la mer, avec ses
vagues transparentes, son sable argenté par la lune,
cette onde belle et calme, ce ciel resplendissant, et
puis, près de moi, cette femme — toutes les joies de la

terre, toutes ses voluptés, ce qu'il y a de plus doux, de plus enivrant.

C'était tout le charme d'un rêve avec toutes les jouissances du vrai.

Je me laissais entraîner par toutes ces émotions, je m'y avançais plus avant avec une joie insatiable, je m'enivrais à plaisir de ce calme plein de voluptés, de ce regard de femme, de cette voix ; je me plongeais dans mon cœur et j'y trouvais des voluptés infinies.

Comme j'étais heureux, — bonheur du crépuscule qui tombe dans la nuit, bonheur qui passe comme la vague expirée, comme le rivage ....
....

On revint. — On descendit, je conduisis Maria jusque chez elle, — je ne lui dis pas un mot, j'étais timide ; je la suivais, je rêvais d'elle, du bruit de sa marche — et, quand elle fut entrée, je regardai longtemps le mur de sa maison éclairé par les rayons de la lune ; je vis sa lumière briller à travers les vitres, et je la regardais de temps en temps — en retournant par la grève — puis, quand cette lumière eut disparu :
— Elle dort, me dis-je. Et puis tout à coup une pensée vint m'assaillir, pensée de rage et de jalousie : — Oh ! non, elle ne dort pas, — et j'eus dans l'âme toutes les tortures d'un damné.

Je pensai à son mari, à cet homme vulgaire et jovial, et les images les plus hideuses vinrent s'offrir devant moi. J'étais comme ces gens qu'on fait mourir de faim dans des cages, et entourés des mets les plus exquis.

J'étais seul sur la grève. — Seul. — Elle ne pensait pas à moi. En regardant cette solitude immense devant moi — et cette autre solitude plus terrible encore, je me mis à pleurer comme un enfant, — car près de moi, à quelques pas, elle était là, derrière ces murs que je dévorais du regard, — elle était là, belle et nue, avec toutes les voluptés de la nuit, toutes les grâces de l'amour, toutes les chastetés de l'hymen. — Cet homme n'avait qu'à ouvrir les bras et elle venait sans efforts — sans attendre — elle venait à lui, et ils s'aimaient, ils s'embrassaient. — A lui toutes ses joies,

tous ses délices à lui. Mon amour sous ses pieds ; à lui,
cette femme tout entière, sa tête, sa gorge, ses seins,
son corps, son âme, — ses sourires, ses deux bras qui
l'entourent, ses paroles d'amour ; à lui, tout ; à moi,
rien.

Je me mis à rire, car la jalousie m'inspira des
pensées obscènes et grotesques ; alors je les souillai
tous les deux, j'amassai sur eux les ridicules les plus
amers, et ces images qui m'avaient fait pleurer d'envie
— je m'efforçai d'en rire de pitié.

La marée commençait à redescendre et, de place en
place, on voyait de grands trous pleins d'eau argentée
par la lune, — des places de sable encore mouillé
couvertes de varech, çà et là quelques rochers à fleur
d'eau, ou se dressant plus haut, noirs et blancs ; des
filets dressés et déchirés par la mer — qui se retirait en
grondant.

Il faisait chaud, j'étouffais. — Je rentrai dans la
chambre de mon auberge. Je voulus dormir ; j'entendais toujours les flots aux côtés du canot, j'entendais la
rame tomber, j'entendais la voix de Maria qui parlait ;
— j'avais du feu dans les veines : tout cela repassait
devant moi — et la promenade du soir, — et celle de la
nuit sur le rivage, — je voyais Maria couchée — et je
m'arrêtais là, car le reste me faisait frémir. J'avais de la
lave dans l'âme ; j'étais harassé de tout cela et, couché
sur le dos, je regardais ma chandelle brûler et son
disque trembler au plafond ; c'était avec un hébéte-
ment stupide que je voyais le suif couler autour du
flambeau de cuivre et la flammèche noire s'allonger
dans la flamme.

Enfin le jour vint à paraître, — je m'endormis.

XIV

Il fallut partir. Nous nous séparâmes sans pouvoir
lui dire adieu. Elle quitta les bains le même jour que
nous, c'était un dimanche : elle partit le matin, nous le
soir.

Elle partit et je ne la revis plus. Adieu pour toujours ! elle partit comme la poussière de la route qui s'envola derrière ses pas. Comme j'y ai pensé depuis ! combien d'heures, confondu devant le souvenir de son regard, ou l'intonation de ses paroles !

Enfoncé dans la voiture, je reportais mon cœur plus avant dans la route que nous avions parcourue, je me replaçais dans le passé qui ne reviendrait plus, je pensais à la mer, à ses vagues, à son rivage, à tout ce que je venais de voir, tout ce que j'avais senti, les paroles dites, les gestes, les actions, la moindre chose, tout cela palpitait et vivait. C'était dans mon cœur un chaos, un bourdonnement immense, une folie.

Tout était passé comme un rêve. Adieu pour toujours à ces belles fleurs de la jeunesse si vite fanées et vers lesquelles plus tard on se reporte de temps en temps avec amertume et plaisir à la fois. Enfin, je vis les maisons de ma ville, je rentrai chez moi ; tout m'y parut désert et lugubre, vide et creux. Je me mis à vivre, à boire, à manger, à dormir.

L'hiver vint et je rentrai au collège.

XV

Si je vous disais que j'ai aimé d'autres femmes, je mentirais comme un infâme.

Je l'ai cru cependant, je me suis efforcé d'attacher mon cœur à d'autres passions : il [y] a glissé <dessus> comme sur la glace.

Quand on est enfant, on a tant lu de choses sur l'amour, on trouve ce mot-là si mélodieux, on le rêve tant, on souhaite si fort d'avoir ce sentiment qui vous fait palpiter à la lecture des romans et des drames, qu'à chaque femme qu'on voit on se dit : n'est-ce pas là l'amour ? On s'efforce d'aimer pour se faire homme.

Je n'ai pas été exempt plus qu'aucun autre de cette faiblesse d'enfant, j'ai soupiré comme un poète élégiaque, et, après bien des efforts, j'étais tout étonné de me trouver quelquefois quinze jours sans avoir pensé à

celle que j'avais choisie pour rêver. Toute cette vanité
d'enfant s'effaça devant Maria.

Mais je dois remonter plus haut : c'est un serment
que j'ai fait de tout dire ; le fragment qu'on va lire
avait été composé en partie en décembre dernier,
avant que j'eusse l'idée de faire les *Mémoires d'un fou*.

Comme il devait être isolé, je l'avais mis dans le
cadre qui suit...

Le voici tel qu'il était [14] :

Parmi tous les rêves du passé, les souvenirs d'autrefois et mes réminiscences de jeunesse, j'en ai conservé
un bien petit nombre avec quoi[1] je m'amuse aux
heures d'ennui. A l'évocation d'un nom, tous les
personnages reviennent avec leurs costumes et leur
langage jouer leur rôle comme ils le jouèrent dans ma
vie, et je les vois agir devant moi comme un Dieu qui
s'amuserait à regarder ses mondes créés. Un surtout,
le premier amour, qui ne fut jamais violent ni
passionné, effacé depuis par d'autres désirs, mais qui
reste encore au fond de mon cœur comme une antique
voie romaine qu'on aurait traversée par l'ignoble
wagon d'un chemin de fer. C'est le récit de ces
premiers battements du cœur, de ces commencements
des voluptés indéfinies et vagues, de toutes les vaporeuses choses qui se passent dans l'âme d'un enfant à
la vue des seins d'une femme, de ses yeux, à l'audition
de ses chants et de ses paroles ; c'est ce salmigondis de
sentiment et de rêverie que je devais étaler comme un
cadavre devant un cercle d'amis qui vinrent un jour
dans l'hiver, en décembre, pour se chauffer et me faire
causer paisiblement au coin du feu, tout en fumant
une pipe dont on arrose l'âcreté par un liquide
quelconque.

Après que tous furent venus, que chacun se fut
assis, qu'on eut bourré sa pipe et empli son verre,
après que nous fûmes en cercle autour du feu, l'un
avec les pincettes en main, l'autre soufflant, un
troisième remuant les cendres avec sa canne, et que
chacun eut une occupation, je commençai.

— Mes chers amis, leur dis-je, vous passerez bien

quelque chose, quelque mot de vanité qui se glissera
dans le récit.

(Une adhésion de toutes les têtes m'engagea à
commencer.)

— Je me rappelle que c'était un jeudi, vers le mois
de novembre, il y a deux ans. (J'étais, je crois en
cinquième[m].) La première fois que je la vis, elle
déjeunait chez ma mère quand j'entrai d'un pas
précipité, comme un écolier qui a flairé toute la
semaine le repas du jeudi. Elle se détourna ; à peine si
je la saluai, car j'étais alors si niais et si enfant que je ne
pouvais voir une femme, de celles du moins qui ne
m'appelaient pas un enfant comme les dames ou un
ami comme les petites filles, sans rougir ou plutôt sans
rien faire et sans rien dire.

Mais, grâce à Dieu, j'ai gagné depuis en vanité et en
effronterie tout ce que j'ai perdu en innocence et en
candeur.

Elles étaient deux jeunes filles, des sœurs, des
camarades de la mienne, de pauvres Anglaises qu'on
avait fait sortir de leur pension pour les mener au
grand air, dans la campagne, pour les promener en
voiture, les faire courir dans le jardin, et les amuser
enfin sans l'œil d'une surveillante qui jette de la
tiédeur et de la retenue dans les ébats de l'enfance. La
plus âgée avait quinze ans ; la seconde, douze à peine :
celle-ci était petite et mince, ses yeux étaient plus vifs ;
plus grands et plus beaux que ceux de sa sœur aînée,
mais celle-ci avait une tête si ronde et si gracieuse, sa
peau était si fraîche, si rosée, ses dents courtes si
blanches sous ses lèvres rosées, et tout cela était si bien
encadré par des bandeaux de jolis cheveux châtains
qu'on ne pouvait s'empêcher de lui donner la préfé-
rence. Elle était petite et peut-être un peu grosse :
c'était son défaut le plus visible ; mais ce qui me
charmait le plus en elle, c'était une grâce enfantine
sans prétention, un parfum de jeunesse qui embaumait autour d'elle. Il y avait tant de naïveté et de
candeur que les plus impies même ne pouvaient
s'empêcher d'admirer.

Il me semble la voir encore, à travers les vitres de ma chambre, qui courait dans le jardin avec d'autres camarades. Je vois encore leur robe de soie onduler brusquement sur leurs talons en bruissant, et leurs pieds se relever pour courir sur les allées sablées du jardin ; puis s'arrêter haletantes, se prendre réciproquement par la taille et se promener gravement, en causant, sans doute, de fêtes, de danses, de plaisirs et d'amours, les pauvres filles !

L'intimité exista bientôt entre nous tous ; au bout de quatre mois je l'embrassais comme ma sœur ; nous nous tutoyions tous. J'aimais tant à causer avec elle ; son accent étranger avait quelque chose de fin et de délicat qui rendait sa voix fraîche comme ses joues.

D'ailleurs, il y a dans les mœurs anglaises un négligé naturel et un abandon de toutes nos convenances qu'on pourrait prendre pour une coquetterie raffinée, mais qui n'est qu'un charme qui attire, comme ces feux follets qui fuient sans cesse.

Souvent nous faisions des promenades en famille, et je me souviens qu'un jour, dans l'hiver, nous allâmes voir une vieille dame qui demeurait sur une côte qui domine la ville. Pour arriver chez elle, il fallait traverser des vergers[n] plantés de pommiers où l'herbe était haute et mouillée ; un brouillard ensevelissait la ville et, du haut de notre colline, nous voyions les toits entassés et rapprochés couverts de neige ; et puis le silence de la campagne, et au loin le bruit éloigné des pas d'une vache ou d'un cheval dont le pied s'enfonce dans les ornières.

En passant par une barrière peinte en blanc, son manteau s'accrocha aux épines de la haie ; j'allai le détacher, elle me dit : *Merci*, avec tant de grâce et de laisser-aller que j'en rêvai tout le jour.

Puis elles se mirent à courir et leurs manteaux, que le vent levait derrière elles, flottaient en ondulant comme un flot qui descend ; elles s'arrêtèrent essoufflées. Je me rappelle encore leurs haleines qui bruissaient à mes oreilles et qui partaient d'entre leurs dents blanches en vaporeuse fumée.

Pauvre fille ! Elle était si bonne et m'embrassait avec tant de naïveté.

Les vacances de Pâques arrivèrent. Nous allâmes les passer à la campagne.

Je me rappelle un jour... — il faisait chaud sa ceinture était égarée, sa robe était sans taille.

Nous nous promenâmes ensemble, foulant la rosée des herbes et des fleurs d'avril, elle avait un livre à la main... C'était des vers, je crois. Elle le laissa tomber. Notre promenade continua.

Elle avait couru, je l'embrassai sur le cou ; mes lèvres y restèrent collées sur cette peau satinée et mouillée d'une sueur embaumante.

Je ne sais de quoi nous parlâmes... des premières choses venues.

— Voilà que tu vas devenir bête, dit un des auditeurs en m'interrompant.

— D'accord, mon cher, le cœur est stupide.

L'après-midi, j'avais le cœur rempli d'une joie douce et vague. Je rêvais délicieusement en pensant à ses cheveux papillotés qui encadraient ses yeux vifs, et à sa gorge déjà formée que j'embrassais toujours aussi bas *qu'un fichu rigoriste* me le permettait. Je montai dans les champs, j'allai dans les bois, je m'assis dans un fossé et je pensai à elle.

J'étais couché à plat ventre, j'arrachais les brins d'herbe, les marguerites d'avril, et, quand je levais la tête, le ciel blanc <bleu> et mat° formait sur moi un dôme d'azur qui s'enfonçait à l'horizon derrière les prés verdoyants[P] ; par hasard, j'avais du papier et un crayon, je fis des vers...

(Tout le monde se mit à rire.)

... les seuls que j'aie jamais faits de ma vie ; il y en avait peut-être trente ; à peine fus-je une demi-heure, car j'eus toujours une admirable facilité d'improvisation pour les bêtises de toute sorte ; mais ces vers, pour la plupart, étaient faux comme des protestations d'amour, boiteux comme le bien.

Je me rappelle qu'il y avait :

.... quand le soir
Fatiguée du jeu et de la balançoir...

Je me battais les flancs pour peindre une chaleur
que je n'avais vue que dans les livres ; puis, à propos
de rien, je passais à une mélancolie sombre et digne
d'Antony [15], quoique réellement j'eusse l'âme imbibée
de candeur et d'un tendre sentiment mêlé de niaiserie,
de réminiscences suaves et de parfums du cœur, et je
disais à propos de rien :

Ma douleur est amère, ma tristesse profonde,
Et j'y suis enseveli, comme un homme en la tombe.

Les vers n'étaient même pas des vers, mais j'eus le
sens de les brûler, manie qui devrait tenailler la
plupart des poètes.

Je rentrai à la maison et la retrouvai qui jouait sur le
rond de gazon. La chambre où elles couchèrent était
voisine de la mienne, je les entendis rire et causer
longtemps... tandis que moi... je m'endormis bientôt
comme elles... malgré tous les efforts que je fis pour
veiller le plus possible. Car vous avez fait sans doute
comme moi à quinze ans, vous avez cru une fois aimer
de cet amour brûlant et frénétique, comme vous en
avez vu dans les livres, tandis que vous n'aviez sur
l'épiderme du cœur qu'une légère égratignure de cette
griffe de fer qu'on nomme la passion, et vous soufflez
de toutes les forces de votre imagination sur ce
modeste feu qui brûlait à peine.

Il y a tant d'amours dans [q] la vie pour l'homme ! A
quatre ans, amour des chevaux, du soleil, des fleurs,
des armes qui brillent, des livrées de soldat ; à dix,
amour de la petite fille qui joue avec vous ; à treize,
amour d'une grande femme à la gorge replète, car je
me rappelle que ce que les adolescents adorent à la
folie, c'est une poitrine de femme, blanche et mate, et,
comme dit Marot :

Tetin refaict plus blanc qu'un œuf,
Tetin de satin blanc tout neuf [16].

Je faillis me trouver mal la première fois que je vis tout nus les deux seins d'une femme. Enfin, à quatorze ou quinze <ans>, amour d'une jeune fille qui vient chez vous : un peu plus qu'une sœur, moins qu'une amante ; puis à seize, amour d'une autre femme jusqu'à vingt-cinq ; puis on aime peut-être la femme avec qui on se mariera.

Cinq ans plus tard, on aime la danseuse qui fait sauter sa robe de gaze sur ses cuisses charnues ; enfin, à trente-six, amour de la députation, de la spéculation, des honneurs ; à cinquante, amour du dîner du ministre ou de celui du maire ; à soixante, amour de la fille de joie qui vous appelle à travers les vitres et vers laquelle on jette un regard d'impuissance, un regret vers le passé.

Tout cela n'est-il pas vrai ? car moi j'ai subi tous ces amours, pas tous cependant, car je n'ai pas vécu toutes mes années et chaque année dans la vie de bien des hommes est marquée par une passion nouvelle — celle des femmes, celle du jeu, des chevaux, des bottes fines, des cannes, des lunettes, des voitures, des places.

Que de folies dans un homme ! Oh ! sans contredit, l'habit d'un arlequin n'est pas plus varié dans ses nuances que l'esprit humain ne l'est dans ses folies, et tous deux arrivent au même résultat, celui de se râper l'un et l'autre et de faire rire quelque temps : le public pour son argent, le philosophe pour sa science...

(— Au récit ! demanda un des auditeurs impassible jusque-là et qui ne quitta sa pipe que pour jeter, sur ma digression qui montait en fumée, la salive de son reproche.)

... Je ne sais guère que dire ensuite, car il y a une lacune dans l'histoire, un vers de moins dans l'élégie ; plusieurs temps <se> passèrent donc de la sorte. Au mois de mai, la mère de ces jeunes filles vint en France conduire leur frère. C'était un charmant garçon, blond comme elle<s> et pétillant de *gaminerie* et d'orgueil britannique.

Leur mère était une femme pâle, maigre et noncha-

lante. Elle était vêtue de noir ; ses manières et ses
paroles, sa tenue avaient un air nonchalant, un peu
mollasse, il est vrai, mais qui ressemblait au *farniente*
italien. Tout cela, cependant, était parfumé de bon
goût, reluisant d'un vernis aristocratique. Elle resta
un mois en France.

... Puis elle repartit et nous vécûmes ainsi comme si
tous étaient de la famille, allant toujours ensemble
dans nos promenades, nos vacances, nos congés.

Nous étions tous frères et sœurs.

Il y avait dans nos rapports de chaque jour tant de
grâce et d'effusion, d'intimité et de laisser aller, que
cela peut-être dégénéra en amour, de sa part du
moins, et j'en eus des preuves évidentes.

Pour moi, je peux me donner le rôle d'un homme
moral, car je n'avais point de passion. — Je l'aurais
bien voulu.

Souvent, elle venait vers moi, me prenait autour de
la taille ; elle me regardait, elle causait — la charmante
petite fille ; — elle me demandait des livres, des pièces
de théâtre dont elle ne m'a rendu qu'un fort petit
nombre. — Elle montait dans ma chambre. J'étais
assez embarrassé. Pouvais-je supposer tant d'audace
dans une femme ou tant de naïveté ? Un jour, elle se
coucha sur mon canapé dans une position très équivo-
que ; j'étais assis près d'elle sans rien dire.

Certes, le moment était critique : je n'en profitai
pas.

Je la laissai partir.

D'autres fois, elle m'embrassait en pleurant. Je ne
pouvais croire qu'elle m'aimait réellement. Ernest [17]
en était persuadé, il me le faisait remarquer, me
traitait d'imbécile.

Tandis que vraiment j'étais tout à la fois timide et
nonchalant.

C'était quelque chose de doux, d'enfantin, qu'aucune idée de possession ne ternissait, mais qui par cela
même manquait d'énergie. C'était trop niais cependant pour être du platonisme.

Au bout d'un an, leur mère vint <habiter>, en

France, puis, au bout d'un mois, elle repartit pour l'Angleterre.

Ses filles avaient été <re>tirées de pension et logeaient avec leur mère dans une rue déserte au second étage.

Pendant son voyage je les voyais souvent aux fenêtres. Un jour que je passais, Caroline m'appela : je montai.

Elle était seule, elle se jeta dans mes bras et m'embrassa avec effusion. Ce fut la dernière fois, car depuis elle se maria.

Son maître de dessin lui avait fait des visites fréquentes. On projeta un mariage ; il fut noué et dénoué cent fois. Sa mère revint d'Angleterre sans son mari, dont on n'a jamais entendu parler.

Caroline se maria au mois de janvier. Un jour je la rencontrai avec son mari ; à peine si elle me salua.

Sa mère a changé de logement et de manières. Elle reçoit maintenant chez elle des garçons tailleurs et des étudiants, elle va aux bals masqués et y mène sa jeune fille.

Il y a dix-huit mois que nous ne les avons vus.

Voilà comment finit cette liaison qui promettait peut-être une passion avec l'âge, mais qui se dénoua d'elle-même.

Est-il besoin de dire que cela avait été à l'amour ce que le crépuscule est au grand jour et que le regard de Maria fit évanouir le souvenir de cette pâle enfant !

C'est un petit feu qui n'est plus que de la cendre froide.

XVI

Cette page est courte, je voudrais qu'elle le fût davantage. Voici le fait.

La vanité me poussa à l'amour, non, à la volupté — pas même à cela — à la chair.

On me raillait de ma chasteté — j'en rougissais — elle me faisait honte, elle me pesait comme si elle eût été de la corruption.

Une femme se présenta à moi, je la pris — et je sortis de ses bras plein de dégoût et d'amertume. Mais, alors, je pouvais faire le Lovelace [18] d'estaminet, dire autant d'obscénités qu'un autre autour d'un bol de punch — j'étais un homme alors, j'avais été comme un devoir — faire du vice et puis je m'en étais vanté. — J'avais quinze ans —, je parlais de femmes et de maîtresses.

Cette femme-là, — je la pris en haine ; elle venait à moi — je la laissais ; elle faisait des frais de sourire qui me dégoûtaient comme une grimace hideuse.

J'eus des remords — comme si l'amour de Maria eût été une religion que j'eusse profanée.

XVII

Je me demandais si c'était bien là les délices que j'avais rêvées, ces transports de feu que je m'étais imaginés dans la virginité de ce cœur tendre et enfant. — Est-ce là tout ? est-ce qu'après cette froide jouissance, il ne doit pas y en avoir une autre, plus sublime, plus large, quelque chose de divin et qui fasse tomber en extase ? Oh ! non, tout était fini ; j'avais été éteindre dans la boue ce feu sacré de mon âme. — O Maria, j'avais été traîner dans la fange l'amour que ton regard avait créé, je l'avais gaspillé à plaisir, à la première femme venue, sans amour, sans désir, poussé par une vanité d'enfant — par un calcul d'orgueil, pour ne plus rougir à la licence, pour faire une bonne contenance dans une orgie ! pauvre Maria...

J'étais lassé, un dégoût profond me prit à l'âme.

— Et j'eus en pitié ces joies d'un moment, et ces convulsions de la chair.

Il fallait que je fusse bien misérable. — Moi qui étais si fier de cet amour si haut, de cette passion sublime, et qui regardais mon cœur comme plus large et plus beau que ceux des autres hommes ; moi — aller comme eux... Oh ! non, pas un d'eux peut-être ne l'a fait pour les mêmes motifs ; presque tous y ont été poussés par les sens, ils ont obéi comme le chien à l'instinct de la nature, mais il y avait bien plus de dégradation à en faire un calcul, à s'exciter à la corruption, à aller se jeter dans les bras d'une femme, à manier sa chair, à se vautrer dans le ruisseau, pour se relever et montrer ses souillures.

Et puis j'en eus honte comme d'une lâche profanation ; j'aurais voulu cacher à mes propres yeux l'ignominie dont je m'étais vanté.

Je me reportais vers ces temps où la chair pour moi n'avait rien d'ignoble et où la perspective du désir me montrait des formes vagues et des voluptés que mon cœur me créait.

Non, jamais on ne pourra dire tous les mystères de l'âme vierge, toutes les choses qu'elle sent, tous les mondes qu'elle enfante, comme ses rêves sont délicieux ! comme ses pensées sont vaporeuses et tendres ! comme sa déception est amère et cruelle !

Avoir aimé, avoir rêvé le ciel, avoir vu tout ce que l'âme a de plus pur, de plus sublime, et s'enchaîner ensuite dans toutes les lourdeurs de la chair, toute la langueur du corps. Avoir rêvé le ciel et tomber dans la boue !

Qui me rendra maintenant toutes les choses que j'ai perdues : ma virginité, mes rêves, mes illusions, toutes choses fanées, pauvres fleurs que la gelée a tuées avant d'être épanouies.

XVIII

Si j'ai éprouvé des moments d'enthousiasme, c'est à l'art que je les dois. Et cependant quelle vanité que l'art ! vouloir peindre l'homme dans un bloc de pierre, ou l'âme dans des mots, les sentiments par des sons et la nature sur une toile vernie...

Je ne sais quelle puissance magique possède la musique ; j'ai rêvé des semaines entières au rythme cadencé d'un air ou aux larges contours d'un chœur majestueux ; il y a des sons qui m'entrent dans l'âme et des voix qui me fondent en délices.

J'aimais l'orchestre grondant avec ses flots d'harmonie, ses vibrations sonores et cette vigueur immense qui semble avoir des muscles et qui meurt au bout de l'archet. Mon âme suivait la mélodie déployant ses ailes vers l'infini et montant en spirales, pure et lente, comme un parfum vers le ciel.

J'aimais le bruit, les diamants qui brillent aux lumières, toutes ces mains de femmes gantées et applaudissant avec des fleurs ; je regardais le ballet sautillant, les robes roses ondoyantes, j'écoutais les pas tomber en cadence, je regardais les genoux se détacher mollement avec les tailles penchées.

D'autres fois, recueilli devant les œuvres du génie, saisi par les chaînes avec lesquelles il vous attache, alors, au murmure de ces voix, au glapissement flatteur, à ce bourdonnement plein de charmes, j'ambitionnais la destinée de ces hommes forts qui manient la foule comme du plomb, qui la font pleurer, gémir, trépigner d'enthousiasme. Comme leur cœur doit être large à ceux-là qui y font entrer le monde, et comme tout est avorté dans ma nature ? Convaincu de mon impuissance et de ma stérilité, je me suis pris d'une haine jalouse ; je me disais que cela n'était rien, que le hasard seul avait dicté ces mots. Je jetais de la boue sur les choses les plus hautes que j'enviais.

Je m'étais moqué de Dieu ; je pouvais bien rire des hommes.

Cependant cette sombre humeur n'était que passagère et j'éprouvais un vrai plaisir à contempler le génie resplendissant au foyer de l'art comme une large fleur qui ouvre une rosace de parfum à un soleil d'été.

L'art ! l'art ! quelle belle chose que cette vanité !

S'il y a sur la terre et parmi tous les néants une croyance qu'on adore, s'il est quelque chose de saint, de pur, de sublime, quelque chose qui aille à ce désir immodéré de l'infini et du vague que nous appelons âme, c'est l'art.

Et quelle petitesse ! une pierre, un mot, un son, la disposition de tout cela que nous appelons le sublime.

Je voudrais quelque chose qui n'eût pas besoin

d'expression ni de forme, quelque chose de pur comme un parfum, de fort comme la pierre, d'insaisissable comme un chant, que ce fût à la fois tout cela et rien d'aucune de ces choses.

Tout me semble borné, rétréci, avorté dans la nature.

L'homme avec son génie et son art n'est qu'un misérable singe de quelque chose de plus élevé.

Je voudrais le beau dans l'infini et je n'y trouve que le doute.

XIX

O l'infini, l'infini, gouffre immense, spirale qui monte des abîmes aux plus hautes régions de l'inconnu, — vieille idée dans laquelle nous tournons tous, pris par le vertige, — abîme que chacun a dans le cœur, abîme incommensurable, abîme sans fond !

Nous aurons beau pendant bien des jours, bien des nuits, nous demander dans notre angoisse : Qu'est-ce que ces mots : Dieu — éternité — infini ? Nous tournons là-dedans, emportés par un vent de la mort, comme la feuille roulée par l'ouragan. On dirait que l'infini prend alors plaisir à nous bercer nous-mêmes dans cette immensité du doute.

— Nous nous disons toujours cependant : après bien des siècles, des milliers d'ans, quand tout sera usé, il faudra bien qu'une borne soit là.

Hélas ! l'éternité se dresse devant nous et nous en avons peur, — peur de cette chose qui doit durer si longtemps, nous qui durons si peu... Si longtemps !

Sans doute, quand le monde ne sera plus (que je voudrais vivre alors, — vivre sans nature, sans hommes, — quelle grandeur que ce vide-là !), sans doute alors il y aura des ténèbres, un peu de cendre brûlée qui aura été la terre, et peut-être quelques gouttes d'eau, la mer.

Ciel ! plus rien, du vide, que le néant étalé dans l'immensité comme un linceul ! Eternité ? éternité ! — cela durera-t-il toujours ? — toujours... sans fin !

Mais cependant ce qui restera, la moindre parcelle des débris du monde, le dernier souffle d'une création mourante, le vide lui-même, devra être las d'exister. — Tout appellera une destruction totale.

Cette idée de quelque chose sans fin nous fait pâlir. — Hélas! et nous serons là-dedans, nous autres qui vivons maintenant — et cette immensité nous roulera tous. Que serons-nous? Un rien, — pas même un souffle.

J'ai longtemps pensé aux morts dans les cercueils, aux longs siècles qu'ils passent ainsi sous la terre, pleine de bruits, de rumeurs et de cris, eux si calmes, dans leurs planches pourries et dont le morne silence est interrompu, parfois, <soit> par un cheveu qui tombe ou par un ver qui glisse sur un peu de chair. — Comme ils dorment là, couchés sans bruit, — sous la terre, sous le gazon fleuri!

Cependant, l'hiver ils doivent avoir froid sous la neige.

Oh! s'ils se réveillaient alors, — s'ils venaient à revivre et qu'ils vissent toutes les larmes dont on a paré leur drap de mort taries, tous ces sanglots étouffés, — toutes les grimaces finies. — Ils auraient horreur de cette vie qu'ils ont pleurée en la quittant — et ils retourneraient vite dans le néant si calme et si vrai.

Certes, on peut vivre, et mourir même, sans s'être demandé une seule fois ce que c'est que la vie et que la mort.

Mais pour celui qui regarde les feuilles trembler au souffle du vent, les rivières serpenter dans les prés, la vie se tourmenter et tourbillonner dans les choses, les hommes vivre, faire le bien et le mal, la mer rouler ses flots et le ciel dérouler ses lumières, et qui se demande : pourquoi ces feuilles? pourquoi l'eau coule-t-elle? pourquoi la vie elle-même est-elle un torrent si terrible et qui va se perdre dans l'océan sans bornes de la mort? pourquoi les hommes marchent-ils, travaillent-ils comme des fourmis? pourquoi la tempête? pourquoi le ciel si pur et la terre si infâme?

Ces questions mènent à des ténèbres d'où l'on ne sort pas.

Et le doute vient après : c'est quelque chose qui ne se dit pas, mais qui se sent. — L'homme alors est comme ce voyageur perdu dans les sables qui cherche partout une route pour le conduire à l'oasis, et qui ne voit que le désert.

Le doute, c'est la vie ! — L'action, la parole, la nature, la mort ! Doute dans tout cela.

Le doute, c'est la mort pour les âmes, c'est une lèpre qui prend les races usées, c'est une maladie qui vient de la science et qui conduit à la folie. La folie est le doute de la raison. C'est peut-être la raison elle-même.

Qui le prouve ?

XX

Il est des poètes qui ont l'âme toute pleine de parfums et de fleurs, qui regardent la vie comme l'aurore du ciel ; d'autres qui n'ont rien que de sombre, rien que de l'amertume et de la colère ; il y a des peintres qui voient tout en bleu, d'autres tout en jaune et tout en noir. Chacun de nous a un prisme à travers lequel il aperçoit le monde ; heureux celui qui y distingue des couleurs riantes et des choses gaies.

Il y a des hommes qui ne voient dans le monde qu'un titre, que des femmes, que la banque, qu'un nom, qu'une destinée... folies. J'en connais qui n'y voient que chemins de fer, marchés ou bestiaux ; les uns y découvrent un plan sublime, les autres une farce[s] obscène.

Et ceux-là vous demanderaient bien ce que c'est que l'*obscène*? Question embarrassante à résoudre comme les questions. J'aimerais autant donner la définition géométrique d'une belle paire de bottes ou d'une belle femme, deux choses importantes.

Les gens qui voient notre globe, comme un gros ou

un petit tas de boue sont de singulières gens ou difficiles à prendre[t].

Vous venez de parler avec un de ces gens infâmes, gens qui ne s'intitulent pas philanthropes, et qui, sans craindre qu'on les appelle carlistes[19], ne votent pas pour la démolition des cathédrales[u]. Mais bientôt vous vous arrêtez tout court ou vous vous avouez vaincu, car ceux-là sont des gens sans principes qui regardent la vertu comme un mot, le monde comme une bouffonnerie. De là, ils partent pour tout considérer sous un point de vue ignoble, ils sourient aux plus belles choses et, quand vous leur parlez de philanthropie, ils haussent les épaules et vous disent que la philanthropie s'exerce par une souscription pour les pauvres.

La belle chose qu'une liste de noms dans un journal !

Chose étrange que cette diversité d'opinions, de systèmes, de croyances et de folies !

Quand vous parlez à certaines gens, ils s'arrêtent tout à coup effrayés, et vous demandent : Comment ! vous nieriez cela ? vous douteriez de cela ? Peut-on révoquer le plan de l'univers et les devoirs de l'homme ? Et si, malheureusement, votre regard a laissé deviner un rêve de l'âme, ils s'arrêtent tout à coup et finissent là leur victoire logique, comme ces enfants effrayés d'un fantôme imaginaire, et qui se ferment les yeux sans oser regarder.

Ouvre-les, homme faible et plein d'orgueil, pauvre fourmi qui rampes avec peine sur ton grain de poussière ; tu te dis libre et grand, tu te respectes toi-même, si vil pendant ta vie, et, par dérision sans doute, tu salues ton corps pourri qui passe. Et puis tu penses qu'une si belle vie, agitée ainsi entre un peu d'orgueil que tu appelles grandeur et cet intérêt bas qui est l'essence de ta Société, sera couronnée par une immortalité. De l'immortalité pour toi, plus lascif qu'un singe, et plus méchant qu'un tigre, et plus rampant qu'un serpent ? Allons donc ! faites-moi un paradis pour le singe, le tigre et le serpent, pour la luxure, la cruauté, la bassesse, un paradis pour l'égoïsme, une éternité pour cette poussière, de l'immortalité pour ce néant. Tu te vantes d'être libre, de pouvoir faire ce que tu appelles le bien et le mal, sans doute pour qu'on te condamne plus vite, car que saurais-tu faire de bon ? Y a-t-il un seul de tes gestes qui ne soit stimulé par l'orgueil ou calculé par l'intérêt ?

Toi, libre ! Dès ta naissance, tu es soumis à toutes les infirmités paternelles, tu reçois avec le jour la semence de tous tes vices, de ta stupidité même, de tout ce qui te fera juger le monde, toi-même, tout ce qui t'entoure, d'après ce terme de comparaison, cette mesure que tu as en toi. Tu es né avec un <petit> esprit étroit, avec des idées faites ou qu'on te fera sur le bien ou sur le mal. On te dira qu'on doit aimer son père et le soigner dans sa vieillesse : tu feras l'un et l'autre, et tu n'avais pas besoin qu'on te l'apprît, n'est-ce pas ? Cela est une vertu innée comme le besoin de manger ; tandis que, derrière la montagne où tu es né, on enseignera à ton frère[v] à tuer son père devenu vieux, et il le tuera, car cela, pense-t-il, est naturel, et il n'était pas nécessaire qu'on le lui apprît. On t'élèvera en te disant qu'il faut te garder d'aimer d'un amour charnel ta sœur ou ta mère ; tandis que tu descends comme tous les hommes d'un inceste, car le premier homme et la première femme, eux et leurs enfants, étaient frères et sœurs ; tandis que le soleil se couche sur d'autres peuples qui regardent l'inceste comme une vertu et le fratricide comme un devoir. Es-tu déjà libre des principes d'après lesquels tu gouverneras ta conduite ? Est-ce toi qui présides à ton éducation ? Est-ce toi qui as voulu naître avec un caractère heureux ou triste, phtisique ou robuste, doux ou méchant, moral ou vicieux ?

< Mais d'abord pourquoi es-tu né ? est-ce toi qui l'as voulu ? t'a-t-on conseillé là-dessus ? tu es donc né fatalement parce que ton père un jour sera revenu d'une orgie, échauffé par le vin et des propos de débauche, et que ta mère en aura profité, qu'elle aura

mis en jeu toutes les ruses de femme poussée par ses
instincts de chair et de bestialité que lui a donnés la
nature en faisant une âme, et qu'elle sera parvenue à
animer cet homme que les fêtes publiques ont fatigué
dès l'adolescence. Quelque grand que tu sois, tu as
d'abord été quelque chose d'aussi sale que de la salive
et de plus fétide que de l'urine, puis tu as subi des
métamorphoses comme un ver, et enfin > tu es venu
au monde, presque sans vie, pleurant, criant et
fermant les yeux, comme par haine pour ce soleil que
tu as appelé tant de fois. On te donne à manger : tu
grandis, tu pousses comme la feuille, c'est bien hasard
si le vent ne t'emporte [pas] de bonne heure, car à
combien de choses es-tu soumis ? à l'air, au feu, à la
lumière, au jour, à la nuit, au froid, au chaud, à tout
ce qui t'entoure, tout ce qui est ; tout cela te maîtrise,
te passionne ; tu aimes la verdure, les fleurs et tu es
triste quand elles se fanent ; tu aimes ton chien, tu
pleures quand il meurt ; une araignée arrive vers toi,
tu recules de frayeur ; tu frissonnes quelquefois en
regardant ton ombre, et lorsque ta pensée <elle-
même> s'enfonce dans les mystères du néant, tu es
effrayé et tu as peur du doute.

Tu te dis libre, et chaque jour tu agis poussé par
mille choses, tu vois une femme et tu l'aimes, tu en
meurs d'amour. Es-tu libre d'apaiser ce sang qui bat,
de calmer cette tête brûlante, de comprimer ce cœur,
d'apaiser ces ardeurs qui te dévorent ? Es-tu libre de ta
pensée ? mille chaînes te retiennent, mille aiguillons te
poussent, mille entraves t'arrêtent. Tu vois un homme
pour la première fois, un de ses traits te choque, et
durant ta vie tu as de l'aversion pour cet homme, que
tu aurais peut-être chéri s'il avait eu le nez moins gros.
Tu as un mauvais estomac et tu es brutal envers celui
que tu aurais accueilli avec bienveillance. Et de tous ces
faits découlent ou s'enchaînent aussi fatalement d'autres
séries de faits, d'où d'autres dérivent à leur tour.

Es-tu le créateur de ta constitution physique et
morale ? Non, tu ne pourrais la diriger entièrement
que si tu l'avais faite et modelée à ta guise.

Tu te dis libre parce que tu as une âme. D'abord c'est toi qui as fait cette découverte que tu ne saurais définir ; une voix intime te dit que oui. D'abord tu mens, une voix te dit que tu es faible et tu sens en toi un immense vide que tu voudrais combler par toutes les choses que tu y jettes. Quand même tu croirais que oui, en es-tu sûr ? Qui te l'a dit ? Quand, longtemps combattu par deux sentiments opposés, après avoir bien hésité, bien douté, tu penches vers un sentiment, tu crois avoir été le maître de ta décision ᵂ. Mais, pour être maître, il faudrait n'avoir aucun penchant. Es-tu maître de faire le bien, si tu as le goût du mal enraciné dans le cœur, si tu es né avec de mauvais penchants développés par ton éducation ; et si tu es vertueux, si tu as horreur du crime, pourras-tu le faire ? Es-tu libre de faire le bien ou le mal ? Puisque c'est le sentiment du bien qui te dirige toujours, tu ne peux faire le mal.

Ce combat est la lutte de ces deux penchants et si tu fais le mal, c'est que tu es plus vicieux que vertueux et que la fièvre la plus forte a eu le dessus.

Quand deux hommes se battent, il est certain que le plus faible, le moins adroit, le moins souple, sera vaincu par le plus fort, le plus adroit, le plus souple. Quelque longtemps que puisse durer la lutte, il y en aura toujours un de vaincu. Il en est de même de ta nature intérieure. Quand même ce que tu sens être bon l'emporte, la victoire est-elle toujours la justice ? Ce que tu juges le bien est-il le bien absolu, immuable, éternel ?

Tout n'est donc que ténèbres autour de l'homme, tout est vide, et il voudrait quelque chose de fixe ; il roule lui-même dans cette immensité du vague où il voudrait s'arrêter, il se cramponne à tout et tout lui manque : patrie, liberté, croyance, Dieu, vertu ; il a pris tout cela et tout cela lui est tombé des mains ; il est comme un fou qui laisse tomber un verre de cristal et qui rit de tous les morceaux qu'il a faits.

Mais l'homme a une âme immortelle et faite à l'image de Dieu ; deux idées pour lesquelles il a versé son sang, deux idées qu'il ne comprend pas, — une âme, un Dieu, — mais dont il est convaincu.

Cette âme est une essence autour de laquelle notre être physique tourne comme la terre autour du soleil. Cette âme est noble, car étant un principe spirituel, n'étant point terrestre, elle ne saurait rien avoir de bas, de vil. Cependant, n'est-ce pas la pensée qui dirige notre corps? N'est-ce pas elle qui fait lever notre bras quand nous voulons tuer? N'est-ce pas elle qui anime notre chair? L'esprit serait-il le principe du mal et le corps l'agent?

Voyons comme cette âme, comme cette conscience est élastique, flexible, comme elle est molle et maniable, comme elle se ploie facilement sous le corps qui pèse sur elle <ou qui appuie sur le corps qui s'incline>, comme cette âme est vénale et basse, comme elle rampe, comme elle flatte, comme elle ment, comme elle trompe! C'est elle qui vend le corps, la main, la tête et la langue; c'est elle qui veut du sang et qui demande de l'or, toujours insatiable et cupide de tout dans son infini; elle est au milieu de nous comme une soif, une ardeur quelconque, un feu qui nous dévore, un pivot qui nous fait tourner sur lui.

Tu es grand, homme! non par le corps sans doute, mais par cet esprit qui t'a fait, dis-tu, le roi de la nature; tu es grand, maître et fort.

Chaque jour, en effet, tu bouleverses la terre, tu creuses des canaux, tu bâtis des palais, tu enfermes les fleuves entre des pierres, tu cueilles l'herbe, tu la pétris et tu la manges; tu remues l'Océan avec la quille de tes vaisseaux, et tu crois tout cela beau; tu te crois meilleur que la bête fauve que tu manges, plus libre que la feuille emportée par les vents, plus grand que l'aigle qui plane sur les tours, plus fort que la terre dont tu tires ton pain et tes diamants et que l'Océan sur lequel tu cours. Mais, hélas! la terre que tu remues<,revient,> renaît d'elle-même, tes canaux se détruisent, les fleuves[x] envahissent tes champs et tes villes, les pierres de tes palais se disjoignent et tombent d'elles-mêmes, les fourmis courent sur tes couronnes et sur tes trônes, toutes tes flottes ne sauraient marquer plus de traces de leur passage sur la surface de l'Océan qu'une goutte de pluie et que le battement d'aile de l'oiseau. Et, toi-même, tu passes sur cet océan des âges sans laisser plus de traces de toi-même que ton navire n'en laisse sur les flots. Tu te crois grand parce que tu travailles sans relâche, mais ce travail est une preuve de ta faiblesse. Tu étais donc condamné à apprendre toutes ces choses inutiles au prix de tes sueurs, tu étais esclave avant d'être né, et malheureux avant de vivre! Tu regardes les astres avec un sourire d'orgueil parce que tu leur as donnés des noms, que tu as calculé leur distance, comme si tu voulais mesurer l'infini et enfermer l'espace dans les bornes de ton esprit. Mais tu te trompes! Qui te dit que derrière ces mondes de lumières, il n'y en a pas d'autres infinis encore, et toujours ainsi? Peut-être que tes calculs s'arrêtent à quelques pieds de hauteur, et que là commence une échelle nouvelle de faits... Comprends-tu toi-même la valeur des mots dont tu te sers... étendue, espace? Ils sont plus vastes que toi et <tout> ton globe.

Tu es grand et tu meurs, comme le chien et la fourmi, avec plus de regret qu'eux, et puis tu pourris, et je te le demande, quand les vers t'ont mangé, quand ton corps s'est dissous dans l'humidité de la tombe, et que ta poussière n'est plus, où es-tu, homme? Où est même ton âme? cette âme qui était le moteur de tes actions, qui livrait ton cœur à la haine, à l'envie, à toutes les passions, cette âme qui te vendait et qui te faisait faire tant de bassesses, où est-elle? Est-il un lieu assez saint pour la recevoir? Tu te respectes et tu t'honores comme un Dieu, tu as inventé l'idée de dignité de l'homme, idée que rien dans la nature ne pourrait avoir en te voyant; tu veux qu'on t'honore et tu t'honores toi-même, tu veux même que ce corps, si vil pendant sa vie, soit honoré quand il n'est plus. Tu veux qu'on se découvre devant ta charogne humaine,

qui se pourrit de corruption, quoique plus pure encore
que toi quand tu vivais. C'est là ta grandeur.

Grandeur de poussière, majesté de néant !

XXI

J'y revins deux ans plus tard ; vous pensez où : elle
n'y était pas.

Son mari était seul, venu avec une autre femme, et il
en était parti deux jours avant mon arrivée.

Je retournai sur le rivage. Comme il était vide ! De
là, je pouvais voir le mur gris de la maison de Maria.
Quel isolement !

Je revins donc dans cette même salle dont je vous ai
parlé ; elle était pleine, mais aucun des visages n'y était
plus, les tables étaient prises par des gens que je
n'avais jamais vus ; celle de Maria était occupée par
une vieille femme qui s'appuyait à cette même place
où si souvent son coude s'était posé. Je restai ainsi
quinze jours ; il fit quelques jours de mauvais temps et
de pluie que je passai dans ma chambre où j'entendais
la pluie tomber sur les ardoises, le bruit lointain de la
mer, et, de temps en temps, quelque cri de marins sur
le quai. — Je repensai à toutes ces vieilles choses que
le spectacle des mêmes lieux faisait revivre.

Je revoyais le même océan avec ses mêmes vagues,
toujours immense, triste et mugissant sur ses rochers ;
ce même village avec ses tas de boue, ses coquilles
qu'on foule et ses maisons en étage. — Mais tout ce
que j'avais aimé, tout ce qui entourait Maria, ce beau
soleil qui passait à travers les auvents et qui dorait sa
peau, l'air qui l'entourait, le monde qui passait près
d'elle, tout cela était parti sans retour. <Oh ! que je
voudrais seulement un seul de ces jours sans pareil !
entrer sans y rien changer !>

Quoi ! rien de tout cela ne reviendra ? Je sens
comme mon cœur est vide, car tous ces hommes qui
m'entourent me font un désert où je meurs.

Je me rappelai ces longues et chaudes après-midi

d'été où je lui parlais sans qu'elle se doutât que je l'aimais, et où son regard indifférent entrait comme un rayon d'amour jusqu'au fond de mon cœur. Comment aurait-elle pu, en effet, voir que je l'aimais, car je ne l'aimais pas alors, et, en tout ce que je vous ai dit, j'ai menti ; c'était maintenant que je l'aimais, que je la désirais, que, seul sur le rivage, dans les bois ou dans les champs, je me la créais là, marchant à côté de moi, me parlant, me regardant. Quand je me couchais sur l'herbe, et que je regardais les herbes ployer sous le vent et la vague battre le sable, je pensais à elle, et je reconstruisais dans mon cœur toutes les scènes où elle avait agi, parlé. Ces souvenirs étaient une passion.

Si je me rappelais l'avoir vue marcher sur un endroit, j'y marchais ; j'ai voulu retrouver le timbre de sa voix pour m'enchanter moi-même ; cela était impossible. Que de fois j'ai passé devant sa maison et j'ai regardé à sa fenêtre !

Je passai donc ces quinze jours dans une contemplation amoureuse, rêvant à elle. Je me rappelle des choses navrantes ; un jour, je revenais, vers le crépuscule, je marchais à travers les pâturages couverts de bœufs, je marchais vite, je n'entendais que le bruit de ma marche qui froissait l'herbe, j'avais la tête baissée et je regardais la terre. Ce mouvement régulier m'endormit pour ainsi dire : je crus entendre Maria marcher près de moi, elle me tenait le bras et <dé>tournait la tête pour me voir ; c'était elle qui marchait dans les herbes. Je savais bien que c'était une hallucination que j'animais moi-même, mais je ne pouvais me défendre d'en sourire et je me sentais heureux. Je levai la tête : le temps était sombre, devant moi, à l'horizon, un magnifique soleil se couchait sous les vagues ; on voyait une gerbe de feu s'élever en réseaux, disparaître sous de gros nuages noirs qui roulaient péniblement sur eux, et puis un reflet de ce soleil couchant reparaître plus loin derrière moi dans un coin du ciel limpide et bleu.

Quand je découvris la mer, il avait presque disparu ; son disque était à moitié enfoncé sous l'eau et une légère teinte de rose allait <toujours> s'élargissant et s'affaiblissant vers le ciel.

Une autre fois, je revenais à cheval en longeant la grève. Je regardais machinalement les vagues dont la mousse mouillait les pieds de ma jument, je regardais les cailloux qu'elle faisait jaillir en marchant, et ses pieds s'enfoncer dans le sable. Le soleil venait de disparaître tout à coup et il y avait sur les vagues une couleur sombre comme si quelque chose de noir eût plané sur elles. A ma droite, étaient des rochers entre lesquels l'écume [y] s'agitait au souffle du vent comme une mer de neige, les mouettes passaient sur ma tête et je voyais leurs ailes blanches s'approcher tout près de cette eau sombre et terne. Rien ne pourra dire tout ce que cela avait de beau, cette mer, ce rivage avec son sable parsemé de coquilles, avec ses rochers couverts de varechs humides <d'eau> et l'écume <blanche> qui se balançait sur eux au souffle de la brise.

Je vous dirais bien d'autres choses, bien plus belles et plus douces, si je pouvais dire tout ce que je ressentis d'amour, d'extase, de regrets. Pouvez-vous dire par des mots le battement du cœur, pouvez-vous dire une larme et peindre son cristal humide qui baigne l'œil d'une amoureuse langueur ? Pouvez-vous dire tout ce que vous ressentez en un jour ? Pauvre faiblesse humaine, avec tes mots, tes langues, tes sons, tu parles et tu balbuties, tu définis Dieu, le ciel et la terre, la chimie et la philosophie, et tu ne peux exprimer, avec ta langue, toute la joie que te cause une femme nue — ou un plum-pudding.

XXII

O Maria ! Maria, cher ange de ma jeunesse, toi que j'ai vue dans la fraîcheur de mes sentiments, toi que j'ai aimée d'un amour si doux, si plein de parfum, de tendres rêveries, adieu !

Adieu ! D'autres passions <re>viendront, je t'oublierai peut-être, mais tu resteras toujours au fond de

mon cœur, car le cœur est une terre où chaque passion
bouleverse, remue et laboure sur les ruines des autres.
Adieu !

Adieu ! et cependant comme je t'aurais aimée,
comme je t'aurais embrassée, serrée dans mes bras !
Ah ! mon âme se fond en délices à toutes les folies que
mon amour invente. Adieu !

Adieu ! et cependant je penserai toujours à toi, je
vais être jeté dans le tourbillon du monde, j'y mourrai
peut-être écrasé sous les pieds de la foule, déchiré en
lambeaux. Où vais-je ? Que serai-je ? Je voudrais être
vieux, avoir les cheveux blancs. Non, je voudrais être
beau comme les anges, avoir de la gloire, du génie, et
tout déposer à tes pieds pour que tu marches sur tout
cela ; et je n'ai rien de tout cela, et tu m'as regardé
aussi froidement qu'un laquais ou qu'un mendiant.

Et moi, sais-tu que je n'ai pas passé une nuit, pas un
jour, pas une heure, sans penser à toi, sans te revoir
sortant de dessous la vague, avec tes cheveux noirs sur
tes épaules, ta peau brune avec ses perles d'eau salée,
tes vêtements ruisselants et ton pied blanc aux ongles
roses qui s'enfonçait dans le sable, et que cette vision
est toujours présente, et que cela murmure toujours à
mon cœur ? Oh ! non, tout est vide.

Adieu ! et pourtant, quand je te vis, si j'avais été
plus âgé de quatre à cinq ans, plus hardi… Peut-être ?
Oh ! non, je rougissais à chacun de tes regards. Adieu !

XXIII

Quand j'entends les cloches sonner et le glas frapper
en gémissant, j'ai dans l'âme une vague tristesse,
quelque chose d'indéfinissable et de rêveur comme
des vibrations mourantes.

Une série de pensées s'ouvre au tintement lugubre
de la cloche des morts. Il me semble voir le monde
dans ses plus beaux jours de fête, avec des cris de
triomphe, des chars et des couronnes, et, par-dessus
tout cela, un éternel silence et une éternelle majesté !

Mon âme s'envole vers l'éternité et l'infini et plane dans l'océan du doute au son de cette voix qui annonce la mort.

Voix régulière et froide comme les tombeaux et qui cependant sonne à toutes les fêtes, pleure à tous les deuils, j'aime à me laisser étourdir par ton harmonie, qui étouffe le bruit des villes. J'aime, dans les champs, sur les collines dorées de blés mûrs, à entendre les sons frêles de la cloche du village qui chante au milieu de la campagne, tandis que l'insecte siffle sous l'herbe et que l'oiseau murmure sous le feuillage.

Je suis longtemps resté, dans l'hiver, dans ces jours sans soleil, éclairés d'une lumière morne et blafarde, à écouter toutes les cloches sonner les offices. De toutes parts sortaient les voix qui montaient vers le ciel en réseau d'harmonie, et je condensais ma pensée sur ce gigantesque instrument. Elle était grande, infinie, je ressentais en moi des sons, des mélodies, des échos d'un autre monde, des choses immenses qui mouraient aussi.

O cloches ! vous sonnerez donc aussi sur ma mort, et une minute après pour un baptême. Vous êtes donc une dérision comme le reste et un mensonge comme la vie dont vous annoncez toutes les phases : le baptême, le mariage, la mort [20]. Pauvre airain, perdu et caché [z] au milieu des airs et qui servirais si bien en lave ardente sur un champ de bataille ou à ferrer les chevaux...

LES FUNÉRAILLES
DU DOCTEUR MATHURIN

Dernier conte de jeunesse, en attendant le projet du *Conte oriental* auquel Flaubert songe à partir de 1845, et les *Trois contes* de la vieillesse, *Les funérailles du Docteur Mathurin* résume, sur un lit de mort, toute la philosophie sceptique et cynique de l'élève qui vient de terminer sa rhétorique : il est daté du vendredi 30 août 1839. L'année précédente, le 15 juin 1838, Flaubert a écrit un autre « conte bachique » (ainsi appelle-t-il *Les funérailles du Docteur Mathurin* dans une lettre à Ernest Chevalier du 13 septembre 1839), intitulé *Ivre et mort* : deux amis font un concours à qui boira le plus, jusqu'à l' « agonie ivre et désespérée ». Ces deux contes sont écrits pour ainsi dire dans les marges de Rabelais (un des livres de la bibliothèque de Mathurin) auquel Flaubert consacre une « dissertation » en 1838. « Mon Rabelais est tout bourré de notes et commentaires philosophiques, philologiques, bachiques, bandatiques, etc. » (lettre à Ernest Chevalier du 28 octobre 1838).

C'est bien la lecture rabelaisienne du monde qui constitue le fond de la philosophie épicurienne et sceptique du docteur Mathurin, dont le cadavre est salué par un « hymne au vin, à la nature, au bonheur, à la mort ». A l'égal du docteur Rabelais, le docteur Mathurin est « un savant des plus savants, en toutes les sciences possibles » : ce qu'il faut devenir pour écrire, dans le projet flaubertien. Une phrase de l'étude sur *Rabelais* anticipe sur sa mise en fiction, un an plus tard : « Ce qui existait lui faisait pitié, et, pour employer une expression triviale, *le monde était farce*. Et il l'a tourné en farce. »

Dédiées à Alfred Le Poittevin comme les pensées sceptiques d'*Agonies* et *Mémoires d'un fou,* ces pages présentent essentiellement le monologue d'un maître à ses deux disciples : situation socratique dans laquelle se sont trouvés Gustave et Ernest à l'écoute de leur aîné Alfred. A Ernest qui fréquente Alfred à Paris, Gustave écrit son rêve de reformer la « belle trinité » des amis : « Nous passerons de bons moments, ainsi tous trois à philosopher et à Pantagruéliser. — » (30 novembre 1838). C'est ce trio réuni sous le signe de Rabelais et du vin qu'il met en scène dans cet ultime conte.

Y. L.

Les funérailles du Docteur Mathurin[1]

août 1839

Pourquoi ne t'offrirais-je pas encore ces nouvelles pages, cher Alfred[2] ?

De tels cadeaux sont plus chers à celui qui les fait qu'à celui qui les reçoit, quoique ton amitié leur donne un prix qu'ils n'ont pas. Prends-les donc comme venant de deux choses qui sont à toi, et l'esprit qui les a conçues et la main qui les a écrites.

Les funérailles du Docteur Mathurin

Se sentant vieux Mathurin voulut mourir, pensant bien que la grappe trop mûre n'a plus de saveur ! Mais pourquoi et comment cela ?

Il avait bien 70 ans environ et solide encore malgré ses cheveux blancs, son dos voûté et son nez rouge, en somme c'était une belle tête de vieillard. Son œil bleu était singulièrement pur et limpide et des dents blanches et fines sous de petites lèvres minces et bien ciselées annonçaient une vigueur gastronomique rare à cet âge où l'on pense plus souvent à dire des prières et à avoir peur qu'à bien vivre.

Le vrai motif de sa résolution c'est qu'il était malade et que tôt ou tard il fallait sortir d'ici-bas. Il aima mieux prévenir la mort que de se sentir arraché par elle.

Ayant bien connu sa position, il n'en fut ni étonné ni effrayé, il ne pleura pas, il ne cria pas, il ne fit ni humbles prières ni exclamations ampoulées. — Il ne se montra ni stoïcien, ni catholique, ni psychologue, c'est-à-dire qu'il n'eut ni orgueil, ni crédulité, ni bêtise. Il fut grand dans sa mort et son héroïsme surpassa celui d'Epaminondas, d'Annibal, de Caton, de tous les Capitaines de l'antiquité et de tous les martyrs chrétiens, celui du chevalier d'Assas, celui de Louis XVI, celui de saint Louis, celui de M. de Talleyrand mourant dans sa robe de chambre verte[a], et même celui de Fieschi qui disait des pointes encore

quand on lui coupa le cou, tous ceux enfin qui
moururent par une conviction quelconque, par un
dévouement quel qu'il soit et ceux qui se fardèrent à
leur dernière heure encore pour être plus beaux, se
drapant dans leur linceul comme dans un manteau de
théâtre, capitaines sublimes! républicains stupides!
martyrs héroïques et entêtés! rois détrônés, héros du
bagne, oui tous ces courages-là furent surpassés par un
seul courage, ces morts-là furent éclipsés par un seul
mort, par le docteur Mathurin qui ne mourut ni par
conviction, ni par orgueil, ni pour jouer un rôle, ni par
religion, ni par patriotisme mais qui mourut d'une
pleurésie qu'il avait depuis huit jours et d'une indigestion qu'il se donna la veille, — la première de sa vie,
car il savait manger.

Il se résigna donc, comme un héros, à franchir de
plain-pied le seuil de la vie, à entrer dans le cercueil la
tête haute. Je me trompe car il fut enterré dans un
baril. Il ne dit pas comme Caton : Vertu, tu n'es qu'un
nom, ni comme Grégoire VII : J'ai fait le bien et fui
l'iniquité, voilà pourquoi je meurs en exil, ni comme
Jésus-Christ : Mon père, pourquoi m'avez-vous
délaissé. Il mourut en disant tout bonnement : Adieu
amusez-vous bien.

Un poète romantique aurait acheté un banneau de
charbon de terre et serait mort au bout d'une heure en
faisant de mauvais vers et en avalant de la fumée, un
autre se serait donné l'onglée en se noyant dans la
Seine au mois de janvier, les uns auraient bu une
détestable liqueur qui les aurait fait vomir avant de se
rendormir — pleurant déjà sur cette bêtise. — Un
martyr se serait amusé à se faire couler du plomb dans
la bouche et à gâter ainsi son palais, un républicain
aurait tenté d'assassiner le roi, l'aurait manqué et se
serait fait couper la tête. Voilà de singulières gens.
Mathurin ne mourut pas ainsi. Sa philosophie lui
défendait de se faire souffrir.

Vous me demanderez pourquoi on l'appelait Docteur. — Vous le saurez un jour car je peux bien vous le
faire connaître plus au long, ceci n'étant que le dernier

chapitre d'une longue œuvre qui doit me rendre immortel comme toutes celles qui sont inédites. Je vous raconterai ses voyages, j'analyserai tous les livres qu'il a faits, je ferai un volume de notes sur ses commentaires et un appendice de papier blanc et de points d'exclamation à ses ouvrages de science. Car c'était un savant des plus savants, en toutes les sciences possibles, sa modestie surpassait encore toutes ses connaissances. On ne croyait même pas qu'il sût lire, il faisait des fautes de français il est vrai, mais il savait l'hébreu... et bien d'autres choses.

Il connaissait la vie surtout, il savait à fond le cœur des hommes, et il n'y avait pas moyen d'échapper au critérium de son œil pénétrant et sagace, quand il levait la tête, abaissait sa paupière, et vous regardait de côté en souriant, vous sentiez qu'une sonde magnétique entrait dans votre âme et en fouillait tous les recoins [b].

Cette lunette des contes arabes avec laquelle l'œil perçait les murailles, je crois qu'il l'avait dans sa tête, c'est-à-dire qu'il vous dépouillait de vos vêtements et de vos grimaces, de tout le fard de vertu qu'on met sur ses rides, de toutes les béquilles qui vous soutiennent, de tous les talons qui vous haussent, il arrachait aux hommes leur présomption, aux femmes leur pudeur, aux héros leur grandeur [c], au poète son enflure, aux mains sales leurs gants blancs. Quand un homme avait passé devant lui, avait dit deux mots, avancé deux pas, fait un moindre geste, il vous le rendait nu, déshabillé, et grelottant au vent [d].

Avez-vous quelquefois dans un spectacle à la lueur du lustre aux mille feux, quand le public s'agite tout palpitant, que les femmes parées battent des mains et qu'on voit partout sourires sur des lèvres rouges [e], diamants qui brillent, vêtements blancs, richesses, joie, éclat, vous êtes-vous figuré toute cette lumière changée en ombre, ce bruit devenu silence et toute cette vie rentrée au néant et à la place de tous ces êtres décolletés, aux poitrines palpitantes [f], aux cheveux noirs nattés sur des peaux blanches, mis de suite, des squelettes[g] creux, jaunis, des squelettes qui seront[h] longtemps sous la terre où ils ont marché et réunis ainsi tous dans un spectacle pour s'admirer encore, pour voir une comédie qui n'a pas de nom, qu'ils jouent eux-mêmes, dont ils sont les acteurs éternels et immobiles.

Mathurin faisait à peu près de même, car à travers le vêtement il voyait la peau, la chair sous l'épiderme, la moelle sous l'os et il exhumait de tout cela lambeaux sanglants, pourriture du cœur, et souvent sur des corps sains vous découvrait une horrible gangrène[i].

Cette perspicacité qui a fait les grands politiques, les grands moralistes, les grands poètes, n'avait servi qu'à le rendre heureux, c'est quelque chose quand on sait que Richelieu, Molière et Shakespeare ne le furent pas. — Il avait vécu poussé mollement par ses sens, sans malheur ni bonheur, sans effort, sans passion[j] et sans vertu, ces deux meules qui usent la lame des 2 tranchants. Son cœur était une[k] cuve où rien de trop ardent n'avait fermenté et dès qu'il l'avait crue assez plein, il l'avait vite fermée laissant encore de la place pour du vide, pour la paix. Il n'était donc ni poète ni prêtre, il ne s'était pas marié, il avait le bonheur d'être bâtard, — ses amis étaient en petit nombre, et sa cave était bien garnie. Il n'avait ni maîtresses qui lui cherchaient querelle ni chien qui le mordît. Il avait une excellente santé et un palais extrêmement délicat. Mais je dois vous parler de sa mort.

Il fit donc venir ses disciples (il en avait 2) et il leur dit qu'il allait mourir, qu'il était las d'être malade et d'avoir été tout un jour à la diète.

C'était la saison dorée, où les blés sont mûrs, le jasmin déjà blanc embaume le feuillage de la tonnelle, on commence à courber la vigne, les raisins pendent en grappes sur les échalas, le rossignol chante sur la haie, on entend des rires d'enfants dans les bois, les foins sont enlevés. Oh jadis les nymphes venaient danser sur la prairie et se formaient des guirlandes avec les fleurs des prés, la fontaine murmurait un roucoulement frais et amoureux, les colombes allaient voler sur les tilleuls, le matin encore quand le soleil se lève l'horizon est toujours d'un bleu vaporeux et la vallée répand sur les coteaux un frais parfum humide des baisers de la nuit et de la rosée des fleurs.

Mathurin couché depuis plusieurs jours dormait sur sa couche. Quels étaient ses songes ? Sans doute comme sa vie, calmes et purs. La fenêtre ouverte laissait entrer à travers sa jalousie des rayons de soleil. La treille grimpant le long de la muraille grise nouait ses fruits mûrs aux branches mêlées de la clématite. Le coq chantait dans la basse-cour, les faneurs reposaient à l'ombre sous les grands noyers aux troncs tapissés de mousses.

Non loin et sous les ormeaux il y avait un rond de gazon où ils allaient souvent faire la méridienne et dont la verdure touffue n'était seulement tachée que d'iris et de coquelicots. C'est là que couchés sur le ventre ou assis et causant ils buvaient ensemble pendant que la cigale chantait, que les insectes bourdonnaient dans les rayons du soleil. Les feuilles remuaient sous le souffle chaud des nuits d'été.

Tout était paix, calme et joie tranquille. C'est là que dans un oubli complet du monde, dans un égoisme divin ils vivaient — inactifs, inutiles, heureux — Ainsi pendant que les hommes travaillaient, que la société vivait avec ses lois, avec son organisation multiple, tandis que les soldats se faisaient tuer, et que les intrigants s'agitaient, eux ils buvaient, ils dormaient. Accusez-les d'égoisme, parlez de devoir, de morale, de dévouement. Dites encore une fois qu'on se doit au pays, à la société, rabâchez bien l'idée d'une œuvre commune, chantez toujours cette magnifique trouvaille du plan de l'univers, vous n'empêcherez pas qu'il y ait des gens sages et des égoistes qui ont plus de bon sens avec leur ignoble vice que vous autres avec vos sublimes vertus.

Ô hommes, vous qui marchez dans les villes, faites les révolutions, abattez les trônes, remuez le monde, et qui pour faire regarder vos petits fronts, faites bien de la poussière sur la route battue du genre humain, je

vous demande un peu si votre bruit, vos chars de
triomphe et vos fers, si vos machines et votre charlata-
nisme et vos vertus, si tout cela vaut une vie calme et
tranquille où l'on ne casse rien que des bouteilles
vides, où il n'y a d'autre fumée que celle d'une pipe,
d'autre dégoût que celui d'avoir trop mangé.

[1]Ainsi vivaient-ils et pendant que le sang coulait
dans les guerres civiles, que le gouvernail de l'état était
disputé entre des pirates et des ineptes et qu'il se
brisait dans la tempête, pendant que les empires
s'écroulaient, qu'on s'assassinait et qu'on vivait, qu'on
faisait des livres sur la vertu et que l'Etat ne vivait que
de vices splendides, qu'on donnait des prix de morale
et qu'il n'y avait de beau que les grands crimes, le
soleil pour eux faisait toujours mûrir leurs raisins, les
arbres avaient tout autant de feuilles vertes, ils
dormaient toujours sur la mousse des bois, et faisaient
rafraîchir leur vin dans l'eau des lacs.

Le monde vivait loin d'eux et le bruit même de[m] ses
cris n'arrivait pas jusqu'à leurs pieds, une parole
rapportée des villes aurait troublé le calme de leurs
cœurs. Aucune bouche profane ne venait boire à cette
coupe de bonheur exceptionnel. Ils ne recevaient ni
livres, ni journaux, ni lettres, la bibliothèque
commune se composait d'Horace, de Rabelais. Ai-je
besoin de dire qu'il y avait toutes les éditions de
Brillat-Savarin[3] et du *Cuisinier*? Pas un bout de
politique, pas un fragment de controverse, de philosophie ou d'histoire. Aucun des hochets sérieux dont
s'amusent les hommes, n'avaient-ils pas toujours
devant eux la nature et le vin, que fallait-il de plus?
Indiquez-moi donc quelque chose qui surpasse la
beauté d'une belle campagne illuminée de soleil et la
volupté d'une amphore pleine d'un vin limpide et
pétillant, et d'abord, quelle qu'elle soit, la réponse que
vous allez faire les aurait fait rire de pitié, je vous en
préviens.

Cependant Mathurin se réveilla, ils étaient là au
bout de son lit, il leur dit :

— A boire pour vous et pour moi, trois verres et

plusieurs bouteilles. — Je suis malade, il n'y a plus de
remède — Je veux mourir mais avant j'ai soif et très
soif. Je n'ai aucune soif des secours de la religion ni
aucune faim d'hostie. Buvons donc pour nous dire
adieu.

———

On apporta des bouteilles, de toutes les espèces et
des meilleures, le vin ruissela à flots pendant vingt
heures et avant l'aurore ils étaient gris.

D'abord ce fut une ivresse calme[n] et logique, une
ivresse douce et prolongée à loisir. Mathurin sentait sa
vie s'en aller et comme Sénèque qui se fit ouvrir les
veines et mettre dans un bain il se plongea avant de
mourir dans un bain d'excellent vin, baigna son cœur
dans une béatitude qui n'a pas de nom et son âme s'en
alla droit au Seigneur comme une outre pleine de
bonheur et de liqueur.

Quand le soleil se fut baissé ils avaient déjà bu à
trois, 15 bouteilles de Beaune (1re qualité 1834) et fait
tout un cours de théodicée et de métaphysique.

Car il résuma toute sa science dans ce dernier
entretien.

Il vit l'astre s'abaisser pour toujours et fuir derrière
les collines. Alors se levant et tournant les yeux vers le
couchant il regarda la campagne s'endormir au crépuscule, les troupeaux descendaient, et les clochettes des
vaches sonnaient dans les clairières, les fleurs allaient
fermer leur corolle, et des rayons du soleil couchant
dessinaient sur la terre des cercles lumineux et
mobiles. La brise des nuits s'éleva et les feuilles des
vignes à son souffle battirent sur leur treillage, elle
pénétra jusqu'à eux et rafraîchit leurs joues enflam-
mées.

— Adieu, dit Mathurin, adieu, demain je ne verrai
plus ce soleil, dont les rayons éclaireront mon tombeau, éclaireront ses ruines, et sans jamais venir à moi.

Les ondes couleront toujours et je n'entendrai pas
leur murmure. Après tout j'ai vécu pourquoi ne pas
mourir ? La vie est un fleuve, — la mienne a coulé
entre des prairies pleines de fleurs sous un ciel pur,

loin des tempêtes et des nuages, je suis à l'embou-
chure ! je me jette dans l'océan[o], dans l'infini, tout à
l'heure mêlé à tout, immense et sans borne, je n'aurai
plus la conscience de mon néant. Est-ce que l'homme
est quelque chose de plus qu'une simple goutte[p] d'eau
de l'océan ou qu'une bulle de mousse sur le tonneau
de l'électeur[4] ?

Adieu donc vents du soir qui soufflez sur les roses
penchées, sur les feuilles palpitantes des bois endormis, quand les ténèbres viennent, elles palpiteront
longtemps encore, les feuilles des orties qui [croîtront]
sur les débris cassés de ma tombe. Naguère, quand je
passais riant près des cimetières et qu'on entendait ma
voix chanter le long du mur, quand le hibou battait de
l'aile sur les clochers, que les cyprès murmuraient les
soupirs des morts, je jetais un œil calme sur ces pierres
qui recélaient l'éternité tout entière avec leurs débris
de cadavres, c'était pour moi un autre monde, où ma
pensée même pouvait à peine m'y transporter dans
l'infini d'une vague rêverie.

Maintenant mes doigts tremblants y touchent aux
portes de cet autre monde et elles vont s'ouvrir car j'en
remue le marteau d'un bras de colère, d'un bras
désespéré.

Que la mort vienne, qu'elle vienne, elle me prendra
tout endormi dans son linceul et j'irai continuer le
songe éternel sous l'herbe douce du printemps ou sous
la neige des hivers qu'importe, qu'elle vienne et mon
dernier sourire sera pour elle, je lui donnerai des
baisers pleins de vin, un cœur plein de la vie et qui
n'en veut plus. — Un cœur ivre et qui ne bat pas.

La souveraine beauté, le souverain bonheur, n'est-
ce pas le sommeil, et je vais dormir — dormir sans
réveil, longtemps, toujours. Les morts, à cette belle
phrase graduée il s'interrompit pour boire et continua[q] :

La vie est un festin. Il y en a qui meurent gorgés de
suite et qui tombent sous la table. D'autres rougissent
la nappe de sang et de souillures sans nombre.
Heureux ceux qui n'y versent que des taches de vin et

pas de larmes. D'autres sont étourdis des lumières, du bruit, dégoûtés du fumet des mets, gênés par la cohue, qui baissent la tête et se mettent à pleurer — heureux les sages qui mangent longuement, écartent leurs convives avides, les valets impudents qui les tiraillent et qui peuvent le dernier jour, au dessert quand les uns dorment, que les autres sont ivres dès le premier service, qu'un grand nombre malades sont partis boire enfin les vins [les] plus exquis, savourer les fruits les plus mûrs, succulents, jouir lentement des dernières fins de l'orgie, vider le reste d'un grand coup, éteindre les flambeaux et mourir.

Comme l'eau limpide que la nymphe de marbre laisse tomber murmurante de sa conque d'albâtre il continua ainsi longtemps à parler d'une voix grave et voluptueuse à la fois, pleine de cette mélancolie gaie qu'on a dans les suprêmes moments et son âme s'épanchait de ses lèvres comme l'eau limpide.

La nuit était venue, pure, amoureuse, une nuit bleue éclairée d'étoiles, — pas un bruit que celui de la voix de Mathurin qui parla longtemps à ses amis. Ils l'écoutaient en le contemplant. Assis sur sa couche, son œil commençait à se fermer. La flamme blanche des bougies remuait au vent, l'ombre qu'elle rayait tremblait sur le lambris, le vin pétillait dans les verres et l'ivresse sur leurs figures. Assis sur le bord de la tombe Mathurin y avait posé sa gourde, elle ne se fermera que quand il l'aura bue.

Vienne donc cette molle langueur des sens qui enivre jusqu'à l'âme, qu'elle le balance dans une mollesse infinie, qu'il s'endorme en rêvant de joies sans nombre, en disant aussi *nunc pulsanda tellus*[5], que les nymphes antiques jettent leurs roses embaumées sur les draps rougis dont il fait son linceul, viennent danser devant lui dans une ronde gracieuse et pour adieu toutes [les] beautés que le cœur rêve, et le charme des premières amours, la volupté des plus longs baisers et des plus suaves regards, que le ciel se fasse plus étoilé et ait une nuit plus limpide, que les clartés d'azur viennent éclairer les joies de cette agonie, fassent le vent plus frais, plus embaumant, que des voix s'élèvent de dessous l'herbe et chantent pendant qu'il boit les dernières gouttes de la vie, les yeux fermés tressaillent comme sous le plus tendre embrass[ement], que tout soit pour cet homme bonheur jusqu'à la mort, paix jusqu'au néant, que l'éternité ne soit qu'un lit pour le bercer dans les siècles.

Mais regardez-les. Jacques s'est levé et a fermé la fenêtre. Le vent venait sur Mathurin, il commençait à claquer des dents. — Ils ont rapproché de plus près la table ronde du lit, la fumée de leurs pipes monte au plafond et se répand en nuages bleus qui montent, on entend leurs verres s'entrechoquer et leurs paroles, le vin tombe par terre, — ils jurent — ils ricanent, cela va devenir horrible, ils vont se mordre.

Ne craignez rien, ils mordent une poularde grasse et les truffes qui s'échappent de leurs lèvres rouges roulent sur le plancher.

Mathurin parle politique.

— La démocratie est une bonne chose pour gens pauvres et de mauvaise compagnie. On parviendra peut-être un jour hélas à ce que tous les hommes puissent boire de la piquette, de ce jour-là on ne boira plus de constance. Si les nobles dont la tyrannie (ils avaient de si bons cuisiniers), j'en étais donc à la Révolution, pauvres moines, ils cultivaient si bien la vigne. Ainsi Robespierre. Oh le drôle de corps qui mangeait de la vache chez un menuisier et qui est resté pur au pouvoir et qui a la plus exécrable réputation bien méritée. S'il avait eu un peu plus d'esprit, qu'il eût ruiné l'état, entretenu dix maîtresses sur les fonds publics, bu du vin au lieu de répandre du sang, ce serait un homme justement, dignement vertueux, je disais donc que Fourier... un bien beau morceau sur l'art culinaire... Ce qui n'empêche que Washington ne fût un grand homme et Montyon[6] quelque chose de surhumain, de divin, presque de sur-stupide. Il s'agirait de définir la vertu avant d'en décerner les prix. Celui qui en aurait donné une bonne classification, qui auparavant l'aurait bien établie avec des caractères tranchés, nettement exprimés, positifs en un mot, celui-[là] aurait mérité un prix extraordinaire, j'en conviens, il lui aurait fallu déterminer jusqu'à quel point l'orgueil entre dans la grandeur, la niaiserie dans la bienfaisance, marquer la limite précise de l'intérêt et de la vanité. Il aurait fallu citer des exemples et faire comprendre trois mots incompréhensibles : moralité, liberté, devoir — et montrer, ç'aurait été le sublime de la proposition et on aurait pu enfermer ça dans une période savante, comme les hommes sont libres tout en ayant des devoirs, comment ils peuvent avoir des devoirs puisqu'ils sont libres, s'étendre longuement aussi, par manière de hors-d'œuvre et de digression favorable sur la vertu récompensée et le vice puni, on soutiendrait historiquement que Nabuchodonosor, Alexandre, Sésostris, César, Tibère, Louis XI, Rabelais, Byron, Napoléon et le marquis de Sade étaient des imbéciles, et que Mardochée, Caton, Brutus, Vespasien, Edouard le Confesseur, Louis XII, Lafayette, Montyon l'homme au manteau bleu, et Parmentier, et Poivre, étaient des grands hommes, des grands génies, des dieux, des êtres... Mathurin se mit à rire en éternuant, sa face se dilatait, tous ses traits étaient plissés par un sourire diabolique, l'éclair jaillissait de ses yeux, le spasme saccadait ses épaules, il continua :

— Vive la philanthropie, un verre de frappé. L'histoire est une science morale par-dessus tout à peu près comme la vue d'une maison de filles, et celle d'un échafaud plein de sang, les faits prouvent pourtant que tout est pour le mieux. Ainsi les Hébreux assassinés par leurs vainqueurs chantaient des psaumes que nous admirons comme poésie lyrique, les chrétiens qu'on égorgeait ne se doutaient pas qu'ils fondaient une poésie aussi, une société pure et sans tache. Jésus-Christ mort et descendant de sa croix fournit au bout de 16 siècles le sujet d'un beau tableau, les Croisades, la Réforme, 93, la philosophie, la philanthropie qui nourrit les hommes avec des pommes de terre, et les vaches avec des betteraves, tout cela a été de mieux en mieux, la poudre à canon, la guillotine, les bateaux à vapeur et les tartes à la crème sont des inventions utiles vous l'avouerez à peu près comme le tonnerre, il y a des hommes réduits à l'état de terreneuviens et qui sont chargés de donner la vie à ceux qui veulent la perdre. Ils vous coupent la plante des pieds pour vous faire ouvrir les yeux et vous abîment de coups de poing pour vous rendre heureux. Ne pouvant plus marcher on vous conduit à l'hôpital, où vous mourez de faim et votre cadavre sert encore après vous à faire dire des bêtises sur chaque fibre de votre corps et à nourrir de jeunes chiens qu'on élève pour des expériences. Ayez la ferme conviction d'une providence éternelle, et du sens commun des nations. Combien y a-t-il d'hommes qui en aient ? Le bordeaux se chauffe toujours, l'ordre des comestibles est des plus substantiels aux plus légers, celui des boissons des plus tempérées aux plus fumeuses et aux plus parfumées. Si vous voulez qu'une alouette soit bonne, coupez par le milieu.

— Et la Providence maître ?

— Oui je crois que le soleil fait mûrir le raisin et qu'un gigot de chevreuil mariné est une bonne chose. Tout n'est pas fini et il y a deux sciences éternelles, la philosophie et la gastronomie. Il s'agit de savoir si l'âme va se réunir à l'essence universelle ou si elle reste à part comme individu et où elle va, dans quel pays et comment on peut conserver longtemps du Bourgogne. Je crois qu'il y a encore une meilleure manière d'arranger le homard et un plan nouveau d'éducation, mais l'éducation ne perfectionne guère que les chiens quant au côté moral. J'ai cru longtemps à l'eau de Seltz et à la perfectibilité humaine, je suis convaincu maintenant de l'absinthe. Elle est comme la vie, ceux qui ne savent pas la prendre, font la grimace.

— Nierez-vous donc l'immortalité de l'âme ?

— Un verre de vin.

— La récompense et le châtiment ?

— Quelle saveur, dit Mathurin après avoir bu et contractant ses lèvres sur ses dents.

— Le plan de l'univers ? Qu'en pensez-vous ?

— Et toi que penses-tu de l'étoile de Sirius ? penses-tu mieux connaître les hommes que les habitants de la lune ? l'histoire même est un mensonge réel.

— Qu'est-ce que cela veut dire ?

— Cela veut dire que les faits mentent, qu'ils sont et qu'ils ne sont plus, que les hommes vivent et meurent, que l'être et le néant sont deux faussetés qui n'en font qu'une, qui est le *toujours !*

— Je [ne] comprends pas maître.

— Et moi encore moins, répondit Mathurin.

— Cela est bien profond, dit Jacques aux trois quarts ivre, et il y a sous ce dernier mot une grande finesse.

— N'y a-t-il pas entre moi et vous deux, entre un homme et un grain de sable, entre aujourd'hui et hier, cette heure-ci et celle qui va venir, des espaces que la pensée ne peut mesurer et des mondes, des néants entiers qui les remplissent ? La pensée même peut-elle se résumer ? Te sens-tu dormir et lorsque ton esprit s'élève et s'en va de son enveloppe — ne crois-tu pas quelquefois, que tu n'es plus, que ton corps est tombé, que tu marches dans l'infini comme le soleil, que tu roules dans un gouffre comme l'Océan sur son lit de sable et ton corps n'est pas ton corps, que cette chose tourmentée qui est sur toi n'est qu'un voile rempli d'une tempête qui bat ? t'es-tu pris à douter de la matière, de la sensation elle-même ? Prends un grain de sable, il y a là un abîme à creuser pendant des siècles, palpe-toi bien pour voir si tu existes — et quand tu sauras que tu existes, il y là un infini que tu ne sonderas pas.

Ils étaient gris, ils ne comprenaient guère une tartine métaphysique aussi plate.

— Cela veut dire que l'homme voit aussi clair en lui et autour de lui que si tu étais tombé ivre mort au fond d'une barrique de vin plus grande que l'Atlantique.

Soutenir ensuite qu'il y a quelque chose de beau dans la création, vouloir faire un concert de louanges avec tous les cris de malédiction qui retentissent, de sanglots qui éclatent, de ruines qui croulent, c'est là la philosophie de l'histoire, disent-ils, quelle philosophie ! Elevez-moi une pyramide de têtes de morts et vantez la vie, chantez la beauté des fleurs assis sur un fumier, le calme et le murmure des ondes quand l'eau salée entre par les sabords et que le navire sombre et que les nations — ce que l'œil peut saisir c'est un horrible fracas d'une agonie éternelle. Regardez un peu la cataracte qui tombe de la montagne, comme son onde bouillonnante entraîne avec elle les débris de la prairie, le feuillage encore vert de la forêt cassé par les vents, la boue des ruisseaux, le sang répandu, les chars qui allaient, — cela est beau et superbe. Approchez, écoutez donc l'horrible râle de cette agonie sans nom, levez les yeux — quelle beauté, quelle horreur, quel abîme.

Allez encore, fouillez, déblayez les ruines sans nom, sous ces ruines-là d'autres encore et toujours, passez vingt générations de morts entassés les uns sur les autres, cherchez des empires perdus sous le sable du désert et des palais d'avant le déluge sous l'Océan, vous trouverez peut-être encore des temps inconnus, une autre histoire, un autre monde, d'autres siècles titaniques, d'autres calamités, d'autres désastres, des ruines fumantes, du sang figé sur la terre, des ossements broyés sous les pas.

Il s'arrêta essoufflé — et ôta son bonnet de coton, ses cheveux mouillés de sueur étaient collés en longues mèches sur son front pâle. Il se lève et regarde autour de lui. Son œil bleu est terne comme le plomb, aucun sentiment humain ne scintille de sa prunelle, c'est déjà quelque chose de l'impassibilité du tombeau. Ainsi placé sur son lit de mort et dans l'orgie jusqu'au cou, calme entre le tombeau et la débauche il semblait être la statue de la dérision, ayant pour piédestal une cuve et regardant la mort face à face.

Tout s'agite maintenant, tout tourne et vacille dans cette ivresse dernière — le monde danse au chevet de mort de Mathurin. Au calme heureux des premières libations succèdent la fièvre et ses chauds battements, elle va augmentant toujours, on la voit qui palpite sous leur peau, dans leurs veines bleues gonflées, leurs cœurs battent, — ils soufflent eux-mêmes — on entend le bruit de leur haleine et les craquements du lit qui ploie sous les soubresauts du mourant.

Il y a dans leur cœur une force qui vit, une colère qu'ils sentent monter graduellement du cœur à la tête, leurs mouvements sont saccadés, leur voix est stridente, leurs dents claquent sur les verres, ils boivent — ils boivent toujours, dissertant, philosophant, cherchant la vérité au fond du verre, le bonheur dans l'ivresse et l'éternité dans la mort. Mathurin seul trouva la dernière.

Cette dernière nuit-là — entre ces trois hommes, il se passa quelque chose de monstrueux et de magnifique. Si vous les aviez vus ainsi épuiser tout, tarir tout, exprimer les saveurs des plus pures voluptés, les parfums de la vertu et l'enivrement de toutes les chimères du cœur, et la politique, et la morale, la religion, tout passa devant eux et fut salué d'un rire grotesque et d'une grimace qui leur fit peur. La métaphysique fut traitée à fond dans l'intervalle d'un quart d'heure et la morale en se soûlant d'un douzième petit verre.

Et pourquoi pas ? si cela vous scandalise n'allez pas plus loin. Je rapporte les faits, je continue, je vais aller vite, dans le dénombrement épique de toutes les bouteilles bues.

C'est le punch maintenant qui flamboie et qui bout. Comme la main qui le remue est tremblante, les flammes qui s'échappent de la cuillère tombent sur les draps, sur la table, par terre, et font autant de feux follets qui s'éteignent et qui se rallument. Il n'y eut pas de sang avec le punch comme il arrive dans les romans de dernier ordre et dans les cabarets où l'on ne vend que de mauvais vin et où le bon peuple va s'enivrer avec de l'eau-de-vie de cidre.

Elle fut bruyante — car ils vocifèrent horriblement, ils ne chantent pas, ils causent —, ils parlent haut, ils

crient fort, ils rient sans savoir pourquoi, le vin les fait
rire et leur âme cède à l'excitation des nerfs excités. —
Voilà le tourbillon qui l'enlève, l'orgie écume, les
flambeaux sont éteints, le punch brûle partout.
Mathurin bondit haletant sur sa couche tachée de vin.

— Allons, poussons toujours, encore oui encore
cela, du kirsch, du rhum, de l'eau et du kirsch encore
— Faites brûler, que cela flambe et que cela soit
chaud, bouillant. Casse la bouteille, buvons à même.

Et quand il eut fini, il releva la tête tout fier et
regarda les deux autres, les yeux fixes, le cou [tendu],
la bouche souriante. Sa chemise était trempée d'eau-
de-vie. Il suait à grosses gouttes, l'agonie venait, une
fumée lourde montait sur le plafond, une heure sonna,
— le temps était beau, la lune luisait au ciel entre le
brouillard, la colline verte, argentée par ses clartés,
était calme et dormeuse, tout dormait — Ils se
remirent à boire et ce fut pis encore, c'était de la
frénésie, c'était une fureur de démons ivres.

Plus de verres — ni de coupes larges — à même,
maintenant — leurs doigts pressent la bouteille à la
casser sous leurs efforts — étendus sur leurs chaises,
les jambes raides et dans une raideur convulsive, la
tête arrière, le cou penché, les yeux au ciel, le goulot
sur la [bouche] [r], le [vin] coule toujours et passe sur
leur palais, l'ivresse vient à plein courant, ils y boivent
à même, elle les emplit, le vin entre dans leur sang et
le fait battre à pleine veine. Ils en sont immobiles, ils
se regardent avec des yeux ouverts et ne se voient pas.
Mathurin veut se retourner et soupire, les draps
ployés sous lui lui entrent dans la chair, il a les jambes
lourdes et les reins fatigués — il se meurt, il boit
encore — il ne perd pas un instant, pas une minute.
Entré dans le cynisme il y marche de toute sa force —
il s'y plonge — et il y meurt dans le dernier spasme de
son orgie [deux mots ill.] sublime.

Sa tête est penchée de côté — son corps alangui — il
remue les lèvres machinalement et vivement sans
articuler aucune parole. S'il avait les yeux fermés on le
croirait mort. Il ne distingue rien, on entend le râle de

sa poitrine et il se met [à] frapper dessus avec les deux poings — et prend encore un carafon et veut le boire.

Le prêtre entre, il le lui jette à la tête, salit le surplis blanc, renverse le calice, effraie l'enfant de chœur, en prend un autre et se le verse dans la bouche en poussant un hurlement de bête fauve, il tord son corps comme un serpent, il se remue, il crie, il mord ses draps, ses ongles s'accrochent sur le bois de son lit, puis tout s'apaise, il s'étend encore, parle bas à l'oreille de ses disciples et il meurt doucement heureux après leur avoir fait connaître ses suprêmes volontés et ses caprices de par delà le tombeau.

Ils obéirent. Dès le lendemain soir ils le prennent à eux. Ils le retirent de son lit, le roulent dans ses draps rouges, le prennent à eux deux, à Jacques la tête, à André les deux pieds et ils s'en vont.

Ils descendent l'escalier, traversent la cour, la masure plantée de pommiers et les voilà sur la grande route portant leur ami à un cimetière désigné. C'était un dimanche soir, un jour de fête, une belle soirée, tout le monde était sorti, les femmes en rubans roses et bleus, les hommes en pantalon blanc, il fallut se garer aux approches de la ville des charrettes qui allaient, des voitures, des chevaux, de la foule, de la cohue de canailles et d'honnêtes gens qui formaient le convoi de Mathurin — car aucun roi n'eut jamais tant de monde à ses funérailles. On se pressait sur les pieds, on se coudoyait et on jurait, on voulait voir, voir à toutes forces... bien peu savaient quoi. — Les uns par curiosité, d'autres poussés par leurs voisins — les uns étaient scandalisés, rouges de colère, furieux, il y en avait aussi qui riaient.

Un moment — et on ne sut pourquoi, la foule s'arrêta. — Comme vous la voyez dans les processions lorsque le prêtre stationne à un reposoir. Ils venaient d'entrer dans un cabaret. Est-ce que le mort par hasard venait de ressusciter et qu'on lui faisait prendre un verre d'eau sucrée ? Les philosophes buvaient un petit verre, et un troisième fut répandu sur la tête de Mathurin. Il sembla alors ouvrir les yeux, — non il était mort. Ce fut pis une fois entré dans le faubourg. A tous les bouchons, cabarets, cafés, ils entrent. La foule s'ameute. Les voitures ne peuvent plus circuler, on marche sur les pieds des chiens qui mordent et sur les cors des citoyens qui font la moue. On se porte, on se soulève vous dis-je, on court de cabaret en cabaret, on fait place à Mathurin porté par ses deux disciples, on l'admire, pourquoi pas ? On les voit ouvrir ses lèvres et passer du liquide dans sa bouche. Sa mâchoire se referme, les dents tombent les unes sur les autres et claquent à vide, le gosier avale et ils continuent.

Avait-il été écrasé ? s'était-il suicidé ? était-ce un martyr du gouvernement ? la victime d'un assassinat ? s'était-il noyé ? asphyxié ? était-il mort d'amour ou d'indigestion ? Un homme tendre ouvrit de suite une souscription, et garda l'argent. Un mora[liste] fit une dissertation sur les funérailles et prouva qu'on devait s'enterrer puisque les taupes elles-mêmes s'enterraient. Il parla au nom de la morale outragée, on l'avait d'abord écouté car son discours commençait par des injures, on lui tourna bientôt le dos, un seul homme le regardait attentivement, c'était un sourd. Même un républicain proposa d'ameuter le peuple contre le roi, parce que le pain était trop cher et que cet homme venait de mourir de faim, il le proposa si bas que personne ne l'entendit.

Dans la ville ce fut pis et la cohue fut telle qu'ils entrèrent dans un café pour se dérober à l'enthousiasme populaire. Grand fut l'étonnement des amateurs de voir arriver un mort au milieu d'eux. On le coucha sur une table de marbre, avec des dominos. Jacques et André s'assirent à une autre et remplirent les intentions du bon docteur. On se presse autour d'eux et on les interroge : d'où viennent-ils ? qu'est-ce donc ? pourquoi ? point de réponse.

Alors c'est un pari — Ce sont des prêtres indiens et c'est comme cela qu'ils enterrent leurs gens. — Vous vous trompez ce sont des Turcs. Mais ils boivent du vin. — Quel est donc ce rite-là ? dit un historien.

— Mais c'est abominable, c'est horrible, cria-t-on, hurla-t-on, quelle profanation, quelle horreur, dit un athée. — Un valet de bourreau trouva que c'était dégoûtant et un voleur soutint que c'était immoral.

Le jeu de billard fut interrompu et la politique de café en fut interrompue. Un cordonnier interrompit sa dissertation sur l'éducation et un poète élégiaque abîmé de vin blanc et plein d'huîtres osa hasarder le mot *ignoble*.

Ce fut un brouhaha — un oh d'indignation, beaucoup furent furieux car les garçons tardaient à apporter leurs plateaux, les hommes de lettres qui lisaient leurs œuvres dans les revues levèrent la tête et jurèrent sans même parler français. Et les journalistes, quelle colère, quelle sainte indignation que celle de ces paillasses littéraires. Vingt journaux s'en emparèrent et chacun fit là-dessus quinze articles à 8 colonnes avec des suppléments. On en placarda sur les murs, ils les applaudissaient, ils les critiquaient, faisaient la critique de leur critique et des louanges de leur louange. On en revint à l'Evangile, à la morale et à la religion, sans voir lu le premier, pratiqué la seconde ni cru à la dernière. Ce fut pour eux une bonne fortune car ils avaient eu le courage de dire à douze des sottises à deux et un d'eux même alla jusqu'à donner un soufflet à un mort. Quel dithyrambe sur la littérature, sur la corruption des romans, la décadence du goût, l'immoralité des pauvres poètes qui ont du succès. Quel bonheur pour tout le monde qu'une aventure pareille, puisqu'on en tira tant de belles choses, et de plus un vaudeville et un mélodrame, un conte moral et un roman fantastique.

Cependant ils étaient sortis et avaient bientôt traversé la ville au milieu de la foule scandalisée et réjouie. A la nuit venue, ils étaient hors barrière. Ils s'endormirent tous les trois [7] au pied d'un mulon de foin dans la campagne.

Les nuits sont courtes en été. Le jour vint et ses premières blancheurs saillirent à l'horizon de place en place. La lune devint toute pâle et disparut dans le brouillard gris. Cette fraîcheur du matin pleine de rosée et du parfum des foins les réveilla. Ils se remirent en route, car ils avaient bien encore une bonne lieue à faire le long de la rivière, dans les herbes par un sentier serpentant comme l'eau. A gauche il y avait le bois, dont les feuilles toutes mouillées brillaient sous les rayons du soleil qui passaient entre les pieds des arbres, sur la mousse, dans les bouleaux. Le tremble agitait son feuillage d'argent, les peupliers remuaient lentement leur tête droite. Les oiseaux gazouillaient déjà, chantaient, laissaient s'envoler leurs notes perlées. Le fleuve [coulait] de l'autre côté au pied des masures de chaume, le long des murailles, et on voyait les arbres laisser tomber les massifs de leurs feuilles et leurs fruits mûrs de celui-ci.

C'était la prairie et le bois. On entendait un vague bruit de chariot dans les chemins creux, et celui que les pas faisaient faire aux herbes foulées.

Et çà et là comme des corbeilles de verdure, des îles jetées dans le courant, leurs bords tapissés de vignobles descendaient jusqu'au rivage que les flots verts venaient baiser avec cette lenteur harmonieuse des ondes qui coulent !

Ah c'est bien là que Mathurin voulut dormir entre la forêt et le courant, dans la prairie. Ils l'y portèrent et lui creusèrent là son lit sous l'herbe non loin de la treille qui jaunissait au soleil et de l'onde qui murmurait sur le sable caillouteux de la rive.

Des pêcheurs s'en allaient avec leurs filets et penchés sur leurs rames ils tiraient la barque qui glissait vite. Ils chantaient et leur voix allait portée le long de l'eau et l'écho en frappait les coteaux boisés. Eux aussi quand tout fut prêt ils se mirent à chanter — un hymne aux sons harmonieux et lents qui s'en alla comme le chant des pêcheurs, comme le courant de la rivière se perdre à l'horizon, un hymne au vin, à la nature, au bonheur, à la mort. Le vent emportait leurs paroles, les feuilles venaient tomber sur le cadavre de Mathurin, ou sur les cheveux de ses amis.

La fosse ne fut pas creuse et le gazon le recouvrit

sans pierre ciselée, sans marbre doré. Quelques planches d'une barrique cassée qui se trouvaient là par hasard furent mises sur son corps afin que les pas ne l'écrasent pas. —

Et alors ils tirèrent chacun deux bouteilles, en burent deux et cassèrent les deux autres, le vin tomba en bouillons rouges sur la terre, la terre le but vite et alla porter jusqu'à Mathurin le souvenir des dernières saveurs de son existence et réchauffer sa tête couchée sur la terre !

On ne vit plus que les restes de deux bouteilles — ruines comme les autres ! elles rappelaient[s] des joies et montraient un vide !

Gve Flaubert
Vendredi 30 août 1839.

SOUVENIRS, NOTES
ET PENSÉES INTIMES

Parmi les écrits de jeunesse à la première personne, cet ensemble de petits cahiers auquel la nièce de Flaubert, Caroline Franklin-Grout, a donné le titre de *Souvenirs, notes et pensées intimes,* présente les caractéristiques d'un journal intime avec ses dates précises : « vendredi 28 février 1840 », « nuit du 2 janvier 1841 ». Flaubert y écrit par intermittence, d'abord des « pensées » dans la continuité d'*Agonies,* puis des faits de plus en plus ponctuels, entre les âges explicites de 18 et de 20 ans. Trois parties sont nettement distinctes, numérotées par l'auteur : la dernière est écrite entre le 2 janvier 1841 et le 8 février, la précédente est antérieure au 28 février 1840, date de relecture de « ce cahier » tenue pendant l'année 1839 ; quant à la première section, sans référence chronologique précise, des rapprochements avec certaines phrases de la *Correspondance* ou d'autres écrits, qu'on trouvera en notes, permettraient d'en avancer la date jusqu'à la fin de 1838. Je retiendrai cependant la période 1839-1841 comme seule attestée.

Ce journal intime assure la continuité du thème personnel entre *Mémoires d'un fou* et *Novembre* : « époque transitoire » (lettre à Ernest Chevalier du 24 février 1839) que Flaubert passe dans sa famille : il est expulsé du Collège royal vers son dix-huitième anniversaire (« Je hais la discipline ») et il prépare seul son baccalauréat ; ce n'est qu'à la rentrée de 1841 qu'il prend sa première inscription en droit, à Paris. L'année 39-40 lui appartient donc, marquée par la « maladie morale intermittente » d'un jeune homme pressé par les siens de choisir un « état », « fatigué de rêves, embêté de projets, saturé de penser à l'avenir » (lettre à Ernest Chevalier du 10 janvier 1841, contemporaine de la dernière section de ce cahier).

La rencontre avec Marie distribuait autour d'elle les souvenirs des *Mémoires d'un fou* ; une autre aventure ardente s'indique ici en creux, pendant le récit du « cher voyage » dans les Pyrénées et en Corse (récompense de son succès au baccalauréat) dont Flaubert résume les étapes (développées fin 1840 dans un récit circonstancié) jusqu'à Marseille exclu, passant sous silence la nuit à l'Hôtel Richelieu, rue de la Darse, où il connaît son « premier amour [...] une fouterie de délices » (Goncourt, *Journal*, 20 février 1860) avec Eulalie Foucaud de Langlade, la tenancière de l'hôtel. Elle n'apparaît qu'allusivement, par une coïncidence de dates (« c'était aussi un samedi ») et de lieu (« dans une chambre comme la mienne »).

Privé d'une perspective de lecteur, le cahier intime sans dédicataire se prend au reflet de son propre miroir d'écriture (« c'est un besoin d'écrire, de s'épancher et je ne sais quoi écrire ni quoi penser »), oscillant entre le « il y a » de la constatation philosophique et le « je » qui retrouve en lui l'inconsistance dénoncée par les moralistes ou les rêveries éveillées par la lecture de Sade, partagé aussi entre le désir de gloire et la totale désillusion du grand homme raté qui multiplie les jugements critiques en se relisant.

Ces notes n'ont été publiées que tardivement par Lucie Chevalley-Sabatier, nièce de la nièce de Flaubert, en 1965 (chez Buchet-Chastel). Les *Œuvres complètes* du Club de l'Honnête Homme reprennent le même texte (t. 11, 1973), sans remonter au manuscrit pourtant entré à la Bibliothèque nationale en 1969. L'édition de J.-P. Germain (Nizet, 1987) propose un nouveau classement. Après examen, c'est celui que j'adopte pour les raisons que J.-P. Germain donne dans son introduction, même si cet ordre ne résout pas toutes les questions (celle-ci par exemple : les traces de cachet rouge marquent sans doute la fin du manuscrit, mais elles se trouvent au verso du feuillet 30, qui ne peut pas être le dernier, puisqu'il est inclus dans un cahier paginé jusqu'à 33). L'indication des folios, dans le cas d'un ensemble discontinu, permet seule de pallier, en partie, les inconvénients d'une reconstitution conjecturale (f^o = folio, r^o = recto, v^o = verso).

(Les notes explicatives doivent beaucoup aux recherches de J.-P. Germain, mais la transcription qu'on va lire diffère de la sienne sur plusieurs points. Merci à Jean Bruneau, Pierre-Marc de Biasi et Jacques Neefs, qui ont réussi à lire plusieurs mots jusque-là indéchiffrés.)

Y. L.

1

Une chose incompréhensible : c'est l'infini — mais qui en doute ? Il y a donc des choses hors de la portée de notre intelligence et que nous croyons être. Est-ce qu'il y aurait autre chose qui penserait que cette intelligence même, autre chose qui serait convaincue que notre raison ?
[le mot « bête » est écrit en travers de ce paragraphe, barré d'un trait oblique.]

Pourquoi lorsque nous ne sommes pas dans les mêmes sentiments que ceux que nous abordons nous sentons-nous gauches, embarrassés à nous-mêmes. J'ai vu dernièrement un homme qui m'annonçait l'agonie de son frère, il me serrait la main affectueusement et moi je me la laissais serrer, je l'ai quitté en riant d'un air niais comme j'aurais souri dans un salon.

Cela m'a déplu sur le champ. Cet homme-là m'humiliait. C'est qu'il était plein d'un sentiment et que j'en étais vide. Je l'ai revu hier, — il est bête pourtant

à faire pitié mais je me rappelle combien je me suis haï
et trouvé détestable pendant cet instant [1].

La volupté se plaît d'elle-même. Elle se savoure
comme la mélancolie, jouissances solitaires d'autant
plus grandes que leur sujet est elles-mêmes et leur
objet elles-mêmes. L'amour au contraire veut du
partage. La volupté est égoïste et réfléchie et sérieuse
au dernier point, elles jouissent, elles abusent d'elles-
mêmes, elles se regardent et se complaisent, c'est
comme un onanisme du cœur.

Il y a des grands hommes qu'on aurait voulu voir et
admirer, il y en a d'autres avec qui

[f° 34 r°]

on aurait voulu vivre comme César, Montaigne,
Molière, Rousseau [2]. —

Les Sciences procèdent par l'analyse. Elles croient
que ça fait leur gloire et c'est leur pitié. La nature est
une synthèse — et pour l'étudier vous coupez, vous
séparez, vous disséquez et quand vous voulez de
toutes ces parties faire un tout — le tout est artificiel.
— Vous faites la synthèse après l'avoir déplacée. Les
liens n'existent plus. Les vôtres sont imaginaires et
j'ose dire hypothétiques. Et la science nouvelle, la
science des rapports des choses, la science du passage
de la cause à l'effet, la science du mouvement de
l'embryologie, de l'articulation [a].

[f° 2 r°]

Les idées sont plus positives que les choses.
Si vous m'accordez que l'homme à une âme — je
veux que les bêtes en aient, toutes les bêtes — à
commencer par le pourceau pour finir à la fourmi, aux

animaux microscopiques. Si l'homme est libre les animaux sont libres, ils seront comme lui récompensés ou punis, que d'âmes diverses, que d'enfers, que de paradis eût dit Voltaire — cette réflexion est humiliante. Elle conduit au matérialisme ou au nihilisme.

J'aime mieux l'inspiration que la réflexion — le sentiment que la raison, la clémence que la justice, la religion que la philosophie — le beau que l'utile, la poésie avant tout.

[fº 3 rº^]

L'art est plus utile que l'industrie, le beau est plus utile que le bon. S'il en était autrement pourquoi les premiers peuples, les premiers gouvernements ne seraient-ils pas industrieux, commerçants. Ils sont artistes, poètes, ils bâtissent des choses inutiles comme des pyramides, des cathédrales, ils font des poèmes avant de faire du drap. L'esprit est plus gourmand que l'estomac[3].

D'où vient que je veux que Jésus-Christ ait existé et que j'en suis certain ? c'est que je trouve le mystère de la passion tout ce qu'il y a de plus beau au monde.

La philosophie, science creuse qui ne parle pas au cœur, ni au sens car il n'y a que deux choses, la poésie, la beauté et l'utile, le profitable, si vous voulez être un Dieu soyez poète, si vous voulez être

[fº 35 rº]

un homme utile soyez chimiste, mécanicien, décrotteur — Voilà des résultats, le monde en veut. La philosophie n'en donne pas. Elle est toute pensée. La poésie au contraire est toute action, des images d'actions ou de sentiments. Elle est un monde, elle a ses mers, savanes qui nous perdent, ses ruisseaux qui nous désaltèrent — la philosophie a le gosier séché par la poussière du néant de tout ses systèmes.

— Me dire qu'un prêtre n'est pas utile, qu'un poète n'est pas utile et qu'un astronome l'est plus c'est me révolter.

Il arrivera peut-être un beau jour où toute la science moderne croulera et où l'on se moquera de nous, je le voudrais.

J'aime à voir l'humanité abaissée, ce spectacle me fait plaisir. Quand je suis le[4]

[f⁰ 14 r⁰]

hommes vils dans l'histoire, cela m'amuse et si je faisais un livre ce serait sur les turpitudes des grands hommes. — Je suis content que les grands hommes en aient eu.

Me parler de la dignité de l'espèce humaine c'est une dérision, j'aime Montaigne et Pascal pour cela.

La seule chose qui distingue l'homme des animaux c'est manger sans faim boire sans soif — libre arbitre.

Je hais la discipline.

Esprit de mathématicien esprit étroit.

Cœur de commerçant cœur sec comme le bois de leur comptoir.

La pudeur dans l'art est une idée qui n'a pu venir qu'à un imbécile. L'art dans les écarts les plus impudiques est pudique s'il est beau, s'il est grand. Une femme nue n'est pas impudique. Une main qui cache, un

[f⁰ 15 r⁰]

voile qui couvre, un pli qu'on fait sont impudiques.

La pudeur est quelque chose du cœur et non du corps, c'est un vernis qui brille, une peau veloutée au cœur.

Il y a des gens dont un simple geste, une parole insignifiante, un son de voix nous dégoûtent et nous répugnent.

La beauté est divine. Nous aimons malgré nous ce qui est beau, nous haïssons ce qui est laid. Tous les chiens aboient après les mendiants parce qu'ils sont déguenillés. Les enfants sont de même, vous ne [les] persuaderez pas que quelqu'un qui leur déplaît, qui est laid, soit beau — c'est pour eux impossible. Quand on a voulu représenter les anges on a pris un modèle de femme nue.

[fº 12 vº]

— J'ai déjà beaucoup écrit, et peut-être aurais-je bien écrit si au lieu de forcer mes sentiments pour les porter à l'idéal et de monter mes pensées sur des tréteaux, je les avais laissé courir dans les champs comme elles sont, fraîches, roses.

— Quand on écrit on sent ce qui doit être, on comprend qu'à tel endroit il faut ceci, à tel autre cela. On se compose des tableaux qu'on voit, on a en quelque sorte la sensation qu'on va faire éclore. On se sent dans le cœur comme l'écho lointain de toutes les passions qu'on va mettre au jour — et cette impuissance à rendre tout cela est le désespoir éternel de ceux qui écrivent, la misère des langues qui ont à peine un mot pour cent pensées, la faiblesse de l'homme qui ne sait pas trouver l'approchant et à moi particulièrement mon éternelle angoisse.

— O mon Dieu, mon Dieu pourquoi donc m'avez vous fait naître avec tant d'ambition — car c'est bien de l'ambition ce que j'ai. Quand j'avais dix ans, je rêvais déjà la gloire — et j'ai composé dès que j'ai su écrire. Je me suis peint tout exprès pour moi de ravissants tableaux. Je songeais à une salle pleine de lumière et d'or, à des mains qui battent, à des cris, à des couronnes. On appelle l'auteur — l'auteur — l'auteur c'est bien moi, c'est mon nom — moi — moi. On me cherche dans les

[fº 13 vº]

corridors, dans les loges — on se penche pour me voir
— la toile se lève je m'avance — quel enivrement ! on
te regarde, on t'admire, on t'envie — on est près de
t'aimer de t'avoir vu — Ah quelle pitié ! quelle pitié
d'y songer, quelle plus grande de se l'écrire à soi-
même, de se le dire — Oui je suis un grand homme
manqué, l'espèce en est commune aujourd'hui quand
je considère tout ce que j'ai fait et ce que je pouvais
faire — je me dis que cela est peu — et pourtant
comme j'ai de la force en moi, si vous saviez tous les
éclairs qui m'illuminent — hélas hélas ! je me dis qu'à
18 ans j'aurais pu déjà avoir fait des chefs d'œuvre —
je me suis sifflé, humilié, dégradé — et je ne sais pas
même ce que j'espère, ce que je veux ni ce que j'ai. Je
ne serai jamais qu'un écrivailleur honni, un vaniteux
misérable.

O si j'aimais, si j'étais aimé. Comme je serais heureux,
les belles nuits, les belles heures. Il y en a pourtant qui
vivent de cette vie-là ! pourquoi pas moi. O mon Dieu,
je ne veux pas d'autres délices. J'ai le cœur plein de
sons sonores et de mélodies plus douces que celles du
ciel, le doigt d'une femme les ferait chanter, les ferait
vibrer — se confondre dans un baiser, dans un regard
— eh quoi n'aurais-je jamais rien de tout cela ? Je sens
pourtant mon cœur bien plus grand que ma tête. O
comme j'aimerais, venez donc, venez donc — âme
mystérieuse sœur de la mienne, je baiserai la trace de
vos pas, tu marcheras sur moi et j'embrasserai tes
pieds en pleurant.

[fº 34 vº]

Si j'ai de suaves désirs d'amour — j'ai eu d'ardents,
j'ai de sanglants, j'en ai d'horribles.
— L'homme le plus vertueux a dans [le cœur] des
choses épouvantables.

— Il y a des pensées ou des actions qu'on [n']avoue à personne, pas même à son complice, pas même à son ami, qu'on [ne] se redit pas tout haut.

— Avez-vous quelquefois rougi de secrets mouvements ignobles qui montaient en vous et qui s'abaissaient ensuite vous laissant tout étonné, tout surpris de les avoir eus ?

— J'écris ces pages pour les relire ensuite dans un an, dans 30 ans. Cela me reportera dans ma jeunesse, comme un paysage qu'on veut revoir et on y retourne. On le croyait beau, riant avec des feuilles vertes — du tout, il est séché, il n'a plus d'herbe, déjà plus de sève aux arbres. O je le croyais plus beau, dit-on !

— J'écris parce que cela m'amuse.

— La pensée est la plus grande des voluptés. La volupté elle-même n'est qu'imagination. Avez-vous jamais autant joui que dans des rêves ?

[fº 2 vº]

— Je n'attends rien de bien de la part des hommes et aucune trahison, aucune bassesse ne m'étonnera.

— J'aime à être en colère — la colère s'amuse d'elle-même.

— Je sens que j'aurai dans le monde une vie ordinaire, sensée, raisonnable, que je serai un bon décrotteur, un bon palefrenier, un bon ressemeleur de phrases, un bon avocat, tandis que j'en voudrai une extraordinaire[5].

J'aime à la fois le luxe, la profusion et la simplicité, les femmes et le vin, la solitude et le monde, la retraite et les voyages, l'hiver et l'été, la neige et les roses, le calme et la tempête, j'aime à aimer, j'aime à haïr, j'ai en moi toutes les contradictions, toutes les absurdités, toutes les sottises.

— Je ne compte même pas sur moi. Je serai peut-être un être vil ignoble méchant et lâche, que sais-je ? Je crois pourtant que j'aurais plus de vertu que les autres parce que j'ai plus d'orgueil. Louez-moi donc.

— Je passe de l'espoir à l'anxiété, d'une folle espérance à une triste négation, c'est pluie et soleil, mais un soleil de carton doré et une pluie sale sans orage.
— O si je menais à bout toutes mes méditations, mes pensées — si je bâtissais quelque monument

[fº 3 vº]

avec l'échafaudage de tous mes songes, bref serai-je un roi ou un pourceau ?

— Jamais l'homme ne connaîtra la Cause, car la Cause c'est Dieu. Il ne voit que des successions, des formes fantômes, — fantôme lui-même il court au milieu d'eux, il veut les prendre, ils le fuient, il court après, va, vient, ne s'arrête que quand il tombe dans le vide absolu, alors il se repose.

— La morale sans la religion est absurdité qui n'a valeur que dans le cerveau des philosophes.

— J'entends des gens dire : pas de religion mais une morale, c'est dire il n'y a ni récompense, ni châtiment, ni bien, ni mal, il n'y a rien au-delà de la charogne humaine et de la bière en chêne, — soyez vertueux, souffrez — humiliez-vous, faites des sacrifices — soyez vicieux, tuez, pillez — vous n'en serez ni plus ni moins heureux dans l'éternité.

— Le temps est moins dans l'éternité, que le saut d'une puce dans le temps — et vous pensez à la gloire et au bonheur de vivre d'abord sur la terre puis dans la mémoire des hommes.

[fº 35 vº]

Il y a un axiome assez bête qui dit que la parole rend la pensée. Il serait plus vrai de dire qu'elle la défigure. Est-ce que vous énoncez jamais une phrase comme vous la pensez ? Ecrivez-vous un roman comme vous l'avez conçu ? Si les phrases produisaient les pensées, je vous ferais des tableaux que vous verriez comme s'ils étaient faits au pinceau, je vous chanterais des airs vagues et pleins de délices que j'ai dans la tête. Vous sentiriez les odeurs à [quoi] je pense. Je vous dirais toutes mes rêveries, et vous ne savez rien de tout cela parce qu'il n'y a pas de mots pour le dire. L'art n'est pas autre chose que cette éternelle traduction de la pensée par la forme.

[f° 14 v°]

Je suis jaloux de la vie des grands artistes, joie de l'orgueil, joie de l'art, joie de l'opulence, tout à eux. J'aurais voulu seulement être une belle danseuse — ou un joueur de violon, comme j'aurais pleuré, gémi, aimé, sangloté.

Il y a des joies tristes et des tristesses gaies.

Il y a un sourire indéfinissable, c'est celui que nous éprouvons devant un objet d'art, les sons d'un violon nous [font] sourire, la muse qui est en nous ouvre ses narines et aspire l'atmosphère éthérée.

L'esprit de Montaigne est un carré, celui de Voltaire un triangle.

[f° 4 r°]

2

Aujourd'hui — qu'ai-je donc ? est-ce satiété, est-ce désir, désillusion ou aspiration vers l'avenir ? J'ai la tête malade, le cœur vide. J'ai d'ordinaire ce qu'on appelle le caractère gai, mais il y a des vides là-dedans, des vides affreux, où je tombe brisé, rompu, anéanti ! Je n'écris plus — autrefois j'écrivais. Je me passionnais pour mes idées, je savais ce que c'était qu'être poète, je l'étais en dedans du moins, dans mon âme comme tous les grands cœurs le sont. Qu'importait la forme — toujours défectueuse elle rendait mal ma pensée — musicien sublime je jouais avec un rebec, je sentais de beaux éclats, des choses

[f° 5 r°]

suaves comme des baisers sans bruit qui murmuraient silencieusement. Si j'avais eu une belle voix, comme j'aurais chanté. On se moquerait de moi si on savait comme je m'admirais, on aurait raison, tout mon œuvre était en moi, et jamais je n'ai écrit une ligne, du beau poème qui me délectait.

Je me rappelle qu'avant dix ans j'avais composé déjà — je rêvais les splendeurs du génie, — une salle éclairée — des applaudissements, des couronnes et maintenant quoique j'aie encore la conviction de ma vocation, ou la plénitude d'un immense orgueil, je doute de plus

[f° 6 r°]

en plus. Si vous saviez ce que c'est que cette angoisse-là. Si vous saviez ce que c'est que ma vanité. Quel vautour sauvage, comme il me mord le cœur — comme je suis seul, isolé, méfiant, bas, jaloux, égoïste, féroce ! — O l'avenir que j'ai rêvé, comme il était [beau], ô la vie que je me bâtissais comme un roman ; quelle vie ! et que j'ai de peine à y renoncer — et l'amour aussi l'amour ! — Je me disais quand j'aurai 20 ans, on m'aimera sans doute, j'aurai rencontré quelqu'un, n'importe qui, une femme enfin et je saurai ce que c'est que ce beau nom-là qui faisait palpiter d'avance [toutes] les fibres de mon cœur, tous les muscles de ma chair.

[f° 7 r°]

J'ai pourtant été amoureux tout comme un autre, et aucune n'en a rien su ! quel dommage ! comme j'aurais été heureux. Je me prends souvent à penser à cela, — et les scènes se déroulent amoureusement, comme dans un rêve. Je me figure de longues étreintes, — des mots bien doux que je me redis, dont je me caresse, — des regards qui enivrent — ah si vous avez eu dans votre vie autre chose que des caresses de filles de joie, autre chose que des regards vendus, plaignez-moi.

Amour génie, voilà le ciel — que j'ai senti, que j'ai entrevu, dont j'ai eu des émanations, des visions à devenir fou — et qui s'est refermé pour jamais, — qui donc voudra de moi. Ce devrait déjà être venu, car j'aurais tant besoin d'une amante, d'un ange.

[f° 8 r°]

Je suis fat, dit-on, et pourquoi alors ce doute que j'ai sur chacune de mes actions, ce vide qui me fait peur — toutes ces illusions parties.

O une femme quelle belle chose ! Mettez-y deux ailes et vous en ferez un ange !

J'aime à rêver à ses contours, j'aime à rêver à toutes les grâces de ses sourires, à la mollesse de ses bras blancs, au tour de sa cuisse, à la pose de sa tête penchée.

Souvent je suis dans l'Inde, à l'ombre des bananiers, assis sur des nattes, les bayadères dansent, les cygnes s'arrondissent dans les lacs bleus — la nature palpite d'amour.

Il y a huit jours j'ai pensé pendant deux heures à deux brodequins verts

[f° 9 r°]

et à une robe noire! sans ajouter rien de plus des niaiseries qui me tiennent le cœur attaché longtemps.

Je baguenaude dans ma tête, je me chatouille pour me faire rire, je me fais des tableaux dont je suis le spectateur.

Des tableaux, avec des horizons roses, un beau soleil, — tout y est lumière, bonheur, rayonnements.

Ah! c'est le même homme qui écrit ceci, qui pensait avoir du génie, porter un nom dans l'avenir. Ah je suis bien misérable.

Je voudrais bien être mystique, il doit y avoir de belles voluptés à croire au paradis, à se noyer dans [des]

[f° 10 r°]

flots d'encens — à s'anéantir au pied de la croix, à se réfugier sous les ailes de la colombe. La première communion est quelque chose de naïf, ne nous moquons pas de ceux qui y pleurent. C'est une belle chose que l'autel couvert de fleurs qui embaument, — c'est une belle vie que celle des saints, j'aurais voulu mourir martyr — et s'il y a un Dieu, un Dieu bon, un Dieu le père de Jésus, qu'il m'envoie sa grâce, son esprit je le recevrai, et je me prosternerai. Je comprends bien que les gens qui jeûnent se régalent de leur faim et jouissent de privations, c'est un sensualisme bien plus fin que l'autre, ce sont les voluptés, les tressaillements, les béatitudes du cœur.

[f° 11 r°]

───────

Ce qu'on appelle le plaisir d'une bonne action est un mensonge! — et n'est pas différent de celui de l'homme qui digère, l'héroïsme c'est différent. Mais je dis que quand vous avez donné un sou à un pauvre et que vous dites alors que vous êtes heureux, vous êtes un imposteur, vous vous trompez vous-même. Il y a plus des 3/4 d'orgueil dans toute bonne action, reste un quart pour l'instinct, pour le mouvement animal fatal, pour le besoin à remplir, pour l'appétit réel. [6]

[f° 4 v°]

Il y a deux sortes de vanité. [7]

La vanité publique, et la vanité privée que l'on appelle bonne conscience, respect humain, estime de soi. Tant il est vrai qu'il y a en chaque homme deux hommes, celui qui agit et celui qui critique, la vie intime c'est le perpétuel enjôlement de celui qui agit sur celui qui critique. Si vous ne commettez pas telle bassesse, que [vous] fassiez tel acte de délicatesse, savez-vous pourquoi ? c'est pour pouvoir vous dire, en vous regardant dans votre miroir, voilà l'homme, le fameux homme qui a fait cela. Combien de femmes rougissent aux compliments qu'on leur adresse

[f° 5 v°]

et qui s'en donnent de plus forts en particulier. Combien de poètes qui s'inclinent avec humilité devant les autres et qui seuls se redressent hautement, se trouvent du génie dans les yeux, sur le front, — combien de gens qui s'habillent pour s'admirer, qui sourient pour se voir sourire — qui parlent en se mirant — qui sont vertueux pour pouvoir s'estimer ? N'avez-vous jamais été assez enfant pour chercher des poses qui vous allaient, assez [b] amoureux de vous pour vous embrasser la main, rien que pour voir ce que cela faisait ?

Je puis parler de l'orgueil en grand maître et je ferai là-dessus un

[f° 6 v°]

beau chapitre à quelque jour.

———————————

Il m'arrive quelquefois des révélations historiques tant certaines choses me surgissent clairement. La métempsycose est peut-être vraie. Je crois quelquefois avoir vécu à différentes époques, en effet j'en ai des souvenirs. [8]

———————————

Je n'ai aimé qu'un homme comme ami et qu'un autre c'est mon père [9].

———————————

Après un bal, après un concert, une grande réunion quelconque d'hommes et qu'on est rentré dans la solitude on éprouve un immense ennui et une mélancolie

[f° 7 v°]

indéfinissable —

———————————

Le 18ᵉ siècle n'a rien entendu à la poésie, rien entendu au cœur humain — il a compris tout ce qui était de l'intelligence.

———————————

Entre artiste et poète une immense différence — l'un sent et l'autre parle, l'un est le cœur et l'autre la tête.

———————————

L'avenir politique est une machine, ou peut-être au contraire sommes-nous à la veille d'une barbarie. Il me plairait assez de voir toute la civilisation s'écrouler comme un échafaudage de maçon avant que l'édifice ne soit construit. Quel

[f° 8 v°]

dommage la philosophie de l'histoire serait à recommencer.

Je voudrais être aux portes de Paris avec cinq cent mille barbares et brûler toute la ville, quelles flammes, quelle ruine, quelle ruine des ruines.

———

Je n'ai aucun amour pour le prolétaire et je ne sympathise pas avec sa misère mais je comprends et j'entre avec lui dans sa haine contre le riche.

———

Les richesses n'ont qu'un avantage c'est de vivre sans s'inquiéter de l'argent.

———

Le secret pour être heureux c'est

[f° 9 v°]

de savoir jouir, jouir à table, au lit, jouir d'être debout, d'être assis — jouir du plus pâle rayon de soleil, du plus mince paysage, c'est-à-dire aimer tout, de sorte que pour être heureux il faut déjà l'être — pas de pain sans levain.

———

Le stoïcisme est [la] plus sublime des stupidités.

———

La modestie, la plus orgueilleuse des bassesses —

———

Il y a quelque chose de supérieur au raisonnement c'est l'inspiration. Quelque chose qui juge mieux que le jugement c'est le tact qui n'est autre que l'inspiration donnée pour les choses physiques, pour la vie active.

———

Il y a quelque chose de plus fin que le goût. Ce n'est pas assez d'avoir du goût pour

[f° 10 v°]

quelque chose — il faut en avoir le *palais*. Boileau à
coup sûr avait du goût et un bon goût attique délicat,
un petit bec fin en poésie, une friandise de jolie
femme. Mais Racine en avait le *palais*, il en comprenait la saveur, la fleur, l'ambre du parfum, l'essence la
plus pure du je ne sais quoi qui charme, qui chatouille
et qui fait sourire. Ce sens-là pour ceux qui l'ont est
plus infaillible qu'un et un font deux.

Vendredi 28 février 1840

Je viens de relire ce cahier et j'ai eu pitié de moi-
même. id[c]

[f° 31 r°]

3

Si vous commencez votre livre en vous disant, il
faut qu'il prouve ceci, cela, qu'on en sorte religieux,
ou impie, ou érotique, — vous ferez un mauvais livre,
parce qu'en le composant vous aurez contrarié la
vérité, faussé les faits. Les idées découlent d'elles-
mêmes par une pente fatale et naturelle. Si dans un
but quelconque vous voulez leur faire prendre un
cours qui n'est pas le leur, tout est mal, il faut laisser
les caractères se dessiner en leurs conséquences, les
faits s'engendrer d'eux-mêmes. Il faut que tout cela
pousse de lui-même, et il ne faut pas le tirer par la tête
à droite ou à gauche, je prends des exemples.
Les Martyrs. — Gil Blas — Béranger [10].

[f° 31 v°]

Aujourd'hui 21 mai [11] jour de froid sans pluie, on
dirait qu'il va neiger et les feuilles sont aux arbres.
Jour de lassitude et d'angoisses, c'est un besoin

d'écrire, de s'épancher et je ne sais quoi écrire ni quoi penser. Il en est pourtant ainsi toujours des instincts confus, je suis un muet qui veut parler. Ah mon orgueil, mon orgueil personne ne te connaît, ni ma famille ni mes amis ni moi-même. Après tout je lui rapporte tout et peut-être me trompé-je.

Depuis que j'écris cette page, je sens que je ne dis pas [ce] que je veux dire, je n'ai pas trouvé la pente par laquelle il faut que ce que j'ai déborde. Je suis maintenant dans une bizarre position à la veille de sortir de mes classes et d'entrer dans ce qu'on appelle le monde, tous les souvenirs de ma vie passée reviennent

[f° 32 r°]

et mes huit années de collège repassent sous mes yeux. Il me semble pourtant qu'il y a vingt ans que je suis entré un soir à trois heures en veste bleue. Ce fut un temps d'inconcevable ennui et d'une tristesse bête mêlée à des spasmes de bouffonneries. J'écrirai cette histoire-là à quelque jour car je suis affamé de me conter à moi-même. Tout ce que je fais c'est pour me faire plaisir. Si j'écris c'est pour me lire, si je m'habille c'est pour me sembler bien, je me souris dans la glace pour m'être agréable. Voilà le fond de toutes mes actions. Est-il un meilleur ami que soi-même ? Si je me juge favorablement, je me juge aussi impitoyablement. Car il y a des jours où j'ambitionnerai la réputation du plus mince vaudevilliste, je m'exhausse et me rabaisse. Ce qui fait que je ne suis jamais à ma vraie hauteur. Dernièrement j'ai relu *Smar[h]*, la désillusion que j'en ai eue

[f° 32 v°]

a été complète : tout ce qui m'avait paru chaud est froid, tout ce qui me semblait bon est détestable [12]. Le

futur me ravit, le présent est peu de chose, le passé me
désespère et je ne gagne point d'expérience. J'aime
beaucoup à penser à l'avenir, j'y ai pensé toujours et
jamais il ne s'est accompli un seul fait que j'avais
espéré, attendu, craint, etc.

La force est quelque chose dont on jouit en la
perdant.

Quand j'ai commencé ceci je voulais en faire une
copie fidèle de ce que je pensais, sentais, et cela n'est
pas arrivé une fois tellement l'homme se ment à lui-
même : on se regarde au miroir mais votre image est
renversée, bref il est impossible de dire vrai quand on
écrit. On se touche, on se rit, on se minaude, il se
passe

[fᵒ 33 rᵒ]

quelquefois des pensées opposées tandis qu'on écrit la
même phrase, hâtez-vous vous tronquez, retenez-vous
vous alambiquez et relâchez.

La mélancolie est une volupté qu'on excite.
Combien de gens s'enferment pour se faire plus triste,
vont pleurer au bord du ruisseau, prennent de propos
délibéré un livre sentimental. Nous nous bâtissons et
nous débâtissons sans cesse.

Il y a des jours où l'on voudrait être athlète, et
d'autres où l'on voudrait être femme. Dans le premier
cas c'est le muscle qui palpe, dans le second c'est la
chair qui soupire et qui s'embrasse —

Ce qui me manque avant tout c'est le goût, je veux
dire tout. Je saisis et je sens en bloc, en synthèse, sans
m'apercevoir du détail, les *tutti* me vont, tout ce qui

[f° 33 v°]

pointe ou bosse me va, hors là rien. Le tissu, la contexture m'échappent, j'ai les mains rudes et je ne sens pas bien le moelleux de l'étoffe mais je suis frappé de son brillant. Les demi-teintes [ne] me vont pas. Aussi j'aime l'épicé, le poivré ou le sucré, le fondant aussi mais le délicat point. La couleur, l'image avant tout. Je manque de concision et encore plus de précision. Point d'unité, du mouvement mais point de poésie réelle, de l'invention mais pas le moindre sentiment du rythme car c'est là ce qui me manque le plus — et surtout un style long pétri de prétention.

———

L'art dramatique est une géométrie qui se parle en musique. Le sublime dans Corneille et dans Shakespeare me fait l'effet d'un rectangle. La pensée se termine en angles droits.

[f° 16 r°]

Montaigne est le plus délectable de tous les écrivains. Ses phrases ont du jus et de la chair [13].

———

Quand on a lu le marquis de Sade et qu'on est revenu de l'éblouissement on se prend à se demander si tout ne serait pas vrai, si la vérité n'était pas tout [ce] qu'il enseigne — et cela parce que vous ne pouvez résister à cette hypothèse à laquelle il vous fait rêver d'un pouvoir sans bornes et de puissances magnifiques [14].

———

Nous ne sommes pas indignés de deux jeunes chiens qui se battent, de deux enfants qui se frappent, d'une araignée qui mange une mouche. Nous tuons un insecte sans y penser. Montez sur une tour

[f⁰ 16 v⁰]

assez haut pour que le bruit se perde, pour que les
hommes soient petits. Si vous voyez de là un homme
en tuer un autre vous n'en seriez guère ému, moins
ému à coup sûr que si le sang rejaillissait sur vous.
Imaginez une tour plus haute et une indifférence plus
grande — un géant qui regarde des myrmidons, un
grain de sable au pied d'une pyramide et imaginez les
myrmidons qui s'égorgent et le grain de poussière qui
se soulève, qu'est-ce que tout cela peut faire au géant
et à la pyramide ? Maintenant [vous] pouvez comparer
la nature, Dieu, l'intelligence infinie en un mot enfin à
cet homme qui a 100 pieds, à cette pyramide qui en a
cent mille. Pensez d'après cela à la misère de nos
crimes et de nos vertus, de nos grandeurs et de nos
bassesses.

———————

Une plaisanterie est ce qu'il y a de plus puissant, de
plus terrible. Elle est

[f⁰ 17 r⁰]

irrésistible. Il n'y a point de tribunal pour en rappeler
ni la raison ni le sentiment. Une chose en dérision est
une chose morte. Un homme qui rit est plus fort
qu'un autre qui a une épée. Voltaire était le roi de son
siècle parce qu'il savait rire — tout son génie n'était
que cela. C'était tout.

La gaité est l'essence de l'esprit. Un homme
spirituel est un homme gai, un homme ironique,
sceptique qui sait la vie. La philosophie et les
mathématiciens c'est la raison, c'est avec la force la
fatalité des idées. Le poète c'est de la chair et des
larmes, l'homme facétieux est un feu qui brûle.

———————

La pièce la plus immorale du théâtre est le Misanthrope. Elle en est la plus belle.

[f° 17 v°]

O la chair la chair, démon qui revient sans cesse, vous arrache le livre des mains et la gaité du cœur, vous fait sombre, féroce, égoïste et sans grandeur — on le repousse il revient, on y cède avec enivrement, on s'y rue, on s'y étale, la narine s'ouvre, le muscle se tend, le cœur palpite, on retombe l'œil humide, ennuyé, brisé, c'est là la vie, un espoir et une déception -

(piteux)

Le marquis de Sade a oublié deux choses, l'anthropophagie et les bêtes féroces, ce qui prouve que les hommes les plus grands sont encore petits. Et pardessus tout il aurait dû se moquer du vice aussi, ce qu'il n'a pas fait et c'est là sa faute.

[f° 18 r°]

— Pastiche —

C'était au crépuscule, Assur était couché sur un lit de pourpre, l'odeur des orangers en fleurs, le vent de la mer, mille voix qui s'éteignent venaient à lui, il entendait aussi au bout de la cour des esclaves les lions et les tigres qui rugissaient dans leurs cages en voyant le soleil se coucher sur les montagnes et ils jetaient leur bave sur leurs barreaux et ils hennissaient car c'était là où leurs compagnes les attendent au fond des clairières sous les aloès. — Assur aussi hennissait et ses narines s'ouvraient aspirant déjà le supplice qui lui gonflait le cœur d'espoir. — Il se lève, il va au balcon de son

[f° 18 v°]

plus haut belvédère à la rampe d'or. Il s'accoude et il
regarde. Son regard va tout au bout et se promène de
côté comme une flèche que l'on fait tourner le long de
l'arc avant qu'elle ne parte. L'air est lourd, il étouffe,
il a soif, il veut du sang. Son balcon est garni de têtes
décharnées, les nuits, les aigles et les vautours viennent s'y abattre et becqueter dans les crânes gras. Il
entend le bruit de leurs ailes de dessous son toit quand
le dos de sa concubine craque sous lui et se ploie
comme l'osier, quand il boit le sang fumant dans une
main toute blanche de satin.

Que va-t-il faire maintenant qu'il se réveille gorgé
encore de l'orgie de la nuit, va-t-il se donner à ses
mignons ou se faire encenser par les

[f° 19 r°]

Mages ? — Assur redescend lentement et il lui semble
qu'une fée lui donne la main, c'est la fée des joies du
triple enfer qui respire la vapeur des champs de
bataille, qui exhale une odeur de rose et de chair
humaine, elle a une robe blanche tachetée, de belles
dents d'acier, des bras qui étouffent, une main qui
caresse. Elle le conduit jusque dans ses galeries, les
lumières brûlent encore dans les cristaux, les points
d'eaux murmurent, il y a des cadavres et des verres
qui gisent sur le plancher[d], il y a des soupirs qui
montent et des membres qui se frappent insensés sur
la terre. Par ses ordres tout est enlevé, balayé, les
voluptueux esclaves laissent couler des arrosoirs les
essences qui[e] ravissent, on tend les

[f° 19 v°]

rideaux de gaze rose, on allonge les sofas où le cœur de
l'homme s'amollit et se pâme sous les baisers, où les[f]

gorges se gonflent et palpitent si bien. Voilà que les femmes sont amenées, pleurantes, vêtues de noir avec des roses dans les cheveux, une porte secrète a laissé sortir les mignons nus[g]. Assur rit avec [ses] yeux, les embrasse, se fait porter dans leurs bras. On entend les trois sœurs qui sanglotent, on entend un grattement de griffes sur les portes. Un breuvage extrait......

————————

Nuit du 2 janvier 1841
écrit en revenant du bal.

————————

Qu'il y a longtemps que ceci est écrit mon Dieu !
C'était un après-midi de dimanche, par une heure d'ennui et de colère ; aussi harassé

[f° 20 r°]

du remède que de la maladie, j'ai quitté la plume et je suis sorti. J'ai été à pied dîner à Déville[15], j'ai été sur le boulevard avec Maman et nous avons rencontré Ballay[16], j'étais cynique et furieux !
Comme j'ai vécu depuis et qu'il y a de choses dans l'intervalle compris entre la ligne qui finit là et qui commence ici ! les travaux de mon examen, enfin j'ai été reçu. Je vais tâcher de résumer cette vie de cinq mois qui clôt ce qu'on appelle l'enfance et qui commence ce quelque chose qui n'a pas de nom, la vie d'un homme de 20 ans[17], c'est (surtout dans ma nature) ni la jeunesse ni l'âge mûr ni la caducité, c'est tout cela à la fois, ça y tient par toutes les proéminences, et les saillies, dans mon état

[f° 20 v°]

calme même, mon tempérament physique et moral est un éclectisme mené tambour battant par la fantaisie et par celle des choses.

Quand je me reporte en pensée à mon cher voyage [18] et que je me trouve ici, je me demande bien si je suis le même homme, — est-ce le même homme qui allait au bord du golfe de Sagone [19], et qui écrit ici à cette table, par une nuit d'hiver douce et pluvieuse, humide et pleine de brouillard.

— O l'Italie, l'Espagne, la Turquie.

— Aujourd'hui samedi, — c'était aussi un samedi, certain jour... dans une chambre comme la mienne, basse et pavée de pavés rouges, à la même heure, car je viens d'entendre deux heures et demie sonner [20]. On a dit le temps fuit comme une ombre,

[f° 21 r°]

il est tantôt fantôme qui vous glisse des mains ou spectre qui vous pèse sur la poitrine.

J'ai été au bal, qu'y faire ? que c'est triste les joies du monde, et c'est encore plus bête que ce n'est triste. J'y ai vu des fillettes en robe bleue, ou en robes blanches, des épaules couvertes de boutons, des omoplates saillantes, des mines de lapin, de belette, de fouine, de chien, de chat, d'imbéciles à coup sûr. Et tout cela babillait, jacassait, dansait et suait. Un tas de gens plus vides que le son d'une botte sur le pavé m'entouraient et j'étais forcé d'être leur égal, avec les mêmes mots à la bouche, le même costume. Ils m'entouraient de questions sottes, à qui je faisais des réponses analogues.

[f° 21 v°]

On a voulu me faire danser ! les pauvres bons enfants ! les aimables jeunes personnes, que je voudrais m'amuser comme eux !

J'ai la faiblesse d'aller de temps en temps dans l'armoire qui est à la tête de mon lit et de regarder mon habit de toile et d'en fouiller les poches. « Nous nous pipons nous-mêmes » dit Montaigne [21].

Que fais-je, que ferai-je jamais ? quel est mon avenir ? Au reste peu m'importe. J'aurais bien voulu travailler cette année, mais je n'en ai pas le cœur, et j'en suis bien fâché. J'aurais pu savoir le latin et le grec, l'anglais, mille choses m'arrachent le livre des mains et je me perds dans des rêveries plus longues que les plus longs rayons de crépuscule.

[f° 22 r°]

Je voudrais bien savoir le sentiment qui me porte à écrire ces pages, celle-là surtout, celles de cette nuit que je destine à n'être lues par personne.

Puisque j'ai jeté de côté le vieux Montluc[22], je vais résumer dans un programme tout ce que je ne veux pas perdre.

— J'ai été reçu bachelier un lundi matin, je ne me rappelle plus la date[23].

Café Duprat. Arrivée à la maison, Védié[24] y déjeunait, je me jette sur un lit et je dors. Aux bains le soir. Plusieurs jours de repos. Je dois aller en Espagne avec M. Cloquet[25]. J'étudie l'Espagne autant que je puis, changement, c'est la Corse. Je pars de Rouen

[f° 22 v°]

par la vapeur, Marion, Ernest, Huet. Chemin de fer. A Paris : je rencontre à l'entrée du palais Royal, une fille de la rue de la Cigogne, Lise[26], — visite à Gourgaud[27] nous nous promenons autour de l'étang des Suisses, je lui communique mes doutes sur ma vocation littéraire, il me réconforte. Beau temps, le même jour dîner chez Vasse[28].

Départ pour Bordeaux[29]. Accident arrivé à la diligence, nos compagnons sont un jeune homme en lunettes, en casquette noire, en paletot bleu, discussion sur un point de philosophie, d'histoire passé Angoulême, et un petit homme qui revenait dans son pays, il a été trois ans parti, il a été à la N[lle] Zélande.

Bordeaux, théâtre, une répétition, notre hôtesse. Dîner chez le général Carbonel [30].

Départ pour Bayonne [31], une femme maigre et une femme grasse. Conducteur, commis voyageur, j'achète un paquet de cigares.

A Bayonne, son camarade le grand diable en redingote grise avec des parements noirs, un médecin Mr *** qui a l'air de l'homme moral, agriculteur « je fais la médecine par philanthropie. » Marchés pour avoir

[f° 23 r°]

nos passe[ports] pour Fontarabie. Jeune garçon qui nous y conduit, mine jaune du commissaire qui est à l'entrée du pont de la Bidassoa. — Dans l'auberge où nous mangeons à Béhobie, jeune fille espagnole remarquable par une grande expression de bonté, mal au cœur... orage le soir [32].

De Bayonne à Pau, basques entassés sous la bâche qui ont chanté toute la nuit, officiers dont l'un adossé à moi, se retourne, me parle littérature Chateaubriand. Mon voisin de gauche, sandales jaunes, son chapeau l'embarrasse, il met son mouchoir rouge autour de sa tête, redingote de velours, nez pointu et retroussé par le bout.

A Pau j'ai froid. Je lis mes notes à Mr Cloquet, à Mlle Lise [33], peu d'approbation et peu d'intelligence de leur part, je suis piqué, le soir j'écris à maman, je suis triste à table, j'ai

[f° 23 v°]

peine à retenir mes larmes.
                    Pierre [fitte ?]
Cette nuit que je passe ainsi sans trop savoir pourquoi m'en rappelle une autre semblable, c'était chez le marquis de Pomereu à la Saint Michel. C'était

les vacances de ma 4e à ma 3e. Je suis resté toute la nuit à voir danser, et quand on s'est retiré, je me suis jeté sur mon lit, la bougie brûlait et comme maintenant j'avais mal à la tête. Allons homme fort, un peu de courage, ne passeras-tu pas une nuit sans dormir ? Le matin venu je me suis promené en barque [34].

Dans quelques minutes il sera 4 heures, le coq a déjà chanté, cock crows comme dans Hamlet [35]. — Il me semble qu'il y a déjà huit jours et

[f° 24 r°]

c'est pourtant il y a trois heures à peine que je voyais le monde aller, cette ronde passer.

Pierre [fitte], grotte, Eaux Chaudes, Eaux Bonnes, Tourn [ay], promenade le soir, bains, la femme de la buvette. Adieu à un autre jour, lisons Candide [36], le sommeil viendrait, comme voilà une nuit bien employée ô projets !

———

25 janvier, 4 h et demie du soir, le soleil brille encore, mon cadran de fer mire sa silhouette sur le rideau de ma fenêtre.

Aujourd'hui mes idées de grand voyage m'ont repris plus que jamais c'est l'Orient toujours. J'étais né pour y vivre. Ayant ouvert au hasard l'Itinéraire ABC, j'y ai vu ceci [37] :

[f° 24 v°]

« [h] un troisième (soldat français resté en Egypte et devenu mameluk) grand jeune homme maigre et pâle avait vécu longtemps dans le désert avec les Bédouins et il regrettait singulièrement cette vie. Il me contait que quand il se trouvait seul dans les sables sur un chameau, il lui prenait des transports de joie dont il n'était pas le maître » — Cela m'a fait réfléchir longtemps. Quand j'y pense je voudrais chaque jour

davantage pouvoir tomber dans l'extase des Alexan-
drins. — Ce silence du désert qui a des bruits si beaux
pour ses fils effraie les hommes des terres pluvieuses,
ceux qui respirent le charbon de terre et qui vivent les
pieds dans la boue des villes, D'Arcet [38] me l'a avoué
— plusieurs fois il s'est mis en marche tout seul et il
n'a pas osé continuer. — Botta [39] que j'ai vu à Rouen
et qui y a longtemps vécu vantait la liberté de l'Arabe
[et] l'abbé Stéphani [40]

[f° 25 r°]

compatriote de son père, disait « c'est là la liberté, la
vraie, vous autres vous ne savez pas ce que c'est — et à
ce qui suit j'ai fait un bond de jalousie — ils portaient
de longues robes de soie, de beaux turbans blancs, de
superbes armes, ils avaient un harem, des esclaves,
des chevaux de race » [41].

Je n'ai pas travaillé ce mois de janvier [42], je ne sais
pourquoi, — une inconcevable paresse. Je n'ai point
d'os (au moral), il y a des jours où je me précipiterais
sur des épées nues, ceux là où je n'ai pas la force de
remuer un livre.

Les gens qui ont 40 ans passés, les cheveux un peu
gris, point d'enthousiasme parmi tous les lieux
communs rebutants dont ils vous abreuvent ont
coutume de vous

[f° 25 v°]

dire, « vous changerez jeune homme, vous changerez », de sorte qu'il n'y a pas une phrase sur la vie,
l'art, la politique, l'histoire qui ne soit accompagnée
de ce refrain. Je me rappelle que Mr Cloquet qui
quoiqu'homme d'esprit dit beaucoup de platitudes
m'engagea un jour à mettre par écrit et sous forme
d'aphorismes toutes mes idées, de cacheter le papier et
de l'ouvrir dans 15 ans, « vous trouverez un autre

homme, me dit-il », comme ça peut être un fort bon conseil je vais le suivre.

I

Quant à ce qui est de la morale en général, je n'y crois point, c'est un sentiment et non une idée nécessaire.

II

Je ne conçois pas l'idée d'un devoir. Ceux qui la proclament seraient je pense embarrassés de la concilier avec celle de liberté.

[fᵒ 26 rᵒ]

III

En politique, en l'histoire, dans les relations humaines, tout ce qui arrive doit arriver, il faut le comprendre et non le blâmer. Il n'y a rien de bête comme les haines historiques.

IV

Je conçois tous les vices, tous les crimes, je conçois la férocité, le vol, etc. Il n'y a que la bassesse qui me révolte. Peut-être si je voyais les autres en serait-il de même.

V

Quant à la vertu des femmes, j'y crois plus que certaines gens très moraux et très édifiants parce que je crois à l'indifférence, à la froideur et à la vanité, ce dont ces Messieurs ne tiennent aucun compte.

VI

Je me sens profondément honnête homme, c'est-à-dire dévoué, capable de grands sacrifices, capable de bien aimer et de bien haïr les basses ruses, les tromperies.

[f° 26 v°]

Tout ce qui est petit, étroit me fait mal. J'aime Néron, je suis furieux contre la censure [43].

VII

J'attends tout le mal possible des hommes.

VIII

Je crois que l'humanité n'a qu'un but c'est de souffrir.

IX

L'histoire du monde c'est une farce.

X

Une grande pitié pour les gens qui croient au sérieux de la vie.

XI

Je n'ai jamais compris la pudeur.

XII

Un grand dédain pour les hommes en même temps que je me sens beaucoup de dispositions à pouvoir me faire aimer d'eux.

XIII

Je n'ambitionne point les succès politiques, j'aimerais mieux être applaudi sur

[f° 27 r°]

un théâtre de vaudeville qu'à la tribune.

XIV

Il est dommage que les conservateurs soient si misérables et que les républicains soient si bêtes.

XV

Ce qu'il y a de supérieur à tout c'est l'art, un livre de poésie vaut mieux qu'un chemin de fer.

XVI

Si la société continue à aller de ce train il n'y aura plus dans 2 000 ans ni un brin d'herbe ni un arbre ; ils auront mangé la nature — regarder le monde actuel me semble un horrible spectacle. Nous n'avons pas même de croyance au vice. Le marquis de Sade qu'on regarde comme un monstre s'est endormi pour toujours avec calme comme un sage. Il avait une foi, il est mort heureux. Et les sages d'aujourd'hui

[fº 27 vº]

comment meurent-ils ?

XVII

Le christianisme est à son lit de mort. Le retour qu'il a eu n'en était (je crois) que la dernière lueur. Nous le défendons bien par opposition à toutes les bêtises philanthropiques et philosophiques dont on nous assomme mais quand on vient à nous parler du dogme en lui-même, de religion pure, nous nous sentons fils de Voltaire.

XVIII

On m'a prédit beaucoup de choses 1º que j'apprendrai à danser 2º que je me marierai, nous verrons. — Je ne le crois pas.

XIX

Je ne vois pas que l'émancipation des nègres et des femmes soit quelque chose de bien beau.

XX

Je ne suis ni matérialiste ni spiritualiste, si j'étais quelque chose ce serait plutôt

[f° 28 v°]

matérialiste — spirituel.

XXI

J'aime le célibat des prêtres — quoique je ne sois pas plus mauvais qu'un autre, la famille me paraît quelque chose d'assez étroit et d'assez misérable. La poésie du coin du feu et celle des boutiquiers, franchement (malgré les poètes qui nous en bernent tant) il n'y a là dedans rien de bien grand.

XXII

Je me sens plus d'attachement pour mon chien que pour un homme.

XXIII

Il y a des jours où je suis pris de tendresse à voir des animaux.

XXIV

Ce qu'on pourrait m'offrir de mieux maintenant ce serait une chaise de poste et la clé des champs.

XXV

Dans la disposition où je me trouve, je ne serais pas indigné si je trouvais

[f° 28 v°]

mon domestique me volant. Je ne pourrais pas m'empêcher de l'approuver en moi-même car je n'y vois pas grand mal.

XXVI

Rien ne me paraît mal.

XXVII

Il n'y a ni l'idée vraie ni idée fausse. On adopte d'abord les choses très vivement, puis on réfléchit, puis on doute et on reste là.

XXVIII

Personne n'aime mieux que moi les éloges, et les éloges m'ennuient.

XXIX

J'aime à voir le grison appeler sa dignité humaine avilie, ravalée, abaissée, non pas par haine des hommes mais par antipathie pour l'idée de dignité.

30[i]

Avenir de l'humanité, droits du peuple, autant de balivernes absurdes.

31

Je ne crois à rien et je suis

[f⁰ 29 r⁰]

disposé à croire à tout, si ce n'est aux sermons moralistes.

32

Voici des choses fort bêtes 1° la critique littéraire quelle qu'elle soit, bonne ou mauvaise 2° la société de tempérance 3° le prix Montyon 4° un homme qui vante l'espèce humaine, un âne qui fait l'éloge des longues oreilles.

34

Voici une idée à proposer : prendre toutes les statues pour en faire des monnaies, s'habiller avec la toile des tableaux, se chauffer avec les livres.

34 corollaire du précédent

La bêtise et la grandeur moderne sont symbolisées dans un chemin de fer.

35

La civilisation est une victoire contre la poésie.

36

Souvent je voudrais pouvoir faire sauter les têtes de gens qui passent [44].

[f° 29 v°]

et dont la mine me déplaît. (Un autre jour je finirai ces formules).

— Repris le 8 février —

J'ai une maladie morale intermittente, hier j'avais des projets de travail superbes. Aujourd'hui je ne puis continuer, j'ai lu 5 pages d'anglais sans les comprendre, c'est à peu près tout ce que j'ai fait et j'ai écrit une lettre d'amour [45] — pour écrire, et non pas parce que j'aime. Je voudrais bien pourtant me le faire accroire à moi-même, j'aime je crois en écrivant. Pendant quelques jours j'ai eu la ferme résolution de faire en sorte qu'au bout de six mois vers juillet je susse l'anglais, le latin et de pouvoir lire le grec. A la fin de cette semaine je devais savoir par cœur le IVᵉ chant de l'Enéide.

Je ne lis pas grand chose. J'aurais besoin de m'accrocher plus profondément que je ne fais à tout ce qui m'entoure — à la

[f° 30 r°]

famille, à l'étude du monde — toutes choses dont je m'écarte, et je ne sais pourquoi, que je voudrais me forcer à ne pas aimer (le monde est de trop dans la phrase), je les prends et les quitte dans mon cœur seulement. Il y a des jours où je voudrais briller dans les salons, entendre mon nom proclamé avec éclat et d'autres où je voudrais bien m'avilir et m'obscurir, être notaire au fond de la Bretagne. Cheruel s'est aperçu de mon singulier état d'esprit [46] ; mais il y a un peu d'affectation aussi dans mon fait. Je joue toujours la comédie ou la tragédie, je suis si difficile à connaître que je ne me connais même pas moi-même.

A quoi bon écrire ceci, c'est ce que je ne saurais dire — Adieu Gustave, à un autre jour, quel qu'il soit, qu'il arrive, il y en aura d'autres de passés au tamis.

NOVEMBRE

« Clôture de ma jeunesse », ainsi que Flaubert le dit à Louise Colet quatre ans après la rédaction (lettre du 2 décembre 1846), *Novembre* achève le « récit funèbre » par la mort de son narrateur : la technique du manuscrit recueilli (celle de Goethe dans *Werther*) retourne le « je » en « il » et transforme, par la distance critique, en roman — c'est l'un des derniers mots du texte — ce qui se donnait comme « confidence » ou « confessions ». La mort du héros entraîne, littérairement, la mort de l'auteur, lequel ne renaîtra, après quelques velléités de *Mémoires*, qu'impersonnel.

Le faire-part de cette double disparition symbolique est signé du « 25 octobre 1842 », date d'achèvement, alors que se termine la vingtième année de Flaubert. Mais ce travail du deuil de soi a pris beaucoup de temps : commencé en écho à l' « Adieu Gustave » qui termine les *Souvenirs, notes et pensées intimes*, pendant la période de doute sur l'état à prendre, aux alentours du dix-huitième anniversaire (« Les idées de volupté et d'amour qui m'avaient assailli à 15 ans vinrent me retrouver à 18 »), la rédaction discontinue des « fragments de style quelconque » alterne avec les études de droit, au cours de l'année 1841 : « J'avais 19 ans quand j'ai écrit cela » (lettre à Du Camp du 7 avril 1846); elle est suffisamment avancée, début 1842, pour que Flaubert propose à son ancien profes-

seur de lettres, Gourgaud-Dugazon, de lui montrer en
avril « cette ratatouille sentimentale et amoureuse
dont je vous ai parlé. L'action y est nulle. Je ne saurais
vous en donner une analyse, puisque ce ne sont
qu'analyses et dissections psychologiques » (le 22
janvier 1842).

Maxime Du Camp y voyait une « autobiographie
morale » : elle concerne, à égalité, les désirs croisés
d'un jeune homme et d'une prostituée, Marie, qui
poursuivent l'un et l'autre le rêve de la volupté
maintenue au-delà de la satiété : « Je désirais mon
désir. » Parce que le jeune homme se dit vierge et que
Marie se donne, on peut lire dans *Novembre* la
transposition de la rencontre marseillaise : certes,
Marie est Eulalie, mais aussi Elisa, la femme inaccessible touchée dans la fille publique, et avec elles, toutes
les prostituées que Flaubert a connues, et celles dont il
a rêvé la jouissance. Plus sûrement que la copie d'une
femme réelle, Marie est un avatar littéraire du « type
dont presque tous les hommes sont en quête », et un
double féminin du narrateur, puisqu'elle éprouve
autant que lui « l'ardeur des espérances », les « nausées de la satiété » et les excès de « lubricité contenue » — qui rendront Emma si désirable.

Sur *Novembre*, l'appréciation de Flaubert est restée
partagée. Il jugeait son œuvre suffisamment représen-
tative du romantique qu'il avait été, et avec lui toute
une génération, pour la prêter ou la lire à des intimes,
sa sœur, Du Camp (« sous le charme et subjugué »),
Bouilhet, Louise Colet, mais aussi à des pairs en
littérature, Baudelaire et les Goncourt, qui trouvèrent
le texte « très fort » « malgré ses imperfections »
(*Journal*, 1er novembre 1863). Mais Flaubert se relisait
sans complaisance, avec la distance ironique autorisée
dans le texte même par le passage à la troisième
personne : « il s'était nourri de très mauvais auteurs,
comme on l'a pu voir à son style ». A Louise Colet qui
avait cru faire le compliment majeur en égalant
Novembre à son modèle romantique omniprésent,
Flaubert répond : « J'ai été même indigné que tu aies

comparé ce livre à *René*. Ça m'a semblé une profanation » (lettre du 11 décembre 1846). Pendant la
rédaction de *Madame Bovary*, Flaubert tire lui-même
la conclusion, soulagé rétrospectivement que le livre
fermant la jeunesse n'ait pas été celui qui ouvre
l'œuvre par le fait d'être imprimé :

« J'ai relu *Novembre*, mercredi, par curiosité. J'étais
bien le même particulier il y a onze ans qu'aujour-
d'hui ! (à peu de chose près du moins ; ainsi j'en
excepte, d'abord, une grande admiration pour les
putains, que je n'ai plus que théorique et qui jadis
était pratique). Cela m'a paru tout nouveau, tant je
l'avais oublié. Mais ce n'est pas bon. Il y a des
monstruosités de mauvais goût, et en somme l'ensemble n'est pas satisfaisant. Je ne vois aucun moyen de le
récrire, il faudrait tout refaire. — Par-ci, par-là, une
bonne phrase, une belle comparaison. Mais *pas de tissu
de style*. Conclusion : *Novembre* suivra le chemin de
L'Éducation sentimentale [celle de 1845], et restera avec
elle dans mon carton indéfiniment. Ah ! quel nez fin
j'ai eu dans ma jeunesse de ne pas le publier ! Comme
j'en rougirais maintenant ! » (lettre du 28 octobre
1853).

Quelques pages de *Novembre* ont été publiées pour
la première fois avec *Par les Champs et par les Grèves*
chez Charpentier, en 1886. Le texte intégral paraît
dans l'édition des *Œuvres complètes* (Conard, t. XIV,
1910). Le manuscrit a été vendu en 1957 (vente
Lucien-Graux, 4 juin 1957) ; depuis cette date, il est
inaccessible. En l'absence de l'autographe, c'est le
texte de l'édition Conard que je reprends.

Y. L.

NOVEMBRE
Fragments de style quelconque [1]

> « Pour... niaiser et fantastiquer. »
>
> Montaigne [2].

J'aime l'automne, cette triste saison va bien aux souvenirs. Quand les arbres n'ont plus de feuilles, quand le ciel conserve encore au crépuscule la teinte rousse qui dore l'herbe fanée, il est doux de regarder s'éteindre tout ce qui naguère encore brûlait en vous.

Je viens de rentrer de ma promenade dans les prairies vides, au bord des fossés froids où les saules se mirent ; le vent faisait siffler leurs branches dépouillées, quelquefois il se taisait, et puis recommençait tout à coup ; alors les petites feuilles qui restent attachées aux broussailles tremblaient de nouveau, l'herbe frissonnait en se penchant sur terre, tout semblait devenir plus pâle et plus glacé ; à l'horizon le disque du soleil se perdait dans la couleur blanche du ciel, et le pénétrait alentour d'un peu de vie expirante. J'avais froid et presque peur.

Je me suis mis à l'abri derrière un monticule de gazon, le vent avait cessé. Je ne sais pourquoi, comme j'étais là, assis par terre, ne pensant à rien et regardant au loin la fumée qui sortait des chaumes, ma vie entière s'est placée devant moi comme un fantôme, et l'amer parfum des jours qui ne sont plus m'est revenu avec l'odeur de l'herbe séchée et des bois morts ; mes pauvres années ont repassé devant moi, comme emportées par l'hiver dans une tourmente lamentable ; quelque chose de terrible les roulait dans mon souvenir, avec plus de furie que la brise ne faisait courir les feuilles dans les sentiers paisibles ; une ironie étrange les frôlait et les retournait pour mon spectacle, et puis toutes s'envolaient ensemble et se perdaient dans un ciel morne.

Elle est triste, la saison où nous sommes : on dirait que la vie va s'en aller avec le soleil, le frisson vous court dans le cœur comme sur la peau, tous les bruits s'éteignent, les horizons pâlissent, tout va dormir ou mourir. Je voyais tantôt les vaches rentrer, elles beuglaient en se tournant vers le couchant, le petit garçon qui les chassait devant lui avec une ronce grelottait sous ses habits de toile, elles glissaient sur la boue en descendant la côte, et écrasaient quelques pommes restées dans l'herbe. Le soleil jetait un dernier adieu derrière les collines confondues, les lumières des maisons s'allumaient dans la vallée, et la lune, l'astre de la rosée, l'astre des pleurs, commençait à se découvrir d'entre les nuages et à montrer sa pâle figure.

J'ai savouré longuement ma vie perdue ; je me suis dit avec joie que ma jeunesse était passée, car c'est une joie de sentir le froid vous venir au cœur, et de pouvoir dire, le tâtant de la main comme un foyer qui fume encore : il ne brûle plus. J'ai repassé lentement dans toutes les choses de ma vie, idées, passions, jours d'emportements, jours de deuil, battements d'espoir, déchirements d'angoisse. J'ai tout revu, comme un homme qui visite les catacombes et qui regarde lentement, des deux côtés, des morts rangés après des morts. A compter les années cependant, il n'y a pas longtemps que je suis né, mais j'ai à moi des souvenirs nombreux dont je me sens accablé, comme le sont les vieillards de tous les jours qu'ils ont vécus ; il me semble quelquefois que j'ai duré pendant des siècles et que mon être renferme les débris de mille existences passées. Pourquoi cela ? Ai-je aimé ? ai-je haï ? ai-je

cherché quelque chose ? j'en doute encore ; j'ai vécu
en dehors de tout mouvement, de toute action, sans
me remuer, ni pour la gloire, ni pour le plaisir, ni pour
la science, ni pour l'argent.

De tout ce qui va suivre personne n'a rien su, et
ceux qui me voyaient chaque jour, pas plus que les
autres ; ils étaient, par rapport à moi, comme le lit sur
lequel je dors et qui ne sait rien de mes songes. Et
d'ailleurs, le cœur de l'homme n'est-il pas une énorme
solitude où nul ne pénètre ? les passions qui y viennent
sont comme les voyageurs dans le désert du Sahara,
elles y meurent étouffées, et leurs cris ne sont point
entendus au-delà.

Dès le collège j'étais triste, je m'y ennuyais, je m'y
cuisais de désirs, j'avais d'ardentes aspirations vers
une existence insensée et agitée, je rêvais les passions,
j'aurais voulu toutes les avoir. Derrière la vingtième
année, il y avait pour moi tout un monde de lumières,
de parfums ; la vie m'apparaissait de loin avec des
splendeurs et des bruits triomphaux ; c'étaient,
comme dans les contes de fées, des galeries les unes
après les autres, où les diamants ruissellent sous le feu
des lustres d'or ; un nom magique fait rouler sur leurs
gonds les portes enchantées, et, à mesure qu'on
avance, l'œil plonge dans des perspectives magnifiques dont l'éblouissement fait sourire et fermer les
yeux.

Vaguement je convoitais quelque chose de splen-
dide que je n'aurais su formuler par aucun mot, ni
préciser dans ma pensée sous aucune forme, mais dont
j'avais néanmoins le désir positif, incessant. J'ai
toujours aimé les choses brillantes. Enfant, je me
poussais dans la foule, à la portière des charlatans,
pour voir les galons rouges de leurs domestiques et les
rubans de la bride de leurs chevaux ; je restais
longtemps devant la tente des bateleurs, à regarder
leurs pantalons bouffants et leurs collerettes brodées.
Oh ! comme j'aimais surtout la danseuse de corde,
avec ses longs pendants d'oreilles qui allaient et
venaient autour de sa tête, son gros collier de pierres

qui battait sur sa poitrine ! avec quelle avidité inquiète
je la contemplais, quand elle s'élançait jusqu'à la
hauteur des lampes suspendues entre les arbres, et que
sa robe, bordée de paillettes d'or, claquait en sautant
et se bouffait dans l'air ! ce sont là les premières
femmes que j'ai aimées. Mon esprit se tourmentait en
songeant à ces cuisses de formes étranges, si bien
serrées dans des pantalons roses, à ces bras souples,
entourés d'anneaux qu'elles faisaient craquer sur leur
dos en se renversant en arrière, quand elles touchaient
jusqu'à terre avec les plumes de leur turban. La
femme, que je tâchais déjà de deviner (il n'est pas
d'âge où l'on n'y songe : enfant, nous palpons avec
une sensualité naïve la gorge des grandes filles qui
nous embrassent et qui nous tiennent dans leurs bras ;
à dix ans, on rêve l'amour ; à quinze, il vous arrive ; à
soixante, on le garde encore, et si les morts songent à
quelque chose dans leur tombeau, c'est à gagner sous
terre la tombe qui est proche, pour soulever le suaire
de la trépassée et se mêler à son sommeil) ; la femme
était donc pour moi un mystère attrayant, qui trou-
blait ma pauvre tête d'enfant. A ce que j'éprouvais,
lorsqu'une de celles-ci venait à fixer ses yeux sur moi,
je sentais déjà qu'il y avait quelque chose de fatal dans
ce regard émouvant, qui fait fondre les volontés
humaines, et j'en étais à la fois charmé et épouvanté.

A quoi rêvais-je durant les longues soirées d'études,
quand je restais, le coude appuyé sur mon pupitre, à
regarder la mèche du quinquet s'allonger dans la
flamme et chaque goutte d'huile tomber dans le godet,
pendant que mes camarades faisaient crier leurs
plumes sur le papier et qu'on entendait, de temps à
autre, le bruit d'un livre qu'on feuilletait ou qu'on
refermait ? Je me dépêchais bien vite de faire mes
devoirs, pour pouvoir me livrer à l'aise à ces pensées
chéries. En effet, je me le promettais d'avance avec
tout l'attrait d'un plaisir réel, je commençais par me
forcer à y songer, comme un poète qui veut créer
quelque chose et provoquer l'inspiration ; j'entrais le
plus avant possible dans ma pensée, je la retournais

sous toutes ses faces, j'allais jusqu'au fond, je revenais et je recommençais ; bientôt c'était une course effrénée de l'imagination, un élan prodigieux hors du réel, je me faisais des aventures, je m'arrangeais des histoires, je me bâtissais des palais, je m'y logeais comme un empereur, je creusais toutes les mines de diamant et je me les jetais à seaux sur le chemin que je devais parcourir.

Et quand le soir était venu, que nous étions tous couchés dans nos lits blancs, avec nos rideaux blancs, et que le maître d'étude seul se promenait de long en large dans le dortoir, comme je me renfermais encore bien plus en moi-même, cachant avec délices dans mon sein cet oiseau qui battait des ailes et dont je sentais la chaleur ! J'étais toujours longtemps à m'endormir, j'écoutais les heures sonner, plus elles étaient longues plus j'étais heureux ; il me semblait qu'elles me poussaient dans le monde en chantant, et saluaient chaque moment de ma vie en me disant : Aux autres ! aux autres ! à venir ! adieu ! adieu ! Et quand la dernière vibration s'était éteinte, quand mon oreille ne bourdonnait plus à l'entendre, je me disais : « A demain, la même heure sonnera, mais demain ce sera un jour de moins, un jour de plus vers là-bas, vers ce but qui brille, vers mon avenir, vers ce soleil dont les rayons m'inondent et que je toucherai alors des mains », et je me disais que c'était bien long à venir, et je m'endormais presque en pleurant.

Certains mots me bouleversaient, celui de *femme*, de *maîtresse* surtout ; je cherchais l'explication du premier dans les livres, dans les gravures, dans les tableaux, dont j'aurais voulu pouvoir arracher les draperies pour y découvrir quelque chose. Le jour enfin que je devinai tout, cela m'étourdit d'abord avec délices, comme une harmonie suprême, mais bientôt je devins calme et vécus dès lors avec plus de joie, je sentis un mouvement d'orgueil à me dire que j'étais un homme, un être organisé pour avoir un jour une femme à moi ; le mot de la vie m'était connu, c'était presque y entrer et déjà en goûter quelque chose, mon désir n'alla pas

plus loin, et je demeurai satisfait de savoir ce que je
savais. Quant à une *maîtresse*, c'était pour moi un être
satanique, dont la magie du nom seul me jetait en de
longues extases : c'était pour leurs maîtresses que les
rois ruinaient et gagnaient des provinces ; pour elles
on tissait les tapis de l'Inde, on tournait l'or, on
ciselait le marbre, on remuait le monde ; une maîtresse
a des esclaves, avec des éventails de plumes pour
chasser les moucherons, quand elle dort sur des sofas
de satin ; des éléphants chargés de présents attendent qu'elle s'éveille, des palanquins le portent mollement au bord des fontaines, elle siège sur des
trônes, dans une atmosphère rayonnante et embaumée, bien loin de la foule, dont elle est l'exécration et
l'idole.

Ce mystère de la femme en dehors du mariage, et
plus femme encore à cause de cela même, m'irritait et
me tentait du double appât de l'amour et de la
richesse. Je n'aimais rien tant que le théâtre, j'en
aimais jusqu'au bourdonnement des entr'actes, jusqu'aux couloirs, que je parcourais le cœur ému pour
trouver une place. Quand la représentation était déjà
commencée, je montais l'escalier en courant, j'entendais le bruit des instruments, des voix, des bravos, et
quand j'entrais, que je m'asseyais, tout l'air était
embaumé d'une chaude odeur de femme bien habillée, quelque chose qui sentait le bouquet de violettes,
les gants blancs, le mouchoir brodé ; les galeries
couvertes de monde, comme autant de couronnes de
fleurs et de diamants, semblaient se tenir suspendues à
entendre chanter ; l'actrice seule était sur le devant de
la scène, et sa poitrine, d'où sortaient des notes
précipitées, se baissait et montait en palpitant, le
rythme poussait sa voix au galop et l'emportait dans
un tourbillon mélodieux, les roulades faisaient onduler son cou gonflé, comme celui d'un cygne, sous le
poids de baisers aériens ; elle tendait les bras, criait,
pleurait, lançait des éclairs, appelait quelque chose
avec un inconcevable amour, et, quand elle reprenait
le motif, il me semblait qu'elle arrachait mon cœur

avec le son de sa voix pour le mêler à elle dans une vibration amoureuse.

On l'applaudissait, on lui jetait des fleurs, et, dans mon transport, je savourais sur sa tête les adorations de la foule, l'amour de tous ces hommes et le désir de chacun d'eux. C'est de celle-là que j'aurais voulu être aimé, aimé d'un amour dévorant et qui fait peur, un amour de princesse ou d'actrice, qui nous remplit d'orgueil et vous fait de suite l'égal des riches et des puissants ! Qu'elle est belle la femme que tous applaudissent et que tous envient, celle qui donne à la foule, pour les rêves de chaque nuit, la fièvre du désir, celle qui n'apparaît jamais qu'aux flambeaux, brillante et chantante, et marchant dans l'idéal d'un poète comme dans une vie faite pour elle ! elle doit avoir pour celui qu'elle aime un autre amour, bien plus beau encore que celui qu'elle verse à flots sur tous les cœurs béants qui s'en abreuvent, des chants bien plus doux, des notes bien plus basses, plus amoureuses, plus tremblantes ! Si j'avais pu être près de ces lèvres d'où elles sortaient si pures, toucher à ces cheveux luisants qui brillaient sous des perles ! Mais la rampe du théâtre me semblait la barrière de l'illusion ; au-delà il y avait pour moi l'univers de l'amour et de la poésie, les passions y étaient plus belles et plus sonores, les forêts et les palais s'y dissipaient comme de la fumée, les sylphides descendaient des cieux, tout chantait, tout aimait.

C'est à tout cela que je songeais seul, le soir, quand le vent sifflait dans les corridors, ou dans les récréations, pendant qu'on jouait aux barres ou à la balle, et que je me promenais le long du mur, marchant sur les feuilles tombées des tilleuls pour m'amuser à entendre le bruit de mes pieds qui les soulevaient et les poussaient.

Je fus bientôt pris du désir d'aimer, je souhaitai l'amour avec une convoitise infinie, j'en rêvais les tourments, je m'attendais à chaque instant à un déchirement qui m'eût comblé de joie. Plusieurs fois je crus y être, je prenais dans ma pensée la première

femme venue qui m'avait semblé belle, et je me
disais : « C'est celle-là que j'aime », mais le souvenir
que j'aurais voulu en garder s'appâlissait[3] et s'effaçait
au lieu de grandir ; je sentais, d'ailleurs, que je me
forçais à aimer, que je jouais, vis-à-vis de mon cœur,
une comédie qui ne le dupait point, et cette chute me
donnait une longue tristesse ; je regrettais presque des
amours que je n'avais pas eues, et puis j'en rêvais
d'autres dont j'aurais voulu pouvoir me combler
l'âme.

C'était surtout le lendemain de bal ou de comédie, à
la rentrée d'une vacance de deux ou trois jours, que je
rêvais une passion. Je me représentais celle que j'avais
choisie, telle que je l'avais vue, en robe blanche,
enlevée dans une valse aux bras d'un cavalier qui la
soutient et qui lui sourit, ou appuyée sur la rampe de
velours d'une loge et montrant tranquillement un
profil royal ; le bruit des contredanses, l'éclat des
lumières résonnait et m'éblouissait quelque temps
encore, puis tout finissait par se fondre dans la
monotonie d'une rêverie douloureuse. J'ai eu ainsi
mille petits amours, qui ont duré huit jours ou un
mois et que j'ai souhaité prolonger des siècles ; je ne
sais en quoi je les faisais consister, ni quel était le but
où ces vagues désirs convergeaient ; c'était, je crois, le
besoin d'un sentiment nouveau et comme une aspiration vers quelque chose d'élevé dont je ne voyais pas le
faîte.

La puberté du cœur précède celle du corps ; or
j'avais plus besoin d'aimer que de jouir, plus envie de
l'amour que de la volupté. Je n'ai même plus maintenant l'idée de cet amour de la première adolescence,
où les sens ne sont rien et que l'infini seul remplit ;
placé entre l'enfance et la jeunesse, il en est la
transition et passe si vite qu'on l'oublie.

J'avais tant lu chez les poètes le mot amour, et si
souvent je me le redisais pour me charmer de sa
douceur, qu'à chaque étoile qui brillait dans un ciel
bleu par une nuit douce, qu'à chaque murmure du flot
sur la rive, qu'à chaque rayon de soleil dans les gouttes

de la rosée, je me disais : « J'aime ! oh ! j'aime ! » et
j'en étais heureux, j'en étais fier, déjà prêt aux
dévouements les plus beaux, et surtout quand une
femme m'effleurait en passant ou me regardait en
face, j'aurais voulu l'aimer mille fois plus, pâtir encore
davantage, et que mon petit battement de cœur pût
me casser la poitrine.

Il y a un âge, vous le rappelez-vous, lecteur, où l'on
sourit vaguement, comme s'il y avait des baisers dans
l'air ; on a le cœur tout gonflé d'une brise odorante, le
sang bat chaudement dans les veines, il y pétille,
comme le vin bouillonnant dans la coupe de cristal.
Vous vous réveillez plus heureux et plus riche que la
veille, plus palpitant, plus ému ; de doux fluides
montent et descendent en vous et vous parcourent
divinement de leur chaleur enivrante, les arbres
tordent leur tête sous le vent en de molles courbures,
les feuilles frémissent les unes sur les autres, comme si
elles se parlaient, les nuages glissent et ouvrent le ciel,
où la lune sourit et se mire d'en haut sur la rivière.
Quand vous marchez le soir, respirant l'odeur des
foins coupés, écoutant le coucou dans les bois, regardant les étoiles qui filent, votre cœur, n'est-ce pas,
votre cœur est plus pur, plus pénétré d'air, de lumière
et d'azur que l'horizon paisible, où la terre touche le
ciel dans un calme baiser. Oh ! comme les cheveux des
femmes embaument ! comme la peau de leurs mains
est douce, comme leurs regards nous pénètrent !

Mais déjà ce n'étaient plus les premiers éblouisse-
ments de l'enfance, souvenirs agitants des rêves de la
nuit passée ; j'entrais, au contraire, dans une vie réelle
où j'avais ma place, dans une harmonie immense où
mon cœur chantait un hymne et vibrait magnifiquement ; je goûtais avec joie cet épanouissement charmant, et mes sens s'éveillant ajoutaient à mon orgueil.
Comme le premier homme créé, je me réveillais enfin
d'un long sommeil, et je voyais près de moi un être
semblable à moi, mais muni des différences qui
plaçaient entre nous deux une attraction vertigineuse,
et en même temps je sentais pour cette forme nouvelle

un sentiment nouveau dont ma tête était fière, tandis
que le soleil brillait plus pur, que les fleurs embau-
maient mieux que jamais, que l'ombre était plus douce
et plus aimante.

Simultanément à cela, je sentais chaque jour le
développement de mon intelligence, elle vivait avec
mon cœur d'une vie commune. Je ne sais pas si mes
idées étaient des sentiments, car elles avaient toute la
chaleur des passions, la joie intime que j'avais dans le
profond de mon être débordait sur le monde et
l'embaumait pour moi du surplus de mon bonheur,
j'allais toucher à la connaissance des voluptés
suprêmes, et, comme un homme à la porte de sa
maîtresse, je restais longtemps à me faire languir
exprès, pour savourer un espoir certain et me dire :
tout à l'heure je vais la tenir dans mes bras, elle sera à
moi, bien à moi, ce n'est pas un rêve !

Etrange contradiction ! je fuyais la société des
femmes, et j'éprouvais devant elles un plaisir délicieux ; je prétendais ne point les aimer, tandis que je
vivais dans toutes et que j'aurais voulu pénétrer
l'essence de chacune pour me mêler à sa beauté. Leurs
lèvres déjà m'invitaient à d'autres baisers que ceux des
mères, par la pensée je m'enveloppais de leurs cheveux, et je me plaçais entre leurs seins pour m'y
écraser sous un étouffement divin ; j'aurais voulu être
le collier qui baisait leur cou, l'agrafe qui mordait leur
épaule, le vêtement qui les couvrait de tout le reste du
corps. Au-delà du vêtement je ne voyais plus rien,
sous lui était un infini d'amour, je m'y perdais à y
penser.

Ces passions que j'aurais voulu avoir, je les étudiais
dans les livres. La vie humaine roulait, pour moi, sur
deux ou trois idées, sur deux ou trois mots, autour
desquels tout le reste tournait comme des satellites
autour de leur astre. J'avais ainsi peuplé mon infini
d'une quantité de soleils d'or, les contes d'amour se
plaçaient dans ma tête à côté des belles révolutions, les
belles passions face à face des grands crimes ; je
songeais à la fois aux nuits étoilées des pays chauds et à

l'embrasement des villes incendiées, aux lianes des forêts vierges et à la pompe des monarchies perdues, aux tombeaux et aux berceaux ; murmure du flot dans les joncs, roucoulement des tourterelles sur les colombiers, bois de myrte et senteur d'aloès, cliquetis des épées contre les cuirasses, chevaux qui piaffent, or qui reluit, étincellements de la vie, agonies des désespérés, je contemplais tout du même regard béant, comme une fourmilière qui se fût agitée à mes pieds. Mais, par-dessus cette vie si mouvante à la surface, si résonnante de tant de cris différents, surgissait une immense amertume qui en était la synthèse et l'ironie.

Le soir, dans l'hiver, je m'arrêtais devant les maisons éclairées où l'on dansait, et je regardais des ombres passer derrière les rideaux rouges, j'entendais des bruits chargés de luxe, des verres qui claquaient sur des plateaux, de l'argenterie qui tintait dans des plats, et je me disais qu'il ne dépendait que de moi de prendre part à cette fête où l'on se ruait, à ce banquet où tous mangeaient ; un orgueil sauvage m'en écartait, car je trouvais que ma solitude me faisait beau, et que mon cœur était plus large à le tenir éloigné de tout ce qui faisait la joie des hommes. Alors je continuais ma route à travers les rues désertes, où les réverbères se balançaient tristement en faisant crier leurs poulies.

Je rêvais la douleur des poètes, je pleurais avec eux leurs larmes les plus belles, je les sentais jusqu'au fond du cœur, j'en étais pénétré, navré, il me semblait parfois que l'enthousiasme qu'ils me donnaient me faisait leur égal et me montait jusqu'à eux ; des pages, où d'autres restaient froids, me transportaient, me donnaient une fureur de pythonisse, je m'en ravageais l'esprit à plaisir, je me les récitais au bord de la mer, ou bien j'allais, la tête baissée, marchant dans l'herbe, me les disant de la voix la plus amoureuse et la plus tendre.

Malheur à qui n'a pas désiré des colères de tragédie, à qui ne sait pas par cœur des strophes amoureuses pour se les répéter au clair de lune ! il est beau de vivre ainsi dans la beauté éternelle, de se draper avec les rois, d'avoir les passions à leur expression la plus haute, d'aimer les amours que le génie a rendus immortels.

Dès lors je ne vécus plus que dans un idéal sans bornes, où, libre et volant à l'aise, j'allais comme une abeille cueillir sur toutes choses de quoi me nourrir et vivre; je tâchais de découvrir, dans les bruits des forêts et des flots, des mots que les autres hommes n'entendaient point, et j'ouvrais l'oreille pour écouter la révélation de leur harmonie; je composais avec les nuages et le soleil des tableaux énormes, que nul langage n'eût pu rendre, et, dans les actions humaines également, j'y percevais tout à coup des rapports et des antithèses dont la précision lumineuse m'éblouissait moi-même. Quelquefois l'art et la poésie semblaient ouvrir leurs horizons infinis et s'illuminer l'un l'autre de leur propre éclat, je bâtissais des palais de cuivre rouge, je montais éternellement dans un ciel radieux, sur un escalier de nuages plus mous que des édredons.

L'aigle est un oiseau fier, qui perche sur les hautes cimes; sous lui il voit les nuages qui roulent dans les vallées, emportant avec eux les hirondelles; il voit la pluie tomber sur les sapins, les pierres de marbre rouler dans le gave, le pâtre qui siffle ses chèvres, les chamois qui sautent les précipices. En vain la pluie ruisselle, l'orage casse les arbres, les torrents roulent avec des sanglots, la cascade fume et bondit, le tonnerre éclate et brise la cime des monts, paisible il vole au-dessus et bat des ailes; le bruit de la montagne l'amuse, il pousse des cris de joie, lutte avec les nuées qui courent vite, et monte encore plus haut dans son ciel immense.

Moi aussi, je me suis amusé du bruit des tempêtes et du bourdonnement vague des hommes qui montait jusqu'à moi; j'ai vécu dans une aire élevée, où mon cœur se gonflait d'air pur, où je poussais des cris de triomphe pour me désennuyer de ma solitude.

Il me vint bien vite un invincible dégoût pour les choses d'ici-bas. Un matin, je me sentis vieux et plein

d'expérience sur mille choses inéprouvées, j'avais de
l'indifférence pour les plus tentantes et du dédain
pour les plus belles ; tout ce qui faisait l'envie des
autres me faisait pitié, je ne voyais rien qui valût
même la peine d'un désir, peut-être ma vanité faisait-
elle que j'étais au-dessus de la vanité commune et mon
désintéressement n'était-il que l'excès d'une cupidité
sans bornes. J'étais comme ces édifices neufs, sur
lesquels la mousse se met déjà à pousser avant qu'ils
ne soient achevés d'être bâtis ; les joies turbulentes de
mes camarades m'ennuyaient, et je haussais les
épaules à leurs niaiseries sentimentales : les uns
gardaient tout un an un vieux gant blanc, ou un
camélia fané, pour le couvrir de baisers et de soupirs ;
d'autres écrivaient à des modistes, donnaient rendez-
vous à des cuisinières ; les premiers me semblaient
sots, les seconds grotesques. Et puis la bonne et la
mauvaise société m'ennuyaient également, j'étais cynique avec les dévots et mystique avec les libertins, de
sorte que tous ne m'aimaient guère.

A cette époque où j'étais vierge, je prenais plaisir à
contempler les prostituées, je passais dans les rues
qu'elles habitent, je hantais les lieux où elles se
promènent ; quelquefois je leur parlais pour me tenter
moi-même, je suivais leurs pas, je les touchais,
j'entrais dans l'air qu'elles jettent autour d'elles ; et
comme j'avais de l'impudence, je croyais être calme ;
je me sentais le cœur vide, mais ce vide-là était un
gouffre.

J'aimais à me perdre dans le tourbillon des rues ;
souvent je prenais des distractions stupides, comme de
regarder fixement chaque passant pour découvrir sur
sa figure un vice ou une passion saillante. Toutes ces
têtes passaient vite devant moi : les unes souriaient,
sifflaient en partant, les cheveux au vent ; d'autres
étaient pâles, d'autres rouges, d'autres livides ; elles
disparaissaient rapidement à mes côtés, elles glissaient
les unes après les autres comme les enseignes lorsqu'on est en voiture. Ou bien je ne regardais seulement que les pieds qui allaient dans tous les sens, et je

tâchais de rattacher chaque pied à un corps, un corps à
une idée, tous ces mouvements à des buts, et je me
demandais où tous ces pas allaient, et pourquoi
marchaient tous ces gens. Je regardais les équipages
s'enfoncer sous les péristyles sonores et le lourd
marchepied se déployer avec fracas ; la foule s'engouffrait à la porte des théâtres, je regardais les lumières
briller dans le brouillard et, au-dessus, le ciel tout noir
sans étoiles ; au coin d'une rue, un joueur d'orgue
jouait, des enfants en guenilles chantaient, un marchand de fruits poussait sa charrette, éclairée d'un
falot rouge ; les cafés étaient pleins de bruit, les glaces
étincelaient sous le feu des becs de gaz, les couteaux
retentissaient sur les tables de marbre ; à la porte les
pauvres, en grelottant, se haussaient pour voir les
riches manger, je me mêlais à eux et, d'un regard
pareil, je contemplais les heureux de la vie ; je jalousais
leur joie banale, car il y a des jours où l'on est si triste
que l'on voudrait se faire plus triste encore, on
s'enfonce à plaisir dans le désespoir comme dans une
route facile, on a le cœur tout gonflé de larmes et l'on
s'excite à pleurer. J'ai souvent souhaité d'être misérable et de porter des haillons, d'être tourmenté de la
faim, de sentir le sang couler d'une blessure, d'avoir
une haine et de chercher à me venger.

Quelle est donc cette douleur inquiète, dont on est
fier comme du génie et que l'on cache comme un
amour ? vous ne la dites à personne, vous la gardez
pour vous seul, vous l'étreignez sur votre poitrine avec
des baisers pleins de larmes. De quoi se plaindre
pourtant ? et qui vous rend si sombre à l'âge où tout
sourit ? n'avez-vous pas des amis tout dévoués ? une
famille dont vous faites l'orgueil, des bottes vernies,
un paletot ouaté, etc. ? Rhapsodies poétiques, souvenirs de mauvaises lectures, hyperboles de rhétorique,
que toutes ces grandes douleurs sans nom, mais le
bonheur aussi ne serait-il pas une métaphore inventée
un jour d'ennui ? J'en ai longtemps douté, aujourd'hui
je n'en doute plus.

Je n'ai rien aimé et j'aurais voulu tant aimer ! il me

faudra mourir sans avoir rien goûté de bon. A l'heure qu'il est, même la vie humaine m'offre encore mille aspects que j'ai à peine entrevus : jamais, seulement, au bord d'une source vive et sur un cheval haletant, je n'ai entendu le son du cor au fond des bois ; jamais non plus, par une nuit douce et respirant l'odeur des roses, je n'ai senti une main frémir dans la mienne et la saisir en silence. Ah ! je suis plus vide, plus creux, plus triste qu'un tonneau défoncé dont on a tout bu, et où les araignées jettent leurs toiles dans l'ombre.

Ce n'était point la douleur de René ni l'immensité céleste de ses ennuis, plus beaux et plus argentés que les rayons de la lune ; je n'étais point chaste comme Werther ni débauché comme Don Juan ; je n'étais, pour tout, ni assez pur ni assez fort[4].

J'étais donc, ce que vous êtes tous, un certain homme, qui vit, qui dort, qui mange, qui boit, qui pleure, qui rit, bien renfermé en lui-même, et retrouvant en lui, partout où il se transporte, les mêmes ruines d'espérances sitôt abattues qu'élevées, la même poussière de choses broyées, les mêmes sentiers mille fois parcourus, les mêmes profondeurs inexplorées, épouvantables et ennuyeuses. N'êtes-vous pas las comme moi de vous réveiller tous les matins et de revoir le soleil ? las de vivre de la même vie, de souffrir de la même douleur ? las de désirer et las d'être dégoûté ? las d'attendre et las d'avoir ?

A quoi bon écrire ceci ? pourquoi continuer, de la même voix dolente, le même récit funèbre ? Quand je l'ai commencé, je le savais beau, mais à mesure que j'avance, mes larmes me tombent sur le cœur et m'éteignent la voix.

Oh ! le pâle soleil d'hiver ! il est triste comme un souvenir heureux. Nous sommes entourés d'ombre, regardons notre foyer brûler ; les charbons étalés sont couverts de grandes lignes noires entrecroisées, qui semblent battre comme des veines animées d'une autre vie ; attendons la nuit venir.

Rappelons-nous nos beaux jours, les jours où nous étions gais, où nous étions plusieurs, où le soleil brillait, où les oiseaux cachés chantaient après la pluie, les jours où nous nous sommes promenés dans le jardin; le sable des allées était mouillé, les corolles des roses étaient tombées dans les plates-bandes, l'air embaumait. Pourquoi n'avons-nous pas assez senti notre bonheur quand il nous a passé par les mains? il eût fallu, ces jours-là, ne penser qu'à le goûter et savourer longuement chaque minute, afin qu'elle s'écoulât plus lente; il y a même des jours qui ont passé comme d'autres, et dont je me ressouviens délicieusement. Une fois, par exemple, c'était l'hiver, il faisait très froid, nous sommes rentrés de promenade, et comme nous étions peu, on nous a laissés nous mettre autour du poêle; nous nous sommes chauffés à l'aise, nous faisions rôtir nos morceaux de pain avec nos règles, le tuyau bourdonnait; nous causions de mille choses : des pièces que nous avions vues, des femmes que nous aimions, de notre sortie du collège, de ce que nous ferions quand nous serions grands, etc. Une autre fois, j'ai passé tout l'après-midi couché sur le dos, dans un champ où il y avait des petites marguerites qui sortaient de l'herbe; elles étaient jaunes, rouges, elles disparaissaient dans la verdure du pré, c'était un tapis de nuances infinies; le ciel pur était couvert de petits nuages blancs qui ondulaient comme des vagues rondes; j'ai regardé le soleil à travers mes mains appuyées sur ma figure, il dorait le bord de mes doigts et rendait ma chair rose, je fermais exprès les yeux pour voir sous mes paupières de grandes taches vertes avec des franges d'or. Et un soir, je ne sais plus quand, je m'étais endormi au pied d'un mulon; quand je me suis réveillé, il faisait nuit, les étoiles brillaient, palpitaient, les meules de foin avançaient leur ombre derrière elles, la lune avait une belle figure d'argent.

Comme tout cela est loin! est-ce que je vivais dans ce temps-là? était-ce bien moi? est-ce moi maintenant? Chaque minute de ma vie se trouve tout à coup séparée de l'autre par un abîme, entre hier et aujourd'hui il y a pour moi une éternité qui m'épouvante,

chaque jour il me semble que je n'étais pas si
misérable la veille et, sans pouvoir dire ce que j'avais
de plus, je sens bien que je m'appauvris et que l'heure
qui arrive m'emporte quelque chose, étonné seulement d'avoir encore dans le cœur place pour la
souffrance ; mais le cœur de l'homme est inépuisable
pour la tristesse : un ou deux bonheurs le remplissent,
toutes les misères de l'humanité peuvent s'y donner
rendez-vous et y vivre comme des hôtes.

Si vous m'aviez demandé ce qu'il me fallait, je
n'aurais su que répondre, mes désirs n'avaient point
d'objet, ma tristesse n'avait pas de cause immédiate ;
ou plutôt, il y avait tant de buts et tant de causes que je
n'aurais su en dire aucun. Toutes les passions
entraient en moi et ne pouvaient en sortir, s'y
trouvaient à l'étroit ; elles s'enflammaient les unes les
autres, comme par des miroirs concentriques :
modeste, j'étais plein d'orgueil ; vivant dans la solitude, je rêvais la gloire ; retiré du monde, je brûlais d'y
paraître, d'y briller ; chaste, je m'abandonnais, dans
mes rêves du jour et de la nuit, aux luxures les plus
effrénées, aux voluptés les plus féroces. La vie que je
refoulais en moi-même se contractait au cœur et le
serrait à l'étouffer.

Quelquefois, n'en pouvant plus, dévoré de passions
sans bornes, plein de la lave ardente qui coulait de
mon âme, aimant d'un amour furieux des choses sans
nom, regrettant des rêves magnifiques, tenté par
toutes les voluptés de la pensée, aspirant à moi toutes
les poésies, toutes les harmonies, et écrasé sous le
poids de mon cœur et de mon orgueil, je tombais
anéanti dans un abîme de douleurs, le sang me
fouettait la figure, mes artères m'étourdissaient, ma
poitrine semblait rompre, je ne voyais plus rien, je ne
sentais plus rien, j'étais ivre, j'étais fou, je m'imaginais
être grand, je m'imaginais contenir une incarnation
suprême, dont la révélation eût émerveillé le monde,
et ses déchirements, c'était la vie même du dieu que je
portais dans mes entrailles. A ce dieu magnifique j'ai
immolé toutes les heures de ma jeunesse ; j'avais fait

de moi-même un temple pour contenir quelque chose
de divin, le temple est resté vide, l'ortie a poussé entre
les pierres, les piliers s'écroulent, voilà les hiboux qui
y font leurs nids. N'usant pas de l'existence, l'existence m'usait, mes rêves me fatiguaient plus que de
grands travaux ; une création entière, immobile, irré-
vélée à elle-même, vivait sourdement sous ma vie ;
j'étais un chaos dormant de mille principes féconds
qui ne savaient comment se manifester ni que faire
d'eux-mêmes, ils cherchaient leurs formes et attendaient leur moule.

J'étais, dans la variété de mon être, comme une
immense forêt de l'Inde, où la vie palpite dans chaque
atome et apparaît, monstrueuse ou adorable, sous
chaque rayon de soleil ; l'azur est rempli de parfums et
de poisons, les tigres bondissent, les éléphants marchent fièrement comme des pagodes vivantes, les
dieux, mystérieux et difformes, sont cachés dans le
creux des cavernes parmi de grands monceaux d'or ; et
au milieu, coule le large fleuve, avec des crocodiles
béants qui font claquer leurs écailles dans le lotus du
rivage, et ses îles de fleurs que le courant entraîne avec
des troncs d'arbres et des cadavres verdis par la peste.
J'aimais pourtant la vie, mais la vie expansive,
radieuse, rayonnante ; je l'aimais dans le galop furieux
des coursiers, dans le scintillement des étoiles, dans le
mouvement des vagues qui courent vers le rivage ; je
l'aimais dans le battement des belles poitrines nues,
dans le tremblement des regards amoureux, dans la
vibration des cordes du violon, dans le frémissement
des chênes, dans le soleil couchant, qui dore les vitres
et fait penser aux balcons de Babylone où les reines se
tenaient accoudées et regardant l'Asie.

Et au milieu de tout je restais sans mouvement ;
entre tant d'actions que je voyais, que j'excitais même,
je restais inactif, aussi inerte qu'une statue entourée
d'un essaim de mouches qui bourdonnent à ses oreilles
et qui courent sur son marbre.

Oh ! comme j'aurais aimé si j'avais aimé, si j'avais
pu concentrer sur un seul point toutes ces forces

divergentes qui retombaient sur moi ! Quelquefois, à
tout prix je voulais trouver une femme, je voulais
l'aimer, elle contenait tout pour moi, j'attendais tout
d'elle, c'était mon soleil de poésie, qui devait faire
éclore toute fleur et resplendir toute beauté ; je me
promettais un amour divin, je lui donnais d'avance
une auréole à m'éblouir, et la première qui venait à ma
rencontre, au hasard, dans la foule, je lui vouais mon
âme, et je la regardais de manière à ce qu'elle me
comprît bien, à ce qu'elle pût lire dans ce seul regard
tout ce que j'étais, et m'aimer. Je plaçais ma destinée
dans ce hasard, mais elle passait comme les autres,
comme les précédentes, comme les suivantes, et
ensuite je retombais, plus délabré qu'une voile déchirée trempée par l'orage.

Après de tels accès la vie se rouvrait pour moi dans
l'éternelle monotonie de ses heures qui coulent et de
ses jours qui reviennent, j'attendais le soir avec
impatience, je comptais combien il m'en restait encore
pour atteindre à la fin du mois, je souhaitais d'être à la
saison prochaine, j'y voyais sourire une existence plus
douce. Quelquefois, pour secouer ce manteau de
plomb qui me pesait sur les épaules, m'étourdir de
sciences et d'idées, je voulais travailler, lire ; j'ouvrais
un livre, et puis deux, et puis dix, et, sans avoir lu
deux lignes d'un seul, je les rejetais avec dégoût et je
me remettais à dormir dans le même ennui.

Que faire ici-bas ? qu'y rêver ? qu'y bâtir ? dites-le-
moi donc, vous que la vie amuse, qui marchez vers un
but et vous tourmentez pour quelque chose !

Je ne trouvais rien qui fût digne de moi, je ne me
trouvais également propre à rien. Travailler, tout
sacrifier à une idée, à une ambition, ambition misérable et triviale, avoir une place, un nom ? après ? à quoi
bon ? Et puis je n'aimais pas la gloire, la plus
retentissante ne m'eût point satisfait parce qu'elle
n'eût jamais atteint à l'unisson de mon cœur.

Je suis né avec le désir de mourir. Rien ne me
paraissait plus sot que la vie et plus honteux que d'y
tenir. Élevé sans religion, comme les hommes de mon

âge, je n'avais pas le bonheur sec des athées ni l'insouciance ironique des sceptiques. Par caprice sans doute, si je suis entré quelquefois dans une église, c'était pour écouter l'orgue, pour admirer les statuettes de pierre dans leurs niches ; mais quant au dogme, je n'allais pas jusqu'à lui ; je me sentais bien le fils de Voltaire.

Je voyais les autres gens vivre, mais d'une autre vie que la mienne : les uns croyaient, les autres niaient, d'autres doutaient, d'autres enfin ne s'occupaient pas du tout de tout ça et faisaient leurs affaires, c'est-à-dire vendaient dans leurs boutiques, écrivaient leurs livres ou criaient dans leur chaire ; c'était là ce qu'on appelle l'humanité, surface mouvante de méchants, de lâches, d'idiots et de laids. Et moi j'étais dans la foule, comme une algue arrachée sur l'Océan, perdue au milieu des flots sans nombre qui roulaient, qui m'entouraient et qui bruissaient.

J'aurais voulu être empereur pour la puissance absolue, pour le nombre des esclaves, pour les armées éperdues d'enthousiasme ; j'aurais voulu être femme pour la beauté, pour pouvoir m'admirer moi-même, me mettre nue, laisser retomber ma chevelure sur mes talons et me mirer dans les ruisseaux. Je me perdais à plaisir dans des songeries sans limites, je m'imaginais assister à de belles fêtes antiques, être roi des Indes et aller à la chasse sur un éléphant blanc, voir des danses ioniennes, écouter le flot grec sur les marches d'un temple, entendre les brises des nuits dans les lauriers-roses de mes jardins, fuir avec Cléopâtre sur ma galère antique. Ah ! folies que tout cela ! malheur à la glaneuse qui laisse là sa besogne et lève la tête pour voir les berlines passer sur la grande route ! En se remettant à l'ouvrage, elle rêvera de cachemires et d'amours de princes, ne trouvera plus d'épi et rentrera sans avoir fait sa gerbe.

Il eût mieux valu faire comme tout le monde, ne prendre la vie ni trop au sérieux ni trop au grotesque, choisir un métier et l'exercer, saisir sa part du gâteau commun et le manger en disant qu'il est bon, que de suivre le triste chemin où j'ai marché tout seul; je ne serais pas à écrire ceci ou c'eût été une autre histoire. A mesure que j'avance, elle se confond même pour moi, comme les perspectives que l'on voit de trop loin, car tout passe, même le souvenir de nos larmes les plus brûlantes, de nos rires les plus sonores; bien vite l'œil se sèche et la bouche reprend son pli; je n'ai plus maintenant que la réminiscence d'un long ennui qui a duré plusieurs hivers, passés à bâiller, à désirer ne plus vivre.

C'est peut-être pour tout cela que je me suis cru poète; aucune des misères ne m'a manqué, hélas! comme vous voyez. Oui, il m'a semblé autrefois que j'avais du génie, je marchais le front rempli de pensées magnifiques, le style coulait sous ma plume comme le sang dans mes veines; au moindre froissement du beau, une mélodie pure montait en moi, ainsi que ces voix aériennes, sons formés par le vent, qui sortent des montagnes; les passions humaines auraient vibré merveilleusement si je les avais touchées, j'avais dans la tête des drames tout faits, remplis de scènes furieuses et d'angoisses non révélées; depuis l'enfant dans son berceau jusqu'au mort dans sa bière, l'humanité résonnait en moi avec tous ses échos; parfois des idées gigantesques me traversaient tout à coup l'esprit, comme, l'été, ces grands éclairs muets qui illuminent une ville entière, avec tous les détails de ses édifices et les carrefours de ses rues. J'en étais ébranlé, ébloui; mais quand je retrouvais chez d'autres les pensées et jusqu'aux formes mêmes que j'avais conçues, je tombais, sans transition, dans un découragement sans fond; je m'étais cru leur égal et je n'étais plus que leur copiste! Je passais alors de l'enivrement du génie au sentiment désolant de la médiocrité, avec toute la rage des rois détrônés et tous les supplices de la honte. Dans de certains jours, j'aurais juré être né pour la Muse, d'autres fois je me trouvais presque idiot; et toujours passant ainsi de tant de grandeur à tant de bassesse, j'ai fini, comme les gens souvent riches et souvent pauvres dans leur vie, par être et par rester misérable.

Dans ce temps-là, chaque matin en m'éveillant, il me semblait qu'il allait s'accomplir, ce jour-là, quelque grand événement; j'avais le cœur gonflé d'espérance, comme si j'eusse attendu d'un pays lointain une cargaison de bonheur; mais, la journée avançant, je perdais tout courage; au crépuscule surtout, je voyais bien qu'il ne viendrait rien. Enfin la nuit arrivait et je me couchais.

De lamentables harmonies s'établissaient entre la nature physique et moi. Comme mon cœur se serrait quand le vent sifflait dans les serrures, quand les réverbères jetaient leur lueur sur la neige, quand j'entendais les chiens aboyer après la lune!

Je ne voyais rien à quoi me raccrocher, ni le monde, ni la solitude, ni la posie, ni la science, ni l'impiété, ni la religion; j'errais entre tout cela, comme les âmes dont l'enfer ne veut pas et que le paradis repousse. Alors je me croisais les bras, me regardant comme un homme mort, je n'étais plus qu'une momie embaumée dans ma douleur; la fatalité, qui m'avait courbé dès ma jeunesse, s'étendait pour moi sur le monde entier, je la regardais se manifester dans toutes les actions des hommes aussi universellement que le soleil sur la surface de la terre, elle me devint une atroce divinité, que j'adorais comme les Indiens adorent le colosse ambulant qui leur passe sur le ventre; je me complaisais dans mon chagrin, je ne faisais plus d'effort pour en sortir, je le savourais même, avec la joie désespérée du malade qui gratte sa plaie et se met à rire quand il a du sang aux ongles.

Il me prit contre la vie, contre les hommes, contre tout, une rage sans nom. J'avais dans le cœur des trésors de tendresse, et je devins plus féroce que les tigres; j'aurais voulu anéantir la création et m'endormir avec elle dans l'infini du néant; que ne me réveillais-je à la lueur des villes incendiées! J'aurais voulu entendre le frémissement des ossements que la flamme fait pétiller, traverser des fleuves chargés de cadavres, galoper sur des peuples courbés et les écraser des quatre fers de mon cheval, être Gengiskan,

Tamerlan, Néron, effrayer le monde au froncement de mes sourcils.

Autant j'avais eu d'exaltations et de rayonnements, autant je me renfermai et me roulai sur moi-même. Depuis longtemps déjà j'ai séché mon cœur, rien de nouveau n'y entre plus, il est vide comme les tombeaux où les morts se sont pourris. J'avais pris le soleil en haine, j'étais excédé du bruit des fleuves, de la vue des bois, rien ne me semblait sot comme la campagne ; tout s'assombrit et se rapetissa, je vécus dans un crépuscule perpétuel.

Quelquefois je me demandais si je ne me trompais pas ; j'alignais ma jeunesse, mon avenir, mais quelle pitoyable jeunesse, quel avenir vide !

Quand je voulais sortir du spectacle de ma misère et regarder le monde, ce que j'en pouvais voir c'étaient des hurlements, des cris, des larmes, des convulsions, la même comédie revenant perpétuellement avec les mêmes acteurs ; et il y a des gens, me disais-je, qui étudient tout cela et se remettent à la tâche tous les matins ! Il n'y avait plus qu'un grand amour qui eût pu me tirer de là, mais je regardais cela comme quelque chose qui n'est pas de ce monde, et je regrettai amèrement tout le bonheur que j'avais rêvé.

Alors la mort m'apparut belle. Je l'ai toujours aimée ; enfant, je la désirais seulement pour la connaître, pour savoir qu'est-ce qu'il y a dans le tombeau et quels songes a ce sommeil ; je me souviens avoir souvent gratté le vert-de-gris de vieux sous pour m'empoisonner, essayé d'avaler des épingles, m'être approché de la lucarne d'un grenier pour me jeter dans la rue... Quand je pense que presque tous les enfants font de même, qu'ils cherchent à se suicider dans leurs jeux, ne dois-je pas conclure que l'homme, quoi qu'il en dise, aime la mort d'un amour dévorant ? il lui donne tout ce qu'il crée, il en sort et il y retourne, il ne fait qu'y songer tant qu'il vit, il en a le germe dans le corps, le désir dans le cœur.

Il est si doux de se figurer qu'on n'est plus ! il fait si calme dans tous les cimetières ! là, tout étendu et roulé

dans le linceul et les bras en croix sur la poitrine, les
siècles passent sans plus vous éveiller que le vent qui
passe sur l'herbe. Que de fois j'ai contemplé, dans les
chapelles des cathédrales, ces longues statues de pierre
couchées sur les tombeaux ! leur calme est si profond
que la vie ici-bas n'offre rien de pareil ; ils ont, sur leur
lèvre froide, comme un sourire monté du fond du
tombeau, on dirait qu'ils dorment, qu'ils savourent la
mort. N'avoir plus besoin de pleurer, ne plus sentir de
ces défaillances où il semble que tout se rompt,
comme des échafaudages pourris, c'est là le bonheur
au-dessus de tous les bonheurs, la joie sans lendemain,
le rêve sans réveil. Et puis on va peut-être dans un
monde plus beau, par delà les étoiles, où l'on vit de la
vie de la lumière et des parfums ; l'on est peut-être
quelque chose de l'odeur des roses et de la fraîcheur
des prés ! Oh ! non, non, j'aime mieux croire que l'on
est bien mort tout à fait, que rien ne sort du cercueil ;
et s'il faut encore sentir quelque chose, que ce soit son
propre néant, que la mort se repaisse d'elle-même et
s'admire ; assez de vie juste pour sentir que l'on n'est
plus.

Et je montais au haut des tours, je me penchais sur
l'abîme, j'attendais le vertige venir, j'avais une inconcevable envie de m'élancer, de voler dans l'air, de me
dissiper avec les vents ; je regardais la pointe des
poignards, la gueule des pistolets, je les appuyais sur
mon front, je m'habituais au contact de leur froid et de
leur pointe ; d'autres fois, je regardais les rouliers
tournant à l'angle des rues et l'énorme largeur des
roues broyer la poussière sur le pavé ; je pensais que
ma tête serait ainsi bien écrasée, pendant que les
chevaux iraient au pas. Mais je n'aurais pas voulu être
enterré, la bière m'épouvante ; j'aimerais plutôt être
déposé sur un lit de feuilles sèches, au fond des bois,
et que mon corps s'en allât petit à petit au bec des
oiseaux et aux pluies d'orage.

Un jour, à Paris, je me suis arrêté longtemps sur le
Pont-Neuf ; c'était l'hiver, la Seine charriait, de gros
glaçons ronds descendaient lentement le courant et se

fracassaient sous les arches, le fleuve était verdâtre; j'ai songé à tous ceux qui étaient venus là pour en finir. Combien de gens avaient passé à la place où je me tenais alors, courant la tête levée à leurs amours ou à leurs affaires, et qui y étaient revenus, un jour, marchant à petits pas, palpitant à l'approche de mourir! ils se sont approchés du parapet, ils ont monté dessus, ils ont sauté. Oh! que de misères ont fini là, que de bonheurs y ont commencé! Quel tombeau froid et humide! comme il s'élargit pour tous! comme il y en a dedans! ils sont là tous, au fond, roulant lentement avec leurs faces crispées et leurs membres bleus, chacun de ces flots glacés les emporte dans leur sommeil et les traîne doucement à la mer.

Quelquefois les vieillards me regardaient avec envie, ils me disaient que j'étais heureux d'être jeune, que c'était là le bel âge, leurs yeux caves admiraient mon front blanc, ils se rappelaient leurs amours et me les contaient; mais je me suis souvent demandé si, dans leur temps, la vie était plus belle, et comme je ne voyais rien en moi que l'on pût envier, j'étais jaloux de leurs regrets, parce qu'ils cachaient des bonheurs que je n'avais pas eus. Et puis c'étaient des faiblesses d'homme en enfance à faire pitié! je riais doucement et pour presque rien comme les convalescents. Quelquefois je me sentais pris de tendresse pour mon chien, et je l'embrassais avec ardeur; ou bien j'allais dans une armoire revoir quelque vieil habit de collège, et je songeais à la journée où je l'avais étrenné, aux lieux où il avait été avec moi, et je me perdais en souvenirs sur tous mes jours vécus. Car les souvenirs sont doux, tristes ou gais, n'importe! et les plus tristes sont encore les plus délectables pour nous, ne résument-ils pas l'infini? l'on épuise quelquefois des siècles à songer à une certaine heure qui ne reviendra plus, qui a passé, qui est au néant pour toujours, et que l'on rachèterait par tout l'avenir.

Mais ces souvenirs-là sont des flambeaux clairsemés dans une gran ˙ salle obscure, ils brillent au milieu des ténèbres; il n'y a que dans leur rayonnement que

l'on y voit, ce qui est près d'eux resplendit, tandis que
tout le reste est plus noir, plus couvert d'ombres et
d'ennui.

Avant d'aller plus loin, il faut que je vous raconte
ceci :

Je ne me rappelle plus bien l'année, c'était pendant
une vacance, je me suis réveillé de bonne humeur et
j'ai regardé par la fenêtre. Le jour venait, la lune toute
blanche remontait dans le ciel ; entre les gorges des
collines, des vapeurs grises et rosées fumaient doucement et se perdaient dans l'air ; les poules de la basse-
cour chantaient. J'ai entendu derrière la maison, dans
le chemin qui conduit aux champs, une charrette
passer, dont les roues claquaient dans les ornières, les
faneurs allaient à l'ouvrage ; il y avait de la rosée sur la
haie, le soleil brillait dessus, on sentait l'eau et l'herbe.

Je suis sorti et je m'en suis allé à X⁵... ; j'avais trois
lieues à faire, je me suis mis en route, seul, sans bâton,
sans chien. J'ai d'abord marché dans les sentiers qui
serpentent entre les blés, j'ai passé sous des pommiers,
au bord des haies ; je ne songeais à rien, j'écoutais le
bruit de mes pas, la cadence de mes mouvements me
berçait la pensée. J'étais libre, silencieux et calme, il
faisait chaud ; de temps à autre je m'arrêtais, mes
tempes battaient, le cri-cri chantait dans les chaumes,
et je me remettais à marcher. J'ai passé dans un
hameau où il n'y avait personne, les cours étaient
silencieuses, c'était, je crois, un dimanche ; les vaches,
assises dans l'herbe, à l'ombre des arbres, ruminaient
tranquillement, remuant leurs oreilles pour chasser les
moucherons. Je me souviens que j'ai marché dans un
chemin où un ruisseau coulait sur les cailloux, des
lézards verts et des insectes aux ailes d'or montaient
lentement le long des rebords de la route, qui était
enfoncée et toute couverte par le feuillage.

Puis je me suis trouvé sur un plateau, dans un
champ fauché ; j'avais la mer devant moi, elle était
toute bleue, le soleil répandait dessus une profusion de
perles lumineuses, des sillons de feu s'étendaient sur
les flots ; entre le ciel azuré et la mer plus foncée,

l'horizon rayonnait, flamboyait ; la voûte commençait sur ma tête et s'abaissait derrière les flots, qui remontaient vers elle, faisant comme le cercle d'un infini invisible. Je me suis couché dans un sillon et j'ai regardé le ciel, perdu dans la contemplation de sa beauté.

Le champ où j'étais était un champ de blé, j'entendais les cailles, qui voltigeaient autour de moi et venaient s'abattre sur des mottes de terre ; la mer était douce, et murmurait plutôt comme un soupir que comme une voix ; le soleil lui-même semblait avoir son bruit, il inondait tout, ses rayons me brûlaient les membres, la terre me renvoyait sa chaleur, j'étais noyé dans sa lumière, je fermais les yeux et je la voyais encore. L'odeur des vagues montait jusqu'à moi, avec la senteur du varech et des plantes marines ; quelquefois elles paraissaient s'arrêter ou venaient mourir sans bruit sur le rivage festonné d'écume, comme une lèvre dont le baiser ne sonne point. Alors, dans le silence de deux vagues, pendant que l'Océan gonflé se taisait, j'écoutais le chant des cailles un instant, puis le bruit des flots recommençait, et après, celui des oiseaux.

Je suis descendu en courant au bord de la mer, à travers les terrains éboulés que je sautais d'un pied sûr, je levais la tête avec orgueil, je respirais fièrement la brise fraîche, qui séchait mes cheveux en sueur ; l'esprit de Dieu me remplissait, je me sentais le cœur grand, j'adorais quelque chose d'un étrange mouvement, j'aurais voulu m'absorber dans la lumière du soleil et me perdre dans cette immensité d'azur, avec l'odeur qui s'élevait de la surface des flots ; et je fus pris alors d'une joie insensée, et je me mis à marcher comme si tout le bonheur des cieux m'était entré dans l'âme. Comme la falaise s'avançait en cet endroit-là, toute la côte disparut et je ne vis plus rien que la mer : les lames montaient sur le galet jusqu'à mes pieds, elles écumaient sur les rochers à fleur d'eau, les battaient en cadence, les enlaçaient comme des bras liquides et des nappes limpides, en retombant illuminées d'une couleur bleue ; le vent en soulevait les

mousses autour de moi et ridait les flaques d'eau
restées dans le creux des pierres, les varechs pleuraient
et se berçaient, encore agités du mouvement de la
vague qui les avait quittés ; de temps à autre une
mouette passait avec de grands battements d'ailes, et
montait jusqu'au haut de la falaise. A mesure que la
mer se retirait, et que son bruit s'éloignait ainsi qu'un
refrain qui expire, le rivage s'avançait vers moi,
laissant à découvert sur le sable les sillons que la vague
avait tracés. Et je compris alors tout le bonheur de la
création et toute la joie que Dieu y a placée pour
l'homme ; la nature m'apparut belle comme une
harmonie complète, que l'extase seule doit entendre ;
quelque chose de tendre comme un amour et de pur
comme la prière s'éleva pour moi du fond de l'horizon, s'abattit de la cime des rocs déchirés, du haut des
cieux ; il se forma, du bruit de l'Océan, de la lumière
du jour, quelque chose d'exquis que je m'appropriai
comme d'un domaine céleste, je m'y sentis vivre
heureux et grand, comme l'aigle qui regarde le soleil et
monte dans ses rayons.

Alors tout me sembla beau sur la terre, je n'y vis
plus de disparate ni de mauvais ; j'aimai tout, jusqu'aux pierres qui me fatiguaient les pieds, jusqu'aux
rochers durs où j'appuyais les mains, jusqu'à cette
nature insensible que je supposais m'entendre et
m'aimer, et je songeai alors combien il était doux de
chanter, le soir, à genoux, des cantiques au pied d'une
madone qui brille aux candélabres, et d'aimer la
Vierge Marie, qui apparaît aux marins, dans un coin
du ciel, tenant le doux Enfant Jésus dans ses bras [6].

Puis ce fut tout ; bien vite je me rappelai que je
vivais, je revins à moi, je me mis en marche, sentant
que la malédiction me reprenait, que je rentrais dans
l'humanité ; la vie m'était revenue, comme aux membres gelés, par le sentiment de la souffrance, et de
même que j'avais un inconcevable bonheur, je tombai
dans un découragement sans nom, et j'allai à X...

Je revins le soir chez nous, je repassai par les mêmes
chemins, je revis sur le sable la trace de mes pieds et

dans l'herbe la place où je m'étais couché, il me
sembla que j'avais rêvé. Il y a des jours où l'on a vécu
deux existences, la seconde déjà n'est plus que le
souvenir de la première, et je m'arrêtais souvent dans
mon chemin devant un buisson, devant un arbre, au
coin d'une route, comme si là, le matin, il s'était passé
quelque événement de ma vie.

Quand j'arrivai à la maison, il faisait presque nuit,
on avait fermé les portes, et les chiens se mirent à
aboyer.

Les idées de volupté et d'amour qui m'avaient
assailli à 15 ans vinrent me retrouver à 18. Si vous avez
compris quelque chose à ce qui précède, vous devez
vous rappeler qu'à cet âge-là j'étais encore vierge et
n'avais point aimé : pour ce qui était de la beauté des
passions et de leurs bruits sonores, les poètes me
fournissaient des thèmes à ma rêverie ; quant au plaisir
des sens, à ces joies du corps que les adolescents
convoitent, j'en entretenais dans mon cœur le désir
incessant, par toutes les excitations volontaires de
l'esprit ; de même que les amoureux envient de venir à
bout de leur amour en s'y livrant sans cesse, et de s'en
débarrasser à force d'y songer, il me semblait que ma
pensée seule finirait par tarir ce sujet-là, d'elle-même,
et par vider la tentation à force d'y boire. Mais,
revenant toujours au point d'où j'étais parti, je
tournais dans un cercle infranchissable, je m'y heur-
tais en vain la tête, désireux d'être plus au large ; la
nuit, sans doute, je rêvais des plus belles choses qu'on
rêve, car, le matin, j'avais le cœur plein de sourires et
de serrements délicieux, le réveil me chagrinait et
j'attendais avec impatience le retour du sommeil pour
qu'il me donnât de nouveau ces frémissements auxquels je pensais toute la journée, qu'il n'eût tenu qu'à
moi d'avoir à l'instant, et dont j'éprouvais comme une
épouvante religieuse.

C'est alors que je sentis bien le démon de la chair
vivre dans tous les muscles de mon corps, courir dans
tout mon sang ; je pris en pitié l'époque ingénue où je

tremblais sous les regards des femmes, où je me pâmais devant des tableaux ou des statues ; je voulais vivre, jouir, aimer, je sentais vaguement ma saison chaude arriver, de même qu'aux premiers jours de soleil une ardeur d'été vous est apportée par les vents tièdes, quoiqu'il n'y ait encore ni herbes, ni feuilles, ni roses. Comment faire ? qui aimer ? qui vous aimera ? quelle sera la grande dame qui voudra de vous ? la beauté surhumaine qui vous tendra les bras ? Qui dira toutes les promenades tristes que l'on fait seul au bord des ruisseaux, tous les soupirs des cœurs gonflés partis vers les étoiles, pendant les chaudes nuits où la poitrine étouffe !

Rêver l'amour, c'est tout rêver, c'est l'infini dans le bonheur, c'est le mystère dans la joie. Avec quelle ardeur le regard vous dévore, avec quelle intensité il se darde sur vos têtes, ô belles femmes triomphantes ! La grâce et la corruption respirent dans chacun de vos mouvements, les plis de vos robes ont des bruits qui nous remuent jusqu'au fond de nous, et il émane de la surface de tout votre corps quelque chose qui nous tue et nous enchante.

Il y eut dès lors pour moi un mot qui sembla beau entre les mots humains : adultère, une douceur exquise plane vaguement sur lui, une magie singulière l'embaume ; toutes les histoires qu'on raconte, tous les livres qu'on lit, tous les gestes qu'on fait le disent et le commentent éternellement pour le cœur du jeune homme, il s'en abreuve à plaisir, il y trouve une poésie suprême, mêlée de malédiction et de volupté.

C'était surtout aux approches du printemps, quand les lilas commencent à fleurir et les oiseaux à chanter sous les premières feuilles, que je me sentais le cœur pris du besoin d'aimer, de se fondre tout entier dans l'amour, de s'absorber dans quelque doux et grand sentiment, et comme de se récréer même dans la lumière et les parfums. Chaque année encore, pendant quelques heures, je me retrouve ainsi dans une virginité qui me pousse avec les bourgeons ; mais les joies ne refleurissent pas avec les roses, et il n'y a pas maintenant plus de verdure dans mon cœur que sur la grande route, où le hâle fatigue les yeux, où la poussière s'élève en tourbillons.

Cependant, prêt à vous raconter ce qui va suivre, au moment de descendre dans ce souvenir, je tremble et j'hésite ; c'est comme si j'allais revoir une maîtresse d'autrefois : le cœur oppressé, on s'arrête à chaque marche de son escalier, on craint de la retrouver, et on a peur qu'elle soit absente. Il en est de même de certaines idées avec lesquelles on a trop vécu ; on voudrait s'en débarrasser pour toujours, et pourtant elles coulent dans vous comme la vie même, le cœur y respire dans son atmosphère naturelle.

Je vous ai dit que j'aimais le soleil ; dans les jours où il brille, mon âme naguère avait quelque chose de la sérénité des horizons rayonnants et de la hauteur du ciel. C'était donc l'été... ah ! la plume ne devrait pas écrire tout cela... il faisait chaud, je sortis, personne chez moi ne s'aperçut que je sortais ; il y avait peu de monde dans les rues, le pavé était sec, de temps à autre des bouffées chaudes s'exhalaient de dessous terre et vous montaient à la tête, les murs des maisons envoyaient des réflexions embrasées, l'ombre elle-même semblait plus brûlante que la lumière. Au coin des rues, près des tas d'ordures, des essaims de mouches bourdonnaient dans les rayons du soleil, en tournoyant comme une grande roue d'or ; l'angle des toits se détachait vivement en ligne droite sur le bleu du ciel, les pierres étaient noires, il n'y avait pas d'oiseaux autour des clochers.

Je marchais, cherchant du repos, désirant une brise, quelque chose qui pût m'enlever de dessus terre, m'emporter dans un tourbillon.

Je sortis des faubourgs, je me trouvais derrière des jardins, dans des chemins moitié rue moitié sentier ; des jours vifs sortaient çà et là à travers les feuilles des arbres, dans les masses d'ombre les brins d'herbe se tenaient droits, la pointe des cailloux envoyait des rayons, la poussière craquait sous les pieds, toute la nature mordait, et enfin le soleil se cacha ; il parut un

gros nuage, comme si un orage allait venir; la
tourmente, que j'avais sentie jusque-là, changea de
nature, je n'étais plus si irrité, mais enlacé; ce n'était
plus une déchirure, mais un étouffement.

Je me couchais à terre, sur le ventre, à l'endroit où il
me semblait qu'il devait y avoir le plus d'ombre, de
silence et de nuit, à l'endroit qui devait me cacher le
mieux, et, haletant, je m'y abîmais le cœur dans un
désir effréné. Les nuées étaient chargées de mollesse,
elles pesaient sur moi et m'écrasaient, comme une
poitrine sur une autre poitrine; je sentais un besoin de
volupté, plus chargé d'odeurs que le parfum des
clématites et plus cuisant que le soleil sur le mur des
jardins. Oh! que ne pouvais-je presser quelque chose
dans mes bras, l'y étouffer sous ma chaleur, ou bien
me dédoubler moi-même, aimer cet autre être et nous
fondre ensemble. Ce n'était plus le désir d'un vague
idéal ni la convoitise d'un beau rêve évanoui, mais,
comme aux fleuves sans lit, ma passion débordait de
tous côtés en ravins furieux, elle m'inondait le cœur et
le faisait retentir partout de plus de tumultes et de
vertiges que les torrents dans les montagnes.

J'allai au bord de la rivière, j'ai toujours aimé l'eau
et le doux mouvement des vagues qui se poussent; elle
était paisible, les nénufars blancs tremblaient au bruit
du courant, les flots se déroulaient lentement, se
déployant les uns sur les autres; au milieu, les îles
laissaient retomber dans l'eau leur touffe de verdure,
la rive semblait sourire, on n'entendait rien que la voix
des ondes.

En cet endroit-là il y avait quelques grands arbres,
la fraîcheur du voisinage de l'eau et celle de l'ombre
me délecta, je me sentis sourire. De même que la
Muse qui est en nous, quand elle écoute l'harmonie,
ouvre les narines et aspire les beaux sons, je ne sais
quoi se dilata en moi-même pour aspirer une joie
universelle; regardant les nuages qui roulaient au ciel,
la pelouse de la rive veloutée et jaunie par les rayons
du soleil, écoutant le bruit de l'eau et le frémissement
de la cime des arbres, qui remuait quoiqu'il n'y eût

pas de vent, seul, agité et calme à la fois, je me sentis
défaillir de volupté sous le poids de cette nature
aimante, et j'appelai l'amour ! mes lèvres tremblaient,
s'avançaient, comme si j'eusse senti l'haleine d'une
autre bouche, mes mains cherchaient quelque chose à
palper, mes regards tâchaient de découvrir, dans le pli
de chaque vague, dans le contour des nuages enflés,
une forme quelconque, une jouissance, une révélation ; le désir sortait de tous mes pores, mon cœur était
tendre et rempli d'une harmonie contenue, et je
remuais les cheveux autour de ma tête, je m'en
caressais le visage, j'avais du plaisir à en respirer
l'odeur, je m'étalais sur la mousse, au pied des arbres,
je souhaitais des langueurs plus grandes ; j'aurais
voulu être étouffé sous des roses, j'aurais voulu être
brisé sous les baisers, être la fleur que le vent secoue,
la rive que le fleuve humecte, la terre que le soleil
féconde.

L'herbe était douce à marcher, je marchai ; chaque
pas me procurait un plaisir nouveau, et je jouissais par
la plante des pieds de la douceur du gazon. Les
prairies, au loin, étaient couvertes d'animaux, de
chevaux, de poulains ; l'horizon retentissait du bruit
des hennissements et de galops, les terrains s'abaissaient et s'élevaient doucement en de larges ondulations qui dérivaient des collines, le fleuve serpentait,
disparaissait derrière les îles, apparaissait ensuite entre
les herbes et les roseaux. Tout cela était beau, semblait
heureux, suivait sa loi, son cours ; moi seul j'étais
malade et j'agonisais, plein de désir.

Tout à coup je me mis à fuir, je rentrai dans la ville,
je traversai les ponts ; j'allais dans les rues, sur les
places ; les femmes passaient près de moi, il y en avait
beaucoup, elles marchaient vite, elles étaient toutes
merveilleusement belles ; jamais je n'avais tant regardé
en face leurs yeux qui brillent, ni leur démarche légère
comme celle des chèvres ; les duchesses, penchées sur
les portières blasonnées, semblaient me sourire, m'in-
viter à des amours sur la soie ; du haut de leurs
balcons, les dames en écharpe s'avançaient pour me

voir et me regardaient en me disant : aime-nous !
aime-nous ! Toutes m'aimaient dans leur pose, dans
leurs yeux, dans leur immobilité même, je le voyais
bien. Et puis la femme était partout, je la coudoyais, je
l'effleurais, je la respirais, l'air était plein de son
odeur ; je voyais son cou en sueur entre le châle qui les
entourait, et les plumes du chapeau ondulant à leur
pas ; son talon relevait sa robe en marchant devant
moi. Quand je passais près d'elle, sa main gantée
remuait. Ni celle-ci, ni celle-là, pas plus l'une que
l'autre, mais toutes, mais chacune, dans la variété
infinie de leurs formes et du désir qui y correspondait,
elles avaient beau être vêtues, je les décorais sur-le-
champ d'une nudité magnifique, que je m'étalais sous
les yeux, et, bien vite, en passant aussi près d'elles,
j'emportais le plus que je pouvais d'idées voluptueuses, d'odeurs qui font tout aimer, de frôlements
qui irritent, de formes qui attirent.

Je savais bien où j'allais, c'était à une maison, dans
une petite rue où souvent j'avais passé pour sentir mon
cœur battre ; elle avait des jalousies vertes, on montait
trois marches, oh ! je savais cela par cœur, je l'avais
regardée bien souvent, m'étant détourné de ma route
rien que pour voir les fenêtres fermées. Enfin, après
une course qui dura un siècle, j'entrai dans cette rue,
je crus suffoquer ; personne ne passait, je m'avançai,
je m'avançai ; je sens encore le contact de la porte que
je poussai de mon épaule, elle céda ; j'avais eu peur
qu'elle ne fût scellée dans la muraille, mais non, elle
tourna sur un gond, doucement, sans faire de bruit.

Je montai un escalier, l'escalier était noir, les
marches usées, elles s'agitaient sous mes pieds ; je
montais toujours, on n'y voyait pas, j'étais étourdi,
personne ne me parlait, je ne respirais plus. Enfin
j'entrai dans une chambre, elle me parut grande, cela
tenait à l'obscurité qu'il y faisait ; les fenêtres étaient
ouvertes, mais de grands rideaux jaunes, tombant
jusqu'à terre, arrêtaient le jour, l'appartement était
coloré d'un reflet d'or blafard ; au fond et à côté de la
fenêtre de droite, une femme était assise. Il fallait

qu'elle ne m'eût pas entendu, car elle ne se détourna pas quand j'entrai ; je restai debout sans avancer, occupé à la regarder.

Elle avait une robe blanche, à manches courtes, elle se tenait le coude appuyé sur le rebord de la fenêtre, une main près de la bouche, et semblait regarder par terre quelque chose de vague et d'indécis ; ses cheveux noirs, lissés et nattés sur les tempes, reluisaient comme l'aile d'un corbeau, sa tête était un peu penchée, quelques petits cheveux de derrière s'échappaient des autres et frisottaient sur son cou, son grand peigne d'or recourbé était couronné de grains de corail rouge.

Elle jeta un cri quand elle m'aperçut et se leva par un bond. Je me sentis d'abord frappé du regard brillant de ses deux grands yeux ; quand je pus relever mon front, affaissé sous le poids de ce regard, je vis une figure d'une adorable beauté : une même ligne droite partait du sommet de sa tête dans la raie de ses cheveux, passait entre ses grands sourcils arqués, sur son nez aquilin, aux narines palpitantes et relevées comme celles des camées antiques, fendait par le milieu sa lèvre chaude, ombragée d'un duvet bleu, et puis là, le cou, le cou gras, blanc, rond ; à travers son vêtement mince, je voyais la forme de ses seins aller et venir au mouvement de sa respiration, elle se tenait ainsi debout, en face de moi, entourée de la lumière du soleil qui passait à travers le rideau jaune et faisait ressortir davantage ce vêtement blanc et cette tête brune.

A la fin elle se mit à sourire, presque de pitié et de douceur, et je m'approchai. Je ne sais ce qu'elle s'était mis aux cheveux, mais elle embaumait, et je me sentis le cœur plus mou et plus faible qu'une pêche qui se fond sous la langue. Elle me dit :

— Qu'avez-vous donc ? venez !

Et elle alla s'asseoir sur un long canapé recouvert de toile grise, adossé à la muraille ; je m'assis près d'elle, elle me prit la main, la sienne était chaude, nous restâmes longtemps nous regardant sans rien dire.

Jamais je n'avais vu une femme de si près, toute sa
beauté m'entourait, son bras touchait le mien, les plis
de sa robe retombaient sur mes jambes, la chaleur de
sa hanche m'embrasait, je sentais par ce contact les
ondulations de son corps, je contemplais la rondeur de
son épaule et les veines bleues de ses tempes. Elle me
dit :

— Eh bien !

— Eh bien !, repris-je d'un air gai, voulant secouer
cette fascination qui m'endormait.

Mais je m'arrêtai là, j'étais tout entier à la parcourir
des yeux. Sans rien dire, elle me passa un bras autour
du corps et m'attira sur elle, dans une muette étreinte.
Alors je l'entourai de mes deux bras et je collai ma
bouche sur son épaule, j'y bus avec délices mon
premier baiser d'amour, j'y savourais le long désir de
ma jeunesse et la volupté trouvée de tous mes rêves, et
puis je me renversais le cou en arrière, pour mieux
voir sa figure ; ses yeux brillaient, m'enflammaient,
son regard m'enveloppait plus que ses bras, j'étais
perdu dans son œil, et nos doigts se mêlèrent ensemble ; les siens étaient longs, délicats, ils se tournaient
dans ma main avec des mouvements vifs et subtils,
j'aurais pu les broyer au moindre effort, je les serrais
exprès pour les sentir davantage.

Je ne me souviens plus maintenant de ce qu'elle me
dit ni de ce que je lui répondis, je suis resté ainsi
longtemps, perdu, suspendu, balancé dans ce battement de mon cœur ; chaque minute augmentait mon
ivresse, à chaque moment quelque chose de plus
m'entrait dans l'âme, tout mon corps frissonnait
d'impatience, de désir, de joie ; j'étais grave pourtant,
plutôt sombre que gai, sérieux, absorbé comme dans
quelque chose de divin et de suprême. Avec sa main
elle me serrait la tête sur son cœur, mais légèrement,
comme si elle eût eu peur de me l'écraser sur elle.

Elle ôta sa manche par un mouvement d'épaules, sa
robe se décrocha ; elle n'avait pas de corset, sa chemise
bâillait. C'était une de ces gorges splendides où l'on
voudrait mourir étouffé dans l'amour. Assise sur mes

genoux, elle avait une pose naïve d'enfant qui rêve, son beau profil se découpait en lignes pures ; un pli d'une courbe adorable, sous l'aisselle, faisait comme le sourire de son épaule ; son dos blanc se courbait un peu, d'une manière fatiguée, et sa robe affaissée retombait par le bas en larges plis sur le plancher ; elle levait les yeux au ciel et chantonnait dans ses dents un refrain triste et langoureux.

Je touchai à son peigne, je l'ôtai, ses cheveux déroulèrent comme une onde, et les longues mèches noires tressaillirent en tombant sur ses hanches. Je passais d'abord ma main dessus, et dedans, et dessous ; j'y plongeais le bras, je m'y baignais le visage, j'étais navré. Quelquefois je prenais plaisir à les séparer en deux, par derrière, et à les ramener devant de manière à lui cacher les seins ; d'autres fois je les réunissais tous en réseau et je les tirais, pour voir sa tête renversée en arrière et son cou tendre en avant, elle se laissait faire comme une morte.

Tout à coup elle se dégagea de moi, dépassa ses pieds de dedans sa robe, et sauta sur le lit avec la prestesse d'une chatte, le matelas s'enfonça sous ses pieds, le lit craqua, elle rejeta brusquement en arrière les rideaux et se coucha, elle me tendit les bras, elle me prit. Oh ! les draps même semblaient tout échauffés encore des caresses d'amour qui avaient passé là.

Sa main douce et humide me parcourait le corps, elle me donnait des baisers sur la figure, sur la bouche, sur les yeux, chacune de ces caresses précipitées me faisait pâmer, elle s'étendait sur le dos et soupirait ; tantôt elle fermait les yeux à demi et me regardait avec une ironie voluptueuse, puis, s'appuyant sur le coude, se tournant sur le ventre, relevant ses talons en l'air, elle était pleine de mignardises charmantes, de mouvements raffinés et ingénus ; enfin, se livrant à moi avec abandon, elle leva les yeux au ciel et poussa un grand soupir qui lui souleva tout le corps... Sa peau chaude, frémissante, s'étendait sous moi et frissonnait ; des pieds à la tête je me sentais tout recouvert de volupté ; ma bouche collée à la sienne, nos doigts mêlés ensemble, bercés dans le même frisson, enlacés dans la même étreinte, respirant l'odeur de sa chevelure et le souffle de ses lèvres, je me sentis délicieusement mourir. Quelque temps encore je restai, béant, à savourer le battement de mon cœur et le dernier tressaillement de mes nerfs agités, puis il me sembla que tout s'éteignait et disparaissait.

Mais elle, elle ne disait rien non plus ; immobile comme une statue de chair, ses cheveux noirs et abondants entouraient sa tête pâle, et ses bras dénoués reposaient étendus avec mollesse ; de temps à autre un mouvement convulsif lui secouait les genoux et les hanches ; sur sa poitrine, la place de mes baisers était rouge encore, un son rauque et lamentable sortait de sa gorge, comme lorsqu'on s'endort après avoir long-temps pleuré et sangloté. Tout à coup je l'entendis qui disait ceci : « Dans l'oubli de tes sens, si tu devenais mère », et puis je ne me souviens plus de ce qui suivit, elle croisa les jambes les unes sur les autres et se berça de côté et d'autre, comme si elle eût été dans un hamac.

Elle me passa sa main dans les cheveux, en se jouant, comme avec un enfant, et me demanda si j'avais eu une maîtresse ; je lui répondis que oui, et comme elle continuait, j'ajoutai qu'elle était belle et mariée. Elle me fit encore d'autres questions sur mon nom, sur ma vie, sur ma famille.

— Et toi, lui dis-je, as-tu aimé ?

— Aimer ? non !

Et elle fit un éclat de rire forcé qui me décontenança.

Elle me demanda encore si la maîtresse que j'avais était belle, et après un silence elle reprit :

— Oh ! comme elle doit t'aimer ! Dis-moi ton nom, hein ! ton nom.

A mon tour je voulus savoir le sien.

— Marie, répondit-elle, mais j'en avais un autre, ce n'est pas comme cela qu'on m'appelait chez nous.

Et puis je ne sais plus, tout cela est parti, c'est déjà si vieux ! Cependant il y a certaines choses que je revois comme si c'était hier, sa chambre par exemple ; je revois le tapis du lit, usé au milieu, la couche d'acajou avec des ornements en cuivre et des rideaux de soie rouge moirés ; ils craquaient sous les doigts, les franges en étaient usées. Sur la cheminée, deux vases de fleurs artificielles ; au milieu, la pendule, dont le cadran était suspendu entre quatre colonnes d'albâtre. Çà et là, accrochée à la muraille, une vieille gravure entourée d'un cadre de bois noir et représentant des femmes au bain, des vendangeurs, des pêcheurs.

Et elle ! elle ! quelquefois son souvenir me revient, si vif, si précis que tous les détails de sa figure m'apparaissent de nouveau, avec cette étonnante fidélité de mémoire que les rêves seuls nous donnent, quand nous revoyons avec leurs mêmes habits, leur même son de voix, nos vieux amis morts depuis des années, et que nous nous en épouvantons. Je me souviens bien qu'elle avait sur la lèvre inférieure, du côté gauche, un grain de beauté, qui paraissait dans un pli de la peau quand elle souriait ; elle n'était plus fraîche même, et le coin de sa bouche était serré d'une façon amère et fatiguée.

Quand je fus prêt à m'en aller, elle me dit adieu.

— Adieu !

— Vous reverra-t-on ?

— Peut-être !

Et je sortis, l'air me ranima, je me trouvais tout changé, il me semblait qu'on devait s'apercevoir, sur mon visage, que je n'étais plus le même homme, je marchais légèrement, fièrement, content, libre, je n'avais plus rien à apprendre, rien à sentir, rien à désirer dans la vie. Je rentrai chez moi, une éternité s'était passée depuis que j'en étais sorti ; je montai à ma chambre et je m'assis sur mon lit, accablé de toute ma journée, qui pesait sur moi avec un poids incroyable. Il était peut-être 7 heures du soir, le soleil se couchait, le ciel était en feu, et l'horizon tout rouge flamboyait par-dessus les toits des maisons ; le jardin, déjà dans l'ombre, était plein de tristesse, des cercles jaunes et orange tournaient dans le coin des murs, s'abaissaient et montaient dans les buissons, la terre était sèche et grise ; dans la rue quelques gens du peuple, aux bras de leurs femmes, chantaient en passant et allaient aux barrières.

Je repensais toujours à ce que j'avais fait, et je fus pris d'une indéfinissable tristesse, j'étais plein de dégoût, j'étais repu, j'étais las. « Mais ce matin même, me disais-je, ce n'était pas comme cela, j'étais plus frais, plus heureux, à quoi cela tient-il ? » et par l'esprit je repassai dans toutes les rues où j'avais marché, je revis les femmes que j'avais rencontrées, tous les sentiers que j'avais parcourus, je retournai chez Marie et je m'arrêtai sur chaque détail de mon souvenir, je pressurai ma mémoire pour qu'elle m'en fournît le plus possible. Toute ma soirée se passa à cela ; la nuit vint et je demeurai fixé, comme un vieillard, à cette pensée charmante, je sentais que je n'en ressaisirais rien, que d'autres amours pourraient venir, mais qu'ils ne ressembleraient plus à celui-là, ce premier parfum était senti, ce son était envolé, je désirais mon désir et je regrettais ma joie.

Quand je considérais ma vie passée et ma vie présente, c'est-à-dire l'attente des jours écoulés et la lassitude qui m'accablait, alors je ne savais plus dans quel coin de mon existence mon cœur se trouvait placé, si je rêvais ou si j'agissais, si j'étais plein de dégoût ou plein de désir, car j'avais à la fois les nausées de la satiété et l'ardeur des espérances.

Ce n'était donc que cela, aimer ! ce n'était donc que cela, une femme ! Pourquoi, ô mon Dieu, avons-nous encore faim alors que nous sommes repus ? pourquoi tant d'aspirations et tant de déceptions ? pourquoi le cœur de l'homme est-il si grand, et la vie si petite ? il y a des jours où l'amour des anges même ne lui suffirait pas, et il se fatigue en une heure de toutes les caresses de la terre.

Mais l'illusion évanouie laisse en nous son odeur de fée, et nous en cherchons la trace par tous les sentiers où elle a fui ; on se plaît à se dire que tout n'est pas fini de sitôt, que la vie ne fait que de commencer, qu'un monde s'ouvre devant nous. Aura-t-on, en effet, dépensé tant de rêves sublimes, tant de désirs bouillants pour aboutir là ? Or je ne voulais pas renoncer à toutes les belles choses que je m'étais forgées, j'avais créé pour moi, en deçà de ma virginité perdue, d'autres formes plus vagues, mais plus belles, d'autres voluptés moins précises comme le désir que j'en avais, mais célestes et infinies. Aux imaginations que je m'étais faites naguère, et que je m'efforçais d'évoquer, se mêlait le souvenir intense de mes dernières sensations, et le tout se confondant, fantôme et corps, rêve et réalité, la femme que je venais de quitter prit pour moi une proportion synthétique, où tout se résuma dans le passé et d'où tout s'élança pour l'avenir. Seul et pensant à elle, je la retournai encore en tous sens, pour y découvrir quelque chose de plus, quelque chose d'inaperçu, d'inexploré la première fois ; l'envie de la revoir me prit, m'obséda, c'était comme une fatalité qui m'attirait, une pente où je glissais.

Oh ! la belle nuit ! il faisait chaud, j'arrivai à sa porte tout en sueur, il y avait de la lumière à sa fenêtre ; elle veillait sans doute ; je m'arrêtai, j'eus peur, je restai longtemps ne sachant que faire, plein de mille angoisses confuses. Encore une fois j'entrai, ma main, une seconde fois, glissa sur la rampe de son escalier et tourna sa clef.

Elle était seule, comme le matin ; elle se tenait à la même place, presque dans la même posture, mais elle avait changé de robe ; celle-ci était noire, la garniture de dentelle, qui en bordait le haut, frissonnait d'elle-même sur sa gorge blanche, sa chair brillait, sa figure avait cette pâleur lascive que donnent les flambeaux ; la bouche mi-ouverte, les cheveux tout débouclés et pendants sur ses épaules, les yeux levés au ciel, elle avait l'air de chercher du regard quelque étoile disparue.

Bien vite, d'un bond joyeux, elle sauta jusqu'à moi et me serra dans ses bras. Ce fut là pour nous une de ces étreintes frissonnantes, telles que les amants, la nuit, doivent en avoir dans leurs rendez-vous, quand, après avoir longtemps, l'œil tendu dans les ténèbres, guetté chaque foulement des feuilles, chaque forme vague qui passait dans la clairière, ils se rencontrent enfin et viennent à s'embrasser.

Elle me dit, d'une voix précipitée et douce tout ensemble :

— Ah! tu m'aimes donc, que tu reviens me voir? dis, dis, ô mon cœur, m'aimes-tu?

Ses paroles avaient un son aigu et moelleux, comme les intonations les plus élevées de la flûte.

A demi affaissée sur les jarrets et me tenant dans ses bras, elle me regardait avec une ivresse sombre ; pour moi, quelque étonné que je fusse de cette passion si subitement venue, j'en étais charmé, j'en étais fier.

Sa robe de satin craquait sous mes doigts avec un bruit d'étincelles ; quelquefois, après avoir senti le velouté de l'étoffe, je venais à sentir la douceur chaude de son bras nu, son vêtement semblait participer d'elle-même, il exhalait la séduction des plus luxuriantes nudités.

Elle voulut à toutes forces s'asseoir sur mes genoux, et elle recommença sa caresse accoutumée, qui était de me passer la main dans les cheveux tandis qu'elle me regardait fixement, face à face, les yeux dardés contre les miens. Dans cette pose immobile, sa prunelle parut se dilater, il en sortit un fluide que je sentais me couler sur le cœur ; chaque effluve de ce regard béant, semblable aux cercles successifs que décrit l'orfraie, m'attachait de plus en plus à cette magie terrible.

— Ah! tu m'aimes donc, reprit-elle, tu m'aimes donc que te voilà venu encore chez moi, pour moi ! Mais qu'as-tu? tu ne dis rien, tu es triste ! ne veux-tu plus de moi?

Elle fit une pause et reprit :

— Comme tu es beau, mon ange! tu es beau comme le jour! embrasse-moi donc, aime-moi! un baiser, un baiser, vite !

Elle se suspendit à ma bouche et, roucoulant comme une colombe, elle se gonflait la poitrine du soupir qu'elle y puisait.

— Ah! mais pour la nuit, n'est-ce pas, pour la nuit, toute la nuit à nous deux? C'est comme toi que je voudrais avoir un amant, un amant jeune et frais, qui m'aimât bien, qui ne pensât qu'à moi. Oh! comme je l'aimerais!

Et elle fit une de ces inspirations de désir où il semble que Dieu devrait descendre des cieux.

— Mais n'en as-tu pas un? lui dis-je.

— Qui? moi? est-ce que nous sommes aimées, nous autres? est-ce qu'on pense à nous? Qui veut de nous? toi-même, demain, te souviendras-tu de moi? tu te diras peut-être seulement : « Tiens, hier, j'ai couché avec une fille », mais brrr! la! la! la! (et elle se mit à danser, les poings sur la taille, avec des allures immondes). C'est que je danse bien! tiens, regarde mon costume.

Elle ouvrit son armoire, et je vis sur une planche un masque noir et des rubans bleus avec un domino; il y avait aussi un pantalon de velours noir à galons d'or, accroché à un clou, restes flétris du carnaval passé.

— Mon pauvre costume, dit-elle, comme j'ai été souvent au bal avec lui! c'est moi qui ai dansé, cet hiver!

La fenêtre était ouverte et le vent faisait trembler la lumière de la bougie, elle l'alla prendre de dessus la cheminée et la mit sur la table de nuit. Arrivée près du lit, elle s'assit dessus et se prit à réfléchir profondément, la tête baissée sur la poitrine. Je ne lui parlais pas non plus, j'attendais, l'odeur chaude des nuits d'août montait jusqu'à nous, nous entendions, de là, les arbres du boulevard remuer, le rideau de la fenêtre tremblait; toute la nuit il fit de l'orage; souvent, à la lueur des éclairs, j'apercevais sa blême figure, crispée dans une expression de tristesse ardente; les nuages couraient vite, la lune, à demi cachée par eux, apparaissait par moments dans un coin de ciel pur entouré de nuées sombres.

Elle se déshabilla lentement, avec les mouvements réguliers d'une machine. Quand elle fut en chemise, elle vint à moi, pieds nus sur le pavé, me prit par la main et me conduisit à son lit ; elle ne me regardait pas, elle pensait à autre chose ; elle avait la lèvre rose et humide, les narines ouvertes, l'œil en feu, et semblait vibrer sous le frottement de sa pensée comme, alors même que l'artiste n'est plus là, l'instrument sonore laisse s'évaporer un secret parfum de notes endormies.

C'est quand elle se fut couchée près de moi qu'elle m'étala, avec un orgueil de courtisane, toutes les splendeurs de sa chair. Je vis à nu sa gorge dure et toujours gonflée comme d'un murmure orageux, son ventre de nacre, au nombril creusé, son ventre élastique et convulsif, doux pour s'y plonger la tête comme sur un oreiller de satin chaud ; elle avait des hanches superbes, de ces vraies hanches de femme, dont les lignes, dégradantes sur une cuisse ronde, rappellent toujours, de profil, je ne sais quelle forme souple et corrompue de serpent et de démon ; la sueur qui mouillait sa peau la lui rendait fraîche et collante, dans la nuit ses yeux brillaient d'une manière terrible, et le bracelet d'ambre qu'elle portait au bras droit sonnait quand elle s'attrapait au lambris de l'alcôve. Ce fut dans ces heures-là qu'elle me disait, tenant ma tête serrée sur son cœur :

— Ange d'amour, de délices, de volupté, d'où viens-tu ? où est ta mère ? à quoi songeait-elle quand elle t'a conçu ? rêvait-elle la force des lions d'Afrique ou le parfum de ces arbres lointains, si embaumants qu'on meurt à les sentir ? Tu ne me dis rien ; regarde-moi avec tes grands yeux, regarde-moi, regarde-moi ! ta bouche ! ta bouche ! tiens, tiens, voilà la mienne !

Et puis ses dents claquaient comme par un grand froid, et ses lèvres écartées tremblaient et envoyaient dans l'air des paroles folles :

— Ah ! je serais jalouse de toi, vois-tu, si nous nous aimions ; la moindre femme qui te regarderait...

Et elle achevait sa phrase dans un cri. D'autres fois elle m'arrêtait avec des bras raidis et disait tout bas qu'elle allait mourir.

— Oh ! que c'est beau, un homme, quand il est jeune ! Si j'étais homme, moi, toutes les femmes m'aimeraient, mes yeux brilleraient si bien ! je serais si bien mis, si joli ! Ta maîtresse t'aime, n'est-ce pas ? je voudrais la connaître. Comment vous voyez-vous ? est-ce chez toi ou chez elle ? est-ce à la promenade, quand tu passes à cheval ? tu dois être si bien à cheval ! au théâtre, quand on sort et qu'on lui donne son manteau ? ou bien la nuit dans son jardin ? Les belles heures que vous passez, n'est-ce pas, à causer ensemble, assis sous la tonnelle !

Je la laissais dire, il me semblait qu'avec ces mots elle me faisait une maîtresse idéale, et j'aimais ce fantôme qui venait d'arriver dans mon esprit et qui y brillait plus rapide qu'un feu follet, le soir, dans la campagne.

— Y a-t-il longtemps que vous vous connaissez ? conte-moi ça un peu. Que lui dis-tu pour lui plaire ? est-elle grande ou petite ? chante-t-elle ?

Je ne pus m'empêcher de lui dire qu'elle se trompait, je lui parlai même de mes appréhensions à la venir trouver, du remords, ou mieux de l'étrange peur que j'en avais eue ensuite, et du retour soudain qui m'avait poussé vers elle. Quand je lui eus bien dit que je n'avais jamais eu de maîtresse, que j'en avais cherché partout, que j'en avais rêvé longtemps, et qu'enfin elle était la première qui eût accepté mes caresses, elle se rapprocha de moi avec étonnement et, me prenant par le bras, comme si j'étais une illusion qu'elle voulût saisir :

— Vrai ? me dit-elle, oh ! ne me mens pas. Tu es donc vierge, et c'est moi qui t'ai défloré, pauvre ange ? tes baisers, en effet, avaient je ne sais quoi de naïf, tel que les enfants seuls en auraient s'ils faisaient l'amour. Mais tu m'étonnes ! tu es charmant ; à mesure que je te regarde, je t'aime de plus en plus, ta joue est douce comme une pêche, ta peau, en effet, est toute blanche, tes beaux cheveux sont forts et nombreux. Ah ! comme je t'aimerais si tu voulais ! car je n'ai vu que toi comme ça ; on dirait que tu me regardes avec bonté, et pourtant tes yeux me brûlent, j'ai toujours envie de me rapprocher de toi et de te serrer sur moi.

C'étaient les premières paroles d'amour que j'entendisse de ma vie. Parties n'importe d'où, notre cœur les reçoit avec un tressaillement bien heureux. Rappelez-vous cela ! Je m'en abreuvais à plaisir. Oh ! comme je m'élançais vite dans le ciel nouveau.

— Oui, oui, embrasse-moi bien, embrasse-moi bien ! tes baisers me rajeunissent, disait-elle, j'aime à sentir ton odeur comme celle de mon chèvrefeuille au mois de juin, c'est frais et sucré tout à la fois ; tes dents, voyons-les, elles sont plus blanches que les miennes, je ne suis pas si belle que toi... Ah ! comme il fait bon, là !

Et elle s'appuya la bouche sur mon cou, y fouillant avec d'âpres baisers, comme une bête fauve au ventre de sa victime.

— Qu'ai-je donc, ce soir ? tu m'as mise toute en feu, j'ai envie de boire et de danser en chantant. As-tu quelquefois voulu être petit oiseau ? nous volerions ensemble, ça doit être si doux de faire l'amour dans l'air, les vents vous poussent, les nuages vous entourent... Non, tais-toi que je te regarde, que je te regarde longtemps, afin que je me souvienne de toi toujours !

— Pourquoi cela ?

— Pourquoi cela ? reprit-elle, mais pour m'en souvenir, pour penser à toi ; j'y penserai la nuit, quand je ne dors pas, le matin, quand je m'éveille, j'y penserai toute la journée, appuyée sur ma fenêtre à regarder les passants, mais surtout le soir, quand on n'y voit plus et qu'on n'a pas encore allumé les bougies ; je me rappellerai ta figure, ton corps, ton beau corps, où la volupté respire, et ta voix ! Oh ! écoute, je t'en prie, mon amour, laisse-moi couper de tes cheveux, je les mettrai dans ce bracelet-là, ils ne me quitteront jamais.

Elle se leva de suite, alla chercher ses ciseaux et me coupa, derrière la tête, une mèche de cheveux. C'étaient de petits ciseaux pointus, qui crièrent en jouant sur leur vis ; je sens encore sur la nuque le froid de l'acier et la main de Marie.

C'est une des plus belles choses des amants que les cheveux donnés et échangés. Que de belles mains, depuis qu'il y a des nuits, ont passé à travers les balcons et donné des tresses noires ! Arrière les chaînes de montre tordues en huit, les bagues où ils sont collés dessus, les médaillons où ils sont disposés en trèfles, et tous ceux qu'a pollués la main banale du coiffeur ; je les veux tout simples et noués, aux deux bouts, d'un fil, de peur d'en perdre un seul ; on les a coupés soi-même à la tête chérie, dans quelque suprême moment, au plus fort d'un premier amour, la veille du départ. Une chevelure ! manteau magnifique de la femme aux jours primitifs, quand il lui descendait jusqu'aux talons et lui couvrait les bras, alors qu'elle s'en allait avec l'homme, marchant au bord des grands fleuves, et que les premières brises de la création faisaient tressaillir à la fois la cime des palmiers, la crinière des lions, la chevelure des femmes ! J'aime les cheveux. Que de fois, dans des cimetières qu'on remuait ou dans les vieilles églises qu'on abattait, j'en ai contemplé qui apparaissaient dans la terre remuée, entre des ossements jaunes et des morceaux de bois pourri ! Souvent le soleil jetait dessus un pâle rayon et les faisait briller comme un filon d'or ; j'aimais à songer aux jours où, réunis ensemble sur un cuir blanc et graissés de parfums liquides, quelque main, sèche maintenant, passait dessus et les étendait sur l'oreiller, quelque bouche, sans gencives maintenant, les baisait au milieu et en mordait le bout avec des sanglots heureux.

Je me laissai couper les miens avec une vanité niaise, j'eus la honte de n'en pas demander à mon tour, et à cette heure que je n'ai rien, pas un gant, pas une ceinture, pas même trois corolles de rose desséchées et gardées dans un livre, rien que le souvenir de l'amour d'une fille publique, je les regrette.

Quand elle eut fini, elle vint se recoucher près de moi, elle entra dans les draps toute frissonnante de volupté, elle grelottait, et se ratatinait sur moi, comme un enfant ; enfin elle s'endormit, laissant sa tête sur ma poitrine.

Chaque fois que je respirais, je sentais le poids de cette tête endormie se soulever sur mon cœur. Dans quelle communion intime me trouvais-je donc avec cet être inconnu ? Ignorés jusqu'à ce jour l'un à l'autre, le hasard nous avait unis, nous étions là dans la même couche, liés par une force sans nom ; nous allions nous quitter et ne plus nous revoir, les atomes qui roulent et volent dans l'air ont entre eux des rencontres plus longues que n'en ont sur la terre les cœurs qui s'aiment ; la nuit, sans doute, les désirs solitaires s'élèvent et les songes se mettent à la recherche les uns des autres ; celui-là soupire peut-être après l'âme inconnue qui soupire après lui dans un autre hémisphère, sous d'autres cieux.

Quels étaient, maintenant, les rêves qui se passaient dans cette tête-là ? songeait-elle à sa famille, à son premier amant, au monde, aux hommes, à quelque vie riche, éclairée d'opulence, à quelque amour désiré ? à moi, peut-être ! L'œil fixé sur son front pâle, j'épiais son sommeil, et je tâchais de découvrir un sens au son rauque qui sortait de ses narines.

Il pleuvait, j'écoutais le bruit de la pluie et Marie dormir ; les lumières, près de s'éteindre, pétillaient dans les bobèches de cristal. L'aube parut, une ligne jaune saillit dans le ciel, s'allongea horizontalement et, prenant de plus en plus des teintes dorées et vineuses, envoya dans l'appartement une faible lumière blanchâtre; irisée de violet, qui se jouait encore avec la nuit et avec l'éclat des bougies expirantes, reflétées dans la glace.

Marie, étendue sur moi, avait ainsi certaines parties du corps dans la lumière, d'autres dans l'ombre ; elle s'était dérangée un peu, sa tête était plus basse que ses seins ; le bras droit, le bras du bracelet, pendait hors du lit et touchait presque le plancher ; il y avait sur la table de nuit un bouquet de violettes dans un verre d'eau, j'étendis la main, je le pris, je cassai le fil avec mes dents et je les respirai. La chaleur de la veille,

sans doute, ou bien le long temps depuis qu'elles
étaient cueillies les avait fanées, je leur trouvai une
odeur exquise et toute particulière, je humai une à une
leur parfum ; comme elles étaient humides, je me les
appliquai sur les yeux pour me refroidir, car mon sang
bouillait, et mes membres fatigués ressentaient
comme une brûlure au contact des draps. Alors, ne
sachant que faire et ne voulant pas l'éveiller, car
j'éprouvais un étrange plaisir à la voir dormir, je mis
doucement toutes les violettes sur la gorge de Marie,
bientôt elle en fut toute couverte, et ces belles fleurs
fanées, sous lesquelles elle dormait, la symbolisèrent à
mon esprit. Comme elles, en effet, malgré leur
fraîcheur enlevée, à cause de cela peut-être, elle
m'envoyait un parfum plus âcre et plus irritant ; le
malheur, qui avait dû passer dessus, la rendait belle de
l'amertume que sa bouche conservait, même en dormant, belle des deux rides qu'elle avait derrière le cou
et que le jour, sans doute, elle cachait sous ses
cheveux. A voir cette femme si triste dans la volupté et
dont les étreintes même avaient une joie lugubre, je
devinais mille passions terribles qui l'avaient dû
sillonner comme la foudre à en juger par les traces
restées, et puis sa vie devrait me faire plaisir à
entendre raconter, moi qui recherchais dans l'existence humaine le côté sonore et vibrant, le monde des
grandes passions et des belles larmes.

A ce moment-là, elle s'éveilla, toutes les violettes
tombèrent, elle sourit, les yeux encore à demi fermés,
en même temps qu'elle étendait ses bras autour de
mon cou et m'embrassait d'un long baiser du matin,
d'un baiser de colombe qui s'éveille.

Quand je l'ai priée de me raconter son histoire, elle
me dit :

— A toi je le peux bien. Les autres mentiraient et
commenceraient par te dire qu'elles n'ont pas toujours
été ce qu'elles sont, elles te feraient des contes sur
leurs familles et sur leurs amours, mais je ne veux pas
te tromper ni me faire passer pour une princesse ;
écoute, tu vas voir si j'ai été heureuse ! Sais-tu que

souvent j'ai eu envie de me tuer ? une fois on est arrivé
dans ma chambre, j'étais à moitié asphyxiée. Oh ! si je
n'avais pas peur de l'enfer, il y a longtemps que ça
serait fait. J'ai aussi peur de mourir, ce moment-là à
passer m'effraie, et pourtant, j'ai envie d'être morte !

Je suis de la campagne, notre père était fermier.
Jusqu'à ma première communion, on m'envoyait tous
les matins garder les vaches dans les champs ; toute la
journée je restais seule, je m'asseyais au bord d'un
fossé, à dormir, ou bien j'allais dans le bois dénicher
des nids ; je montais aux arbres comme un garçon,
mes habits étaient toujours déchirés ; souvent on m'a
battue pour avoir volé des pommes, ou laissé aller les
bestiaux chez les voisins. Quand c'était la moisson et
que, le soir venu, on dansait en rond dans la cour,
j'entendais chanter des chansons où il y avait des
choses que je ne comprenais pas, les garçons embrassaient les filles, on riait aux éclats ; cela m'attristait et
me faisait rêver. Quelquefois, sur la route, en m'en
retournant à la maison, je demandais à monter dans
une voiture de foin, l'homme me prenait avec lui et me
plaçait sur les bottes de luzerne ; croirais-tu que je
finis par goûter un indicible plaisir à me sentir
soulever de terre par les mains fortes et robustes d'un
gars solide, qui avait la figure brûlée par le soleil et la
poitrine toute en sueur ? D'ordinaire ses bras étaient
retroussés jusqu'aux aisselles, j'aimais à toucher ses
muscles, qui faisaient des bosses et des creux à chaque
mouvement de sa main, et à me faire embrasser par
lui, pour me sentir râper la joue par sa barbe. Au bas
de la prairie où j'allais tous les jours, il y avait un petit
ruisseau entre deux rangées de peupliers, au bord
duquel toutes sortes de fleurs poussaient ; j'en faisais
des bouquets, des couronnes, des chaînes ; avec des
grains de sorbier, je me faisais des colliers, cela devint
une manie, j'en avais toujours mon tablier plein, mon
père me grondait et disait que je ne serais jamais
qu'une coquette. Dans ma petite chambre j'en avais
mis aussi ; quelquefois cette quantité d'odeurs-là
m'enivrait, et je m'assoupissais, étourdie, mais jouis-

sant de ce malaise. L'odeur du foin coupé par exemple, du foin chaud et fermenté, m'a toujours semblé délicieuse, si bien que, les dimanches, je m'enfermais dans la grange, y passant tout mon après-midi à regarder les araignées filer leurs toiles aux sommiers, et à entendre les mouches bourdonner. Je vivais comme une fainéante, mais je devenais une belle fille, j'étais toute pleine de santé. Souvent une espèce de folie me prenait, et je courais, je courais jusqu'à tomber ou bien je chantais à tue-tête, ou je parlais seule et longtemps ; d'étranges désirs me possédaient, je regardais toujours les pigeons, sur leur colombier, qui se faisaient l'amour, quelques-uns venaient jusque sous ma fenêtre s'ébattre au soleil et se jouer dans la vigne. La nuit, j'entendais encore le battement de leurs ailes et leur roucoulement, qui me semblait si doux, si suave, que j'aurais voulu être pigeon comme eux et me tordre ainsi le cou, comme ils faisaient pour s'embrasser. « Que se disent-ils donc, pensais-je, qu'ils ont l'air si heureux ? », et je me rappelais aussi de quel air superbe j'avais vu courir les chevaux après les juments, et comment leurs naseaux étaient ouverts ; je me rappelais la joie qui faisait frissonner la laine des brebis aux approches du bélier, et le murmure des abeilles quand elles se suspendent en grappes aux arbres des vergers. Dans l'étable, souvent, je me glissais entre les animaux pour sentir l'émanation de leurs membres, vapeur de vie que j'aspirais à pleine poitrine, pour contempler furtivement leur nudité, où le vertige attirait toujours mes yeux troublés. D'autres fois, au détour d'un bois, au crépuscule surtout, les arbres eux-mêmes prenaient des formes singulières : c'étaient tantôt des bras qui s'élevaient vers le ciel, ou bien le tronc qui se tordait comme un corps sous les coups du vent. La nuit, quand je m'éveillais et qu'il y avait de la lune et des nuages, je voyais dans le ciel des choses qui m'épouvantaient et qui me faisaient envie. Je me souviens qu'une fois, la veille de Noël, j'ai vu une grande femme nue, debout, avec des yeux qui roulaient ; elle avait bien cent pieds de haut, mais elle alla, s'allongeant toujours en s'amincissant, et finit par se couper, chaque membre resta séparé, la tête s'envola la première, tout le reste s'agitait encore. Ou bien je rêvais ; à dix ans déjà, j'avais des nuits fiévreuses, des nuits pleines de luxure. N'était-ce pas la luxure qui brillait dans mes yeux, coulait dans mon sang, et me faisait bondir le cœur au frôlement de mes membres entre eux ? elle chantait éternellement dans mon oreille des cantiques de volupté ; dans mes visions, les chairs brillaient comme de l'or, des formes inconnues remuaient, comme du vif-argent répandu.

A l'église je regardais l'homme nu étalé sur la croix, et je redressais sa tête, je remplissais ses flancs, je colorais tous ses membres, je levais ses paupières ; je me faisais devant moi un homme beau, avec un regard de feu ; je le détachais de la croix et je le faisais descendre vers moi, sur l'autel, l'encens l'entourait, il s'avançait dans la fumée, et de sensuels frémissements me couraient sur la peau.

Quand un homme me parlait, j'examinais son œil et le jet qui en sort, j'aimais surtout ceux dont les paupières remuent toujours, qui cachent leurs prunelles et qui les montrent, mouvement semblable au battement d'ailes d'un papillon de nuit ; à travers leurs vêtements, je tâchais de surprendre le secret de leur sexe, et là-dessus j'interrogeais mes jeunes amies, j'épiais les baisers de mon père et de ma mère, et la nuit le bruit de leur couche.

A douze ans, je fis ma première communion, on m'avait fait venir de la ville une belle robe blanche, nous avions toutes des ceintures bleues ; j'avais voulu qu'on me mît les cheveux en papillotes, comme à une dame. Avant de partir, je me regardai dans la glace, j'étais belle comme un amour, je fus presque amoureuse de moi, j'aurais voulu pouvoir l'être. C'était aux environs de la Fête-Dieu, les bonnes sœurs avaient rempli l'église de fleurs, on embaumait ; moi-même, depuis trois jours, j'avais travaillé avec les autres à orner de jasmin la petite table sur laquelle on pro-

nonce les vœux, l'autel était couvert d'hyacinthes, les
marches du chœur étaient couvertes de tapis, nous
avions toutes des gants blancs et un cierge dans la
main ; j'étais bien heureuse, je me sentais faite pour
cela ; pendant toute la messe, je remuais les pieds sur
le tapis, car il n'y en avait pas chez mon père ; j'aurais
voulu me coucher dessus, avec ma belle robe, et
demeurer toute seule dans l'église, au milieu des
cierges allumés ; mon cœur battait d'une espérance
nouvelle, j'attendais l'hostie avec anxiété, j'avais
entendu dire que la première communion changeait,
et je croyais que, le sacrement passé, tous mes désirs
seraient calmés. Mais non ! rassise à ma place, je me
retrouvai dans ma fournaise ; j'avais remarqué que
l'on m'avait regardée, en allant vers le prêtre, et qu'on
m'avait admirée ; je me rengorgeai, je me trouvai
belle, m'enorgueillissant vaguement de toutes les
délices cachées en moi et que j'ignorais moi-même.

A la sortie de la messe, nous défilâmes toutes en
rang, dans le cimetière ; les parents et les curieux
étaient des deux côtés, dans l'herbe, pour nous voir
passer ; je marchais la première, j'étais la plus grande.
Pendant le dîner, je ne mangeai pas, j'avais le cœur
tout oppressé ; ma mère, qui avait pleuré pendant
l'office, avait encore les yeux rouges ; quelques voisins
vinrent pour me féliciter et m'embrassèrent avec
effusion, leurs caresses me répugnaient. Le soir, aux
vêpres, il y avait encore plus de monde que le matin.
En face de nous, on avait disposé les garçons, ils nous
regardaient avidement, moi surtout ; même lorsque
j'avais les yeux baissés, je sentais encore leurs regards.
On les avait frisés, ils étaient en toilette comme nous.
Quand, après avoir chanté le premier couplet d'un
cantique, ils reprenaient à leur tour, leur voix me
soulevait l'âme, et quand elle s'éteignait, ma jouissance expirait avec elle, et puis s'élançait de nouveau
quand ils recommençaient. Je prononçai les vœux ;
tout ce que je me rappelle, c'est que je parlais de robe
blanche et d'innocence.

Marie s'arrêta ici, perdue sans doute dans l'émouvant souvenir par lequel elle avait peur d'être vaincue, puis elle reprit en riant d'une manière désespérée :

— Ah ! la robe blanche ! il y a longtemps qu'elle est usée ! et l'innocence avec elle ! Où sont les autres maintenant ? il y en a qui sont mortes, d'autres qui sont mariées et ont des enfants ; je n'en vois plus aucune, je ne connais personne. Tous les jours de l'an encore, je veux écrire à ma mère, mais je n'ose pas, et puis bah ! c'est bête, tous ces sentiments-là !

Se raidissant contre son émotion, elle continua :

— Le lendemain, qui était encore un jour de fête, un camarade vint pour jouer avec moi ; ma mère me dit : « Maintenant que tu es une grande fille, tu ne devrais plus aller avec les garçons », et elle nous sépara. Il n'en fallut pas plus pour me rendre amoureuse de celui-là, je le recherchais, je lui fis la cour, j'avais envie de m'enfuir avec lui de mon pays, il devait m'épouser quand je serais grande, je l'appelais mon mari, mon amant, il n'osait pas. Un jour que nous étions seuls, et que nous revenions ensemble du bois où nous avions été cueillir des fraises, en passant près d'un mulon, je me ruai sur lui, et le couvrant de tout mon corps en l'embrassant à la bouche, je me mis à crier : « Aime-moi donc, marions-nous, marions-nous ! » Il se dégagea de moi et s'enfuit.

Depuis ce temps-là je m'écartai de tout le monde et ne sortis plus de la ferme, je vivais solitairement dans mes désirs, comme d'autres dans leurs jouissances. Disait-on qu'un tel avait enlevé une fille qu'on lui refusait, je m'imaginais être sa maîtresse, fuir avec lui en croupe, à travers champs, et le serrer dans mes bras ; si l'on parlait d'une noce, je me couchais vite dans le lit blanc, comme la mariée je tremblais de crainte et de volupté ; j'enviais jusqu'aux beuglements plaintifs des vaches, quand elles mettent bas ; en en rêvant la cause, je jalousais leurs douleurs.

A cette époque-là mon père mourut, ma mère m'emmena à la ville avec elle, mon frère partit pour l'armée, où il est devenu capitaine. J'avais seize ans quand nous partîmes de la maison ; je dis adieu pour toujours au bois, à la prairie où était mon ruisseau, adieu au portail de l'église, où j'avais passé de si bonnes heures à jouer au soleil, adieu aussi à ma pauvre petite chambre ; je n'ai plus revu tout cela. Des grisettes du quartier, qui devinrent mes amies, me montrèrent leurs amoureux, j'allais avec elles en parties, je les regardais s'aimer, et je me repaissais à loisir de ce spectacle. Tous les jours c'était quelque nouveau prétexte pour m'absenter, ma mère s'en aperçut bien, elle m'en fit d'abord des reproches, puis finit par me laisser tranquille.

Un jour enfin une vieille femme, que je connaissais depuis quelque temps, me proposa de faire ma fortune, me disant qu'elle m'avait trouvé un amant fort riche, que le lendemain soir je n'avais qu'à sortir comme pour porter de l'ouvrage dans un faubourg, et qu'elle m'y mènerait.

Pendant les vingt-quatre heures qui suivirent, je crus souvent que j'allais devenir folle ; à mesure que l'heure approchait, le moment s'éloignait, je n'avais que ce mot-là dans la tête : un amant ! un amant ! j'allais avoir un amant, j'allais être aimée, j'allais donc aimer ! Je mis d'abord mes souliers les plus minces, puis, m'apercevant que mon pied s'évasait dedans, je pris des bottines ; j'arrangeai également mes cheveux de cent manières, en torsades, puis en bandeaux, en papillotes, en nattes ; à mesure que je me regardais dans la glace, je devenais plus belle, mais je ne l'étais pas assez, mes habits étaient communs, j'en rougis de honte. Que n'étais-je une de ces femmes qui sont blanches au milieu de leurs velours, toute chargée de dentelles, sentant l'ambre et la rose, avec de la soie qui craque, et des domestiques tout cousus d'or ! Je maudis ma mère, ma vie passée, et je m'enfuis, poussée par toutes les tentations du diable, et d'avance les savourant toutes.

Au détour d'une rue, un fiacre nous attendait, nous montâmes dedans ; une heure après il nous arrêta à la grille d'un parc. Après nous y être promenées quelque temps, je m'aperçus que la vieille m'avait quittée, et je restai seule à marcher dans les allées. Les arbres étaient grands, tout couverts de feuilles, des bandes de gazon entouraient des plates-bandes de fleurs, jamais je n'avais vu de si beau jardin ; une rivière passait au milieu, des pierres, disposées habilement çà et là, formaient des cascades, des cygnes jouaient sur l'eau et, les ailes enflées, se laissaient pousser par le courant. Je m'amusai aussi à voir la volière, où des oiseaux de toutes sortes criaient et se balançaient sur leurs anneaux ; ils étalaient leurs queues panachées et passaient les uns devant les autres, c'était un éblouissement. Deux statues de marbre blanc, au bas du perron, se regardaient, dans des poses charmantes ; le grand bassin d'en face était doré par le soleil couchant et donnait envie de s'y baigner. Je pensais à l'amant inconnu qui demeurait là, à chaque instant, je m'attendais à voir sortir de derrière un bouquet d'arbres quelque homme beau et marchant fièrement comme un Apollon. Après le dîner, et quand le bruit du château, que j'entendais depuis longtemps, se fut apaisé, mon maître parut. C'était un vieillard tout blanc et maigre, serré dans des habits trop justes, avec une croix d'honneur sur son habit, et des dessous de pied qui l'empêchaient de remuer les genoux ; il avait un grand nez, et de petits yeux verts qui avaient l'air méchant. Il m'aborda en souriant, il n'avait plus de dents. Quand on sourit il faut avoir une petite lèvre rose comme la tienne, avec un peu de moustache aux deux bouts, n'est-ce pas, cher ange ?

Nous nous assîmes ensemble sur un banc, il me prit les mains, il me les trouva si jolies qu'il en baisait chaque doigt ; il me dit que si je voulais être sa maîtresse, rester sage et demeurer avec lui, je serais bien riche, j'aurais des domestiques pour me servir, et tous les jours de belles robes, je monterais à cheval, je me promènerais en voiture ; mais pour cela, disait-il, il fallait l'aimer. Je lui promis que je l'aimerais.

Et cependant aucune de ces flammes intérieures qui naguère me brûlaient les entrailles, à l'approche des hommes, ne m'arrivait ; à force d'être à côté de lui et de me dire intérieurement que c'était celui-là dont j'allais être la maîtresse, je finis par en avoir envie. Quand il me dit de rentrer, je me levai vivement, il était ravi, il tremblait de joie, le bonhomme ! Après avoir traversé un beau salon, où les meubles étaient tout dorés, il me mena dans ma chambre et voulut me déshabiller lui-même ; il commença par m'ôter mon bonnet, mais voulant ensuite me déchausser, il eut du mal à se baisser et il me dit : « C'est que je suis vieux, mon enfant » ; il était à genoux, il me suppliait du regard, il ajouta, en joignant les deux mains : « Tu es si jolie ! », j'avais peur de ce qui allait suivre.

Un énorme lit était au fond de l'alcôve, il m'y traîna en criant ; je me sentis noyée dans les édredons et dans les matelas, son corps pesait sur moi, avec un horrible supplice, ses lèvres molles me couvraient de baisers froids, le plafond de la chambre m'écrasait. Comme il était heureux ! comme il se pâmait ! Tâchant, à mon tour, de trouver des jouissances, j'excitais les siennes à ce qu'il paraît ; mais que m'importait son plaisir à lui ! c'était le mien qu'il fallait, c'était le mien que j'attendais, j'en aspirais de sa bouche creuse et de ses membres débiles, j'en évoquais de tout ce vieillard, et réunissant dans un incroyable effort tout ce que j'avais en moi de lubricité contenue, je ne parvins qu'au dégoût dans ma première nuit de débauche.

À peine fut-il sorti que je me levai, j'allai à la fenêtre, je l'ouvris et je laissai l'air me refroidir la peau ; j'aurais voulu que l'Océan pût me laver de lui, je refis mon lit, effaçant avec soin toutes les places où ce cadavre m'avait fatiguée de ses convulsions. Toute la nuit se passa à pleurer ; désespérée, je rugissais comme un tigre qu'on a châtré. Ah ! si tu étais venu alors ! si nous nous étions connus dans ce temps-là ! si tu avais été du même âge que moi, c'est alors que nous nous serions aimés, quand j'avais seize ans, quand mon cœur était neuf ! toute notre vie se fût passée à cela, mes bras se seraient usés à t'étreindre sur moi et mes yeux à plonger dans les tiens ! »

Elle continua :

— Grande dame, je me levais à midi, j'avais une livrée qui me suivait partout, et une calèche où je m'étendais sur les coussins ; ma bête de race sautait merveilleusement par-dessus le tronc des arbres, et la plume noire de mon chapeau d'amazone remuait avec grâce ; mais devenue riche du jour au lendemain, tout ce luxe m'excitait au lieu de m'apaiser. Bientôt on me connut, ce fut à qui m'aurait, mes amants faisaient mille folies pour me plaire, tous les soirs je lisais les billets doux de la journée, pour y trouver l'expression nouvelle de quelque cœur autrement moulé que les autres et fait pour moi. Mais tous se ressemblaient, je savais d'avance la fin de leurs phrases et la manière dont ils allaient tomber à genoux ; il y en a deux que j'ai repoussés par caprice et qui se sont tués, leur mort ne m'a point touchée, pourquoi mourir ? que n'ont-ils plutôt tout franchi pour m'avoir ? Si j'aimais un homme, moi, il n'y aurait pas de mers assez larges ni de murs assez hauts pour m'empêcher d'arriver jusqu'à lui. Comme je me serais bien entendue, si j'avais été homme, à corrompre des gardiens, à monter la nuit aux fenêtres, et à étouffer sous ma bouche les cris de ma victime, trompée chaque matin de l'espoir que j'avais eu la veille !

Je les chassais avec colère et j'en prenais d'autres, l'uniformité du plaisir me désespérait, et je courais à sa poursuite avec frénésie, toujours altérée de jouissances nouvelles et magnifiquement rêvées, semblable aux marins en détresse, qui boivent de l'eau de mer et ne peuvent s'empêcher d'en boire, tant la soif les brûle !

« Dandys et rustauds, j'ai voulu voir si tous étaient de même ; j'ai goûté la passion des hommes, aux mains blanches et grasses, aux cheveux teints collés sur les tempes ; j'ai eu de pâles adolescents, blonds, efféminés comme des filles, qui se mouraient sur moi ; les vieillards aussi m'ont salie de leurs joies décrépites, et j'ai contemplé au réveil leur poitrine oppressée et leurs yeux éteints. Sur un banc de bois, dans un cabaret de village, entre un pot de vin et une pipe de tabac, l'homme du peuple aussi m'a embrassée avec violence ; je me suis fait comme lui une joie épaisse et des allures faciles ; mais la canaille ne fait pas mieux l'amour que la noblesse, et la botte de paille n'est pas plus chaude que les sofas. Pour les rendre plus ardents, je me suis dévouée à quelques-uns comme une esclave, et ils ne m'en aimaient pas davantage ; j'ai eu, pour des sots, des bassesses infâmes, et en échange ils me haïssaient et me méprisaient, alors que j'aurais voulu leur centupler mes caresses et les inonder de bonheur. Espérant enfin que les gens difformes pouvaient mieux aimer que les autres, et que les natures rachitiques se raccrochaient à la vie par la volupté, je me suis donnée à des bossus, à des nègres, à des nains ; je leur fis des nuits à rendre jaloux des millionnaires, mais je les épouvantais peut-être, car ils me quittaient vite. Ni les pauvres, ni les riches, ni les laids n'ont pu assouvir l'amour que je leur demandais à remplir ; tous, faibles, languissants, conçus dans l'ennui, avortons faits par des paralytiques que le vin enivre, que la femme tue, craignant de mourir dans les draps comme on meurt à la guerre, il n'en est pas un que je n'aie vu lassé dès la première heure. Il n'y a donc plus, sur la terre, de ces jeunesses divines comme autrefois ! plus de Bacchus, plus d'Apollons, plus de ces héros qui marchaient nus, couronnés de pampres et de lauriers ! J'étais faite pour être la maîtresse d'un empereur, moi ; il me fallait l'amour d'un bandit, sur un rocher dur, par un soleil d'Afrique ; j'ai souhaité les enlacements des serpents, et les baisers rugissants que se donnent les lions.

A cette époque je lisais beaucoup ; il y a surtout deux livres que j'ai relus cent fois : *Paul et Virginie* et un autre qui s'appelait *Les Crimes des Reines*. On y voyait les portraits de Messaline, de Théodora, de Marguerite de Bourgogne, de Marie Stuart et de Catherine II. « Être reine, me disais-je, et rendre la foule amoureuse de toi ! » Eh bien, j'ai été reine, reine

comme on peut l'être maintenant ; en entrant dans ma
loge je promenais sur le public un regard triomphant
et provocateur, mille têtes suivaient le mouvement de
mes sourcils, je dominais tout par l'insolence de ma
beauté.

Fatiguée cependant de toujours poursuivre un
amant, et plus que jamais en voulant à tout prix, ayant
d'ailleurs fait du vice un supplice qui m'était cher, je
suis accourue ici, le cœur enflammé comme si j'avais
eu encore une virginité à vendre ; raffinée, je me
résignais à vivre mal ; opulente, à m'endormir dans la
misère, car à force de descendre si bas je n'aspirais
peut-être plus à monter éternellement, à mesure que
mes organes s'useraient, mes désirs s'apaiseraient sans
doute, je voulais par là en finir d'un seul coup et me
dégoûter pour toujours de ce que j'enviais avec tant de
ferveur. Oui, moi qui ai pris des bains de fraises et de
lait, je suis venue ici, m'étendre sur le grabat commun
où la foule passe ; au lieu d'être la maîtresse d'un seul,
je me suis faite servante de tous, et quel rude maître
j'ai pris là ! Plus de feu l'hiver, plus de vin fin à mes
repas, il y a un an que j'ai la même robe, qu'importe !
mon métier n'est-il pas d'être nue ? Mais ma dernière
pensée, mon dernier espoir, le sais-tu ? Oh ! j'y
comptais, c'était de trouver un jour ce que je n'avais
jamais rencontré, l'homme qui m'a toujours fui, que
j'ai poursuivi dans le lit des élégants, au balcon des
théâtres ; chimère que n'est que dans mon cœur et que
je veux tenir dans mes mains ; un beau jour, espérais-
je, quelqu'un viendra sans doute — dans le nombre
cela doit être — plus grand, plus noble, plus fort ; ses
yeux seront fendus comme ceux des sultanes, sa voix
se modulera dans une mélodie lascive, ses membres
auront la souplesse terrible et voluptueuse des léo-
pards, il sentira des odeurs à faire pâmer, et ses dents
mordront avec délices ce sein qui se gonfle pour lui. A
chaque arrivant je me disais : « est-ce lui » ? et à un
autre encore : « est-ce lui ? qu'il m'aime ! qu'il
m'aime ! qu'il me batte ! qu'il me brise ! à moi seule je
lui ferai un sérail, je connais quelles fleurs excitent,

quelles boissons vous exaltent, et comment la fatigue
même se transforme en délicieuse extase ; coquette
quand il le voudra, pour irriter sa vanité ou amuser
son esprit, tout à coup il me trouvera langoureuse,
pliante comme un roseau, exhalant des mots doux et
des soupirs tendres ; pour lui je me tordrai dans des
mouvements de couleuvre, la nuit j'aurai des soubresauts furieux et des crispations qui déchirent. Dans un
pays chaud, en buvant du beau vin dans du cristal, je
lui danserai, avec des castagnettes, des danses espa-
gnoles, ou je bondirai en hurlant un hymne de guerre,
comme les femmes des sauvages ; s'il est amoureux des
statues et des tableaux, je me ferai des poses de grand
maître devant lesquelles il tombera à genoux ; s'il aime
mieux que je sois son ami, je m'habillerai en homme et
j'irai à la chasse avec lui, je l'aiderai dans ses
vengeances ; s'il veut assassiner quelqu'un, je ferai le
guet pour lui ; s'il est voleur, nous volerons ensemble ;
j'aimerai ses habits et le manteau qui l'enveloppe. »
Mais non ! jamais, jamais ! le temps a eu beau s'écouler
et les matins revenir, on a en vain usé chaque place de
mon corps, par toutes les voluptés dont se régalent les
hommes, je suis restée comme j'étais, à dix ans,
vierge, si une vierge est celle qui n'a pas de mari, pas
d'amant, qui n'a pas connu le plaisir et qui le rêve sans
cesse, qui se fait des fantômes charmants et qui les voit
dans ses songes, qui en entend la voix dans le bruit des
vents, qui en cherche les traits dans la figure de la
lune. Je suis vierge ! cela te fait rire ? mais n'en ai-je
pas les vagues pressentiments, les ardentes langueurs ?
j'en ai tout, sauf la virginité elle-même.

Regarde au chevet de mon lit toutes ces lignes entrecroisées sur l'acajou, ce sont les marques d'ongle de
tous ceux qui s'y sont débattus, de tous ceux dont les
têtes ont frotté là ; je n'ai jamais eu rien de commun
avec eux ; unis ensemble aussi étroitement que des
bras humains peuvent le permettre, je ne sais quel
abîme m'en a toujours séparée. Oh ! que de fois,
tandis qu'égarés ils auraient voulu s'abîmer tout
entiers dans leur jouissance, mentalement je m'écar-

tais à mille lieues de là, pour partager la natte d'un sauvage ou l'antre garni de peaux de moutons de quelque berger des Abruzzes !

Aucun en effet ne vient pour moi, aucun ne me connaît, ils cherchent peut-être en moi une certaine femme comme je cherche en eux un certain homme ; n'y a-t-il pas, dans les rues, plus d'un chien qui s'en va flairant dans l'ordure pour trouver des os de poulet et des morceaux de viande ? de même, qui saura tous les amours exaltés qui s'abattent sur une fille publique, toutes les belles élégies qui finissent dans le bonjour qu'on lui adresse ? Combien j'en ai vu arriver ici le cœur gros de dépit et les yeux pleins de larmes ! les uns, au sortir d'un bal, pour résumer sur une seule femme toutes celles qu'ils venaient de quitter ; les autres, après un mariage, exaltés à l'idée de l'innocence ; et puis des jeunes gens, pour toucher à loisir leurs maîtresses à qui ils n'osent parler, fermant les yeux et la voyant ainsi dans leurs cœurs ; des maris pour se refaire jeunes et savourer les plaisirs faciles de leur bon temps, des prêtres poussés par le démon et ne voulant pas d'une femme, mais d'une courtisane, mais du péché incarné, ils me maudissent, ils ont peur de moi et ils m'adorent ; pour que la tentation soit plus forte et l'effroi plus grand, ils voudraient que j'eusse le pied fourchu et que ma robe étincelât de pierreries. Tous passent tristement, uniformément, comme des ombres qui se succèdent, comme une foule dont on ne garde plus que le souvenir du bruit qu'elle faisait, du piétinement de ces mille pieds, des clameurs confuses qui en sortaient. Sais-je, en effet, le nom d'un seul ? ils viennent et ils me quittent, jamais une caresse désintéressée, et ils en demandent, ils demanderaient de l'amour, s'ils l'osaient ! il faut les appeler beaux, les supposer riches, et ils sourient. Et puis ils aiment à rire, quelquefois il faut chanter, ou se taire ou parler. Dans cette femme si connue, personne ne s'est douté qu'il y avait un cœur ; imbéciles qui louaient l'arc de mes sourcils et l'éclat de mes épaules, tout heureux d'avoir à bon marché un morceau de roi, et qui ne

prenaient pas cet amour inextinguible qui courait au-
devant d'eux et se jetait à leurs genoux !

J'en vois pourtant qui ont des amants, même ici, de
vrais amants qui les aiment ; elles leur font une place à
part, dans leur lit comme dans leur âme, et quand ils
viennent elles sont heureuses. C'est pour eux, vois-tu,
qu'elles se peignent si longuement les cheveux et
qu'elles arrosent les pots de fleurs qui sont à leurs
fenêtres ; mais moi, personne, personne ; pas même
l'affection paisible d'un pauvre enfant, car on la leur
montre du doigt, la prostituée, et ils passent devant
elle sans lever la tête. Qu'il y a longtemps, mon Dieu,
que je ne suis sortie dans les champs et que je n'ai vu la
campagne ! que de dimanches j'ai passés à entendre le
son de ces tristes cloches, qui appellent tout le monde
aux offices où je ne vais pas ! qu'il y a longtemps que je
n'ai entendu le grelot des vaches dans le taillis ! Ah ! je
veux m'en aller d'ici, je m'ennuie, je m'ennuie ; je
retournerai à pied au pays, j'irai chez ma nourrice,
c'est une brave femme qui me recevra bien. Quand
j'étais toute petite, j'allais chez elle, et elle me donnait
du lait ; je l'aiderai à élever ses enfants et à faire le
ménage, j'irai ramasser du bois mort dans la forêt,
nous nous chaufferons, le soir, au coin du feu quand il
neigera, voilà bientôt l'hiver ; aux rois nous tirerons le
gâteau. Oh ! elle m'aimera bien, je bercerai les petits
pour les endormir, comme je serai heureuse ! »

Elle se tut, puis releva sur moi un regard étincelant
à travers ses larmes, comme pour me dire : Est-ce
toi ?

Je l'avais écoutée avec avidité, j'avais regardé tous
les mots sortir de sa bouche ; tâchant de m'identifier à
la vie qu'ils m'exprimaient. Agrandie tout à coup à des
proportions que je lui prêtais, sans doute, elle me
parut une femme nouvelle, pleine de mystères ignorés
et, malgré mes rapports avec elle, toute tentante d'un
charme irritant et d'attraits nouveaux. Les hommes,
en effet, qui l'avaient possédée avaient laissé sur elle
comme une odeur de parfum éteint, traces de passions

disparues, qui lui faisaient une majesté voluptueuse ;
la débauche la décorait d'une beauté infernale. Sans
les orgies passées, aurait-elle eu ce sourire de suicide,
qui la faisait ressembler à une morte se réveillant dans
l'amour ? sa joue en était plus appâlie, ses cheveux
plus élastiques et plus odorants, ses membres plus
souples, plus mous et plus chauds ; comme moi, aussi,
elle avait marché de joies en chagrins, couru d'espérances en dégoûts, des abattements sans nom avaient
succédé à des spasmes fous ; sans nous connaître, elle
dans sa prostitution et moi dans ma chasteté, nous
avions suivi le même chemin, aboutissant au même
gouffre ; pendant que je me cherchais une maîtresse,
elle s'était cherché un amant, elle dans le monde, moi
dans mon cœur, l'un et l'autre nous avaient fuis.

— Pauvre femme, lui dis-je, en la serrant sur moi,
comme tu as dû souffrir !

— Tu as donc souffert quelque chose de semblable ? me répondit-elle, est-ce que tu es comme moi ?
est-ce que souvent tu as trempé ton oreiller de larmes ?
est-ce que, pour toi, les jours de soleil en hiver sont
aussi tristes ? Quand il fait du brouillard, le soir, et
que je marche seule, il me semble que la pluie traverse
mon cœur et le fait tomber en débris.

— Je doute pourtant que tu te sois jamais aussi
ennuyée que moi dans le monde, tu as eu tes jours de
plaisir, mais moi c'est comme si j'étais né en prison,
j'ai mille choses qui n'ont pas vu la lumière.

— Tu es si jeune, cependant ! Au fait, tous les
hommes sont vieux maintenant, les enfants se trouvent dégoûtés comme les vieillards, nos mères s'ennuyaient quand elles nous ont conçus, on n'était pas
comme ça autrefois, n'est-ce pas vrai ?

— C'est vrai, repris-je, les maisons où nous habi-
tons sont toutes pareilles, blanches et mornes comme
des tombes dans des cimetières ; dans les vieilles
baraques noires qu'on démolit la vie devait être plus
chaude, on y chantait fort, on y brisait les brocs sur les
tables, on y cassait les lits en faisant l'amour.

— Mais qui te rend si triste ? tu as donc bien aimé ?

— Si j'ai aimé, mon Dieu ! assez pour envier ta vie.

— Envier ma vie ! dit-elle.

— Oui, l'envier ! car, à ta place, j'aurais peut-être
été heureux, car, si un homme comme tu le désires
n'existe pas, une femme comme j'en veux doit vivre
quelque part ; parmi tant de cœurs qui battent, il doit
s'en trouver un pour moi.

— Cherche-le ! cherche-le !

— Oh ! si, j'ai aimé ! si bien que je suis saturé de
désirs rentrés. Non, tu ne sauras jamais toutes celles
qui m'ont égaré et que dans le fond de mon cœur,
j'abritais d'un amour angélique. Ecoute, quand j'avais
vécu un jour avec une femme, je me disais : « Que ne
l'ai-je connue depuis dix ans ! tous ses jours qui ont fui
m'appartenaient, son premier sourire devait être pour
moi, sa première pensée au monde, pour moi. Des
gens viennent et lui parlent, elle leur répond, elle y
pense, les livres qu'elle admire, j'aurais dû les lire.
Que ne me suis-je promené avec elle, sous tous les
ombrages qui l'ont abritée ! il y a bien des robes
qu'elle a usées et que je n'ai pas vues, elle a entendu,
dans sa vie, les plus beaux opéras et je n'étais pas là ;
d'autres lui ont déjà fait sentir les fleurs que je n'avais
pas cueillies, je ne pourrai rien faire, elle m'oubliera,
je suis pour elle comme un passant dans la rue », et
quand j'en étais séparé je me disais : « Où est-elle ?
que fait-elle, toute la journée, loin de moi ? à quoi son
temps se passe-t-il ? » Qu'une femme aime un homme,
qu'elle lui fasse un signe, et il tombe à ses genoux !
Mais nous, quel hasard qu'elle vienne à nous regarder,
et encore !... il faut être riche, avoir des chevaux qui
vous emportent, avoir une maison ornée de statues,
donner des fêtes, jeter l'or, faire du bruit ; mais
vivre dans la foule, sans pouvoir la dominer par le
génie ou par l'argent, et demeurer aussi inconnu que
le plus lâche et le plus sot de tous, quand on aspire
à des amours du ciel, quand on mourrait avec joie
sous le regard d'une femme aimée, j'ai connu ce
supplice.

— Tu es timide, n'est-ce pas ? elles te font peur.

— Plus maintenant. Autrefois, le bruit de leurs pas seulement me faisait tressaillir, je restais devant la boutique d'un coiffeur, à regarder les belles figures de cire avec des fleurs et des diamants dans les cheveux, roses, blanches et décolletées, j'ai été amoureux de quelques-unes ; l'étalage d'un cordonnier me tenait aussi en extase : dans ces petits souliers de satin, que l'on allait emporter pour le bal du soir, je plaçais un pied nu, un pied charmant, avec des ongles fins, un pied d'albâtre vivant, tel que celui d'une princesse qui entre au bain ; les corsets suspendus devant les magasins de modes, et que le vent fait remuer, me donnaient également de bizarres envies ; j'ai offert des bouquets de fleurs à des femmes que je n'aimais pas, espérant que l'amour viendrait par là, je l'avais entendu dire ; j'ai écrit des lettres adressées n'importe à qui, pour m'attendrir avec la plume, et j'ai pleuré ; le moindre sourire d'une bouche de femme me faisait fondre le cœur en délices, et puis c'était tout ! Tant de bonheur n'était pas fait pour moi, qu'est-ce qui pouvait m'aimer ?

— Attends ! attends encore un an, six mois ! demain peut-être, espère !

— J'ai trop espéré pour obtenir.

— Tu parles comme un enfant, me dit-elle.

— Non, je ne vois même pas d'amour dont je ne serais rassasié au bout de vingt-quatre heures, j'ai tant rêvé le sentiment que j'en suis fatigué, comme ceux que l'on a trop fortement chéris.

— Il n'y a pourtant que cela de beau dans le monde.

— A qui le dis-tu ? je donnerais tout pour passer une seule nuit avec une femme qui m'aimerait.

— Oh ! si au lieu de cacher ton cœur, tu laissais voir tout ce qui bat dedans de généreux et de bon, toutes les femmes voudraient de toi, il n'en est pas une qui ne tâcherait d'être ta maîtresse ; mais tu as été plus fou que moi encore ! Fait-on cas des trésors enfouis ? les coquettes seules devinent les gens comme toi, et les torturent, les autres ne les voient pas. Tu valais

pourtant bien la peine qu'on t'aimât ! Eh bien, tant
mieux ! c'est moi qui t'aimerai, c'est moi qui serai ta
maîtresse.

— Ma maîtresse ?

— Oh ! je t'en prie ! je te suivrai où tu voudras, je
partirai d'ici, j'irai louer une chambre en face de toi, je
te regarderai toute la journée. Comme je t'aimerai !
être avec toi, le soir, le matin, la nuit dormir
ensemble, les bras passés autour du corps, manger à la
même table, vis-à-vis l'un de l'autre, nous habiller
dans la même chambre, sortir ensemble et te sentir
près de moi ! Ne sommes-nous pas faits l'un pour
l'autre ? tes espérances ne vont-elles pas bien avec
mes dégoûts ? ta vie et la mienne, n'est-ce pas la
même ? Tu me raconteras tous les ennuis de ta
solitude, je te redirai les supplices que j'ai endurés ; il
faudra vivre comme si nous ne devions rester ensemble qu'une heure, épuiser tout ce qu'il y a en nous de
voluptés et de tendresses, et puis recommencer, et
mourir ensemble. Embrasse-moi, embrasse-moi
encore ! mets là ta tête sur ma poitrine, que j'en sente
bien le poids, que tes cheveux me caressent le cou, que
mes mains parcourent tes épaules, ton regard est si
tendre !

La couverture défaite, qui pendait à terre, laissait
nos pieds à nu ; elle se releva sur les genoux et la
repoussa sous le matelas, je vis son dos blanc se
courber comme un roseau ; les insomnies de la nuit
m'avaient brisé, mon front était lourd, les yeux me
brûlaient les paupières, elle me les baisa doucement
du bout des lèvres, ce qui me les rafraîchit comme si
on me les eût humectés avec de l'eau froide. Elle aussi,
se réveillait de plus en plus de la torpeur où elle s'était
laissée aller un instant ; irritée par la fatigue, enflammée par le goût des caresses précédentes, elle m'étrei-
gnit avec une volupté désespérée, en me disant :
« Aimons-nous, puisque personne ne nous a aimés, tu
es à moi ! »

Elle haletait, la bouche ouverte, et m'embrassait
furieusement, puis tout à coup, se reprenant et

passant sa main sur ses bandeaux dérangés, elle
ajouta :

— Écoute, comme notre vie serait belle si c'était
ainsi, si nous allions demeurer dans un pays où le
soleil fait pousser des fleurs jaunes et mûrit les
oranges, sur un rivage comme il y en a, à ce qu'il
paraît, où le sable est tout blanc, où les hommes
portent des turbans, où les femmes ont des robes de
gaze ; nous demeurerions couchés sous quelque grand
arbre à larges feuilles, nous écouterions le bruit des
golfes, nous marcherions ensemble au bord des flots
pour ramasser des coquilles, je ferais des paniers avec
des roseaux, tu irais les vendre ; c'est moi qui t'habille-
rais, je friserais tes cheveux dans mes doigts, je te
mettrais un collier autour du cou, oh ! comme je
t'aimerais ! comme je t'aime ! laisse-moi donc m'assouvir de toi !

Me collant à sa couche, d'un mouvement impé-
tueux, elle s'abattit sur tout mon corps et s'y étendit
avec une joie obscène, pâle, frissonnante, les dents
serrées et me serrant sur elle avec une force enragée ;
je me sentis entraîné comme dans un ouragan
d'amour, des sanglots éclataient, et puis des cris
aigus ; ma lèvre, humide de sa salive, pétillait et me
démangeait ; nos muscles, tordus dans les mêmes
nœuds, se serraient et entraient les uns dans les autres,
la volupté se tournait en délire, la jouissance en
supplices.

Ouvrant tout à coup les yeux ébahis et épouvantés,
elle dit :

— Si j'allais avoir un enfant !

Et passant, au contraire, à une câlinerie suppliante :

— Oui, oui, un enfant ! un enfant de toi !... Tu me
quittes ? nous ne nous reverrons plus, jamais tu ne
reviendras ? penseras-tu à moi quelquefois ? j'aurai
toujours tes cheveux là, adieu !... Attends, il fait à
peine jour.

Pourquoi donc avais-je hâte de la fuir ? est-ce que
déjà je l'aimais ?

Marie ne me parla plus, quoique je restasse bien

encore une demi-heure chez elle ; elle songeait peut-
être à l'amant absent. Il y a un instant, dans le départ
où, par anticipation de tristesse, la personne aimée
n'est déjà plus avec vous.

Nous ne nous fîmes pas d'adieux, je lui pris la main,
elle y répondit, mais la force pour la serrer était restée
dans son cœur.

Je ne l'ai plus revue.

J'ai pensé à elle depuis, pas un jour ne s'est écoulé
sans perdre à y rêver le plus d'heures possible,
quelquefois je m'enferme exprès et seul, je tâche de
revivre dans ce souvenir ; souvent je m'efforce à y
penser avant de m'endormir, pour la rêver la nuit,
mais ce bonheur-là ne m'est pas arrivé.

Je l'ai cherchée partout, dans les promenades, au
théâtre, au coin des rues, sans savoir pourquoi j'ai cru
qu'elle m'écrirait ; quand j'entendais une voiture
s'arrêter à ma porte, je m'imaginais qu'elle allait en
descendre. Avec quelle angoisse j'ai suivi certaines
femmes ! avec quel battement de cœur je détournais la
tête pour voir si c'était elle !

La maison a été démolie, personne n'a pu me dire ce
qu'elle était devenue.

Le désir d'une femme que l'on a obtenue est
quelque chose d'atroce et de mille fois pire que l'autre,
de terribles images vous poursuivent comme des
remords. Je ne suis pas jaloux des hommes qui l'ont
eue avant moi, mais je suis jaloux de ceux qui l'ont eue
depuis ; une convention tacite faisait, il me semble,
que nous devions nous être fidèles, j'ai été plus d'un
an à lui garder cette parole, et puis le hasard, l'ennui,
la lassitude du même sentiment peut-être, ont fait que
j'y ai manqué. Mais c'était elle que je poursuivais
partout ; dans le lit des autres je rêvais à ses caresses.

On a beau, par-dessus les passions anciennes,
vouloir en semer de nouvelles, elles reparaissent
toujours, il n'y a pas de force au monde pour en
arracher les racines. Les voies romaines, où roulaient
les chars consulaires, ne servent plus depuis long-

temps, mille nouveaux sentiers les traversent, les champs se sont élevés dessus, le blé y pousse, mais on en aperçoit encore la trace, et leurs grosses pierres ébrèchent les charrues quand on laboure.

Le type dont presque tous les hommes sont en quête n'est peut-être que le souvenir d'un amour conçu dans le ciel ou dès les premiers jours de la vie ; nous sommes en quête de tout ce qui s'y rapporte, la seconde femme qui vous plaît ressemble presque toujours à la première, il faut un grand degré de corruption ou un cœur bien vaste pour tout aimer. Voyez aussi comme ce sont éternellement les mêmes dont vous parlent les gens qui écrivent, et qu'ils décrivent cent fois sans jamais s'en lasser. J'ai connu un ami qui avait adoré, à 15 ans, une jeune mère qu'il avait vue nourrissant son enfant[7] ; de longtemps il n'estima que les tailles de poissarde, la beauté des femmes sveltes lui était odieuse.

A mesure que le temps s'éloignait, je l'en aimais de plus en plus ; avec la rage que l'on a pour les choses impossibles, j'inventais des aventures pour la retrouver, j'imaginais notre rencontre, j'ai revu ses yeux dans les globules bleus des fleuves, et la couleur de sa figure dans les feuilles du tremble, quand l'automne les colore. Une fois, je marchais vite dans un pré, les herbes sifflaient autour de mes pieds en m'avançant, elle était derrière moi ; je me suis retourné, il n'y avait personne. Un autre jour, une voiture a passé devant mes yeux, j'ai levé la tête, un grand voile blanc sortait de la portière et s'agitait au vent, les roues tournaient, il se tordait, il m'appelait, il a disparu, et je suis retombé seul, abîmé, plus abandonné qu'au fond d'un précipice.

Oh ! si l'on pouvait extraire de soi tout ce qui y est et faire un être avec la pensée seule ! si l'on pouvait tenir son fantôme dans les mains et le toucher au front, au lieu de perdre dans l'air tant de caresses et tant de soupirs ! Loin de là, la mémoire oublie et l'image s'efface, tandis que l'acharnement de la douleur reste en vous. C'est pour me la rappeler que j'ai écrit ce qui précède, espérant que les mots me la feraient revivre ; j'y ai échoué, j'en sais bien plus que je n'en ai dit.

C'est, d'ailleurs, une confidence que je n'ai faite à personne, on se serait moqué de moi. Ne se raille-t-on pas de ceux qui aiment, car c'est une honte parmi les hommes ; chacun, par pudeur ou par égoïsme, cache ce qu'il possède dans l'âme de meilleur et de plus délicat ; pour se faire estimer, il ne faut montrer que les côtés les plus laids, c'est le moyen d'être au niveau commun. Aimer une telle femme ? m'aurait-on dit, et d'abord personne ne l'eût compris ; à quoi bon, dès lors, en ouvrir la bouche ?

Ils auraient eu raison, elle n'était peut-être ni plus belle ni plus ardente qu'une autre, j'ai peur de n'aimer qu'une conception de mon esprit et de ne chérir en elle que l'amour qu'elle m'avait fait rêver.

Longtemps je me suis débattu sous cette pensée, j'avais placé l'amour trop haut pour espérer qu'il descendrait jusqu'à moi ; mais, à la persistance de cette idée, il a bien fallu reconnaître que c'était quelque chose d'analogue. Ce n'est que plusieurs mois après l'avoir quittée que je l'ai ressenti ; dans les premiers temps, au contraire, j'ai vécu dans un grand calme.

Comme le monde est vide à celui qui y marche seul ! Qu'allais-je faire ? Comment passer le temps ? à quoi employer mon cerveau ? comme les journées sont longues ! Où est donc l'homme qui se plaint de la brièveté des jours de la vie ? qu'on me le montre, ce doit être un mortel heureux.

Distrayez-vous, disent-ils, mais à quoi ? c'est me dire : tâchez d'être heureux ; mais comment ? et à quoi bon tant de mouvement ? Tout est bien dans la nature, les arbres poussent, les fleuves coulent, les oiseaux chantent, les étoiles brillent ; mais l'homme tourmenté remue, s'agite, abat les forêts, bouleverse la terre, s'élance sur la mer, voyage, court, tue les animaux, se tue lui-même, et pleure, et rugit, et pense à l'enfer, comme si Dieu lui avait donné un esprit pour concevoir encore plus de maux qu'il n'en endure !

Autrefois, avant Marie, mon ennui avait quelque chose de beau, de grand ; mais maintenant il est stupide, c'est l'ennui d'un homme plein de mauvaise eau-de-vie, sommeil d'ivre mort.

Ceux qui ont beaucoup vécu ne sont pas de même. A 50 ans, ils sont plus frais que moi à vingt, tout leur est encore neuf et attrayant. Serai-je comme ces mauvais chevaux, qui sont fatigués à peine sortis de l'écurie, et qui ne trottent à l'aise qu'après un long bout de route, fait en boitant et en souffrant ? Trop de spectacles me font mal, trop aussi me font pitié, ou plutôt tout cela se confond dans le même dégoût.

Celui qui est assez bien né pour ne pas vouloir de maîtresse parce qu'il ne pourrait la couvrir de diamants ni la loger dans un palais, et qui assiste à des amours vulgaires, qui contemple, d'un œil calme, la laideur bête de ces deux animaux en rut que l'on appelle un amant et une maîtresse, n'est pas tenté de se ravaler si bas, il se défend d'aimer comme d'une faiblesse, et il terrasse sous ses genoux tous les désirs qui viennent ; cette lutte l'épuise. L'égoïsme cynique des hommes m'écarte d'eux, de même que l'esprit borné des femmes me dégoûte de leur commerce ; j'ai tort, après tout, car deux belles lèvres valent mieux que toute l'éloquence du monde.

La feuille tombée s'agite et vole aux vents, de même, moi, je voudrais voler, m'en aller, partir pour ne plus revenir, n'importe où, mais quitter mon pays ; ma maison me pèse sur les épaules, je suis tant de fois entré et sorti par la même porte ! j'ai tant de fois levé les yeux à la même place, au plafond de ma chambre, qu'il en devrait être usé.

Oh ! se sentir plier sur le dos des chameaux ! devant soi un ciel tout rouge, un sable tout brun, l'horizon flamboyant qui s'allonge, les terrains qui ondulent, l'aigle qui pointe sur votre tête ; dans un coin, une troupe de cigognes aux pattes roses, qui passent et s'en vont vers les citernes ; le vaisseau mobile du désert vous berce, le soleil vous fait fermer les yeux, vous baigne dans ses rayons, on n'entend que le bruit étouffé du pas des montures, le conducteur vient de finir sa chanson, on va, on va. Le soir on plante les pieux, on dresse la tente, on fait boire les dromadaires, on se couche sur une peau de lion, on fume, on allume des feux pour éloigner les chacals, que l'on entend glapir au fond du désert, des étoiles inconnues et quatre fois grandes comme les nôtres palpitent aux cieux ; le matin on remplit les outres à l'oasis, on repart, on est seul, le vent siffle, le sable s'élève en tourbillons.

Et puis, dans quelque plaine où l'on galope tout le jour, des palmiers s'élèvent entre les colonnes et agitent doucement leur ombrage, à côté de l'ombre immobile des temples détruits ; des chèvres grimpent sur les frontispices renversés et mordent les plantes qui ont poussé dans les ciselures du marbre, elles fuient en bondissant quand vous approchez. Au-delà, après avoir traversé des forêts où les arbres sont liés ensemble par des lianes gigantesques, et des fleuves dont on n'aperçoit pas l'autre rive du bord, c'est le Soudan, le pays des nègres, le pays de l'or ; mais plus loin, oh ! allons toujours, je veux voir le Malabar furieux et ses danses où l'on se tue ; les vins donnent la mort comme les poisons, les poisons sont doux comme les vins ; la mer, une mer bleue remplie de corail et de perles, retentit du bruit des orgies sacrées qui se font dans les antres des montagnes, il n'y a plus de vague, l'atmosphère est vermeille, le ciel sans nuage se mire dans le tiède Océan, les câbles fument quand on les retire de l'eau, les requins suivent le navire et mangent les morts.

Oh ! l'Inde ! l'Inde surtout ! Des montagnes blanches, remplies de pagodes et d'idoles, au milieu de bois remplis de tigres et d'éléphants, des hommes jaunes avec des vêtements blancs, des femmes couleur d'étain avec des anneaux aux pieds et aux mains, des robes de gaze qui les enveloppent comme une vapeur, des yeux dont on ne voit que les paupières noircies avec du henné ; elles chantent ensemble un hymne à quelque dieu, elles dansent... Danse, danse, baya-

dère, fille du Gange, tournoie bien tes pieds dans ma
tête ! Comme une couleuvre, elle se replie, dénoue ses
bras, sa tête remue, ses hanches se balancent, ses
narines s'enflent, ses cheveux se dénouent, l'encens
qui fume entoure l'idole stupide et dorée, qui a quatre
têtes et vingt bras.

Dans un canot de bois de cèdre, un canot allongé,
dont les avirons minces ont l'air de plumes, sous une
voile faite de bambous tressés, au bruit des tam-tams
et des tambourins, j'irai dans le pays jaune que l'on
appelle la Chine ; les pieds des femmes se prennent
dans la main, leur tête est petite, leurs sourcils minces,
relevés aux coins, elles vivent dans des tonnelles de
roseau vert, et mangent des fruits à la peau de velours,
dans de la porcelaine peinte. Moustache aiguë, tombant sur la poitrine, tête rase, avec une houppe qui lui
descend jusque sur le dos, le mandarin, un éventail
rond dans les doigts, se promène dans la galerie, où les
trépieds brûlent, et marche lentement sur les nattes de
riz ; une petite pipe est passée dans son bonnet pointu,
et des écritures noires sont empreintes sur ses vêtements de soie rouge. Oh ! que les boîtes à thé m'ont
fait faire de voyages !

Emportez-moi, tempêtes du Nouveau Monde [8], qui
déracinez les chênes séculaires et tourmentez les lacs
où les serpents se jouent dans les flots ! Que les
torrents de Norvège me couvrent de leur mousse ! que
la neige de Sibérie, qui tombe tassée, efface mon
chemin ! Oh ! voyager, voyager, ne jamais s'arrêter,
et, dans cette valse immense, tout voir apparaître et
passer, jusqu'à ce que la peau vous crève et que le sang
jaillisse !

Que les vallées succèdent aux montagnes, les
champs aux villes, les plaines aux mers. Descendons
et montons les côtes, que les aiguilles des cathédrales
disparaissent, après les mâts de vaisseaux pressés dans
les ports ; écoutons les cascades tomber sur les
rochers, le vent dans les forêts, les glaciers se fondre
au soleil ; que je voie des cavaliers arabes courir, des
femmes portées en palanquin, et puis des coupoles

s'arrondir, des pyramides s'élever dans les cieux, des souterrains étouffés, où les momies dorment, des défilés étroits, où le brigand arme son fusil, des joncs où se cache le serpent à sonnettes, des zèbres bariolés courant dans les grandes herbes, des kangourous dressés sur leurs pattes de derrière, des singes se balançant au bout des branches des cocotiers, des tigres bondissant sur leur proie, des gazelles leur échappant...

Allons, allons ! passons les océans larges, où les baleines et les cachalots se font la guerre. Voici venir comme un grand oiseau de mer, qui bat des deux ailes, sur la surface des flots, la pirogue des sauvages ; des chevelures sanglantes pendent à la proue, ils se sont peint les côtes en rouge ; les lèvres fendues, le visage barbouillé, des anneaux dans le nez, ils chantent en hurlant le chant de la mort, leur grand arc est tendu, leurs flèches à la pointe verte sont empoisonnées et font mourir dans les tourments ; leurs femmes nues, seins et mains tatoués, élèvent de grands bûchers pour les victimes de leurs époux, qui leur ont promis de la chair de blanc, si moelleuse sous la dent.

Où irai-je ? la terre est grande, j'épuiserai tous les chemins, je viderai tous les horizons ; puissé-je périr en doublant le Cap, mourir du choléra à Calcutta ou de la peste à Constantinople !

Si j'étais seulement muletier en Andalousie ! et trotter tout le jour, dans les gorges des sierras, voir couler le Guadalquivir, sur lequel il y a des îles de lauriers-roses, entendre, le soir, les guitares et les voix chanter sous les balcons, regarder la lune se mirer dans le bassin de marbre de l'Alhambra, où autrefois se baignaient les sultanes.

Que ne suis-je gondolier à Venise ou conducteur d'une de ces carrioles, qui, dans la belle saison, vous mènent de Nice à Rome ! Il y a pourtant des gens qui vivent à Rome, des gens qui y demeurent toujours. Heureux le mendiant de Naples, qui dort au grand soleil, couché sur le rivage, et qui, en fumant son cigare, voit aussi la fumée du Vésuve monter dans le

ciel ! Je lui envie son lit de galets et les songes qu'il y
peut faire ; la mer, toujours belle, lui apporte le
parfum de ses flots et le murmure lointain qui vient de
Caprée.

Quelquefois je me figure arriver en Sicile, dans un
petit village de pêcheurs, où toutes les barques ont des
voiles latines. C'est le matin ; là, entre des corbeilles et
des filets étendus, une fille du peuple est assise, elle a
ses pieds nus, à son corset est un cordon d'or, comme
les femmes des colonies grecques ; ses cheveux noirs,
séparés en deux tresses, lui tombent jusqu'aux talons,
elle se lève, secoue son tablier ; elle marche, et sa taille
est robuste et souple à la fois, comme celle de la
nymphe antique. Si j'étais aimé d'une telle femme !
une pauvre enfant ignorante qui ne saurait seulement
pas lire, mais dont la voix serait si douce, quand elle
me dirait, avec son accent sicilien : « Je t'aime ! reste
ici ! »

Le manuscrit s'arrête ici, mais j'en ai connu l'auteur, et si quelqu'un, ayant passé, pour arriver jusqu'à
cette page, à travers toutes les métaphores, hyperboles
et autres figures qui remplissent les précédentes,
désire y trouver une fin, qu'il continue ; nous allons la
lui donner.

Il faut que les sentiments aient peu de mots à leur
service, sans cela le livre se fût achevé à la première
personne. Sans doute que notre homme n'aura plus
rien trouvé à dire ; il se trouve un point où l'on n'écrit
plus et où l'on pense davantage, c'est à ce point qu'il
s'arrêta, tant pis pour le lecteur !

J'admire le hasard, qui a voulu que le livre en
demeurât là, au moment où il serait devenu meilleur ;
l'auteur allait entrer dans le monde, il aurait eu mille
choses à nous apprendre, mais il s'est, au contraire,
livré de plus en plus à une solitude austère, d'où rien
ne sortait. Or il jugea convenable de ne plus se
plaindre, preuve peut-être qu'il commença réellement
à souffrir. Ni dans sa conversation, ni dans ses lettres,

ni dans les papiers que j'ai fouillés après sa mort, et où ceci se trouvait, je n'ai saisi rien qui dévoilât l'état de son âme, à partir de l'époque où il cessa d'écrire ses confessions.

Son grand regret était de ne pas être peintre, il disait avoir de très beaux tableaux dans l'imagination. Il se désolait également de n'être pas musicien ; par les matinées de printemps, quand il se promenait le long des avenues de peupliers, des symphonies sans fin lui résonnaient dans la tête. Du reste, il n'entendait rien à la peinture ni à la musique, je l'ai vu admirer des galettes authentiques et avoir la migraine en sortant de l'Opéra. Avec un peu plus de temps, de patience, de travail, et surtout avec un goût plus délicat de la plastique des arts, il fût arrivé à faire des vers médiocres, bons à mettre dans l'album d'une dame, ce qui est toujours galant. quoi qu'on en dise.

Dans sa première jeunesse, il s'était nourri de très mauvais auteurs, comme on l'a pu voir à son style ; en vieillissant, il s'en dégoûta, mais les excellents ne lui donnèrent plus le même enthousiasme.

Passionné pour ce qui est beau, la laideur lui répugnait comme le crime ; c'est, en effet, quelque chose d'atroce qu'un être laid, de loin il épouvante, de près il dégoûte ; quand il parle, on souffre ; s'il pleure, ses larmes vous agacent ; on voudrait le battre quand il rit et, dans le silence, sa figure immobile vous semble le siège de tous les vices et de tous les bas instincts. Aussi il ne pardonna jamais à un homme qui lui avait déplu dès le premier abord ; en revanche, il était très dévoué à des gens qui ne lui avaient jamais adressé quatre mots, mais dont il aimait la démarche ou la coupe du crâne.

Il fuyait les assemblées, les spectacles, les bals, les concerts, car, à peine y était-il entré, qu'il se sentait glacé de tristesse et qu'il avait froid dans les cheveux. Quand la foule le coudoyait, une haine toute jeune lui montait au cœur, il lui portait, à cette foule, un cœur de loup, un cœur de bête fauve traquée dans son terrier.

Il avait la vanité de croire que les hommes ne l'aimaient pas, les hommes ne le connaissaient pas.

Les malheurs publics et les douleurs collectives l'attristaient médiocrement, je dirai même qu'il s'apitoyait plus sur les serins en cage, battant des ailes quand il fait du soleil, que sur les peuples en esclavage, c'est ainsi qu'il était fait. Il était plein de scrupules délicats et de vraie pudeur, il ne pouvait, par exemple, rester chez un pâtissier et voir un pauvre le regarder manger sans rougir jusqu'aux oreilles ; en sortant, il lui donnait tout ce qu'il avait d'argent dans la main et s'enfuyait bien vite. Mais on le trouvait cynique, parce qu'il se servait des mots propres et disait tout haut ce que l'on pense tout bas.

L'amour des femmes entretenues (idéal des jeunes gens qui n'ont pas le moyen d'en entretenir) lui était odieux, le dégoûtait ; il pensait que l'homme qui paye est le maître, le seigneur, le roi. Quoiqu'il fût pauvre, il respectait la richesse et non les gens riches ; être gratis l'amant d'une femme qu'un autre loge, habille et nourrit, lui semblait quelque chose d'aussi spirituel que de voler une bouteille de vin dans la cave d'autrui ; il ajoutait que s'en vanter était le propre des domestiques fripons et des petites gens.

Vouloir une femme mariée, et pour cela se rendre l'ami du mari, lui serrer affectueusement les mains, rire à ses calembours, s'attrister de ses mauvaises affaires, faire ses commissions, lire le même journal que lui, en un mot exécuter, dans un seul jour, plus de bassesses et de platitudes que dix galériens n'en ont fait en toute leur vie, c'était quelque chose de trop humiliant pour son orgueil, et il aima cependant plusieurs femmes mariées ; quelquefois il se mit en beau chemin, mais la répugnance le prenait tout à coup, quand déjà la belle dame commençait à lui faire les yeux doux, comme les gelées du mois de mai qui brûlent les abricotiers en fleurs.

Et les grisettes, me direz-vous ? Eh bien, non ! il ne pouvait se résigner à monter dans une mansarde, pour embrasser une bouche qui vient de déjeuner avec du fromage, et prendre une main qui a des engelures.

Quant à séduire une jeune fille, il se serait cru moins coupable s'il l'avait violée, attacher quelqu'un à soi était pour lui pire que de l'assassiner. Il pensait sérieusement qu'il y a moins de mal à tuer un homme qu'à faire un enfant : au premier vous ôtez la vie, non pas la vie entière, mais la moitié ou le quart ou la centième partie de cette existence qui va finir, qui finirait sans vous ; mais envers le second, disait-il, n'êtes-vous pas responsable de toutes les larmes qu'il versera depuis son berceau jusqu'à sa tombe ? sans vous, il ne serait pas né, et il naît, pourquoi cela ? pour votre amusement, non pour le sien à coup sûr ; pour porter votre nom, le nom d'un sot, je parie ? autant vaudrait l'écrire sur un mur ; à quoi bon un homme pour supporter le fardeau de trois ou quatre lettres ?

A ses yeux, celui qui, appuyé sur le Code civil, entre de force dans le lit de la vierge qu'on lui a donnée le matin, exerçant ainsi un viol légal que l'autorité protège, n'avait pas d'analogue chez les singes, les hippopotames et les crapauds, qui, mâle et femelle, s'accouplent lorsque des désirs communs les font se chercher et s'unir, où il n'y a ni épouvante et dégoût d'un côté, ni brutalité et despotisme obscène de l'autre ; et il exposait là-dessus de longues théories immorales, qu'il est inutile de rapporter.

Voilà pourquoi il ne se maria point et n'eut pour maîtresse ni fille entretenue, ni femme mariée, ni grisette, ni jeune fille ; restaient les veuves, il n'y pensa pas.

Quand il fallut choisir un état, il hésita entre mille répugnances. Pour se mettre philanthrope, il n'était pas assez malin, et son bon naturel l'écartait de la médecine ; — quant au commerce, il était incapable de calculer, la vue seule d'une banque lui agaçait les nerfs. Malgré ses folies, il avait trop de sens pour prendre au sérieux la noble profession d'avocat ; d'ailleurs sa justice ne se fût pas accommodée aux lois. Il avait aussi trop de goût pour se lancer dans la

critique, il était trop poète, peut-être, pour réussir
dans les lettres. Et puis, sont-ce là des *états?* *Il faut
s'établir, avoir une position dans le monde, on s'ennuie à
rester oisif, il faut se rendre utile, l'homme est né pour
travailler* : maximes difficiles à comprendre et qu'on
avait soin de souvent lui répéter.

Résigné à s'ennuyer partout et à s'ennuyer de tout,
il déclara vouloir faire son droit et il alla habiter Paris.
Beaucoup de gens l'envièrent dans son village, et lui
dirent qu'il allait être heureux de fréquenter les cafés,
les spectacles, les restaurants, de voir les belles
femmes ; il les laissa dire, et il sourit comme lorsqu'on
a envie de pleurer. Que de fois, cependant, il avait
désiré quitter pour toujours sa chambre, où il avait
tant bâillé, et dérangé ses coudes de dessus le vieux
bureau d'acajou où il avait composé ses drames à
quinze ans ! et il se sépara de tout cela avec peine ; ce
sont peut-être les endroits qu'on a le plus maudits que
l'on préfère aux autres, les prisonniers ne regrettent-
ils pas leur prison ? C'est que, dans cette prison, ils
espéraient et que, sortis, ils n'espèrent plus ; à travers
les murs de leur cachot, ils voyaient la campagne
émaillée de marguerites, sillonnée de ruisseaux, couverte de blés jaunes, avec des routes bordées d'arbres,
— mais, rendus à la liberté, à la misère, ils revoient la
vie telle qu'elle est, pauvre, raboteuse, toute fangeuse
et toute froide, la campagne aussi, la belle campagne
telle qu'elle est, ornée de gardes champêtres pour les
empêcher de prendre les fruits s'ils ont soif, fournie en
gardes forestiers, s'ils veulent tuer du gibier et qu'ils
aient faim, couverte de gendarmes, s'ils ont envie de
se promener et qu'ils n'aient pas de passeport.

Il alla se loger dans une chambre garnie, où les
meubles avaient été achetés pour d'autres, usés par
d'autres que lui ; il lui sembla habiter dans des ruines.
Il passait la journée à travailler, à écouter le bruit
sourd de la rue, à regarder la pluie tomber sur les toits.

Quand il faisait du soleil, il allait se promener au
Luxembourg, il marchait sur les feuilles tombées, se
rappelant qu'au collège il faisait de même ; mais il ne

se serait pas douté que, dix ans plus tard, il en serait là. Ou bien il s'asseyait sur un banc et songeait à mille choses tendres et tristes, il regardait l'eau froide et noire des bassins, puis il s'en retournait le cœur serré. Deux ou trois fois, ne sachant que faire, il alla dans les églises à l'heure du salut, il tâchait de prier ; comme ses amis auraient ri, s'ils l'avaient vu tremper ses doigts dans le bénitier et faire le signe de la croix !

Un soir, qu'il errait dans un faubourg et qu'irrité sans cause il eût voulu sauter sur des épées nues et se battre à outrance, il entendit des voix chanter et les sons doux d'un orgue y répondre par bouffées. Il entra. Sous le portique, une vieille femme, accroupie par terre, demandait la charité en secouant des sous dans un gobelet de fer-blanc ; la porte tapissée allait et venait à chaque personne qui entrait ou qui sortait, on entendait des bruits de sabots, des chaises qui remuaient sur des dalles ; au fond, le chœur était illuminé, le tabernacle brillait aux flambeaux, le prêtre chantait des prières, les lampes, suspendues dans la nef, se balançaient à leurs longues cordes, le haut des ogives et les bas-côtés étaient dans l'ombre, la pluie fouettait sur les vitraux et en faisait craquer les filets de plomb, l'orgue allait, et les voix reprenaient, comme le jour où il avait entendu sur les falaises la mer et les oiseaux se parler. Il fut pris d'envie d'être prêtre, pour dire des oraisons sur le corps des morts, pour porter un cilice et se prosterner ébloui dans l'amour de Dieu... Tout à coup un ricanement de pitié lui vint au fond du cœur, il enfonça son chapeau sur ses oreilles, et sortit en haussant les épaules.

Plus que jamais il devint triste, plus que jamais les jours furent longs pour lui ; les orgues de Barbarie qu'il entendait jouer sous sa fenêtre lui arrachaient l'âme, il trouvait à ces instruments une mélancolie invincible, il disait que ces boîtes-là étaient pleines de larmes. Ou plutôt il ne disait rien, car il ne faisait pas le blasé, l'ennuyé, l'homme qui est désillusionné de tout ; sur la fin, même, on trouva qu'il était devenu d'un caractère plus gai. C'était, le plus souvent,

quelque pauvre homme du Midi, un Piémontais, un
Génois, qui tournait la manivelle. Pourquoi celui-là
avait-il quitté sa corniche, et sa cabane couronnée de
maïs à la moisson ? il le regardait jouer longtemps, sa
grosse tête carrée, sa barbe noire et ses mains brunes,
un petit singe habillé de rouge sautait sur son épaule et
grimaçait, l'homme tendait sa casquette, il lui jetait
son aumône dedans et le suivait jusqu'à ce qu'il l'eût
perdu de vue.

En face de lui on bâtissait une maison, cela dura
trois mois ; il vit les murs s'élever, les étages monter
les uns sur les autres, on mit des carreaux aux
fenêtres, on la crépit, on la peignit, puis on ferma les
portes ; des ménages vinrent l'habiter et commencè-
rent à y vivre, il fut fâché d'avoir des voisins, il aimait
mieux la vue des pierres.

Il se promenait dans les musées, il contemplait tous
ces personnages factices, immobiles et toujours jeunes
dans leur vie idéale, que l'on va voir, et qui voient
passer devant eux la foule, sans déranger leur tête,
sans ôter la main de dessus leur épée, et dont les yeux
brilleront encore quand nos petits-fils seront enseve-
lis. Il se perdait en contemplations devant les statues
antiques, surtout celles qui étaient mutilées.

Une chose pitoyable lui arriva. Un jour, dans la rue,
il crut reconnaître quelqu'un en passant près de lui,
l'étranger avait fait le même mouvement, ils s'arrêtèrent et s'abordèrent. C'était lui ! son ancien ami, son
meilleur ami, son frère, celui à côté de qui il était au
collège, en classe, à l'étude, au dortoir ; ils faisaient
leurs pensums et leurs devoirs ensemble ; dans la cour
et en promenade, ils se promenaient bras dessus bras
dessous, ils avaient juré autrefois de vivre en commun
et d'être *amis jusqu'à la mort*[9]. D'abord ils se donnèrent une poignée de main, en s'appelant par leur nom,
puis se regardèrent des pieds à la tête sans se rien dire,
ils étaient changés tous les deux et déjà un peu vieillis.
Après s'être demandé ce qu'ils faisaient, ils s'arrêtèrent tout court et ne surent aller plus loin ; ils ne
s'étaient pas vus depuis six ans et ils ne purent trouver

quatre mots à échanger. Ennuyés, à la fin, de s'être regardés l'un et l'autre dans le blanc des yeux, ils se séparèrent.

Comme il n'avait d'énergie pour rien et que le temps, contrairement à l'avis des philosophes, lui semblait la richesse la moins prêteuse du monde, il se mit à boire de l'eau-de-vie et à fumer de l'opium ; il passait souvent ses journées tout couché et à moitié ivre, dans un état qui tenait le milieu entre l'apathie et le cauchemar.

D'autres fois la force lui revenait, et il se redressait tout à coup comme un ressort. Alors le travail lui apparaissait plein de charmes, et le rayonnement de la pensée le faisait sourire, de ce sourire placide et profond des sages ; il se mettait vite à l'ouvrage, il avait des plans superbes, il voulait faire apparaître certaines époques sous un jour tout nouveau, lier l'art à l'histoire, commenter les grands poètes comme les grands peintres, pour cela apprendre les langues, remonter à l'antiquité, entrer dans l'Orient ; il se voyait déjà lisant des inscriptions et déchiffrant des obélisques ; puis il se trouvait fou et recroisait les bras.

Il ne lisait plus, ou bien c'étaient des livres qu'il trouvait mauvais et qui, néanmoins, lui causaient un certain plaisir par leur médiocrité même. La nuit il ne dormait pas, des insomnies le retournaient sur son lit, il rêvait et il s'éveillait, si bien que, le matin, il était plus fatigué que s'il eût veillé.

Usé par l'ennui, habitude terrible, et trouvant même un certain plaisir à l'abrutissement qui en est la suite, il était comme les gens qui se voient mourir, il n'ouvrait plus sa fenêtre pour respirer l'air, il ne se lavait plus les mains, il vivait même dans une saleté de pauvre, la même chemise lui servait une semaine, il ne se faisait plus la barbe et ne se peignait plus les cheveux. Quoique frileux, s'il était sorti dans la matinée et qu'il eût les pieds mouillés, il restait toute la journée sans changer de chaussures et sans faire de feu, ou bien il se jetait tout habillé sur son lit et tâchait de s'endormir ; il regardait les mouches courir sur le plafond, il fumait et suivait de l'œil les petites spirales bleues qui sortaient de ses lèvres.

On concevra sans peine qu'il n'avait pas de but, et c'est là le malheur. Qui eût pu l'animer, l'émouvoir ? l'amour ? il s'en écartait ; l'ambition le faisait rire ; pour l'argent, sa cupidité était fort grande, mais sa paresse avait le dessus, et puis un million ne valait pas pour lui la peine de le conquérir ; c'est à l'homme né dans l'opulence que le luxe va bien ; celui qui a gagné sa fortune, presque jamais ne la sait manger ; son orgueil était tel qu'il n'aurait pas voulu d'un trône. Vous me demanderez : Que voulait-il ? je n'en sais rien, mais, à coup sûr, il ne songeait point à se faire plus tard élire député ; il eût même refusé une place de préfet, y compris l'habit brodé, la croix d'honneur passée autour du cou, la culotte de peau et les bottes écuyères les jours de cérémonie. Il aimait mieux lire André Chénier que d'être ministre, il aurait préféré être Talma que Napoléon.

C'était un homme qui donnait dans le faux, dans l'amphigourique et faisait grand abus d'épithètes.

Du haut de ces sommets, la terre disparaît et tout ce qu'on s'y arrache. Il y a également des douleurs du haut desquelles on n'est plus rien et l'on méprise tout ; quand elles ne vous tuent pas, le suicide seul vous en délivre. Il ne se tua pas, il vécut encore.

Le carnaval arriva, il ne s'y divertit point. Il faisait tout à contretemps, les enterrements excitaient presque sa gaieté, et les spectacles lui donnaient de la tristesse ; toujours il se figurait une foule de squelettes habillés, avec des gants, des manchettes et des chapeaux à plumes, se penchant au bord des loges, se lorgnant, minaudant, s'envoyant des regards vides ; au parterre il voyait étinceler, sous le feu du lustre, une foule de crânes blancs serrés les uns près des autres. Il entendit des gens descendre en courant l'escalier, ils riaient, ils s'en allaient avec des femmes.

Un souvenir de jeunesse lui repassa dans l'esprit, il pensa à X..., ce village où il avait été un jour à pied, et dont il a parlé lui-même dans ce que vous avez lu ; il voulut le revoir avant de mourir, il se sentait s'éteindre. Il mit de l'argent dans sa poche, prit son manteau et partit tout de suite. Les jours gras, cette année-là, étaient tombés dès le commencement de février, il faisait encore très froid, les routes étaient gelées, la voiture roulait au grand galop, il était dans le coupé, il ne dormait pas, mais se sentait traîné avec plaisir vers cette mer qu'il allait encore revoir ; il regardait les guides du postillon, éclairés par la lanterne de l'impériale, se remuer en l'air et sauter sur la croupe fumante des chevaux, le ciel était pur et les étoiles brillaient comme dans les plus belles nuits d'été.

Vers dix heures du matin, il descendit à Y... et de là fit la route à pied jusqu'à X... ; il alla vite, cette fois, d'ailleurs il courait pour se réchauffer. Les fossés étaient pleins de glace, les arbres, dépouillés, avaient le bout de leurs branches rouge, les feuilles tombées, pourries par les pluies, formaient une grande couche noire et gris de fer, qui couvrait le pied de la forêt, le ciel était tout blanc sans soleil. Il remarqua que les poteaux qui indiquent le chemin avaient été renversés ; à un endroit on avait fait une coupe de bois, depuis qu'il avait passé par là. Il se dépêchait, il avait hâte d'arriver. Enfin le terrain vint à descendre, là il prit, à travers champs, un sentier qu'il connaissait, et bientôt il vit, dans le loin, la mer. Il s'arrêta, il l'entendait battre sur le rivage et gronder au fond de l'horizon, *in altum* ; une odeur salée lui arriva, portée par la brise froide d'hiver, son cœur battait.

On avait bâti une nouvelle maison à l'entrée du village, deux ou trois autres avaient été abattues.

Les barques étaient à la mer, le quai était désert, chacun se tenait enfermé dans sa maison ; de longs morceaux de glace, que les enfants appellent *chandelles des rois*, pendaient au bord des toits et au bout des gouttières, les enseignes de l'épicier et de l'aubergiste criaient aigrement sur leur tringle de fer, la marée montait et s'avançait sur les galets, avec un bruit de chaînes et de sanglots.

Après qu'il eut déjeuné, et il fut tout étonné de

n'avoir pas faim, il s'alla promener sur la grève. Le
vent chantait dans l'air, les joncs minces, qui poussent
dans les dunes, sifflaient et se courbaient avec furie,
la mousse s'envolait du rivage et courait sur le
sable, quelquefois une rafale l'emportait vers les
nuages.

La nuit vint, ou mieux ce long crépuscule qui la
précède dans les plus tristes jours de l'année ; de gros
flocons de neige tombèrent du ciel, ils se fondaient sur
les flots, mais ils restaient longtemps sur la plage,
qu'ils tachetaient de grandes larmes d'argent.

Il vit, à une place, une vieille barque à demi enfouie
dans le sable, échouée là peut-être depuis vingt ans, de
la christe marine avait poussé dedans, des polypes et
des moules s'étaient attachés à ses planches verdies ; il
aima cette barque, il tourna tout autour, il la toucha à
différentes places, il la regarda singulièrement,
comme on regarde un cadavre.

A cent pas de là, il y avait un petit endroit dans la
gorge d'un rocher, où souvent il avait été s'asseoir et
avait passé de bonnes heures à ne rien faire, — il
emportait un livre et ne lisait pas, il s'y installait tout
seul, le dos par terre, pour regarder le bleu du ciel
entre les murs blancs des rochers à pic ; c'était là qu'il
avait fait ses plus doux rêves, c'était là qu'il avait le
mieux entendu le cri des mouettes, et que les fucus
suspendus avaient secoué sur lui les perles de leur
chevelure ; c'était là qu'il voyait la voile des vaisseaux
s'enfoncer sous l'horizon, et que le soleil, pour lui,
avait été plus chaud que partout ailleurs sur le reste de
la terre.

Il y retourna, il le retrouva ; mais d'autres en avaient
pris possession, car, en fouillant le sol, machinalement, avec son pied, il fit trouvaille d'un cul de
bouteille et d'un couteau. Des gens y avaient fait une
partie, sans doute, on était venu là avec des dames, on
y avait déjeuné, on avait ri, on avait fait des plaisante-
ries. « O mon Dieu, se dit-il, est-ce qu'il n'y a pas sur
la terre des lieux que nous avons assez aimés, où nous
avons assez vécu pour qu'ils nous appartiennent

jusqu'à la mort, et que d'autres que nous-mêmes n'y mettent jamais les yeux ! »

Il remonta donc par le ravin, où si souvent il avait fait dérouler des pierres sous ses pieds ; souvent même il en avait lancé exprès, avec force, pour les entendre se frapper contre les parois des rochers et l'écho solitaire y répondre. Sur le plateau qui domine la falaise, l'air devint plus vif, il vit la lune s'élever en face, dans une portion du ciel bleu sombre ; sous la lune, à gauche, il y avait une petite étoile.

Il pleurait, était-ce de froid ou de tristesse ? son cœur crevait, il avait besoin de parler à quelqu'un. Il entra dans un cabaret, où quelquefois il avait été boire de la bière, il demanda un cigare, et il ne put s'empêcher de dire à la bonne femme qui le servait : « Je suis déjà venu ici. » Elle lui répondit : « Ah ! mais, c'est pas la belle saison, m'sieu, c'est pas la belle saison », et elle lui rendit de la monnaie.

Le soir il voulut encore sortir, il alla se coucher dans un trou qui sert aux chasseurs pour tirer les canards sauvages, il vit un instant l'image de la lune rouler sur les flots et remuer dans la mer, comme un grand serpent, puis de tous les côtés du ciel des nuages s'amoncelèrent de nouveau, et tout fut noir. Dans les ténèbres, des flots ténébreux se balançaient, montaient les uns sur les autres et détonaient comme cent canons, une sorte de rythme faisait de ce bruit une mélodie terrible, le rivage, vibrant sous le coup des vagues, répondait à la haute mer retentissante.

Il songea un instant s'il ne devait pas en finir ; personne ne le verrait, pas de secours à espérer, en trois mimutes il serait mort ; mais, de suite, par une antithèse ordinaire dans ces moments-là, l'existence vint à lui sourire, sa vie de Paris lui parut attrayante et pleine d'avenir, il revit sa bonne chambre de travail, et tous les jours tranquilles qu'il pourrait y passer encore. Et cependant les voix de l'abîme l'appelaient, les flots s'ouvraient comme un tombeau, prêts de suite à se refermer sur lui et à l'envelopper dans leurs plis liquides...

Il eut peur, il rentra, toute la nuit il entendit le vent siffler dans la terreur; il fit un énorme feu et se chauffa de façon à se rôtir les jambes.

Son voyage était fini. Rentré chez lui, il trouva ses vitres blanches couvertes de givre, dans la cheminée les charbons étaient éteints, ses vêtements étaient restés sur son lit comme il les avait laissés, l'encre avait séché dans l'encrier, les murailles étaient froides et suintaient.

Il se dit : « Pourquoi ne suis-je pas resté là-bas ? » et il pensa avec amertume à la joie de son départ.

L'été revint, il n'en fut pas plus joyeux. Quelquefois seulement il allait sur le pont des Arts, et il regardait remuer les arbres des Tuileries, et les rayons du soleil couchant qui empourprent le ciel passer, comme une pluie lumineuse, sous l'Arc de l'Étoile.

Enfin, au mois de décembre dernier, il mourut, mais lentement, petit à petit, par la seule force de la pensée, sans qu'aucun organe fût malade, comme on meurt de tristesse, ce qui paraîtra difficile aux gens qui ont beaucoup souffert, mais ce qu'il faut bien tolérer dans un roman, par amour du merveilleux.

Il recommanda qu'on l'ouvrît, de peur d'être enterré vif, mais il défendit bien qu'on l'embaumât.

25 octobre 1842.

NOTES

Un parfum à sentir, p. 31.

Notes.

1. *Ad libitum* : selon votre désir. Cet appel au libre choix du lecteur, fondé sur la relativité de la morale, est repris en conclusion : « Ce que vous voudrez ».

2. *Ananké*, la fatalité. Flaubert doit ce mot à la lecture de *Notre-Dame de Paris* (« mot mystérieux gravé dans la sombre tour de Notre-Dame ») et à l'étude du grec, commencée en cinquième (1834-1835). A la fin de cette année scolaire, six mois avant la composition du conte, il l'emploie dans une lettre à Chevalier, à propos des contraintes du quotidien : une visite empêchée, la fin du papier qui interrompt la correspondance (23 juillet 1835).

3. Jean Bruneau rapproche cette Marguerite d'une autre, Marguerite-Antoinette Saqui, célèbre danseuse de corde en tournée à Rouen au moment de la rédaction du conte. Le portrait qu'en fait un témoin de l'époque présente quelque ressemblance avec celui de la fiction : le rose du maillot, la bouche édentée. Mais la Marguerite de Flaubert doit autant au stéréotype de la laideur pris dans l'antithèse avec Isabella, qu'au calque d'un corps réel (*Débuts*, p. 128).

4. Même scène au début de *La Peau de chagrin* (1831), « roman philosophique » comme *Un parfum à sentir* est un « conte philosophique » : « C'était une maison de jeu mais non un tripot autorisé par la loi, un tripot du Palais-Royal » : l'incipit de ce chapitre démarque mot pour mot la première phrase du roman de Balzac, en écartant par une tournure négative le lieu d'enfer où Raphaël de Valentin perd son dernier napoléon.

5. *Rossaille* : vieille rosse.

6. *Isabellada* : à partir d'ici, Flaubert alourdit le prénom Isabella d'un suffixe péjoratif. Un peu plus loin (chap. IX), Marguerite prononce « ce mot de la manière la plus dure qu'il lui était possible car son harmonie lui déplaisait ».

7. Bureau de charité ou de bienfaisance.

8. *Charrer* (Flaubert a écrit « charait ») : ce verbe, formé sur char, ne se trouve pas dans Littré.

9. Montaigne apparaît très tôt dans les écrits de jeunesse (avant *Un parfum à sentir*, dans un récit historique de 1836 intitulé *Deux mains sur une couronne*) et dans la *Correspondance* : « Je lis toujours Rabelais et j'y ai adjoint Montaigne » (à Ernest Chevalier, 13 septembre 1838). Il restera pour Flaubert l'une de ses références constantes, pour son art d'écrire et de vivre. Dans la citation de Montaigne qui condense deux phrases, on reconnaît celle qui ouvre l'avis « Au lecteur » : « C'est ici un livre de bonne foi, lecteur. »

Notes sur le manuscrit.

(les crochets droits [...] délimitent ici les mots barrés, en italique)

a. [*le rebut de la société*]

b. [*la création*]

c. Flaubert a écrit « Gaifa »

d. [*infernal*]

e. Flaubert a écrit : « flûte de paon ».

f. Flaubert a écrit : « Pedrillo » ; c'est évidemment un lapsus pour Isambart.

g. Flaubert a écrit : « cheveux de geai ».

La Peste à Florence, p. 77.

Notes.

1. Acte IV, 7e tableau, sc. 4 de *Don Juan de Marana, ou La Chute d'un Ange*, mystère romantique d'Alexandre Dumas représenté le 30 avril 1836 à la Porte Saint-Martin. « Parce que je te hais d'une haine de frère », dit Don José à son frère Don Juan, qui a séduit sa belle-sœur. Don Juan refuse d'abord le duel, puis frappe presque au hasard, et tue Don José. Flaubert mentionne le drame du Dumas dans une lettre à E. Chevalier du 12 juillet 1835. Autour de cette même date, il lit d'autres drames de « l'ami Dumas » : *Antony* (voir la note 15 des *Mémoires d'un fou*), *Catherine Howard*, *La Tour de Nesle* (qui fournit une épigraphe à *Deux mains sur une couronne*).

2. Quelques erreurs historiques ou lapsus : Flaubert confond ici Jean, assassiné par Garcia, avec le troisième frère, François, qui succéda à leur père Cosme Ier (et non II) de Médicis. Au début du chapitre II, il situe l'épisode au XVIIe siècle, au lieu du XVIe.

3. *Femme de Babylone* : la grande cité des vices est le repère des devins.

4. Le fantôme de Banquo apparaît à Macbeth. Flaubert est « occupé au théâtre du vieux Shakespeare » pendant l'été 1835

(lettre à Chevalier du 14 août 1835). *Roméo et Juliette* fournit
l'épigraphe de *Passion et vertu*.

Notes sur le manuscrit.

a. [*Juive*]
b. [*car il gênait une dame qui voulait s'asseoir*]

Bibliomanie, p. 99.

Notes.

1. Le nom d'Hoffmann fonctionne comme emblème du fantastique romantique. La traduction en français de ses *Contes fantastiques*
a paru dans les années 1830-1832. Au premier rang de « ces êtres
sataniques et bizarres » se détache la figure de l'Homme au sable,
qualifié par Hoffmann de « démon fantastique et pernicieux » sorti
d'un « rêve lourd et terrible ». A propos de sa « maladie nerveuse »,
Flaubert écrit plus tard : « Tout ce qu'il y a dans sainte Thérèse,
dans Hoffmann et dans Edgar Poe, je l'ai senti, je l'ai *vu*, les
hallucinés me sont fort compréhensibles » (lettre à Mlle Leroyer de
Chantepie du 30 mars 1857).
2. Jean Bruneau rapproche ce détail d'une phrase de *L'Antiquaire*
de Walter Scott : « L'un tirait sa valeur de son titre, un autre de
l'arrangement des lettres du mot *finis* » (*Débuts*, p. 171, note 20). Le
nom Old-Buck, dans une lettre à Ernest Chevalier du 23 juillet
1835, permet de penser que Flaubert a lu ce roman, dont le
personnage principal s'appelle Oldbuck (vieux livre). C'est pendant
cet été 1835 qu'il mentionne pour la première fois Walter Scott dont
il emporte *L'Histoire d'Ecosse* (lettre à Ernest Chevalier du 14 août
1835).
3. Dans la chronique de la *Gazette des Tribunaux*, don Vincente,
au lieu de se repentir de son crime, pleure de n'avoir pas possédé
l'exemplaire unique ; ici, Giacomo passe à l'acte en détruisant
l'autre exemplaire, alibi qui l'innocente en le désespérant.

Notes sur le manuscrit.

a. La page de titre du manuscrit porte : « Gve Flaubert /
Bibliomanie / conte / Novembre 1836 ». Sur la dernière page se
trouvent deux portraits au crayon, et quatre esquisses en forme de
poire qui aboutissent à la célèbre caricature de Louis-Philippe, deux
signatures différentes de Flaubert, et un titre : « Le Bibliophile ».
b. Le manuscrit présente les mots dans un ordre inverse : « Dans
une rue étroite et sans soleil de Barcelone »

   c. [*étrange et*]

   d. [*manuscrit*]

   e. [*il ne vivait que pour les livres et les livres étaient sa vie*]

   f. [*curieux du douzième siècle*]

   g. [— *fort et* — *gros*]

   h. Flaubert a écrit « St André » jusqu'à la fin du manuscrit, alors que le premier titre du livre, quelques lignes plus haut, se lit bien « Saint-Michel ».

   i. [*Depuis quelque temps tout lui réussit* [?] *mal il était plus triste et plus sombre. Car enfin ce jour-là*]

   j. [*risible*]

   k. [*Mais où trouver ce manuscrit enfin*]

   l. « le mystère de Saint-André », lit-on dans le texte du *Colibri*, qui oublie de corriger le titre figurant dans le manuscrit.

Rage et impuissance, p. 119.

Notes.

1. Vers tiré du *Tombeau d'une Mère*, *Les Harmonies poétiques et religieuses* (1830), livre III, poème 7. Un moment admiré comme incarnation du poète avec Hugo, Lamartine ne va pas tarder à représenter tout ce que Flaubert déteste dans le lyrisme poitrinaire du romantisme mou.

2. Même note de « grotesque triste » dans *Madame Bovary* : « C'était Lestiboudois ; il venait chercher sa bêche qu'il avait oubliée tantôt » (III, 10).

3. La moralité réunit deux auteurs fort pratiqués par Flaubert, Montaigne et Rabelais, réduits ici aux devises de leur scepticisme, déjà transformées par Balzac, dans *La Peau de chagrin*, et par Hugo dans *Marion de Lorme*, en idées reçues philosophiques (voir Jean Bruneau, *Débuts*, p. 120, n. 40). Flaubert les reprend dans une lettre à E. Chevalier : « Le *Peut-être* de Rabelais et le *Que say-je* de Montaigne, tous deux sont si vastes qu'on s'y perd » (18 décembre 1839).

4. .Cette exclamation (« bran » dans le texte de Rabelais) de Pantagruel ponctue en fait le discours du Limousin contrefaisant le « langaige François » (*Pantagruel*, chap. VI).

Notes sur le manuscrit.

   a. Flaubert a écrit : « Ohmnin ».

   b. [*et regardait avec* [*tris*[*tesse*] *mélancolie les cendres encore tièdes*]

   c. Flaubert n'a écrit ni « dame » (éd. Conard) ni « donc » (éd. T. A. Unwin) mais bien « dam », ici et plus loin dans ce conte. Forme étrange, mais appropriée à ce rêve d'enfer.

Une leçon d'histoire naturelle. Genre commis, p. 139.

Notes.

1. Flaubert prend ses repères aux points extrêmes du temps, de l'Antiquité jusqu'à ses contemporains. Aristote (IVe siècle avant J.-C.) fait œuvre de naturaliste dans sa *Physique*, Pline l'Ancien (Ier siècle après J.-C.) est l'auteur d'une *Histoire naturelle*. Cuvier (1769-1832) et son élève de Blainville (1777-1850) sont les naturalistes les plus célèbres du temps avec Geoffroy Saint-Hilaire, le modèle de Balzac, que Flaubert ne cite pas.

2. Le bradype (nom formé sur deux mots grecs qui signifient *lent* et *pied*) est l'autre nom du paresseux. Le hurleur est, comme on sait, une espèce de singe. Le commis s'apparente au premier par son rythme, au second par sa « voix glapissante qui crie ».

3. Théâtre parisien, spécialisé dans le mélodrame. Il fut construit en 1827. Flaubert écrivait dans la rubrique « Théâtre » de sa revue *Art et progrès* : « A l'Ambigu, foule, foule et toujours foule ».

4. Cet auteur à succès (1793-1871) est toujours resté pour Flaubert le symbole de la platitude littéraire, l'anti-modèle auquel il craint de ressembler quand il ne fait pas de style. Dans *Smarh*, il sera question des « fioritures » de Paul de Kock (*OC*, t. I, p. 211).

5. Les *fions* (et non les « fins » comme on le trouve dans toutes les autres éditions) désignent, dans le langage populaire (et peut-être dans l'argot des typographes ?) le cachet final, la dernière main.

6. La *gorgette*, pour *gorgerette* : lien qui attache la casquette sous le menton.

Notes sur le manuscrit.

Le manuscrit présente, par rapport au texte imprimé, quelques mots biffés (donnés ici entre crochets droits) et d'autres passages, assez nombreux, qui n'ont pas été repris dans *Le Colibri*. Ils se trouvaient à l'endroit où la note marque leur point d'insertion.

   a. La page de titre est datée « Janvier 1837 ».
   b. [[*deux mots ill.*] *et membres cassés et de nez ensanglantés*]
   c. Quelle était son espèce ?
   d. parce que le tabac s'y conserve plus frais que dans une autre
   e. Au lieu de « faux col », le manuscrit donne « haut col ».
   f. Au lieu de « élément », « milieu ».
   g. Ici se trouvait un paragraphe très farce supprimé au moment de la composition (d'un commun accord entre Degouve-Denunques et Flaubert ?) :
Vous reconnaîtrez le commis partout, n'importe où ; c'est ce petit homme bouffi et rosé qui au billard vous pousse votre queue au moment le plus pathétique d'une poule ; c'est lui qui donne un léger coup de main à votre chapeau ; puis regarde en l'air en disant :

tiens, il y a des hannetons ici ; c'est encore lui qui vient par derrière vous fermer les yeux avec ses deux mains [*qui sentent le beurre*] en vous soufflant malicieusement dans l'oreille « Devinez qui ».

    h. [*condamne dans son opinion*]
    i. dans sa sphère.
    j. [*il aime sa profession il fredonne*]
    k. de l'expédition de Constantinople,
    l. laisse tomber sa poudre
    m. il serait capable de vous donner de la fausse monnaie
    n. Le manuscrit est signé « G F », surmonté d'un « F. » (d'une écriture qui ne semble pas celle de Flaubert), la seule initiale qui apparaît dans *Le Colibri*.

Quidquid volueris, p. 149.

Notes.

1. Mme de Lansac est le nom de l'héroïne de *Valentine*, roman de George Sand paru en 1832. Adèle est un prénom très fréquent dans la littérature romantique : on le trouve, par exemple, dans *Antony* (voir *Mémoires d'un fou*, note 15).

2. Pour Bichat, chirurgien et anatomiste (1771-1802) et pour Cabanis, médecin et philosophe (1757-1808), auteur des *Rapports du physique et du moral*, les idées sont sécrétées par le cerveau et les faits psychiques dépendent de la physiologie : il ne reste rien de l'« âme » après le passage du scalpel. Bichat a été médecin à l'Hôtel-Dieu de Rouen, avant le père de Flaubert. Dans *Madame Bovary*, le docteur Larivière appartient « à la grande école chirurgicale sortie du tablier de Bichat » (III, 8).

3. Nom dérivé de Djali, la chèvre d'Esmeralda dans *Notre-Dame de Paris* (Emma Bovary appellera ainsi sa levrette). Le lieu de naissance de l'homme singe, Rio de Janeiro, impose la terminaison par l'homophonie « qui associe des deux mots dans la même étrangeté linguistique » (Leyla Perrone-Moisés, « L'autre Flaubert. *Quidquid volueris* : l'éducation scripturale », *Poétique* n° 53, p. 117).

4. *Galvanisme :* « phénomène électrique qui consiste en des excitations produites dans les nerfs et les muscles » (Littré). Le mot est fréquemment utilisé, à cette époque, dans la littérature fantastique (les « contes noirs » en particulier).

5. Cf. *Dictionnaire des idées reçues*, « Badigeon : Tonnez contre le badigon dans les églises ».

6. Ce « bal au château », suivi d'une sortie nocturne dans le parc, — « foulant à ses pieds les premières feuilles d'automne, jaunies et emportées par les vents » —, la contemplation des cygnes au bord de l'étang (chap. VI), puis la promenade en barque le lendemain (chap. VII), Flaubert les a vécus au château du Héron, chez le marquis de Pomereu, à la fin de l'été 1836, celui de la rencontre à

Trouville (où il y eut aussi une sortie en barque). Evénement à profondes résonances qu'il rappelle dans ses *Souvenirs, notes et pensées intimes* (voir pp. 386-387), et pendant son voyage en Orient, après une autre nuit mémorable avec Kuchuk-Hanem, simultanément dans son récit (*OC*, t. II, p. 575) et dans une lettre à Bouilhet : « Je marchais poussant mes pieds devant moi, et songeant à des matinées analogues... à une entre autres, chez le marquis de Pomereu, au Héron, après un bal. Je ne m'étais pas couché et le matin j'avais été me promener en barque sur l'étang, tout seul, dans mon habit de collège. Les cygnes me regardaient passer et les feuilles des arbustes retombaient dans l'eau. C'était peu de jours avant la rentrée ; j'avais 15 ans » (13 mars 1850). « Les feuilles d'automne, jaunies et emportées par les vents » donneraient à penser que Flaubert a lu *René* bien avant la rédaction de *Novembre*.

7. Même vision dans *Madame Bovary*, au moment du bal à la Vaubyessard : « [Emma] aperçut dans le jardin, contre les carreaux, des faces de paysans qui regardaient » (I, 8).

8. Dans *La Physiologie du mariage* de Balzac (cité par Flaubert dans *Smarh*), un orang-outang, « semi-homme », joue également du violon. Pléiade, 1980, t. XI, pp. 953-954.

9. Sartre (*L'Idiot de la famille*, t. I, p. 30) rapproche cette phrase du texte biographique que Caroline de Commanville a consacré à son oncle. A propos de la naïveté et de la bêtise du petit Gustave, âgé de six ans, elle écrit : « Il ne comprenait pas qu'on voulût le tromper et devant les rires restait rêveur, entrevoyant un mystère » (*Souvenirs intimes*, en tête de la *Correspondance*, Conard, 1926, p. XI).

10. En quatrième (1835-1836), Flaubert a écrit un *Portrait de Lord Byron* (voir *Mémoires d'un fou*, note 7).

11. C'est la première fois que Flaubert cite le nom de Balzac (dans un contexte très distancié de la lecture comme rituel bourgeois). Il n'apparaît que très tard dans la *Correspondance*, alors que Flaubert, en Orient, apprend la mort du grand homme (lettre à Bouilhet du 14 novembre 1850).

12. Jean Bruneau (*Débuts*, pp. 129-130) rapproche cette phrase d'une scène identique décrite dans *Le Brick du Gange* d'Eugène Chapus, conte publié dans la *Revue de Paris* en septembre 1831. Un orang-outang viole une femme hindoue : « Il se couchait sur le dos et se balançait sur ses flexibles vertèbres ; tantôt il s'approchait de Nadjah, tantôt il s'en éloignait en sautant. Son cri guttural épouvantait la jeune femme. » La parenté des noms Nadjah-Djalioh est soulignée par Jean Bruneau.

Notes sur le manuscrit.

a. [*grotesques*]
b. Flaubert a écrit « cousin », mais Paul, trois lignes plus bas, appelle Mme de Lansac « ma tante ».
c. [*ce qui irritait les autres lui donnait le délire*]

d. [*La rareté de ces plaisirs et de ces douleurs irritait une organisation si nerveuse*]

e. [*par les sensations intimes*]

f. [*bientôt il se concentra sur un seul point, sur une seule pensée. Il en fit son dieu, sa vie ne vécut que par lui.*]

g. [*il eut une terrible*] pensée qui lui saisit [*l'âme comme entre des tenailles rougies au feu de l'enfer*]

h. [*le drap d'une morte*]

i. [*puis il la laissa et se mit à courir plusieurs fois autour du salon, brisant les meubles, cassant les arbustes et renversant sous ses mains, sous ses pieds, tout ce qui se trouvait devant lui.*]

Passion et vertu, p. 191.

Notes.

1. Réplique de Roméo au Frère Laurent qui prétend le fortifier avec la philosophie contre la douleur du bannissement (et donc de l'exil loin de Juliette). Flaubert découvre Shakespeare au moment où il commence l'apprentissage de l'anglais, en cinquième : « Maintenant je suis occupé au théâtre du vieux Shakespeare, je suis en train de lire *Othello* » (lettre à E. Chevalier du 14 août 1835). Cette admiration ne faiblira pas jusqu'à la mort.

2. Flaubert oppose le cynisme de son siècle à l'hypocrisie moralisante du précédent. L'auteur des *Amours du Chevalier de Faublas*, Louvet de Couvray (1760-1797), prétend racheter le libertinage léger de son roman par une conclusion morale, exposant des « principes de philosophie et de républicanisme ». Les *Contes moraux* de Marmontel (1723-1799) paraissent entre 1755 et 1761. Flaubert leur préférera bientôt ceux de Sade. Il classera *Faublas* parmi les « productions ineptes » (lettre à L. Colet du 22 novembre 1852) et jugera Marmontel de l' « emplissage philosophique flasque » (lettre à la même du 26 août 1853).

3. Autre référence au XVIIIe siècle : Lovelace est le libertin qui séduit Clarissa dans *Clarissa Harlowe* (1748), roman épistolaire de S. Richardson.

4. Cf. le cri de Rodolphe : « Oh ! je l'aurai ! » (*Madame Bovary*, II, 7).

5. Restaurant chic du Palais-Royal.

6. Deux périodiques très populaires récemment fondés : *Le Musée des familles* en 1833 et le *Journal des connaissances utiles* en 1831, par Girardin. Pour un prix modique, cette dernière publication se propose de développer l'éducation intellectuelle et politique du citoyen en diffusant, tous les mois, trente-deux pages de « sciences positives » et d'informations pratiques concernant l'agriculture, l'industrie, le commerce, les lois. Ernest a le profil du collaborateur à ces entreprises utilitaristes de moralisation par l'encyclopédie mise à la portée de tous.

7. Nicolas Bouilly (1763-1842) écrit des contes moraux pour les enfants sages, le peuple vertueux, les petits bourgeois travailleurs et les jeunes demoiselles : *Contes à ma fille* (1809), *Les Jeunes Femmes* (1852). Au moment d'écrire le chapitre des lectures d'Emma, Flaubert s'inflige la lecture d'un de ses livres (lettres à L. Colet du 3 mars 1852). Sophie Cottin (1770-1807) a publié des romans sentimentaux, entre Rousseau et le premier romantisme.

8. Cf. la parole de Caton, « Vertu, tu n'es qu'un nom », citée dans *Les funérailles du Docteur Mathurin*.

9. Les deux grands hommes de l'indépendance américaine qui incarnent pour Flaubert l'utilitarisme moderne. Homais a baptisé l'un de ses fils « Franklin ». Quant à Lafayette, tôt cité dans la *Correspondance* (lettre à E. Chevalier du 1er janvier 1831), il devient par la suite l'un des insupportables « enthousiasmes populaires ».

Notes sur le manuscrit.

a. [*et il ne manque pas de prononcer le bien gros mot de Molière*]

b. [*et l'amour s'est allé du cœur en n'y laissant que les besoins de volupté*]

c. Ces quatre paragraphes (depuis « Elle s'était engagée ») ont été oubliés dans l'édition Conard, et non rétablis par les éditions ultérieures qui l'ont reproduite sans retourner au manuscrit (accessible depuis 1957). Publiés pour la première fois par Jean Bruneau et Madeleine Cottin, « Sur un manuscrit de jeunesse de Gustave Flaubert : *Passion et vertu* », *Revue d'Histoire littéraire de la France*, 1959, n° 4, oct.-déc., pp. 531-533.

d. [*et Dumas*]

e. [*à maudire leurs destinées*]

f. [*d'un sentiment voluptueux toute pleine*]

g. [*d'amour*]

h. [*les besoins démesurés d'amour de plaisir et de voluptés*]

i. [*vous êtes à moi*]

j. [*la volupté et*]

k. [*Comme le sultan qui dans les bras de sa maîtresse se réveille d'un songe où il voyait les houris de Mahomet*]

l. [*du Brésil*]

m. [*qui était vide*]

n. [*et le peuple s'éclabousse lui-même*]

o. [*qu'un baiser fut l'éternité*]

p. [*d'autant plus profond et plus étonnant terrible qu'ils sortaient de la bouche d'une femme*]

q. [*L'amour des autres elle le salissait à plaisir si elle voyait une femme qui souriait à un homme elle la traitait de prostituée et portait sa fière vertu comme le voile de son chapeau qui cachait sa figure*]

Agonies. Angoisses, p. 231.

Notes.

1. Alfred Le Poittevin doit partir à Paris pour la prochaine rentrée. Il y sera fin octobre ou début novembre 1838. Voir la lettre de Flaubert à Ernest Chevalier du 28 octobre 1838.

2. A rapprocher de *Heures d'angoisse*, poème d'Alfred Le Poittevin paru dans *Le Colibri* du 21 août 1836 : « Dieu se plaît dans les pleurs et rit de la prière / Que nous lui faisons à genoux ! / [...] Dieu nous fit pour souffrir. »

3. On rapprochera cette visite de celle d'Emma au curé Bournisien (*Madame Bovary*, II, 6).

4. Flaubert démarque ici, en inversant le récit optimiste et la morale humanitaire, une parabole de Lamennais :

« Un homme voyageait dans la montagne, et il arriva en un lieu où un gros rocher, ayant roulé sur le chemin, le remplissait tout entier, et hors du chemin il n'y avait point d'autre issue, ni à gauche, ni à droite.

Or cet homme, voyant qu'il ne pouvait continuer son voyage à cause du rocher, essaya de le mouvoir pour se faire un passage, et il se fatigua beaucoup à ce travail, et tous ses efforts furent vains.

Ce que voyant, il s'assit plein de tristesse et dit : Que sera-ce de moi lorsque la nuit viendra et me surprendra dans cette solitude, sans nourriture, sans abri, sans aucune défense, à l'heure où les bêtes féroces sortent pour chercher leur proie ?

Et comme il était absorbé dans cette pensée, un autre voyageur survint, et celui-ci ayant fait ce qu'avait fait le premier et s'étant trouvé aussi impuissant à remuer le rocher, s'assit en silence et baissa la tête.

Et après celui-ci, il en vint plusieurs autres, et aucun ne put mouvoir le rocher, et leur crainte à tous était grande.

Enfin l'un d'eux dit aux autres : Mes frères, prions notre Père qui est dans les cieux ; peut-être qu'il aura pitié de nous dans cette détresse.

Et cette parole fut écoutée, et ils prièrent de cœur le Père qui est dans les cieux.

Et quand ils eurent prié, celui qui avait dit : Prions, dit encore : Mes frères, ce qu'aucun de nous n'a pu faire seul, qui sait si nous ne le ferons pas tous ensemble ?

Et ils se levèrent, et tous ensemble ils poussèrent le rocher, et le rocher céda, et ils poursuivirent leur route en paix.

Le voyageur c'est l'homme, le voyage c'est la vie, le rocher ce sont les misères qu'il rencontre à chaque pas sur sa route.

Aucun homme ne saurait soulever seul ce rocher ; mais Dieu en a mesuré le poids de manière qu'il n'arrête jamais ceux qui voyagent ensemble. » (*Paroles d'un croyant*, 1834, chap. VII).

Le jeune Flaubert pratique, avec le plagiat nécessaire, la technique du futur Isidore Ducasse dans ses *Poésies* : le contraire est le vrai.

5. Flaubert reprend ici le début de son *Voyage en enfer* d'*Art et progrès*, n° 2 (1835) :

« I. Et j'étais au haut du mont Atlas et de là je contemplais le monde, et son or et sa boue, et sa vertu et son orgueil.

II. Et Satan m'apparut et Satan me dit : « Viens avec moi, regarde, vois, et puis ensuite tu verras mon royaume, mon monde à moi. »

III. Et Satan m'emmena avec lui et me montra le monde.

IV. Et planant sur les airs nous arrivâmes en Europe. Là il me montra des savants, des hommes de lettres, des femmes, des fats, des pédants, des rois et des sages, ceux-là étaient les plus fous.

V. Et je vis un frère qui tuait son frère, une mère qui trompait sa fille, des écrivains qui par le prestige de leur plume abusaient du peuple, des prêtres qui trahissent les fidèles, des pédants qui faisaient languir la jeunesse et la guerre qui moissonne les hommes.

VI. Là c'était un intrigant qui rampant dans la boue arrivait jusqu'aux pieds des grands, leur mordait le talon, ils tombaient et alors ils tressaillaient de la chute qu'avait faite cette tête en tombant dans la boue.

VII. Là un roi savourait dans sa couche d'infamie où de père en fils ils reçoivent des leçons d'adultère, il savourait les grâces de la courtisane favorite qui gouvernait la France et le peuple, lui, applaudissait, c'est qu'il avait les yeux bandés. »

En note au mot « adultère », Flaubert a écrit : « Cette pensée est de Barthélemy, auteur des *Douze journées de la Révolution* ». (« C'est le lit où nos Rois par goût héríditaire / Transmettaient à leurs fils des leçons d'adultère », 1835 ; cité par J. Bruneau, *Débuts*, p. 50, n. 42). L'emprunt, joint à l'autocitation, n'est pas étranger à l'abandon du copiage au milieu de la phrase : Flaubert retrouve, sous ses traces, celles des autres. Du *Voyage en enfer* à la reprise dans *Agonies*, Sartre note deux modifications importantes qui affectent ce passage : « l'Ego du récitant », désormais « proche de Gustave lui-même » et la forme plus prosaïque (cf. « C'est moins que de la poésie, c'est de la prose » de l'introduction) — encore qu'elle doive beaucoup au verset de Lamennais, introduit par le « et » biblique.

Notes du manuscrit.

a. [*moi*]
b. [*et quelquefois de sublimes*]
c. [*à avoir la pose*]
d. Flaubert a écrit : « en l'abandonnant »

Mémoires d'un fou, p. 261.

Notes.

1. Alfred Le Poittevin. D'après la description de René Descharmes, cette dédicace est précédée d'une autre « écrite sur un
feuillet séparé » (selon le dispositif que l'on trouve dans *Agonies*),
« portant la date du 4 janvier 1839 et signée de Flaubert, dans
laquelle celui-ci envoie son manuscrit à Alfred Le Poittevin, comme
cadeau de jour de l'an » (René Descharmes, *Notes sur les œuvres de
Flaubert*, inédit, BN, n.a. 23839, pp. 144 et 180).

2. Ici s'arrête la première page du manuscrit reproduite en fac-
similé dans l'édition des *Mémoires d'un fou* chez Floury en 1901.

3. *René* de Chateaubriand commence par une déclaration semblable : « son histoire [...] se bornait, disait-il, à celle de ses pensées
et de ses sentiments ». Flaubert a-t-il lu *René* à cette époque ?
L'œuvre apparaît pour la première fois dans *Novembre* (et plus tard
dans la *Correspondance*). Il serait pourtant étonnant que Flaubert
n'ait pas découvert très tôt l'un des textes fondateurs du romantisme.

4. Une même expérience de collège se trouve évoquée dans *La
Dernière Heure*, « conte philosophique » qui date de janvier 1837.
Un jeune homme de dix-neuf ans raconte, pendant l'heure qui lui
reste à vivre, les circonstances qui l'ont mené au suicide :

« J'ai éprouvé de bonne heure un profond dégoût des hommes,
dès que j'ai été mis en contact avec eux.

Dès douze ans on me plaça dans un collège : là, j'y vis le raccourci
du monde, ses vices en miniature, ses germes de ridicules, ses
petites passions, ses petites coteries, sa petite cruauté ; j'y vis le
triomphe de la force, mystérieux emblème de la puissance de Dieu ;
je vis des défauts qui devaient plus tard être des vices, des vices qui
seraient des crimes, des enfants qui seraient des hommes. » (*OC*,
t. I, p. 89).

Sur ce souvenir, le texte de *La Dernière Heure* s'arrête : comme si
« l'impression personnelle » faisait sortir le conte de son caractère
philosophique. Mais l'impression de collège reste en suspens,
disponible pour un autre écrit plus proche de l'autobiographie.

5. Quelques mois plus tard, en août 1839, Flaubert revient sur
cet amour de la Rome impériale dans une composition historique
intitulée *Rome et les Césars* : « C'est que l'époque des Césars est en
effet le plus bel acte, le plus somptueux, le plus sanglant de cette
longue tragédie que Rome a jouée au monde [...] Oh ! les cœurs
atroces ! oh ! les âmes sublimes dans le crime ! » (*OC*, t. I, p. 219).

6. Ces deux cauchemars sont commentés par J.-P. Sartre, *L'Idiot
de la famille*, t. II, pp. 1552 et par Marthe Robert, *Roman des
origines, origines du roman*, Gallimard, « Tel », 1977, pp. 306-309.

7. Flaubert regroupe ici, en anthologie, quelques points de
repères romantiques. Il a lu Shakespeare très tôt, dès 1835. *Roméo et*

Juliette fournit l'épigraphe de *Passion et vertu* (voir la note 1 de ce conte). Cette même année, il écrit un *Portrait de Lord Byron* (*Narrations et discours*, 1835-1836) mais il ne semble le lire que plus tard, en 1837-1838. La célèbre phrase : « Vraiment je n'estime profondément que deux hommes : Rabelais et Byron les deux seuls qui aient écrit dans l'intention de nuire au genre humain et de lui rire à la face » date du 13 septembre 1838 : elle est contemporaine de la rédaction des *Mémoires d'un fou*. Goethe apparaît ici pour la première fois sous la plume de Flaubert ; *Werther* sera cité, à côté de *René*, dans *Novembre*. Relisant *Smarh*, Flaubert se raille de s'être regardé « comme un petit Goethe », l'auteur de *Faust* cette fois, que Flaubert découvre dans l'enthousiasme « une veille de Pâques » (1838 ?), selon sa nièce. Ces trois auteurs trouvent naturellement leur place dans son essai *De la littérature romantique en France* (1840 ?) : « Goethe [...] et son *Werther* dont même la traduction française a fait pleurer tant de monde. En Angleterre la lyre de Byron résonnait d'accords inconnus et sonores. Il y a dans les poèmes de ce dernier une énergie triste et âpre dont je ne vois rien d'égal en France. [...] On conçoit sans peine que le public [...] se soit pris d'avidité pour les drames de Shakespeare et pour toute cette mâle et haute poésie qui prenait l'homme par les plus fortes passions, le menait sur le bord des tombes devant les plus hauts problèmes de l'existence, lui parlait de Dieu, de l'éternité, du désespoir et de l'amour. » (Publié par Jean-Pierre Germain, in *Hommage à Claude Digeon*, Les Belles Lettres, 1987, pp. 89-90).

8. L'expression « fondre en délices », utilisée deux autres fois dans la suite de ce texte (chap. XVIII et XXII), se trouve dans la *Correspondance*, à propos d'une lecture déterminante pour les *Mémoires d'un fou*, et contemporaine de tout ou partie de leur rédaction : « Tu as lu Rousseau, dis-tu. — Quel homme ! Je te recommande spécialement ses *Confessions*. C'est là-dedans que son âme s'est montrée à nue. Pauvre Rousseau qu'on a tant calomnié parce que ton cœur était plus élevé que celui des autres, c'est de tes pages où je me suis senti fondre en délices et en amoureuses rêveries ! » (à Ernest Chevalier, 30 novembre 1838).

9. Si ce château a une existence autre que littéraire, il se confond, dans la mémoire de Flaubert, avec celui de Mauny, près de Rouen : « A propos de M. de Voltaire, ce que tu me dis sur lui à propos de ta nuit à Mauny m'a ému. J'ai habité ce château pendant plusieurs mois, ayant 2 ans 1/2. Ce sont mes plus vieux souvenirs. Je me rappelle un rond de gazon, avec un maître d'hôtel en habit noir qui passait dessus, de grands arbres, un long corridor au bout duquel à gauche était la chambre où je couchais. » (à Louis Bouilhet, 15 janvier 1850.)

10. Dans la fiction, Trouville subit à la fois une censure et un déplacement géographique vers le Nord.

11. On notera que « cette prunelle ardente » est anticipée par « le regard ardent » de la femme orientale (chap. III) : le rêve prépare la rencontre, l'apparition « réelle » confirme le « type » féminin qui lui préexiste.

12. Cette comparaison se trouve dans *L'Ecole des femmes*; Alain, le valet d'Arnolphe, dit à Georgette : « La femme est en effet le potage de l'homme » (acte II, sc. 3, vers 436). Flaubert redouble l'allusion dans une lettre contemporaine des *Mémoires d'un fou* : « O que Molière a eu raison de comparer la femme à un potage » (à Ernest Chevalier, 11 octobre 1838).

13. Souvenir de Maurice Schlesinger que Flaubert évoquera, des années plus tard, dans une lettre à Elisa, en rappelant la « partie de barque » dont il est question à la fin du chapitre XII des *Mémoires d'un fou* : « Vous rappelez-vous ce soir de septembre où nous devions tous nous promener sur la Touques quand, la marée survenant, les câbles se sont rompus, les barques entrechoquées, etc. Ce fut un vacarme affreux et Maurice qui avait rapporté de Honfleur, et *à pied*, un melon gigantesque sur son épaule, retrouva de l'énergie pour crier plus fort que les autres » (2 octobre 1856).

14. La description que René Descharmes donne du manuscrit confirme ce montage : « ces cinq derniers mots [« Le voici tel qu'il était »] sont notés en travers et en tête d'un feuillet qui porte lui-même le numéro 1. Ils sont d'une encre et d'une écriture différentes de celles qui couvrent les feuillets suivants [...] Ces feuillets paginés sont d'un autre papier, un peu plus petit, et plus jaune, que ceux qui les suivent ou les précèdent » (*op. cit.*, pp. 142-141).

15. Flaubert parle d'*Antony* dans une lettre à Ernest Chevalier du 18 juin 1835. Ce drame romantique d'Alexandre Dumas, représenté pour la première fois en 1831, met en scène un « bâtard » révolté contre l'ordre social et la morale; il poignarde sa maîtresse par amour. Cette pièce enthousiasmait Flaubert : « Il s'était pris de passion pour *Antony*, qui est une des œuvres les plus puissantes de l'école romantique et qui eut une importance que les générations actuelles ne peuvent se figurer. Gustave l'admirait sans réserve. » (Maxime Du Camp, *Souvenirs littéraires*, Hachette, 1882, t. II, p. 224.) Evoquant de lointains « rêves de collégiens ». Flaubert écrira : « On portait un poignard dans sa poche comme Antony », *Préface aux « Dernières Chansons », poésies posthumes de Louis Bouilhet (1870-1872)*, *OC*, t. II, p. 760.

16. Vers extraits d'un « blason » de Marot intitulé *Le Beau Tétin*.

17. Est-ce une allusion à Ernest Chevalier, dans un texte dédié à Alfred Le Poittevin, Flaubert réunissant ses deux amis, comme il le fera dans *Les funérailles du Docteur Mathurin*? Mais l'un des enfants de Marguerite, dans *Un parfum à sentir*, s'appelle Ernesto, et l'amant cynique de *Passion et vertu* Ernest, prénom alors bien commun.

18. Sur Lovelace, voir la note 3 de *Passion et vertu*.

19. Allusion d'actualité : depuis la mort de Ferdinand VII, en 1833, et jusqu'en 1839, une guerre de succession oppose en Espagne les partisans de la régente Marie-Christine et les carlistes, des libéraux groupés autour de Don Carlos, frère de Ferdinand VII.

20. Encore un possible écho au début de *René* : « Oh ! quel cœur si mal fait n'a tressailli au bruit des cloches de son lieu natal, de ces cloches qui frémirent de joie sur son berceau, qui annoncèrent son

avènement à la vie, qui marquèrent le premier battement de son cœur, qui publièrent dans tous les lieux d'alentour la sainte allégresse de son père, les douleurs et les joies encore plus ineffables de sa mère ! Tout se trouve dans les rêveries enchantées où nous plonge le bruit de la cloche natale : religion, famille, patrie, et le berceau et la tombe, et le passé et l'avenir. »

Variantes entre l'édition Floury (abrégé en F) et Conard (C)

a. C : une (pensée)

b. C : poésie

c. Forme Conard (cette mention signifie que l'on choisit la variante de l'édition Conard). F : grinçant.

d. Ce passage « couverts... chevaux » ne se trouve pas dans C.

e. Forme Conard. Dans F, les verbes « aurais », « montrais », « serais » (deux fois) sont accordés à la troisième personne du singulier.

f. C : vague

g. C : mâché

h. C : gâté

i. C : sourire

j. C : laissée

k. C : gardé (au lieu de « bien hasardé »)

l. C : lesquels

m. C : « j'étais, je crois, en cinquième » se trouve placé en incise, entre tirets, après « jeudi ». On peut supposer qu'il s'agit d'un ajout interlinéaire ou marginal, dont le point d'insertion est difficile à préciser.

n. C : masures

o. Forme Conard. F : maté. Deux pages plus loin, F : « femme, blanche et matée ». Je choisis aussi la forme Conard.

p. C : ondoyants

q. Forme Conard. F : de

r. Forme Conard. F : de

s. Forme Conard. F : force

t. C : peindre

u. C : Vous venez de parler avec un de ces gens infâmes, gens qui s'intitulent philanthropes et qui ne votent pas pour la démolition des cathédrales sans craindre qu'on les appelle carlistes ;

v. C : père

w. C : l'avoir fait (au lieu de « ta décision »)

x. C : fleurs

y. C : la mousse (ainsi qu'à la fin de ce paragraphe, C : « mousse blanche »)

z. C : penché.

Les funérailles du Docteur Mathurin, p. 325.

Notes.

1. Jean Bruneau indique que le nom de Mathurin (que Flaubert
écrit tantôt avec h tantôt sans) pourrait venir des *Dames galantes* de
Brantôme. A propos de l'expression « faire un voyage à Saint-
Maturin », l'éditeur précise qu'on « va en pèlerinage à l'église de ce
saint pour être guéri de la folie ». Et Jean Bruneau de suggérer que
« Flaubert aurait donc conçu ses *Funérailles* comme une sorte
d'*Éloge de la folie* » (*Débuts*, p. 185, note 70).

2. « Nouvelles pages », en effet, puisque Alfred Le Poittevin est
déjà le dédicataire d'*Agonies* et des *Mémoires d'un fou*, tous deux
datés de l'année précédente. Il fallait qu'Alfred boive vraiment
beaucoup pour que Flaubert lui écrive : « Tâche *s'il est possible*, et
pour l'amour de moi de te ménager sur le petit verre » (lettre de
juillet 1845). Alfred mourut prématurément, en 1848.

3. Brillat-Savarin (1755-1826) est l'auteur de la *Physiologie du
goût ou Méditations de gastronomie transcendante* (1825), dans lequel
gastronomie et philosophie forment « deux sciences éternelles »,
selon le mot de Mathurin. Flaubert mentionne le nom de l'auteur
dans une lettre contemporaine de ce conte : « Je n'ai pas l'esprit
philosophique, comme Cousin ou Pierre Leroux, Brillat-Savarin ou
Lacenaire » (à Ernest Chevalier, 15 juillet 1839).

4. Ce *tonneau de l'électeur* est bien difficile à identifier. Serait-ce le
tonneau de malvoisie dans lequel le duc de Clarence, condamné par
son frère Edouard IV en 1478, choisit de mourir ? Mais la *mousse* fait
plutôt songer à de la bière, et l'*électeur* au Saint Empire romain
germanique. S'agirait-il alors de l'énorme tonneau de Heidelberg,
construit par l'Electeur Charles-Théodore en 1751, et dont le nain
bouffon Perkeo but le contenu (2 200 hectolitres) en une nuit ?
(Merci à Claude Duchet et à Bernard Lachat de m'avoir indiqué ces
deux explications possibles.)

5. *Nunc pulsanda tellus* : vers d'Horace (dont le nom est mentionné plus haut) dans les *Odes*, I, 37. « Nunc pede libero / pulsanda
tellus » : maintenant il faut frapper d'un pied libéré la terre.
(Flaubert a écrit : « *pulsandum* ».)

6. Montyon : philanthrope qui a créé en 1782 un prix de Vertu
destiné à récompenser « un *Français* pauvre qui aura fait *l'action la
plus vertueuse* », et le meilleur ouvrage « recommandable par un
caractère d'élévation et d'utilité morales » (ces prix sont toujours
décernés par l'Académie française). Flaubert cite Montyon, dans sa
Correspondance, comme l'exemple de la confusion entre l'art et la
morale, surtout au moment du procès de *Madame Bovary* pour
outrages aux bonnes mœurs et à la religion.

7. *Trois*, beau lapsus. Flaubert ne se décide pas à soustraire du
trio celui qui est mort en laissant seuls ses *deux* disciples.

Notes sur le manuscrit.

   a. [*celui de Lacenaire qui trébucha*]
   b. [*Son regard était terrible et vous auriez malgré frémi malgré vous*]
   c. [*au prêtre son orgueil de mysticisme à l'athée son orgueil d'athéisme*]
   d. [*de la vanité et vous voyez bien souvent une plaie hideuse où était une broderie d'or et vous touchiez des mains sales ou aguéries recouvertes d'un gant blanc*]
   e. Ici, Flaubert ne choisit pas entre « rouges » et « roses », écrit dans l'interligne supérieur.
   f. Même remarque : « haletantes » dans l'interligne.
   g. [*percés comme vides*]
   h. [*vivront*]
   i. [*et il voyait dans l'âme d'un homme comme les pass aussi distinctement les passions s'agiter dans le cœur de l'homme que nous voyons lent l'araignée filer sa toile dans un squelette*]
   j. [*qui l'ait usé n'ayant été ni très heureux ni très malheureux*]
   k. [*bouteille*]
   l. [*Avez-vous dans l'agitation fiévreuse d'une vie factice*]
   m. [*son agonie*]
   n. [*philosophique calme*]
   o. [*dans la mort*].
   p. Au-dessus de « goutte », Flaubert a écrit, en interligne, « grain de sel ».
   q. [*Vive à jamais les beaux poètes dont le chant est tout amour, dont les vers sont pleins de rêveries voluptueuses de douces pensées de tendres extases Vive Horace*]
   r. Flaubert a écrit : « sur le vin, le coule toujours ».
   s. [*une volupté*].

Souvenirs, notes et pensées intimes, p. 355.

Notes.

1. Lucie Chevalley-Sabatier a noté dans son édition : « Il s'agit d'Hamard, son futur beau-frère » (p. 63). Flaubert parle de lui pour la première fois dans une lettre à Ernest Chevalier du 14 novembre 1840. Hamard deviendra fou après la mort de Caroline, la sœur de Flaubert.
2. Molière, Rousseau : Flaubert les cite tous deux dans une lettre à Ernest Chevalier du 11 octobre 1838. Il est en train de lire *Les Confessions*, qu'il juge admirables : « Voilà la vraie école de style. » Il considère Molière comme « le plus grand homme » du XVIIe siècle, « nourri de Rabelais et de Montaigne » (*De la littérature romantique en France*, art. cité).

3. Cette idée (exprimée avec force par Théophile Gautier dans la Préface à *Mademoiselle de Maupin*, en 1835) est développée par Flaubert dans son essai sur *Les Arts et le Commerce* (janvier 1839) dont voici les phrases d'introduction et de conclusion : « La futilité des arts et l'utilité du commerce sont devenus mots banals dans le monde [...] L'art est donc la manifestation la plus haute de l'âme, c'est là son œuvre. Qu'on ne l'insulte pas, ce serait un blasphème ! »

4. La phrase qui s'arrête ici ne reprend sur aucun feuillet de ces cahiers. Il manque donc au moins une page. Celle qui suit (f° 14 r°) commence par un mot qui ne se rattache à rien d'antérieur.

5. Même ironie douloureuse du jeune homme résigné à « prendre un état » dans une lettre sans doute contemporaine : « Je m'arrête-rai peut-être là ! Tant pis, j'aurai entrevu du moins l'horizon sublime, mais les nuages sont venus et m'ont replongé dans l'obscurité du vulgaire. Mon existence que j'avais rêvée si belle, si poétique, si large, si amoureuse sera comme les autres, monotone, sensée, bête. *Je ferai mon droit, je me ferai recevoir* et puis j'irai pour finir dignement vivre dans une petite ville de province comme Yvetot ou Dieppe, avec une place de substitut au procureur du roi. Pauvre fou qui avait rêvé la gloire, l'amour, les lauriers, les voyages, l'orient, que sais-je ?... » (à Ernest Chevalier, 24 février 1839).

6. Flaubert expose une théorie identique à Ernest Chevalier : « Oui quand tu fais l'aumône il y a peut-être impulsion de sympathie, mouvement de pitié, horreur de la laideur et de la souffrance, égoïsme même, mais plus que tout cela tu le fais pour pouvoir te dire : je fais du bien, il y en a peu comme moi, je m'estime plus que les autres, pour pouvoir te regarder comme supérieur par le cœur, pour avoir enfin ta propre estime, celle que tu préfères à toutes les autres. S'il y a là-dedans quelque chose qui te paraisse obscur, je te l'expliquerai plus au long. Cette théorie me semble cruelle, et moi-même elle me gêne » (lettre du 26 décembre 1838).

7. Dans la même lettre (note 6), on lit : « Eh bien donc je suis parvenu à avoir la ferme conviction que la vanité est la base de tout, et enfin que ce qu'on appelle conscience n'est que la vanité intérieure. » Montaigne, parmi d'autres, alimente ici la réflexion, par son essai « De la vanité », ou des formules telles que : « de toutes les vanités, la plus vaine c'est l'homme » (« Apologie de Raimond Sebond »).

8. De ces vies antérieures, Flaubert garde des souvenirs hallucinés : « J'ai vécu à Rome, c'est sûr, du temps de César ou de Néron » (à Maxime Du Camp, mai 1846) ; « J'ai vécu partout par là, moi, sans doute, dans quelque existence antérieure. — Je suis sûr d'avoir été, sous l'empire romain, directeur de quelque troupe de comédiens ambulants, un de ces drôles qui allaient en Sicile acheter des femmes pour en faire des comédiennes, et qui étaient, tout ensemble, professeur, maquereau et artiste » (à Louise Colet, 4 septembre 1852).

9. On comprend que Flaubert parle au passé de l'ami Alfred Le Poittevin, parti pour Paris, mais de son père ?

10. Situé à égale distance de deux (mauvais) exemples de littérature militante, *Les Martyrs ou le Triomphe de la religion chrétienne* de Chateaubriand (1809) et les couplets « engagés » de Béranger (1780-1857), le roman de Lesage, *Gil Blas,* correspond à cet idéal du livre qui ne cherche pas à prouver : « Les gens que je lis habituellement, mes livres de chevet, ce sont Montaigne, Rabelais, Régnier, La Bruyère et Le Sage » (lettre à Louis de Cormenin, 7 juin 1844).

11. 21 mai 1840. Un mois plus tôt, Flaubert écrivait dans le même registre : « Je suis maintenant triste à faire peur. [...] Je me suis plongé jusqu'au cou dans tous ces souvenirs [...] des tendres souvenirs qui veulent vous rappeler à eux dans la vallée de l'éternelle angoisse. [...] Je suis trop triste pour rire, trop ennuyé pour bien écrire » (lettre à Ernest Chevalier, 21 avril 1840).

12. Cette critique de *Smarh* (orthographié ici sans h), que Flaubert jugeait déjà « un inconcevable galimatias » (lettre à Ernest Chevalier, 13 septembre 1839), est contemporaine de la « Réflexion d'un homme désintéressé à l'affaire et qui a relu après un an de façon », c'est-à-dire au printemps 1840, le « vieux mystère » achevé le 14 avril 1839. Signé « Jasmin », ce post-scriptum est une condamnation sans appel : « Il est permis de faire des choses pitoyables, mais pas de cette trempe. Ce que tu admirais il y a un an est aujourd'hui fort mauvais ».

13. Ces métaphores alimentaires se retrouvent dans la *Correspondance* : « Mais je me récrée à lire le sieur de Montaigne dont je suis plein, c'est là mon homme. En littérature, en gastronomie il est certains fruits qu'on mange à pleine bouche, dont on a le gosier plein et si succulents que le jus vous entre jusqu'au cœur. Celui-là en est un des plus exquis » (à Ernest Chevalier, le 11 octobre 1839).

14. Sade est cité pour la première fois dans une lettre du 15 juillet 1839 à Ernest Chevalier, comme modèle d'homme. Il restera une référence constante de Flaubert.

15. C'est à Déville, à quelques kilomètres en aval de Rouen, que se trouvait la maison de campagne de la famille Flaubert, avant l'achat de la propriété de Croisset en 1844.

16. Charles Ballay, docteur en médecine, adjoint du père de Flaubert à l'Hôtel-Dieu.

17. Flaubert vient de fêter ses dix-neuf ans le 12 décembre 1840. Il entre donc dans sa vingtième année.

18. Ce « cher voyage » a conduit Flaubert dans les Pyrénées et en Corse, du 22 août au 1er novembre 1840.

19. Près du golfe de Sagone, Flaubert connaît sa première extase panthéiste : « l'essence de la nature animée semble passée en vous dans un hymen exquis » (*Voyage aux Pyrénées et en Corse, OC,* t. II, p. 443).

20. Petit mystère de chronologie : quel samedi eut lieu cette rencontre avec Eulalie Foucaud, tenancière de l'Hôtel Richelieu à Marseille ? Le 28 septembre 1840, un dimanche, Flaubert indique à sa sœur le calendrier du voyage : « Nous sommes arrivés ce matin à Marseille [...] Après-demain nous partons pour Toulon. » S'il arrive

le dimanche matin pour repartir le mardi qui suit, on voit mal où situer l'inoubliable samedi.

21. Flaubert cite de mémoire un auteur dont il est « plein » : « Cette même piperie que les sens apportent à notre entendement, ils la reçoivent à leur tour. Notre âme parfois s'en revanche de même, ils mentent et se trompent à l'envi » (*Essais*, II, 12).

22. Les éditeurs antérieurs ont lu « Montaigne », qu'on attend effectivement ; mais c'est bien « Montluc » que Flaubert a écrit.

23. Probablement le lundi 17 août 1840, puisque le départ a lieu le 22.

24. Védié ou Védy ? Je lis plutôt le second, mais le premier a l'avantage d'exister : c'est un interne du docteur Flaubert (d'après la lecture et la note 95 de J.-P. Germain, son éd.).

25. Jules Cloquet est docteur, élève du père Flaubert. Il a déjà emmené Achille, le frère de Gustave, en Écosse (voir lettre à Ernest Chevalier du 24 août 1835).

26. Dans la rue de la Cigogne, à Rouen, se trouvait un bordel que fréquentaient Flaubert, Alfred Le Poittevin et quelques autres.

27. Gourgaud-Dugazon a été le professeur de lettres de Flaubert en cinquième (1834-1835) ; c'est à sa demande qu'il compose les « narrations et discours » à partir de l'été 1835. Flaubert lui rend visite à Versailles (l'étang des Suisses de trouve au château), où Gourgaud-Dugazon a été nommé en 1838. Il est le confident de Flaubert pour ce qui touche à sa vocation littéraire. Voir la lettre du 22 janvier 1842.

28. Emmanuel Vasse de Saint-Ouen, condisciple de Flaubert au Collège royal de Rouen et fils d'une amie de Mme Flaubert.

29. Ici commence un « sommaire » du voyage qui a débuté le 22 août 1840. Flaubert en a rédigé un récit détaillé en cours de route, et au retour. Les rencontres qu'il mentionne dans ces notes intimes ne sont pour la plupart pas développées dans le *Voyage aux Pyrénées et en Corse* (les citations des notes suivantes renvoient à l'édition des *OC*, t. II).

30. Il est question de ce dîner dans la *Correspondance* : « Nous avons été parfaitement reçus à Bordeaux grâce aux connaissances de M. Cloquet. Hier, avant de nous embarquer, nous avons dîné chez le général de division M. Carbonel » (à sa sœur Caroline, 29 août 1840) et dans le *Voyage aux Pyrénées et en Corse* : « J'aurais tout autant aimé passer ainsi ma soirée que d'aller comme j'ai fait tout à l'heure dîner en ville, chez un brave homme dans toute la force du terme, à sa maison de campagne qui est dans un faubourg, pour boire d'excellent vin, j'en conviens » (p. 427).

31. Flaubert arrive à Bayonne le samedi 29 août 1840, ainsi qu'il l'indique dans une lettre datée de ce jour-là à sa sœur Caroline.

32. « A Behobie je voyais l'Espagne sur l'autre rive et mon cœur en battait de plaisir, c'est une bêtise. La Bidassoa nous a conduits jusqu'à Fontarabie, ayant la France à droite, l'Espagne à gauche [...] le ciel grondait d'orage le long de la rivière » (*Voyage*, pp. 430 et 432).

33. Lise est la fille du docteur Cloquet.

34. Sur cette nuit chez le marquis de Pomereu, qui donne lieu à de multiples variations dans le texte de Flaubert, voir *Quidquid volueris*, note 6.

35. *Cock crows* : « Le coq chante », chassant le Spectre qui apparaît dans la première scène d'*Hamlet*.

36. Le conte de Voltaire restera l'un des livres de chevet de Flaubert : « J'ai lu *Candide* vingt fois » (à Louis de Cormenin, 7 juin 1844).

37. *L'Itinéraire ABC* est un guide de l'Orient. La citation qui suit se trouve dans l'*Itinéraire de Paris à Jérusalem* (1811), 6ᵉ partie, « Voyage en Égypte ».

38. Charles d'Arcet est un ami d'enfance de Flaubert.

39. Paul Botta est un ancien élève du docteur Flaubert. En tant que médecin militaire, puis agent consulaire et explorateur, il a beaucoup voyagé au Liban, au Yémen. Son père, dont il est question dans cette même phrase, était un médecin et un historien d'origine italienne (notes 121 et 123 de J.-P. Germain, son éd.).

40. L'abbé Stéphani, prêtre italien ami de Jules Cloquet, fait partie du voyage.

41. Suite de la citation de Chateaubriand commencée plus haut (note 37).

42. Sur la « paresse » de Flaubert pendant ce mois, voir la lettre à Ernest Chevalier du 10 janvier 1841 : « Je suis fatigué de rêves, embêté de projets, saturé de penser à l'avenir. »

43. Après la phase de libéralisation de la presse qui suit la Révolution de Juillet, le gouvernement de Louis-Philippe prend de nouvelles mesures répressives, par la loi du 9 septembre 1835 : pièces de théâtre soumises à autorisation, censure des caricatures (Flaubert a dessiné la célèbre « poire » louis-philipparde à la fin de son manuscrit de *Bibliomanie*).

44. Fantasme de despote oriental, exprimé quelques mois plus tôt dans la *Correspondance* : « J'étais né pour être empereur de Cochinchine, pour fumer dans des pipes de 36 toises, pour avoir 6 mille femmes et 1 400 bardaches, des cimeterres pour faire sauter les têtes des gens dont la figure me déplaît » (à Ernest Chevalier, 14 novembre 1840).

45. Cette lettre d'amour était très certainement destinée à Eulalie Foucaud : « A 18 ans, à mon retour du Midi, j'ai écrit pendant six mois des lettres pareilles à une femme que je n'aimais pas. — C'était pour me forcer à l'aimer, pour faire du style sérieux » (à Louise Colet, 6 ou 7 août 1846). Cinq mois séparent la rencontre avec Eulalie de cette note du cahier intime, datée 8 février 1840.

46. Chéruel a été le professeur d'histoire de Flaubert pendant cinq années, de la cinquième à la rhétorique (1834-1839).

Notes sur le manuscrit.

a. [*jamais l'homme ne connai*]
b. [*humain*]

c. Ce jugement est écrit en marge. « Id » pour « idem » : même date pour la dernière note et pour la relecture.

d. [des mouches]

e. [embaument]

f. [cous s'al([longent)])]

g. [elles sont trois, trois sœurs]

h. [il me contait]

i. À partir de trente, Flaubert passe des chiffres romains aux chiffres arabes.

Novembre, p. 397.

Notes.

1. D'après le témoignage des Goncourt, auxquels Flaubert a lu son roman, il ne porte « d'autre titre sur la couverture que *Fragments de style quelconque* » (*Journal*, 1er novembre 1863). Dans la *Correspondance*, Flaubert désigne toujours son livre par le titre de *Novembre*, imposé par la première phrase (« J'aime l'automne ») et par le climat romantique.

2. « Pour niaiser et fantastiquer » : cette expression se trouve dans les *Essais*, livre II, chap. 3, « Coutume de l'île de Céa » (éd. du Prof. Verdun-L. Saulnier, PUF, 1978, p. 350). Flaubert l'emploie dans une lettre à Ernest Chevalier du 11 mars 1843 : au lieu d'étudier son droit, il se montre « faisant de la littérature et de l'art à toute heure du jour et de la nuit, bâillant, doutant, niaisant et fantastiquant ».

3. Utilisation pronominale du verbe transitif *apâlir* (avec un seul p), d'un emploi rare. Le *Grand Robert* cite pour ce verbe un exemple tiré de *Salammbô* : « La lueur des grands bûchers apâlissait les figures exsangues, renversées de place en place sur les débris d'armures » (chap. 12).

4. René, Werther, Don Juan : trois héros romantiques (le dernier revu par Byron), que le narrateur cite en s'en démarquant. Sur Goethe et *Werther*, voir la note 7 de *Mémoires d'un fou*. Le *René* de Chateaubriand pèse très fortement sur les descriptions des « paysages états d'âme » dans *Novembre*, au risque de l'écraser : on a vu, dans la notice, que Flaubert réagit mal à la comparaison flatteuse de Louise Colet. Confirmation dans une lettre de Maxime Du Camp à la même Louise Colet : « Il a été, je crois, profondément blessé des éloges exagérés que vous avez faits de *Novembre* : non pas qu'il ait cru que vous vouliez vous moquer, mais parce qu'il admire profondément *René*, et qu'à juste titre, il se trouvait fort inférieur au plus grand chef-d'œuvre de l'esprit humain » (cité en appendice de la *Correspondance* de Flaubert, éd. Jean Bruneau, t. I, p. 821).

5. Comme dans les *Mémoires d'un fou*, Flaubert laisse le nom du

lieu en blanc. Qu'elle soit Trouville ou une autre, c'est cette plage de l'éternelle apparition qui s'impose à nous. Flaubert y retournait presque tous les étés. Elle est liée à la genèse de l'œuvre : « Max était à Étretat à l'automne de 1842, pendant que je rêvais *Novembre* sur la plage de Trouville » (à Louise Colet, 25 janvier 1852).

6. Cette « extase » panthéiste, seul moment d'harmonie avec le monde, vécue dans le bonheur et la terreur d'une perte d'identité, Flaubert l'a connue en faisant son « entrée » à Trouville une nuit de l'été 1842 : « quelle dilatation j'ai eue en aspirant de loin l'odeur salée de la mer » (à Louise Colet, 9 août 1853). Il en reparle dans *Par les champs et par les grèves*, en 1847 : « Il y avait cinq ans à même époque, par une nuit chaude aussi, j'allais à pied pour gagner Trouville tout seul » (*OC*, t. II, p. 548). La première expérience (écrite) de fusion mystique avec la nature date du voyage en Corse : voir la note 19 de *Souvenirs, notes et pensées intimes*.

7. L'ami du narrateur de *Novembre* ressemble comme un frère à Flaubert lui-même, rencontrant en 1836 (à quinze ans donc) Elisa mère d'une petite fille de quelques mois. *Novembre* se souvient des *Mémoires d'un fou*.

8. La tempête, le Nouveau Monde : Flaubert amalgame le Chateaubriand des *Natchez* (1826) et celui de *René* : « Levez-vous vite, orages désirés, qui devez emporter René dans les espaces d'une autre vie ! »

9. Cette devise se trouve dans la première lettre sans orthographe du jeune Gustave (huit ou neuf ans) à Ernest Chevalier : « Oui ami depuis la naissance jusqua la mort. » A l'époque de *Novembre*, l'ancien ami est devenu lui aussi un étranger, en choisissant un état : avocat.

CHRONOLOGIE DES ÉCRITS DE JEUNESSE

On a voulu cette liste aussi complète que possible, pour donner à voir l'exceptionnelle activité du jeune « homme-plume » entre dix et vingt et un ans. Les travaux scolaires (souvent cités d'après leur mention dans des catalogues de vente : voir Jean Bruneau, *Débuts*, pp. 587-588) s'y trouvent à côté des productions considérées comme plus « littéraires », qu'ils préparent ou accompagnent. Genre et date (parfois plusieurs dates pour un même texte) donnés à la suite du titre figurent sur le manuscrit. Dans le cas contraire, des crochets droits les encadrent. Pour les textes qui ne figurent pas dans les éditions courantes, j'indique la référence de publication. Un astérisque signale les écrits de jeunesse regroupés dans ce volume.

1831
— *Louis XIII*, « A ma mère le 28 juillet 1831 », publié par Yvan Leclerc, *Etudes normandes*, n° 2, 1990, pp. 7-12.
— *Trois pages d'un Cahier d'Ecolier ou Œuvres choisies de Gustave F* ***, comprenant l' « Eloge de Corneille » et « La Belle explication de la *fameuse* constipation », publiées par Jean Bruneau, *Débuts*, pp. 40-41.

1834 (-1838)
— Résumé des cours d'histoire de 1834 à 1838.

1835
— *Art et Progrès n° 2. Les Soirées d'étude. Journal littéraire*, le rédacteur G. Flaubert.
— *Mort du Duc de Guise*, septembre 1835.

1835-1836

— *Narrations et Discours (1835-1836)*, comprenant :

— *Matteo Falcone ou Deux cercueils pour un proscrit*

— *Chevrin et le Roi de Prusse ou L'on prend souvent la tête d'un roi pour celle d'un âne*

— *Le Moine des Chartreux ou L'anneau du Prieur*

— *Dernière scène de la mort de Marguerite de Bourgogne*

— *Portrait de Lord Byron*

— *San Pietro Ornano (Histoire Corse)*

— *Deux amours et deux cercueils*, drame en cinq actes [1835-1836 ?], à l'état de plan, publié par Jean Bruneau, *Débuts*, pp. 122-123.

— *La Fiancée et la Tombe*, conte fantastique [fin 1835 - début 1836 ?], *ibid.*, pp. 162-165.

— *La Grande Dame et le joueur de vielle ou la mère et le cercueil* [fin 1835-début 1836], conte, *ibid*, pp. 124-127.

1836

— *Deux mains sur une couronne ou Pendant le XVe siècle*, janvier 1836.

* *Un parfum à sentir ou Les Baladins*, conte philosophique, moral, immoral (ad libitum), février 1836, 1er avril 1836, avril 1836.

— *Chronique Normande du dixième siècle*, mai 1836.

— *La Femme du monde !* « dans la nuit du 1er au 2 juin 1836, fait en moins d'une demi-heure ».

— *Un secret de Philippe le Prudent roy d'Espagne*, conte historique, septembre 1836.

* *La Peste à Florence*, septembre 1836.

* *Bibliomanie*, conte, novembre 1836, publié dans *Le Colibri* du 12 février 1837.

* *Rage et impuissance*, conte malsain pour les nerfs sensibles et les âmes dévotes, 15 décembre 1836, décembre 1836.

* *Angoisses* (? — voir notice d'*Agonies*).

1837

— *La Dernière Heure*, conte philosophique, janvier 1837.

* *Une leçon d'histoire naturelle. Genre commis*, janvier 1837, publiée dans *Le Colibri* du 30 mars 1837.

— *La Main de fer*, conte philosophique, février 1837.

— *Rêve d'enfer*, conte fantastique, 21 mars 1837.

.* *Quidquid volueris*, études psychologiques, 8 octobre 1837, septembre-octobre 1837.

⋆ *Passion et vertu*, conte philosophique, 10 décembre 1837, novembre-décembre 1837.

⋆ Chapitre XV des *Mémoires d'un fou* (« décembre », d'après la chronologie interne, voir notice).

⋆ Introduction d'*Agonies* (? — voir notice).

— *Madame d'Ecouy* [1837 ?], scénario publié par Jean Bruneau, *Débuts*, pp. 99-100.

— *Influence des Arabes d'Espagne sur la Civilisation française au Moyen Age*, mars 1837, publiée par Eugène Vinaver, *French Studies*, janvier 1947, pp. 37-43.

— *Histoire moderne*, notes générales, janvier 1837, mars 1837.

— Une composition d'histoire et de géographie, 14 juillet 1837, publiée par Georges Dubosc, *Notre Vieux Lycée*, septembre 1913, pp. 109-127, repris dans *Trois Normands*, Rouen, Delafontaine, 1917, pp. 110-122.

— *Lutte du Sacerdoce et de L'Empire (1073-1125)*, septembre 1837, publiée par Julia Frey, *Revue d'Histoire littéraire de la France*, juil.-oct. 1981, pp. 702-719.

— *Notes littéraires. Littérature anglaise. Shakespeare.* 1° *Analyse. Henri IV de Lancastle. Drame*, 16 octobre 1837. 2° *La vie et la mort du roi Richard II. Analyse*. 3° *Henri V. Drame*. 4° *Opinions de Voltaire sur Shakespeare*.

— *Histoire naturelle : Zoologie, oiseaux, reptiles, poissons, insectes, généralité*, 7 décembre 1837.

— *Notes sur la Philosophie de l'histoire de Vico* [1837 ?].

1838

— *Loys XI*, drame, 3 mars 1838.

⋆ *Agonies, pensées sceptiques*, avril 1838, 20 avril 1838.

— *La Danse des morts*, 18 mai 1838, vendredi matin.

— *Ivre et Mort*, 15 juin 1838.

⋆ *Mémoires d'un fou*, dédicace du 4 janvier 1839 (voir notice).

— *Etude sur Rabelais* [1838 ?]

— *Histoire Moderne. Composition pour les prix*, 27 juillet 1838.

— *Histoire de France (Institutions, etc.)*, cours de rhétorique, année 1838-1839.

— Notes : 1° *France. Louis XI*. 2° *Guerres d'Italie*. 3° *Histoire du Nord*. 4° *Réforme*. 5° *Guerre de 30 ans*. 6° *Italie* [1838 ?].

1839

— *Les Arts et le commerce*, janvier 1839.

— *Smarh*, vieux mystère, 14 avril 1839.

* *Les funérailles du Docteur Mathurin*, vendredi 30 août 1839.

— *Rome et les Césars*, août 1839.

— *Cours de Philosophie. Mallet*, année 1839-1840.

— *Notes de Philosophie. Esthétique de Hegel, Analyse et extraits* [1839-1840 ?]

1840

* *Souvenirs, notes et pensées intimes*, cahiers 1 et 2 antérieurs au vendredi 28 février 1840, début du cahier 3 daté 21 mai [1840].

— *Melle Rachel*.

— *Poème*, mars 1840.

— *Pyrénées-Corse* (notes de voyage, automne 1840).

— *De la littérature romantique en France* [1840 ?], publiée par Jean-Pierre Germain in *Hommage à Claude Digeon*, Les Belles-Lettres, 1987, pp. 79-93.

1841

* *Souvenirs, notes et pensées intimes*, deuxième moitié du cahier 3, daté nuit du 2 janvier 1841 et 8 février [1841].

1842

* *Novembre, fragments de style quelconque*, 25 octobre 1842.

BIBLIOGRAPHIE

(Le lieu d'édition est Paris, sauf indication contraire.)

Principales éditions des écrits de jeunesse (1831-1842) :

— *Trois Contes, suivis de Mélanges inédits*, Quantin, 1885 (t. VI des *OC* en 8 vol.). Avec, pour la période 1839-1842, et dans l'ordre de la table des matières, des extraits de *La Danse des Morts*, de *Novembre*, de l'article sur *Rabelais* et de *Smarh*. Contient une liste des *Œuvres inédites*.

— *Par les Champs et par les Grèves (Voyage en Bretagne), accompagné de Mélanges et de Fragments inédits*, Charpentier, 1886. (Reprend les mêmes extraits que l'éd. précédente.)

— *Mémoires d'un fou*, prépublication dans la *Revue blanche*, 15 déc. 1900, 1er janv., 15 janv., 1er fév. 1901.

— *Mémoires d'un fou*, H. Floury, 1901 (« note liminaire », de P[ierre] D[auze] ; fac-similé de la première page).

— *Œuvres de jeunesse inédites :* I, 183.-1838. *Œuvres diverses. Mémoires d'un fou ;* II, 1839-1842, *Œuvres diverses. Novembre* (avec des textes retrouvés appartenant à la période couverte par le premier volume), Conard, 1910 (t. XIII et XIV des *OC* en 18 vol., 1910-1924). La quasi-totalité des écrits de jeunesse s'y trouve, sauf *Souvenirs, notes et pensées intimes*.

— *Premières œuvres, 183.-1842*, éd. du Centenaire par René Descharmes, Librairie de France, 1923 (*OC* illustrées en 14 vol., 1921-1925).

— *Novembre*, Ides et calendes, coll. « Le Sablier », Neuchâtel, 1961, préface de Henri Guillemin.

— *Mémoires d'un fou, Novembre*, La Guilde du livre, Lausanne, 1964, préface de Henri Guillemin.

— *Ecrits de jeunesse*, éd. Rencontre, par Maurice Nadeau, 1964 (t. I des *OC* en 18 vol., 1964-1965).

— *Souvenirs, notes et pensées intimes*, par Lucie Chevalley-Sabatier, Buchet-Chastel, 1965.

— « Ecrits d'adolescence et de jeunesse », Seuil, coll. « L'Intégrale » par Bernard Masson, 1964 (t. I des *OC* en 2 vol). *Mémoires d'un fou* et *Novembre* sont publiés à part, avec *L'Education sentimentale* de 1845, sous la rubrique « Premiers romans ».

— *Œuvres de jeunesse*, Club de l'Honnête Homme, par Maurice Bardèche, 1973 (t. 11 des *OC* en 16 vol., 1971-1975).

— *Trois contes de jeunesse*, éd. critique par T. A. Unwin, University of Exeter, 1981 (comprend : *Un parfum à sentir*, *Rage et impuissance*, *Quidquid volueris*).

— *Bibliomanie et autres textes : 1836-1839*, précédé de « L'Ecriture de Satan », par Henri Meschonnic, éd. Jean-Cyrille Godefroy, 1982.

— *Novembre, fragments de style quelconque*, Clancier-Guénaud, 1988.

Sur les écrits de jeunesse en général :

Deux « sommes critiques », radicalement opposées par leur méthode :

— Jean Bruneau, *Les Débuts littéraires de Gustave Flaubert, 1831-1845*, Colin, 1962. (Etude historique très complète qui présente plusieurs inédits. Bibliographie. Notre édition doit beaucoup à la solide érudition de cette thèse qui a fait date.)

— Jean-Paul Sartre, *L'Idiot de la famille, Gustave Flaubert de 1821 à 1857*, 3 vol., Gallimard, 1971-1972. (Interprétation du « cas » Gustave, tel que les écrits de jeunesse permettent d'en comprendre la genèse. L'index des tomes II et III, dans la réédition de 1988, présente des entrées œuvre par œuvre.)

Pour mémoire :

— René Descharmes, *Flaubert. Sa vie, son caractère et ses idées avant 1857*, Ferroud, 1909. Slatkine reprints, Genève, 1969.

Presque tous les livres de synthèse sur Flaubert comportent un (premier) chapitre sur les écrits de jeunesse. C'est le cas du *Gustave Flaubert* d'Albert Thibaudet (Gallimard, 1935), du *Gustave Flaubert, écrivain*, de Maurice Nadeau

(Les Lettres Nouvelles, 1969) qui reprend les préfaces de son édition Rencontre, de Maurice Bardèche dans *L'Œuvre de Flaubert* (Les Sept Couleurs, 1974), etc.

Articles portant sur les écrits de jeunesse en général :
— Pierre Bergounioux, « Flaubert et l'autre », *Communications* n° 19, 1972, pp. 40-50 (l'ironie hypertrophiée et le blocage dans le stéréotype).
— Claude Duchet, « L'écriture de jeunesse dans le texte flaubertien », *Nineteenth-Century French Studies*, vol. 12, n° 3, printemps 1984, pp. 297-312.
— Henri Meschonnic, « L'écriture de Satan » in *Les Etats de la Poétique*, PUF, 1985, pp. 233-239 (paru en préface à *Bibliomanie*, éd. J.-C. Godefroy, *op. cit.*).
— Jacques Neefs, « Ecrits de formation : *L'Education sentimentale* de 1845 et le *Portrait* », *James Joyce 2*, Revue des Lettres modernes, Minard, 1990, pp. 85-99 (la division du moi dans *Mémoires d'un fou* et dans *Novembre*).
— Amélie Schweiger, « Portrait de jeune écrivain en artiste » (la « première » *Education sentimentale*) », *Romantisme* n° 54, 1986, pp. 67-77.
Un chapitre important du livre de
— Jeanne Bem, *Désir et savoir dans l'œuvre de Flaubert*, étude de « *La Tentation de saint Antoine* », La Baconnière, Neuchâtel, 1979 ; chap. VI, « L'artiste face à Dieu (étude des œuvres de jeunesse) », pp. 107-121.

Autres articles, classés par œuvres concernées :

Sur *Bibliomanie* :
— Dominique G. Laporte, « Le livre unique » in *Bouvard et Pécuchet centenaires*, La Bibliothèque d'Ornicar ?, 1981, pp. 127-163 (avec la chronique de la *Gazette des Tribunaux*, « Le Bibliomane, ou le nouveau Cardillac » et le texte du conte, différent de celui que *Le Colibri* a publié, malgré la mise en page qui fait croire à un fac-similé).

Sur *Rage et impuissance* :
— Roger Bismut, « Flaubert et *Le Médecin de campagne* de Balzac », *Bulletin des Amis de Flaubert*, n° 26, mai 1965, pp. 7-10 (comparaison entre le roman et le conte, d'où l'auteur conclut à une influence).

Sur *Quidquid volueris* :
— Roger Bismut, « *Quidquid volueris* : exercice de style ?

pastiche ? ou réservoir d'images ? *Les Lettres romanes*, Université catholique de Louvain, t. XLI, nº 1-2, févr.-mai 1987, pp. 35-43 (comparaison avec *Notre-Dame de Paris* de Hugo).

— Leyla Perrone-Moisès, « L'autre Flaubert. *Quidquid volueris :* l'éducation scripturale », *Poétique* nº 53, fév. 1983, pp. 109-122.

Sur *Passion et vertu* :
— Jean Bruneau et Madeleine Cottin, « Sur un manuscrit de jeunesse de Gustave Flaubert : *Passion et vertu* », *Revue d'Histoire littéraire de la France*, nº 4, oct.-déc. 1959, pp. 531-533 (correction des fautes de lecture de l'éd. Conard ; publication d'un passage inédit).

Sur *Mémoires d'un fou* :
— Lucien Andrieu, « Un amour inconnu de Gustave Flaubert : Caroline Anne Heuland, l'Anglaise probable des *Mémoires d'un fou* », *Bulletin des Amis de Flaubert*, nº 23, déc. 1963, pp. 26-29 (en rapport avec le chap. XV).
— Jacques-Louis Douchin, « Les *Mémoires d'un fou* de Flaubert : réalité ou fabulation ? », *Revue d'Histoire littéraire de la France*, nº 2, mai-juin 1984, pp. 403-411.
— Shoshana Felman, « Thématique et Rhétorique, ou la folie du texte », communication au colloque de Cerisy (1974) in *La production du sens chez Flaubert*, UGE, 10/18, 1975, pp. 16-54, y compris la discussion qui a suivi. Repris in *La Folie et la chose littéraire*, Seuil, 1978, pp. 170-190.
— Marthe Robert, *Roman des origines et origines du roman*, Grasset, 1972, rééd. Gallimard, coll. « Tel », 1977 (le dernier chap., « En haine du roman », est consacré à Flaubert, et particulièrement aux *Mémoires d'un fou*, lus comme « roman familial », pp. 302-323).

Sur *Novembre* :
— Victor Brombert, « Usure et rupture chez Flaubert : l'exemple de *Novembre* », in *Essais sur Flaubert, en l'honneur du professeur Don Demorest*, Nizet, 1979, pp. 145-154 (l'association « de l'écriture, de la prostitution, et de la voie publique »).
— Machteld Castelien, « *Novembre* de Gustave Flaubert : un récit funèbre », *Les Lettres romanes*, Université catholique de Louvain, t. XL, nº 2, mai 1986, pp. 133-145 (réflexion sur les deux narrateurs et sur l'opposition entre « romantisme dangereux » et « romantisme embourgeoisé »).

— Shoshana Felman, « Modernité du lieu commun », in *La Folie et la chose littéraire, op. cit.*, pp. 191-213. Prépublié dans *Littérature* n° 20, 1975, pp. 32-48.

— Lorenza Maranini, « *Novembre* de G. Flaubert », *Bulletin des Amis de Flaubert*, n° 16, 1960, pp. 12-25 (*Novembre* comme roman de formation, mis en parallèle avec *La Recherche* de Proust).

BIOGRAPHIE

Ce volume regroupant des œuvres de jeunesse écrites entre 1836 et 1842, les premières années de la vie de Flaubert, découpées selon le calendrier scolaire, font l'objet d'une présentation plus détaillée que les suivantes.

1821 (12 décembre) : Naissance de Gustave Flaubert. Son frère, Achille, a huit ans. « Je suis né à l'hôpital (de Rouen — dont mon père était le chirurgien en chef ; il a laissé un nom illustre dans son art) et j'ai grandi au milieu de toutes les misères humaines — dont un mur me séparait. Tout enfant, j'ai joué dans un amphithéâtre. » (à Mlle Leroyer de Chantepie, 30 mars 1857) « Quels étranges souvenirs j'ai en ce genre! L'amphithéâtre de l'Hôtel-Dieu donnait sur notre jardin. Que de fois, avec ma sœur, n'avons-nous pas grimpé au treillage et, suspendus entre la vigne, regardé curieusement les cadavres étalés! Le soleil donnait dessus; les mêmes mouches qui voltigeaient sur nous et sur les fleurs allaient s'abattre là, revenaient, bourdonnaient! » (à Louise Colet, 7 juillet 1853).

1824 : Naissance de Caroline, sœur aimée, compagne de jeu, partenaire au théâtre.

1829 : Début de l'amitié avec Ernest Chevalier.

1831 : A peine sait-il lire qu'il écrit. Le 28 juillet 1831, il dédie « à maman pour sa fête » un résumé du règne de *Louis XIII*.

1831-1832 : Entrée en classe de huitième au Collège royal de Rouen, aujourd'hui Lycée Corneille. Ecrit des pièces de théâtre (il en a trente en mars 1832!) qu'il joue sur le

billard, avec sa sœur, Ernest, Alfred Le Poittevin et sa
sœur Laure, future mère de Maupassant (d'après les
Souvenirs intimes de Caroline Franklin-Grout). « Je m'en
vais commencer une pièce, qui aura pour titre *L'amant
avare* » (à Ernest, 15 janvier 1832); « ... mais non je ferai
des Romans que j'ai dans la tête, qui sont la Belle
Andalouse, le bal masqué, Cardenio, Dorothée, la mau-
resque, le curieux impertinent, le mari prudent » (au
même, 4 février 1832). Tous ces projets sont inspirés de
Don Quichotte.

1833 : Voyages familiaux en Normandie, à Nogent, et
tourisme à Versailles, Fontainebleau, Paris : Flaubert
retient surtout sa sortie au théâtre.

Eté 1834 : Vacances à Trouville. Une rencontre avant *la*
rencontre de 1836 : « Se baignait alors une dame, oh une
jolie dame, candide quoique mariée [...] le lendemain [...]
nous avons appris [...] qu'elle était noyée oui noyée, cher
Ernest, en moins d'un quart d'heure » (26 août 1834).
Premier « fantôme » de Trouville...

1834-1835 : L'élève Flaubert (en cinquième), fonde au
Collège un journal manuscrit, *Art et Progrès,* dont il est le
rédacteur-copiste, avec la collaboration d'Ernest Chevalier. Dans le second numéro (le premier n'a pas été
retrouvé) on peut lire un « Voyage en enfer », « Une
pensée » (d'amour), des « Nouvelles » et une rubrique
« Théâtres ».
Il a pour professeur d'histoire un disciple de Michelet,
Chéruel (qu'il conservera jusqu'à la classe de rhétorique
en 1839) et en français Gourgaud-Dugazon.

Eté 1835 : Il écrit un drame historique, *Frédégonde et
Brunehaut* (non retrouvé) et commence, à la demande de
Gourgaud-Dugazon, une série d' « exercices » qu'il
regroupe sous le titre *Narrations et Discours (1835-1836).*

1835-1836 : En classe de quatrième, écrit son premier
« conte philosophique », *Un parfum à sentir* (février-avril
1836).

Eté 1836 : Rencontre à Trouville d'Elisa Schlesinger, liée à
un éditeur de musique allemand. Elle a vingt-six ans, est
mère d'une petite Marie, âgée de quelques mois. « Je n'ai
eu qu'une passion véritable. Je te l'ai déjà dit. J'avais à
peine 15 ans, ça m'a duré jusqu'à 18. Et quand j'ai revu
cette femme-là après plusieurs années j'ai eu du mal à la
reconnaître. — Je la vois encore quelquefois mais rarement, et je la considère avec l'étonnement que les émigrés

ont dû avoir quand ils sont rentrés dans leur château délabré » (à Louise Colet, 8 octobre 1846).

A la Saint-Michel, nuit au château du Héron, chez le marquis de Pomereu. (Certains situent cet épisode à la fin de l'été 1837.)

1836-1837 : Elève de troisième, Flaubert écrit pendant cette année scolaire une dizaine de contes et nouvelles historiques, philosophiques ou fantastiques dont *La Peste à Florence* (septembre), *Bibliomanie* (novembre, publié dans *Le Colibri* du 12 février 1837), *Rage et impuissance* (15 décembre), *Une leçon d'histoire naturelle. Genre commis* (janvier, *Le Colibri* du 30 mars). Fréquente Alfred Le Poittevin, son aîné de cinq ans, dont il subit profondément l'influence.

A la distribution des prix (14 août 1837), l'élève Flaubert obtient les premiers prix d'histoire et d'histoire naturelle.

1837-1838 : Durant le premier trimestre de son année de seconde, Flaubert écrit *Quidquid volueris* (8 octobre), *Passion et vertu* (10 décembre), et, si l'on se fie à la chronologie interne des *Mémoires d'un fou*, l'épisode du « premier amour » avec l'Anglaise Caroline (chap. XV). Le drame historique *Loys XI*, écrit en « quinze jours de travail », est achevé le 3 mars 1838 ; la dédicace et certaines pages d'*Agonies*, « travail commencé il y a deux ans », portent la date du 20 avril 1838.

Résonne pour la première fois dans la *Correspondance* (24 mars 1837) le rire du Garçon, création collective (avec, entre autres, Alfred Le Poittevin) qui tient de Gargantua, de Prudhomme et d'Ubu.

De nouveau un premier prix d'histoire et d'histoire naturelle pour Gustave, à la distribution du 21 août 1838.

Alfred Le Poittevin quitte les environs de Rouen pour Paris, à l'automne 1838.

1838-1839 : Après un retour à Trouville pendant l'été, Flaubert, entré en rhétorique (comme externe), rédige les *Mémoires d'un fou* à la fin de l'année 1838 (d'après R. Descharmes, la dédicace à Alfred Le Poittevin serait datée du 4 janvier 1839). Il enchaîne avec *Smarh*, « vieux mystère », achevé le 14 avril 1839. L'année scolaire se termine sur *Les funérailles du docteur Mathurin* (août 1839).

Achille se marie le 1er juin 1839.

Gustave obtient le 2e accessit de discours français et le 2e prix d'histoire (19 août 1839).

1839-1840 : Avant la fin du premier trimestre, Flaubert est exclu de la classe de philosophie pour avoir, avec d'autres, organisé un chahut et refusé de faire un pensum. Commence à écrire dans un « cahier » (intitulé par sa nièce *Souvenirs, notes et pensées intimes*) : la première date explicite est le « vendredi 28 février 1840 ». Il prépare seul le baccalauréat, auquel il est reçu le 17 août 1840.

Eté 1840 : En récompense, Flaubert part pour les Pyrénées et la Corse, avec le docteur Cloquet, un ami de la famille. Le voyage a lieu du 22 août au 1er novembre. De passage à Marseille, il fait l'amour avec Eulalie Foucaud. Il rédige son voyage, en cours de route et au retour.

1840-1841 : Année blanche : avant le choix d'un « état », le jeune homme de vingt ans tâche de fixer ce qu'il est, dans ce journal intime qui va jusqu'au 8 février 1841. Commence à rédiger *Novembre*, probablement fin 1840.

1841-1842 : Le 10 novembre, Flaubert s'inscrit à la Faculté de Droit de Paris. « Je fais donc mon Droit, c'est-à-dire que j'ai acheté des livres de Droit et pris des inscriptions. Je m'y mettrai dans quelque temps et compte passer mon examen au mois de juillet, [...] Mais ce qui revient chez moi à chaque minute, ce qui m'ôte la plume des mains si je prends des notes, ce qui me dérobe le livre si je lis, c'est mon vieil amour, c'est la même idée fixe, écrire ! [...] J'ai dans la tête trois romans, trois contes de genres tout différents et demandant une manière toute particulière d'être écrits. C'est assez pour pouvoir me prouver à moi-même si j'ai du talent, oui ou non » (à Gourgaud-Dugazon, 22 janvier 1842). L'un de ces textes est *Novembre*, « ratatouille sentimentale et amoureuse » achevée le 25 octobre 1842. A Paris, Flaubert fréquente les familles Collier, Schlesinger, Pradier. Il est reçu à son examen de première année le 28 décembre.

1843-1845 : Se lie avec Maxime Du Camp. Rédaction de *L'Education sentimentale* (dite « première ») coupée, en janvier 1844, par une attaque nerveuse (épileptique ?) sur la route de Pont-l'Evêque. « Ma vie active, passionnée, émue, pleine de soubresauts opposés et de sensations multiples, a fini à 22 ans » (à Louise Colet, 31 août 1846). L'achat de Croisset, pendant l'été 44, arrive à temps pour que le fils Flaubert s'y retranche.

1845 : Voyage de noces, en Italie, pour Caroline. Gustave suit la famille.

1846 : Mort du père Flaubert (15 janvier) et de la sœur

Caroline (23 mars). Rencontre de Louise Colet, chez le sculpteur Pradier. Retrouve Louis Bouilhet, perdu de vue depuis le collège.

1847 : Voyage en Bretagne avec Maxime Du Camp : *Par les champs et par les grèves.*

1848 (3 avril) : Alfred Le Poittevin meurt, en lisant Spinoza. Douleur et méditations larges de Flaubert. Peu après, il commence à rédiger la (première) *Tentation de saint Antoine.*
« Mon chien est mort hier — je m'embête de plus en plus (Rouen, mercredi 23 nov. 1848, 9 h du soir) » (*Carnet 3*, f. 24 v°, *Carnets de travail*, éd. P.-M. de Biasi, Balland, 1988, p. 143).

1848-1849 : Rédaction de *La Tentation de saint Antoine.* Bouilhet et Du Camp rendent un verdict sans appel : « Nous pensons qu'il faut jeter cela au feu et n'en jamais reparler. »

1849-1851 : Voyage en Orient avec Du Camp : Egypte, Palestine, Rhodes, Asie mineure, Constantinople, Grèce, Italie.

1851-1857 : Rédaction de *Madame Bovary* : « J'ai commencé hier au soir mon roman. J'entrevois maintenant des difficultés de style qui m'épouvantent » (à Louise Colet, 20 septembre 1851). L'humeur assombrie par le coup d'Etat du 2 décembre, il s'apprête à fêter son anniversaire : « Vendredi prochain, j'aurai 30 ans [...] Il est présumable que je suis au milieu de ma *carrière*, comme on dit en haut style. — Quand je pense que j'ai encore trente ans à vivre, j'en suis effrayé » (à Henriette Collier, 8 décembre 1851). Procès pour outrage aux bonnes mœurs et à la religion, le 29 janvier 1857. Flaubert est acquitté mais blâmé. Il reprend *La Tentation de saint Antoine.*

1857-1862 : Après la bêtise moderne, la barbarie antique : Flaubert se met à un « roman carthaginois », avec l'intention de « ressusciter toute une civilisation sur laquelle on n'a rien ! » (à Ernest Feydeau, le 24 (?) novembre 1857). *Salammbô* paraît le 24 novembre 1862.

1864-1869 : Le 1er septembre, il commence *L'Education sentimentale* : « Me voilà maintenant attelé depuis un mois à un roman de mœurs modernes qui se passera à Paris. Je veux faire l'histoire morale des hommes de ma génération ; " sentimentale " serait plus vrai. C'est un livre d'amour, de passion ; mais de passion telle qu'elle peut exister maintenant, c'est-à-dire inactive » (à Mlle Leroyer de Chantepie, 6 octobre). Le roman est achevé en mai 1869.

1869-1872 : *La Tentation de saint Antoine,* troisième et dernière version, dédiée comme plusieurs œuvres de jeunesse à Alfred Le Poittevin. « C'est l'œuvre de toute ma vie » (à Mlle Leroyer de Chantepie, 5 juin 1872).

1872-1880 : Il s'embarque, sans retour, dans une autre œuvre de toute sa vie, *Bouvard et Pécuchet* : « C'est l'histoire de ces deux bonshommes qui copient une espèce d'encyclopédie critique en farce » (à Mme Roger des Genettes, 19 août 1872). Ruiné par sa nièce, épuisé par les difficultés de son sujet, il arrête la rédaction du roman, et compose les *Trois Contes* (1876-1877). Flaubert reprend alors son testament, *Bouvard et Pécuchet,* qu'il laisse inachevé.

1880 (8 mai) : Flaubert meurt d'une attaque cérébrale.

TABLE

GF — TEXTE INTÉGRAL — GF

3846-III-1991. — Imp. Bussière, St-Amand (Cher).
Nº d'édition 13117. — Avril 1991. — Printed in France.

N° d'édition (1)1. — Avril 1981. — Imprimé in France